1回で受かる！

保育士過去問題集 '25年版

成美堂出版

 本書利用上の注意 

※本書は、過去3年4回分（2024年前期、2023年前期・後期、2022年後期）の筆記試験問題を解説とともに掲載しています。

■試験内容と試験時間

	科 目	時間（分）	満点
1日目	保育の心理学	60	100
	保育原理	60	100
	子ども家庭福祉	60	100
	社会福祉	60	100

	科 目	時間（分）	満点
2日目	教育原理	30	50
	社会的養護	30	50
	子どもの保健	60	100
	子どもの食と栄養	60	100
	保育実習理論	60	100

合格基準点	各科目で満点の６割以上

※本書は、原則として2024年６月現在の法令等に基づいて編集しています。各試験実施後に法改正があり、問題が成立しなくなったり、解答が変更になった場合の対応については、次のようにしています。

◆：法改正等により、現在では設問の内容が問題として成立しなくなった場合には、問題文の末尾に◆マークをつけています。

★：試験実施機関から問題の不備があったために全員正解という扱いがされた問題には、問題文の末尾に★マークをつけています。

※本書の問題文の表記は、原則として本試験の表記に準拠しています。

CONTENTS

科目別

出題テーマ一覧

保育の心理学

問題	2024年（前期）	2023年（後期）	2023年（前期）	2022年（後期）
問1	アタッチメント	ヒトの発達初期	発達理論	バルテスの生涯発達理論
問2	音声知覚の発達	発達理論	子どもの発達と環境	発達の規定要因
問3	心の理論の発達	発達を捉える方法	子どもの姿に関連する用語	社会的認知の発達
問4	社会情動的発達	自己の発達	エリクソンの心理・社会的発達段階説	発達に関する用語
問5	乳幼児の運動発達	移動運動の発達	乳幼児における言語の発達	ピアジェの発達理論
問6	乳幼児期の学び	認知の発達	心の理論	ヴィゴツキーの発達理論
問7	事 数量に関する認知	言語の発達	学習理論	パーテンの遊びの分類
問8	幼児の問題解決	幼児の学びの過程	学習理論に関する用語	事 子どもの言葉の発達
問9	学童期の発達	発達と教育	学童期の発達の特徴	自己の発達
問10	青年期	青年期	学童期以降の学校の適応	動機づけ
問11	高齢期	高齢期	高齢期	中年期
問12	トマスの気質理論	子どもの生活環境を捉える考え方	男性の育児	家族を理解する視点
問13	産後うつ病	親になること	ひとり親世帯	親になることの準備
問14	ソーシャルサポート	子どもの貧困	育児不安を感じる保護者に対する理解と支援	事 発達支援
問15	家族や家庭	中年期の危機	外国籍の家庭への支援	仲間関係の発達
問16	家族心理学と家族システム理論	低出生体重児	日本の家族・家庭	観察法
問17	人と環境	子どもの心の健康	児童虐待	発達検査・知能検査
問18	「神経発達症群／神経発達障害群」	児童虐待	災害後における子どもの反応	図表の読み取り：性役割分担意識
問19	子育て家庭	保育場面でみられる幼児の行動	保育の中でみられる子どもの姿	児童虐待
問20	巡回相談	就学に向けた移行期	アタッチメント（愛着）	障害と心理的環境要因

過去３年４回分の科目別出題テーマを、問題番号順にまとめてあります。
事：事例問題　指：保育所保育指針

保育原理

問題	2024年(前期)	2023年(後期)	2023年(前期)	2022年(後期)
問１	指「保育所保育指針」	日本の保育制度	指「保育所の役割」	指「保育所の社会的責任」
問２	指「保育の目標」	指「保育所保育指針」	指「保育の環境」	指養護と教育
問３	指３歳以上児の戸外での活動	指「乳児保育に関わるねらい及び内容」	指「養護の理念」	指「全体的な計画の作成」
問４	指「保育の実施に関して留意すべき事項」	指「保育の内容」	指１歳以上３歳未満児の保育	指「保育の計画及び評価」
問５	指１歳以上３歳未満児の保育	指保育士の子どもへの対応	指「全体的な計画の作成」	指乳児保育の内容の取扱い
問６	子ども・子育て支援新制度	指「３歳以上児の保育に関するねらい及び内容」	指「乳児保育に関わるねらい及び内容」	指「乳児保育に関わるねらい及び内容」
問７	事５歳児クラスの水遊び	指「幼児教育を行う施設として共有すべき事項」	指「３歳以上児の保育に関するねらい及び内容」	事１歳児クラスの食事
問８	保育所、幼稚園及び認定こども園	指「保育の実施に関して留意すべき事項」	指保育士の子どもへの対応	指「3歳以上児の保育に関するねらい及び内容」
問９	指「職員の資質向上」	指「保育の環境」	指「災害への備え」	３歳以上児の保育
問10	事１歳児クラスに進級したばかりの子ども	事障害のある子どもの保育	「保育所保育指針」に関する記述	事３歳以上児への保育士の対応
問11	海外における保育の思想家	海外における保育の思想家	指「幼児教育を行う施設として共有すべき事項」	指５歳児クラスの子どもへの対応
問12	保育の歴史	指一時預かり事業	事１歳児クラスの保育と子育て支援	指「子育て支援」
問13	指「幼児期の終わりまでに育ってほしい姿」	指「職員の資質向上」	指障害のある子どもの保育	指「家庭及び地域社会との連携」
問14	指保育の計画	事途中入園した子どもの保育	指「子育て支援」	「子ども・子育て支援新制度」
問15	指「乳児保育に関わるねらい及び内容」	指「保育の計画及び評価」	保育の必要性の認定	日本の保育制度
問16	指「小学校との連携」	指「1歳以上3歳未満児の保育に関わるねらい及び内容」	幼児教育・保育の無償化	指「幼児期の終わりまでに育ってほしい姿」
問17	発達障害	指「指導計画の作成」	事２歳児クラスの保育	保育所の歴史
問18	指「指導計画の作成」	「児童の権利に関する条約」	海外の保育の思想家	海外の保育の思想家
問19	指「不適切な養育等が疑われる家庭への支援」	「児童福祉施設の設備及び運営に関する基準」	日本における保育の歴史	海外の保育思想
問20	日本における保育の現状	日本における保育の現状	日本における保育の現状	日本における保育の現状

子ども家庭福祉

問題	2024年（前期）	2023年（後期）	2023年（前期）	2022年（後期）
問1	「児童福祉法」	「児童の権利に関する条約」	子どもや家庭を取り巻く現状	「児童の権利に関する条約」
問2	児童の権利の歴史的変遷	日本の児童福祉の歴史	日本の児童福祉の歴史	子ども家庭福祉の歴史
問3	放課後児童健全育成事業	「令和３年度福祉行政報告例の概況」	子ども家庭福祉に関する法律	少子化の現状
問4	児童福祉の重要人物	「子どもの貧困対策の推進に関する法律」	「児童の権利に関する条約」	「児童憲章」
問5	「児童買春・児童ポルノ禁止法」	子ども家庭福祉に関する法律	「全国保育士会倫理綱領」	「児童の権利に関する条約」
問6	子ども家庭福祉の専門職	「男女共同参画白書　令和４年版」	「児童虐待防止法」	「児童福祉法」
問7	「児童虐待防止法」	「令和４年版　厚生労働白書」	児童相談所が受ける相談の種類と内容	地域子ども・子育て支援事業
問8	若者のための支援	児童福祉施設	児童福祉司	児童委員・主任児童委員
問9	「児童養護施設入所児童等調査の概要」	「令和３（2021）年人口動態統計（確定数）の概況」	児童福祉施設の役割	児童虐待防止対策
問10	「児童館ガイドライン」	「新子育て安心プラン」	児童虐待の現状と防止	「児童養護施設入所児童等調査の概要」
問11	「令和３年度雇用均等基本調査」	「民法」	少子化対策の取り組み	児童福祉施設
問12	産後ケア事業	障害児入所施設	産後ケア事業	「少子化社会対策大綱」
問13	放課後等デイサービス事業	外国籍や外国にルーツをもつ家庭の子どもの保育	子育て世代包括支援センター	児童館
問14	事 養育機能が低下している家庭への対応	事 児童虐待が疑われる児童	地域型保育事業	子ども虐待
問15	虐待による死亡事例	被措置児童等虐待の予防	障害等のある児童	障害児通所支援等事業
問16	保育所等の施設・事業数	「児童福祉法」	児童自立支援施設入所児	「犯罪白書」
問17	「保育所保育指針」	「児童発達支援ガイドライン」	障害児通所支援	日本語指導が必要な児童生徒の受入状況
問18	「全国ひとり親世帯等調査結果報告」	児童扶養手当制度	事 児童虐待の発見時の対応	日本と諸外国の家事・育児等時間の比較
問19	養育支援訪問事業	地域子ども・子育て支援事業	ヤングケアラー	事 子どもの貧困
問20	事 子育て支援	事 不適切な養育が疑われる児童への支援	「新しい社会的養育ビジョン」	事 ひとり親家庭の社会資源

社会福祉

問題	2024年(前期)	2023年(後期)	2023年(前期)	2022年(後期)
問1	「社会福祉法」	社会福祉の概念	社会福祉に関する法律	児童福祉の実践家
問2	社会福祉の歴史	社会福祉の歴史	社会福祉の対象	「日本国憲法」
問3	「児童福祉法」	子育て支援	保育士	「社会保障制度に関する勧告」
問4	地域福祉	保護者支援・子育て支援	日本の社会保険制度	社会福祉の理念
問5	「令和4年版　厚生労働白書」	生活保護制度	子どもや保護者等への対応	子ども家庭支援の目的
問6	福祉機関の業務内容	社会福祉事業の種別	社会福祉の専門職	児童福祉に関する法令
問7	社会保険制度	社会福祉施設の職員	市町村社会福祉協議会	児童相談所で受け付ける相談
問8	高齢化社会対策	社会保険	児童心理治療施設	第一種社会福祉事業と第二種社会福祉事業
問9	アセスメント	インテーク	「児童扶養手当法」	社会福祉施設
問10	相談援助の原理・原則	バイステックの7原則	社会福祉の専門職	保育士の業務
問11	エバリュエーション	相談援助の方法・技術等	相談援助の技術	ケースの発見
問12	相談援助の過程	社会資源	ソーシャルワークの定義	相談援助の展開過程
問13	第三者評価	第三者評価事業	バイステックの7原則	相談援助の専門性
問14	成年後見制度	成年後見制度	ソーシャル・ケースワークの4要素	相談援助の方法・技術
問15	福祉サービス利用援助事業	福祉サービス利用援助事業	グループワークの過程	ソーシャルワークの方法・技術
問16	苦情解決	苦情解決	福祉サービス利用援助事業	福祉サービスの情報提供
問17	「令和4年版男女共同参画白書」	子ども・子育て支援施策	苦情解決制度	成年後見制度
問18	市町村社会福祉協議会	「社会福祉法」	都道府県が作成する計画	障害者に対する施策
問19	共同募金	「国民生活基礎調査の概況」	民生委員	社会福祉協議会
問20	「こども基本法」	地域生活課題	障害者に関する法律	「社会福祉法」

教育原理

問題	2024年（前期）	2023年（後期）	2023年（前期）	2022年（後期）
問1	「教育基本法」	「日本国憲法」	「教育基本法」	「学校教育法」
問2	「児童憲章」	「幼稚園教育要領」	「幼稚園教育要領」	「児童福祉法」
問3	教育制度	「幼保連携型認定こども園教育・保育要領」	海外の教育思想家	海外の教育思想家
問4	海外の教育思想家	プロジェクト・メソッド	日本の教育思想家	学習理論
問5	日本の教育思想家	海外の就学前教育	海外の教育思想家	「幼保連携型認定こども園教育・保育要領」
問6	日本の教育思想家	日本の教育制度	教育課程	教育課程
問7	日本の教育思想家	日本の教育思想家	(指)「幼児期の終わりまでに育ってほしい姿」	海外の保育方法
問8	カリキュラム	カリキュラム	GIGA スクール構想	OECD 生徒の学習到達度調査（PISA）
問9	(指)「幼児期の終わりまでに育ってほしい姿」	「新・放課後子ども総合プラン」	社会教育	「教育基本法」
問10	幼保小の協働	令和の日本型学校教育	「生徒指導提要」	人権教育

社会的養護

問題	2024年（前期）	2023年（後期）	2023年（前期）	2022年（後期）
問1	継続的支援	「児童福祉法」	「児童の権利に関する条約」	社会的養護の考え方
問2	親子関係再構築	「里親及びファミリーホーム養育指針」	小規模住居型児童養育事業（ファミリーホーム）	「里親及びファミリーホーム養育指針」
問3	「新しい社会的養育ビジョン」	社会的養護における専門職	入所児童の背景	母子生活支援施設入所世帯状況
問4	児童養護施設における地域支援	地域支援事業	里親支援専門相談員	家庭支援専門相談員の配置義務
問5	家族への支援	親子関係再構築支援	家庭と同様の環境における養育の推進	児童相談所における一時保護の条件
問6	里親養育	アフターケア	養育・支援の基本	自立支援計画の策定
問7	被措置児童虐待	養育・支援の基本	相談援助の専門用語	要保護児童の心理的ケア
問8	育児救済の歴史	小規模住居型児童養育事業	第三者評価事業	子どもの養育・支援に関する適切な記録
問9	(事) 児童養護施設職員の対応	要保護児童の措置・入所	(事) 母子生活支援施設での対応	(事) 母子生活支援施設の支援内容
問10	養育のあり方	(事) 施設職員の対応	(事) 児童養護施設での対応	(事) 里親への委託

子どもの保健

問題	2024年（前期）	2023年（後期）	2023年（前期）	2022年（後期）
問 1	指「保育の目標」	指「情緒の安定」	指「健康増進」	人口動態統計
問 2	母子保健	原始反射	糖尿病	乳幼児の体調不良時の対応
問 3	児童虐待	子どもの生理機能	指「家庭及び地域社会との連携」	保育室の衛生管理
問 4	身体的発育	子どもの生理機能の発達	小児期の歯科保健	子どものけいれん
問 5	脳の構造と機能	発疹の種類	乳児に多い事故	救急蘇生法
問 6	乳幼児の排尿・排便の自立	頭囲の計測法	乳幼児突然死症候群（SIDS）	「保育所におけるアレルギー対応ガイドライン」
問 7	乳幼児の健康診査	感染症	事 カウプ指数	乳幼児の感染症
問 8	RS ウイルス感染症	指「与薬に関する留意点」	バイタルサイン	虐待事例への援助
問 9	感染症	生ワクチン	てんかん	睡眠
問 10	学校感染症	指 午睡	乳幼児への薬の飲ませ方	保育所での食中毒予防
問 11	保育所における防災	消毒液	保育施設における衛生管理	事 流行性耳下腺炎
問 12	保育所等における防災・防災訓練	指「災害への備え」	事 体調不良児の援助	感染症対策の実施体制
問 13	小児のけいれん	感染症の集団発生の予防	健康の定義	指「生命の保持」
問 14	事故予防と応急手当	子どもに多い事故	感染症	精神運動機能発達
問 15	事 嘔吐時の対応	「保育所におけるアレルギー対応ガイドライン」	予防接種	保健計画
問 16	事 発熱時の対応	「保育所における感染症対策ガイドライン」	指「健康及び安全」	事 体調不良時の対応
問 17	病児保育	保育所における感染症	乳幼児の発育	事 子どもに多い症状（咳）
問 18	アレルギー対応とエピペン®	食物アレルギー	乳幼児の身体測定	重大事故が発生しやすい場面
問 19	食物アレルギー	応急処置	食物アレルギー	年齢別の危機対応
問 20	血友病	子どものアレルギー	児童虐待	医療的ケア児への対応

子どもの食と栄養

問題	2024年（前期）	2023年（後期）	2023年（前期）	2022年（後期）
問 1	炭水化物	「平成 27 年度乳幼児栄養調査」	「食生活指針」	「国民健康・栄養調査」
問 2	ビタミン	脂質	子どもの食生活	「食生活指針」
問 3	「日本人の食事摂取基準（2020 年版）」	「日本人の食事摂取基準（2020 年版）」	炭水化物	「平成 27 年度乳幼児栄養調査」
問 4	食品の表示	味の相互作用	ミネラル	たんぱく質
問 5	調乳方法	授乳	3 色食品群	ビタミン
問 6	母乳	母乳分泌のしくみ	「日本人の食事摂取基準（2020 年版）」	食品の表示
問 7	「授乳・離乳の支援ガイド」	幼児期の健康と食生活	母乳と牛乳の成分比較	調理の基本
問 8	幼児の食生活	幼児期の間食	「授乳・離乳の支援ガイド」	母乳栄養
問 9	「学校給食法」	学童期の食生活	「平成 27 年度乳幼児栄養調査」の概要	保育所における調乳
問 10	学童期・思春期の肥満とやせ	学校給食	「楽しく食べる子どもに」	「楽しく食べる子どもに」
問 11	妊娠期の栄養と食生活	「妊娠前からはじめる妊産婦のための食生活指針」	学童期・思春期の身体の発達と食生活	「全国学力・学習状況調査」
問 12	「食育基本法」	「食育基本法」	「妊娠前からはじめる妊産婦のための食生活指針」	学校給食の食事内容の充実
問 13	「第 4 次食育推進基本計画」	「食育推進基本計画」	「第 4 次食育推進基本計画」	「日本人の食事摂取基準 (2020 年版)」
問 14	(指)食育の推進	食育の推進	郷土料理	「第 4 次食育推進基本計画」
問 15	大豆食品	地域の子育て家庭への支援	(指)「食育の推進」	五節句と行事食
問 16	「家庭でできる食中毒予防の6つのポイント」	「楽しく食べる子どもに」	食中毒	(指)「食育の推進」
問 17	食品による子どもの窒息・誤嚥事故	「児童福祉施設の設備及び運営に関する基準」	食品による子どもの窒息・誤嚥事故	食中毒
問 18	食品ロス・食料自給率	果物	「児童福祉施設における食事の提供ガイド」	「保育所における食事の提供ガイドライン」
問 19	乳児ボツリヌス症	「児童福祉施設における食事の提供ガイド」	食物アレルギー	食物アレルギー
問 20	食物アレルギー	嚥下（えんげ）が困難な子どもの食事	授乳及び調乳	嚥下（えんげ）が困難な子どもの食事

保育実習理論

問題	2024年（前期）	2023年（後期）	2023年（前期）	2022年（後期）
問1	楽譜（伴奏）	楽譜（伴奏）	楽譜（伴奏）	楽譜（伴奏）
問2	音楽用語	音楽用語	音楽用語	音楽用語
問3	コード（和音）の種類	コード（和音）の種類	和音の種類	和音
問4	移調	移調	移調	移調
問5	リズム譜	リズム譜	リズム譜	リズム譜
問6	音楽知識	楽譜の読み取りと音楽知識	様々な音楽知識	様々な音楽知識
問7	(指)「表現」	(指)「表現」	(指)「表現」	(指)「表現」
問8	描画表現の発達過程	造形表現の発達過程	立体表現の発達過程	事 平面表現の発達過程
問9	事 色彩理論	色彩理論	材料・用具	材料・用具
問10	材料・用具（でんぷん糊）	はさみの使い方	色彩理論	色彩理論
問11	事 児童文化財（シアター）	フィンガーペインティング	事 児童文化	事「表現」
問12	イラスト問題	イラスト問題	イラスト問題	事 イラスト問題
問13	事 職員の研修	(指)「幼児期の終わりまでに育ってほしい姿」	(指)「言葉」	(指)「ねらい及び内容」
問14	事 絵本の読み聞かせ	事 保育カンファレンス	事 保育士の責務と倫理	(指)「言葉」
問15	(指)「言葉」	事 保育所環境	事 保育の内容	事 保育の計画及び評価
問16	事 災害への備え	事 絵本の読み聞かせ	(指)「指導計画の展開」	事 個人情報
問17	保育所実習	事 小学校との連携	(指)「保育の内容」	絵本の読み聞かせ
問18	紙芝居実践の留意点	事「保育所保育に関する基本原則」	事 観察・記録・振り返り	(指)「基本的事項」
問19	事 施設実習（児童養護施設）	事 施設実習（乳児院）	事 児童養護施設における対応	事 児童養護施設における対応
問20	事 施設実習（グループホーム）	事「児童養護施設運営ハンドブック」	事 児童養護施設における対応	事 専門性の向上

保育士試験ガイダンス

試験内容等については変更になる可能性があります。事前に必ずご自身で、試験実施機関である（一社）全国保育士養成協議会の発表を確認してください。

1 受験資格を確認

保育士は、児童福祉法第18条の4に規定された資格で、「登録を受け、保育士の名称を用いて、専門的知識及び技術をもつて、児童の保育及び児童の保護者に対する保育に関する指導を行うことを業とする者」と定義されています。

登録を受けるためには保育士の資格が必要ですが、資格は指定保育士養成施設を卒業するか、保育士試験に合格することにより得ることができます。

保育士試験の受験資格は、学歴によるものと、勤務経験によるものがあります。区分が細かく規定されていますので、詳細は試験実施団体等でご確認ください。

2 試験に関する問い合わせ先

一般社団法人 全国保育士養成協議会
〒171-8536　東京都豊島区高田3-19-10

保育士試験事務センター
フリーダイヤル　0120-4194-82
（オペレータによる電話受付は、月～金曜日9：30～17：30〔祝日を除く〕）
代表電話　03-3590-5561
ホームページ　https://www.hoyokyo.or.jp（e-mail）shiken@hoyokyo.or.jp

'25年後期試験に向けた法改正はブログでフォロー

本書編集後の法律等の改正のうち、2025年後期試験への出題が予想されるものについては、本書専用のブログに掲載する予定です。（アドレスは本書の最終ページ参照）

保育士試験

2024年前期

筆記試験

時間に合わせて解いてみましょう！

■試験内容と試験時間

科目	時間（分）	満点
保育の心理学	60	100
保育原理	60	100
子ども家庭福祉	60	100
社会福祉	60	100
教育原理	30	50
社会的養護	30	50
子どもの保健	60	100
子どもの食と栄養	60	100
保育実習理論	60	100
合格基準点	各科目で満点の６割以上	

※科目合格がありますが、「教育原理及び社会的養護」については、同年に両科目とも６割以上を得点した者が合格となります。

P.421～422 に解答用紙がありますので、コピーしてお使いください。
答え合わせに便利な正答一覧は別冊の P.230 にあります。

2024年・前期　保育の心理学

次の文は、アタッチメントに関する記述である。（　A　）～（　D　）にあてはまる語句の正しい組み合わせを一つ選びなさい。

（　A　）は、乳児が不安や不快を感じるとアタッチメント行動が（　B　）に生じ、特定の人物から慰めや世話を受けることで、安心感や安全感が取り戻されると、アタッチメント行動は（　C　）すると考えた。アタッチメントはこのような（　D　）を通して機能するものであり、（　A　）は、特定の人物にくっつくという形で示される、子どもから特定の人物への永続的で強固な絆のことを、アタッチメントと呼んだ。

（組み合わせ）

	A	B	C	D
1	エインズワース（Ainsworth, M.D.S.）	随意的	沈静化	刺激反応システム
2	エインズワース（Ainsworth, M.D.S.）	自動的	活性化	行動制御システム
3	ボウルビィ（Bowlby, J.）	随意的	活性化	刺激反応システム
4	ボウルビィ（Bowlby, J.）	自動的	沈静化	行動制御システム
5	ボウルビィ（Bowlby, J.）	自動的	活性化	刺激反応システム

次のうち、音声知覚の発達に関する記述として、適切なものを○、不適切なものを×とした場合の正しい組み合わせを一つ選びなさい。

A　生後間もない乳児でも、母語とそれ以外の言語を聞き分けられるのは、養育者の話し声から、その言語特有のリズムパターンを学習しているからである。

B　乳児の視覚機能の発達が早いのに比べ、聴覚機能の発達は、生活リズムに適応する過程を経て生後１年までに徐々に発達していく。

C　乳児の音の好み（聴覚的選好）を調べた結果、女性の高い音域の声よりも、男性の低い音域の声によく反応することが分かった。

D　乳児に、同じ刺激を反復提示すると、慣れてきて注意が低下し反応が減少する。

（組み合わせ）

1	A○	B○	C×	D×	2	A○	B×	C○	D○
3	A○	B×	C×	D○	4	A×	B○	C○	D×
5	A×	B×	C×	D○					

次のうち、心の理論の発達に関する記述として、適切なものを○、不適切なものを×とした場合の正しい組み合わせを一つ選びなさい。

A　誤信念課題は、６歳頃から徐々に正答できるようになる。

B　自閉スペクトラム症の場合、知的な遅れがないのに誤信念課題の成績が低いことがあり、心の理論の獲得に困難があることが注目された。

C　生後９か月頃に成立する共同注意は、心の理論の前駆体とみなされている。

D　心の理論を獲得した子どもは、相手の行動を理解したり予測したりすることが可能になる。

（組み合わせ）

1	A○	B○	C○	D○	2	A○	B○	C○	D×
3	A○	B×	C×	D○	4	A×	B○	C○	D○
5	A×	B×	C○	D×					

次の文は、社会情動的発達に関する記述である。A～Dに関連する語句を【語群】から選択した場合の正しい組み合わせを一つ選びなさい。

A　自分で自分の身体に触れているときは、触れている感覚と触れられている感覚がする。

解説▶別冊 p.1 ～ 2 ▶▶▶

B　生後間もない時期から、乳児が他者に示された表情と同じ表情をする。

C　１歳半頃から、子どもが大人と同じようなことをやりたがったり、大人に対してことごとく「イヤ」と言って頑として譲らなかったりする。

D　情動は、運動・認知・自己の発達と関連しながら分化していく、という考え方を提唱した。

【語群】

ア	ダブルバインド	**イ**	ダブルタッチ	**ウ**	共鳴動作
エ	トマセロ（Tomasello, M.）	**オ**	延滞模倣	**カ**	自己中心性
キ	自己主張	**ク**	ルイス（Lewis, M.）		

（組み合わせ）

1	**Aア**	**Bウ**	**Cカ**	**Dエ**	**2**	**Aア**	**Bオ**	**Cキ**	**Dク**
3	**Aイ**	**Bウ**	**Cカ**	**Dク**	**4**	**Aイ**	**Bウ**	**Cキ**	**Dク**
5	**Aイ**	**Bオ**	**Cカ**	**Dエ**					

次のうち、乳幼児の運動発達に関する記述として、適切なものを○、不適切なものを×とした場合の正しい組み合わせを一つ選びなさい。

A　二足歩行ができるようになると、子どもの行動範囲は広がり、両手で物を持って運ぶ、足で蹴るなどの操作的技能を獲得するようになる。

B　乳児の運動機能の発達は、頭部から尾部へ、身体の末梢から中心へ、粗大運動から微細運動へという方向性と順序がある。

C　４～５歳頃になると、運動パターンの主要な構成要素が身につき、自分の運動をコントロールし、調和のとれたリズミカルな動きができるようになる。

D　一般に、運動遊びを好み、日常的にいろいろな種類の運動遊びをしている幼児の運動能力の水準は高い。しかし、幼児期の子どもについては、体力・運動能力テストによる測定は全く不可能である。

（組み合わせ）

1	A○	B○	C○	D×	2	A○	B○	C×	D○
3	A○	B×	C○	D×	4	A×	B○	C×	D×
5	A×	B×	C○	D○					

問6 次の文は、乳幼児期の学びに関する理論の記述である。（ A ）～（ D ）にあてはまる語句を【語群】から選択した場合の正しい組み合わせを一つ選びなさい。

・ ヴィゴツキー（Vygotsky, L.S.）は、子どもの認知発達には二つの水準が存在するとした。一つは、他者の援助がなくても独力で遂行できる現在の発達水準である。もう一つは大人や友だちの援助があればできる水準である。この二つの水準の間を（ A ）と呼んだ。

・ パブロフ（Pavlov, I.P.）が提唱した、条件反射のメカニズムによって行動の変化を説明する理論を（ B ）と呼ぶ。日常的な例として、レモンを見ると唾液が出るといったことが挙げられる。

・ バンデューラ（Bandura, A.）は、経験をしていなくても他者の行動を観察するだけで学習者の行動が変化するという（ C ）を提唱した。

・ 「学び」については、古くから多くの研究が行われており、「学び」の捉え方（学習観）自体も大きく転換してきた。現代にいたるまでの間に、学びの中心に教師を置く「教師中心」の行動主義から、学びを「知識の構築過程」と捉え、子どもを自らの知識を構築していく能動的な存在と考え、学びの中心に子どもを置く「子ども中心」の（ D ）に転換すると考えられている。

【語群】

ア	オペラント条件づけ	イ	内的作業領域
ウ	レスポンデント条件づけ	エ	発達の最近接領域
オ	モデリング	カ	機能主義
キ	認知的徒弟制	ク	構成主義

解説▶別冊 p.2 ▶▶▶

（組み合わせ）

1　Aイ　Bア　Cオ　Dカ　　2　Aイ　Bウ　Cキ　Dク
3　Aエ　Bア　Cキ　Dカ　　4　Aエ　Bア　Cキ　Dク
5　Aエ　Bウ　Cオ　Dク

次の【事例】を読んで、【設問】に答えなさい。

【事例】

５歳児のＭちゃんとＲちゃんが積み木で遊んでいる。Ｒちゃんは積み木を高く積み、「いち、に、さん、よん、ご……じゅう」と自分が積んだ積み木を数えていく。そして、Ｍちゃんに「見て、10個も積めた」と話しかける。

Ｍちゃんは三角の積み木を床に置き、その上に三角の積み木をもう一つ積もうとするが、滑り落ちる。Ｍちゃんは「Ｒちゃん、見て。グラグラしてのらない」と笑いながら言って、Ｒちゃんに見せる。Ｒちゃんは「四角い積み木を下に置いて、その上に三角の積み木を置くと、グラグラしないよ」と教える。

その言葉を聞いて、Ｍちゃんは、四角い積み木を持ってくる。そして、四角い積み木の上に三角の積み木を積む。Ｍちゃんは、再びＲちゃんに「四角い積み木の上に三角の積み木を置いたらお家みたいだね」と言う。今度は、いくつかの四角い積み木の上にそれぞれ三角の積み木を積む。Ｒちゃんは「街にしよう」と誘い掛け、「Ｍちゃんのお家の右側に道を作って、左側に他のお家を作ろう」とＭちゃんに伝える。Ｍちゃんは「いいね。道の横にも、お家を作ろうよ」と言って、二人は積み木遊びを続ける。

【設問】

次のうち、事例の遊びの中でＭちゃんとＲちゃんが学んでいることとして、最も関連性の低い内容を一つ選びなさい。

1　計数
2　形の認識
3　計算
4　上下という空間に関する感覚
5　左右という空間に関する感覚

次のうち、幼児の問題解決に関する記述として、適切なものを○、不適切なものを×とした場合の正しい組み合わせを一つ選びなさい。

A　幼児は、遊びや生活において様々な問題に直面する。例えば、光る泥団子を作る際に、どうやったら壊れない、表面がなめらかな泥団子になるか考え、自分の作りたい泥団子のイメージに近いものを作っている友だちの作り方を見て参考にしたり、自分で材料を工夫したりして、試行錯誤する。
B　問題解決とは、問題状況に直面したとき、「こうしたい」という目標をもち、手段や方法を考えて実行し、目標に達しようとすることである。
C　幼児が問題解決をしようとしているとき、保育士は幼児の気持ちを推測し、常に解決策を提示するとよい。
D　遊びにおける問題解決場面は、幼児の思考力が促される機会となり得る。幼児の思考の特徴として、物事や人に関して、言語的な情報によってのみ思考が進むことがあげられる。

（組み合わせ）

1	A○	B○	C○	D×	2	A○	B○	C×	D×
3	A○	B×	C×	D○	4	A×	B○	C×	D×
5	A×	B×	C○	D○					

解説▶別冊 p.3 ▶▶▶

次のうち、学童期の発達に関する記述として、適切なものを○、不適切なものを×とした場合の正しい組み合わせを一つ選びなさい。

A 善悪の判断が、行為の意図を重視する判断から、行為の結果を重視する判断へと移行する。

B ピアグループと呼ばれる小集団を形成する。この集団は、多くの場合、同性、同年齢のメンバーで構成され、強い閉鎖性や排他性をもち、大人からの干渉を極力避けようとする。

C 保存概念を獲得し、外見的特徴や見かけに左右されずに、物事を論理的に考えて理解することができるようになっていく。

D エリクソン（Erikson, E.H.）は、学童期の心理社会的危機を「勤勉性対劣等感」としている。

（組み合わせ）

1	**A○**	**B○**	**C○**	**D○**	**2**	**A○**	**B×**	**C×**	**D×**
3	**A×**	**B○**	**C×**	**D×**	**4**	**A×**	**B×**	**C○**	**D○**
5	**A×**	**B×**	**C○**	**D×**					

次の文は、青年期に関する記述である。（　A　）～（　D　）にあてはまる語句を【語群】から選択した場合の正しい組み合わせを一つ選びなさい。

青年は、自己探求の過程で「自分」という存在を問い続けることで、アイデンティティを確立していく。しかし、その過程では自分の存在意義や社会的役割を見失うことも多々ある。これは多くの青年が（　**A**　）に経験する自己喪失の状態であり、（　**B**　）と呼ばれる。

（　**C**　）は、アイデンティティを獲得する過程において、危機と積極的関与に着目し、アイデンティティ・ステイタスを４つに分類した。このうち、（　**D**　）は危機を経験することなく、何かに積極的関与をしている状態とされる。

【語群】

ア	アイデンティティ拡散	**イ**	早期完了
ウ	ホリングワース（Hollingworth, L.S.）	**エ**	マーシア（Marcia, J.E.）
オ	一時的	**カ**	アイデンティティ達成
キ	永続的	**ク**	モラトリアム

（組み合わせ）

1	**Aオ**	**Bア**	**Cエ**	**Dイ**
2	**Aオ**	**Bア**	**Cエ**	**Dク**
3	**Aオ**	**Bカ**	**Cウ**	**Dイ**
4	**Aキ**	**Bア**	**Cウ**	**Dク**
5	**Aキ**	**Bカ**	**Cエ**	**Dク**

次のうち、高齢期に関する記述として、適切なものを一つ選びなさい。

1 フレイルとは、老化の過程で生じる自立機能や健康を失いやすい状態であるが、要支援や要介護に移行する危険性は低いとされている。

2 機能を使わないことによる衰えは身体面だけでみられ、心理面ではみられない。そのため、高齢期においては、意識的に身体機能を活性化する必要がある。

3 バルテス（Baltes, P.B.）らが提唱した「補償を伴う選択的最適化」とは、身体機能、認知機能、対人関係が衰退したときに、労力や時間を使う領域や対象を選択し、望む方向へ機能を高める資源を獲得または調整し、新たな工夫をして補うというものである。

4 知能は流動性知能と結晶性知能という二つの主要な一般因子で構成されるというキャノン（Cannon, W.B.）が提唱した考え方に基づくと、流動性知能よりも結晶性知能のほうが、低下し始める時期が早い。

5 コンボイ・モデルでは、同心円の外側ほど身近で頼りにできる重要な他者を、内側ほど社会的な役割による人物を示す。加齢に伴って、配偶者や友人の死などにより、高齢者のコンボイの構成は大きく変化する。

解説▶別冊 p.3 ～ 4 ▶▶▶

次のうち、トマス（Thomas, A.）らの気質に関する記述として、適切なものを○、不適切なものを×とした場合の正しい組み合わせを一つ選びなさい。

A 乳幼児から青年まで、幅広い年代の気質について横断的に研究したものである。

B 気質の分類によると、「扱いやすい子（easy child）」は全体の約 20%だった。

C 気質の分類によると、「扱いにくい子（difficult child）」の養育者の養育態度は、他のタイプとは大きな違いはみられなかった。

D 気質の種類として９つの特徴カテゴリを抽出し、そのうち５つのカテゴリを評定によって組み合わせて３つの気質タイプに分類した。

（組み合わせ）

1	**A○**	**B○**	**C×**	**D○**	**2**	**A○**	**B×**	**C○**	**D○**
3	**A○**	**B×**	**C○**	**D×**	**4**	**A×**	**B○**	**C○**	**D×**
5	**A×**	**B×**	**C×**	**D○**					

次のうち、産後うつ病に関する記述として、適切なものを○、不適切なものを×とした場合の正しい組み合わせを一つ選びなさい。

A 産後うつ病などのメンタルヘルス上の問題を抱えると、母子相互作用が適切に行われないことで、子どもの発達に影響が及ぶことがある。

B 産後うつ病は、出産後の女性の自殺の原因や乳児虐待にはつながらない。

C 産後うつ病は、出産後急激なホルモンの変化によって発症するものであり、１～２週間程度で自然に消失するものである。

D 産後うつ病のスクリーニングに用いられる EPDS（エジンバラ産後うつ病質問票）は、10 項目で構成される自己記入式質問紙である。

（組み合わせ）

1	**A○**	**B○**	**C○**	**D×**	**2**	**A○**	**B×**	**C○**	**D○**
3	**A○**	**B×**	**C×**	**D○**	**4**	**A×**	**B○**	**C×**	**D×**
5	**A×**	**B×**	**C○**	**D○**					

次の下線部（a）～（d）に関連の深い用語を【語群】から選択した場合の正しい組み合わせを一つ選びなさい。

ソーシャルサポートとは、一般的には対人関係において他者から得られる種々の援助をさす。例えば（a）ストレスを引き起こす出来事や刺激に直面している者に対して、（b）励ましや愛情など感情への働きかけ、（c）問題解決のための助言などがあり、当事者の精神的・身体的健康に良い影響を与える効果と、（d）高いストレスに対して、健康度の低下を軽減する効果があるとされている。

【語群】

ア	ストレッサー	**イ**	情緒的サポート	**ウ**	評価的サポート
エ	促進効果	**オ**	コーピング	**カ**	情報的サポート
キ	道具的サポート	**ク**	緩衝効果		

（組み合わせ）

1	**aア**	**bイ**	**cカ**	**dク**	**2**	**aア**	**bイ**	**cキ**	**dエ**
3	**aア**	**bウ**	**cカ**	**dエ**	**4**	**aオ**	**bイ**	**cカ**	**dエ**
5	**aオ**	**bウ**	**cキ**	**dク**					

次のうち、家族や家庭に関する記述として、適切なものを○、不適切なものを×とした場合の正しい組み合わせを一つ選びなさい。

A　アロマザリングとは、家庭において、母親が一人で子育てを担うことで

解説▶別冊 p.4～6 ▶▶▶

ある。

B ファミリー・アイデンティティの考え方によれば、誰を「家族」と感じるかは個々人が決めることであり、同一家庭においても、ファミリー・アイデンティティはそれぞれ異なることがある。

C 家族の誕生から家族がなくなるまでのプロセスをたどる理論では、個人のライフサイクルに発達段階や発達課題があるように、家族のライフサイクルにも発達段階と発達課題があると考える。

D ジェノグラムは、当事者と家族と社会資源の関係性を図示するものである。

（組み合わせ）

1	A○	B○	C×	D×
2	A○	B×	C○	D○
3	A○	B×	C×	D○
4	A×	B○	C○	D×
5	A×	B×	C○	D×

次のうち、家族心理学と家族システム理論に関する記述として、適切なものを○、不適切なものを×とした場合の正しい組み合わせを一つ選びなさい。

A 家族心理学では、家族を一つのまとまりをもつシステムとして捉える。

B 家族システム理論では、家族をサポートする人的資源をサブシステムと捉える。

C 家族療法では、子どもの問題行動を単に個人の問題だけで捉えるのではなく、家族の関係性をアセスメントし、家族が抱えている問題の解決に介入する。

D 家族療法では、不適応行動や症状をみせている個人をIP（Identified Patient）と呼ぶ。

（組み合わせ）

1	**A○**	**B○**	**C×**	**D○**	**2**	**A○**	**B×**	**C○**	**D○**
3	**A○**	**B×**	**C○**	**D×**	**4**	**A×**	**B○**	**C×**	**D×**
5	**A×**	**B×**	**C×**	**D○**					

問17　**次の文は、人と環境に関する記述である。これに該当する理論として、最も適切なものを一つ選びなさい。**

情報が環境の中に存在し、人がその情報を環境の中から得て行動していると考える。この理論を踏まえると、保育環境は、子どもが関わるものというだけにとどまらず、環境が子どもに働きかけているといえる。つまり、子どもが環境を捉える時には、行動を促進したり、制御したりするような環境の特徴を、子どもが読み取っているといえる。

1　生態学的システム論
2　発生的認識論
3　正統的周辺参加論
4　社会的学習理論
5　アフォーダンス理論

問18　**次のうち、DSM-5において「神経発達症群／神経発達障害群」に含まれないものを一つ選びなさい。**

1　自閉スペクトラム症
2　選択性緘黙
3　知的能力障害
4　チック症群
5　限局性学習症

解説▶別冊 p.6 ～ 7 ▶▶▶

次の文は、子育て家庭に関する記述である。下線部（a）～（d）に関連の深い用語を【語群】から選択した場合の最も適切な組み合わせを一つ選びなさい。

人の発達は、ある社会・文化・時代においては、（a）おおよそ決まった規則的な一生の推移を示すものである。（b）就学や就労、結婚や出産という、個人にとって重要な事柄は、人の社会生活や発達過程に影響を与える。仕事と結婚・子育ての両立を目指す場合、（c）職業役割と家族役割（配偶者役割、親役割等）を担う。仕事と家庭との関係性において、（d）一方の役割が上手くいけば、他方の役割が上手くいく場合がある。

【語群】

ア	ライフストーリー	**イ**	ライフステージ
ウ	多重役割	**エ**	ワーク・ライフ・バランス
オ	ライフサイクル	**カ**	ライフイベント
キ	多重関係	**ク**	ポジティブ・スピルオーバー

（組み合わせ）

1	**aア**	**bイ**	**cキ**	**dエ**
2	**aア**	**bカ**	**cウ**	**dエ**
3	**aオ**	**bイ**	**cウ**	**dク**
4	**aオ**	**bイ**	**cキ**	**dエ**
5	**aオ**	**bカ**	**cウ**	**dク**

次のうち、巡回相談に関する記述として、適切なものを○、不適切なものを×とした場合の正しい組み合わせを一つ選びなさい。

A 巡回相談は、アウトリーチ型支援として、保育や教育現場において重要で効果的なものである。

B コンサルテーションとは、異なる専門性をもつ複数の者が、支援対象である問題状況について検討し、よりよい支援のあり方について話し合う取り組みである。

C　支援対象に、直接支援するのはコンサルタントであり、間接支援するのがコンサルティである。

D　保育における巡回相談では、知識の提供、精神的支え、新しい視点の提示、ネットワーキングの促進などが行われる。

（組み合わせ）

1	A○	B○	C○	D×	2	A○	B○	C×	D○
3	A○	B×	C○	D×	4	A×	B○	C×	D×
5	A×	B×	C○	D○					

2024年・前期　保育原理

次のうち、「保育所保育指針」に関する記述として、適切なものを○、不適切なものを×とした場合の正しい組み合わせを一つ選びなさい。

A　「総則」、「保育の内容」、「食育の推進」、「子育て支援」、「職員の資質向上」、の全５章から構成されている。

B　「総則」に記載される「職員の研修等」の内容は、「幼稚園教育要領」及び「幼保連携型認定こども園教育・保育要領」と共通になっている。

C　「保育の内容」には、「家庭及び地域社会との連携」に関することが記載されている。

D　「子育て支援」には、地域の保護者等に対して、保育所保育の専門性を生かした子育て支援を積極的に行うよう努めることが記載されている。

解説▶別冊 p.7 ～ 8 ▶▶▶

（組み合わせ）

1　A○　B○　C○　D×　　2　A○　B×　C○　D×
3　A○　B×　C×　D×　　4　A×　B○　C×　D○
5　A×　B×　C○　D○

次の文は、「保育所保育指針」第１章「総則」（２）「保育の目標」の一部である。（　A　）～（　E　）にあてはまる語句を【語群】から選択した場合の正しい組み合わせを一つ選びなさい。

・　十分に（　A　）の行き届いた環境の下に、くつろいだ雰囲気の中で子どもの様々な欲求を満たし、生命の保持及び情緒の安定を図ること。
・　人との関わりの中で、人に対する愛情と信頼感、そして（　B　）を大切にする心を育てるとともに、自主、自立及び協調の態度を養い、道徳性の芽生えを培うこと。
・　（　C　）についての興味や関心を育て、それらに対する豊かな心情や思考力の芽生えを培うこと。
・　（　D　）の中で、言葉への興味や関心を育て、話したり、聞いたり、相手の話を理解しようとするなど、言葉の豊かさを養うこと。
・　様々な体験を通して、豊かな（　E　）を育み、創造性の芽生えを培うこと。

【語群】

ア　養育　　イ　人権
ウ　生命、自然及び社会の事象　　エ　生活　　オ　感性や表現力
カ　養護　　キ　規範
ク　生命、自然など周囲の環境　　ケ　対話　　コ　思考や判断力

（組み合わせ）

1	Aア	Bイ	Cウ	Dエ	Eオ	2	Aア	Bキ	Cウ	Dエ	Eコ
3	Aア	Bキ	Cク	Dケ	Eコ	4	Aカ	Bイ	Cウ	Dエ	Eオ
5	Aカ	Bキ	Cク	Dケ	Eコ						

次のうち、「保育所保育指針」に照らし、保育所における３歳以上児の戸外での活動として、適切な記述を○、不適切な記述を×とした場合の正しい組み合わせを一つ選びなさい。

A 子どもの関心が戸外に向けられるようにし、戸外の空気に触れて活動する中で、その楽しさや気持ちよさを味わえるようにすることが必要である。

B 園庭ばかりではなく、近隣の公園や広場などの保育所の外に出かけることも考えながら、子どもが戸外で過ごすことの心地よさや楽しさを十分に味わうことができるようにすることが大切である。

C 室内での遊びと戸外での遊びは内容や方法も異なるため、室内と戸外の環境を常に分けて考える必要がある。

D 園庭は年齢の異なる多くの子どもが活動したり、交流したりする場であるので、園庭の使い方や遊具の配置の仕方を必要に応じて見直すことが求められる。

（組み合わせ）

1	A○	B○	C○	D×	2	A○	B○	C×	D○
3	A×	B○	C○	D×	4	A×	B×	C○	D○
5	A×	B×	C×	D○					

解説▶別冊 p.8 ▶▶▶

次のうち、「保育所保育指針」第2章「保育の内容」4「保育の実施に関して留意すべき事項」の一部として、正しいものを○、誤ったものを×とした場合の正しい組み合わせを一つ選びなさい。

A 子どもの心身の発達及び活動の実態などの個人差を踏まえるとともに、一人一人の子どもの気持ちを受け止め、援助すること。

B 子どもが自ら周囲に働きかけ、試行錯誤しつつ自分の力で行う活動を見守りながら、適切に援助すること。

C 子どもの国籍や文化の違いを認め、互いに尊重する心を育てるようにすること。

D 子どもの入所時の保育に当たっては、できるだけ個別的に対応し、子どもが安定感を得て、次第に保育所の生活になじんでいくようにするとともに、既に入所している子どもに不安や動揺を与えないようにすること。

E 保育所保育が、小学校以降の生活や学習の基盤の育成につながることに配慮し、保育所においては、小学校のカリキュラムに適応するため、創造的な思考や集団生活の基礎を培うようにすること。

（組み合わせ）

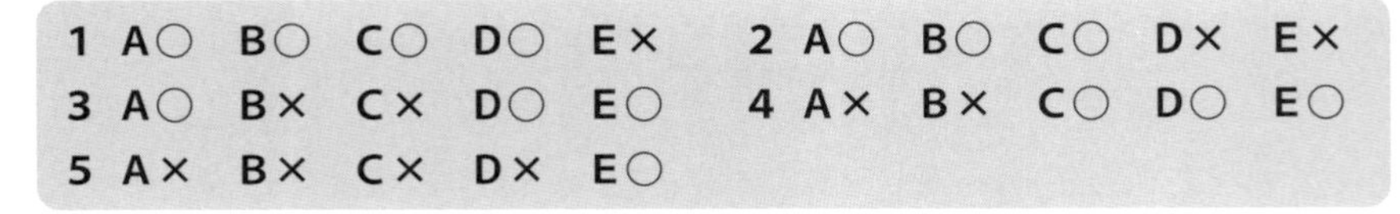

1 A○ B○ C○ D○ E×
2 A○ B○ C○ D× E×
3 A○ B× C× D○ E○
4 A× B× C○ D○ E○
5 A× B× C× D× E○

次の文は、「保育所保育指針」第2章「保育の内容」2「1歳以上3歳未満児の保育に関わるねらい及び内容」の一部である。（ A ）～（ C ）にあてはまる語句の正しい組み合わせを一つ選びなさい。

（ A ）が形成され、子どもが自分の感情や気持ちに気付くようになる重要な時期であることに鑑み、（ B ）の安定を図りながら、子どもの（ C ）的な活動を尊重するとともに促していくこと。

（組み合わせ）

	A	B	C
1	自我	精神	自発
2	人格	精神	協働
3	人格	情緒	協働
4	自我	情緒	協働
5	自我	情緒	自発

次のうち、子ども・子育て支援新制度（以下、新制度）に関する記述として、適切なものを一つ選びなさい。

1 新制度とは、2015（平成27）年に施行した「児童福祉法」「こども基本法」「子ども・子育て支援法」の子ども・子育て関連３法に基づく制度のことをいう。

2 新制度の趣旨は、地域が子育てについての第一義的責任を有するという基本的認識の下に、幼児期の学校教育・保育、地域の子ども・子育て支援を個別に充実させることである。

3 新制度では、都道府県が、地方版子ども・子育て会議の意見を聴きながら、地域型保育基本計画を策定し、実施することとなった。

4 新制度では、教育・保育を利用する子どもについて３つの認定区分が設けられた。そのうち１号認定は、保育を必要とする事由に該当する０～２歳児が受けられる。

5 新制度では、地域の実情に応じた子ども・子育て支援として、利用者支援、地域子育て支援拠点、放課後児童クラブなどの「地域子ども・子育て支援事業」の充実がはかられた。

次の保育所の【事例】を読んで、【設問】に答えなさい。

【事例】

５歳児クラスの子どもたちが水着に着替え、保育士と一緒に園庭に大きな

解説▶別冊 p.9 ～ 10 ▶▶▶

たらいを出して水遊びの用意を始める。保育士が大きなたらいやバケツにホースで水を入れる。ホースを持つ子どももいる。水がたまってくると、子どもたちは水鉄砲やマヨネーズなどの空き容器に水を入れる。水鉄砲を上に向けて水を出して、雨のように水を降らせて、水をかぶったり、友達に「かけて」と伝えて自分のお腹に水鉄砲の水をあててもらったりする。そのうちに、走って追いかけながら、互いに水鉄砲で水をかける。水が顔にかかるのは嫌だという子どももいて、保育士は友達の顔や頭にかけないようにしようと伝える。そこにいる子どもたち全員分の水鉄砲はない。空き容器でも水を飛ばしてみるが、水鉄砲のようにうまく飛ばすことができない。水鉄砲がない子どもは、たらいのそばで大きな声で「だれかー、かわってー」と声をかける。まわりの子どもに水鉄砲を渡してもらって、また別の子どもが「かわって」と声をかけて、水鉄砲を交替して使いながら水かけっこは続く。

【設問】

次のうち、「保育所保育指針」第１章「総則」及び第２章「保育の内容」に照らし、担当保育士の振り返りとして、適切な記述を○、不適切な記述を×とした場合の正しい組み合わせを一つ選びなさい。

A 水鉄砲の数が少ないために、同じ物を同じように使う経験が十分にできなかった。人数分の水鉄砲を用意できるまでは、水遊びは控えよう。

B 水鉄砲を代わってもらうことがスムーズにいくように、保育士が厳密にルールを設定するべきだった。

C 水鉄砲の数が人数分なかったことで、子ども達同士で互いに代わったり、共有して使いながら遊ぶことができていた。

D 自分の気持ちを言葉にして相手に伝えながら、遊ぶことができていた。

E 顔や頭に水がかかると嫌そうな子どももいたため、友達の顔や頭にはかけないようにしようと伝えたが、もっと子どもに任せて保育士は一切入るべきではなかった。

（組み合わせ）

1	A○	B○	C×	D○	E○	2	A○	B○	C×	D×	E×
3	A×	B○	C○	D○	E×	4	A×	B×	C○	D○	E×
5	A×	B×	C○	D×	E○						

次のうち、保育所、幼稚園及び認定こども園に関する記述として、適切なものを○、不適切なものを×とした場合の正しい組み合わせを一つ選びなさい。

A 保育所は「児童福祉法」に基づく児童福祉施設、幼稚園は「学校教育法」に基づく学校、そして認定こども園は「児童福祉法」及び「学校教育法」に基づく教育施設であり、３歳以上児の教育に関わる側面のねらい及び内容はそれぞれ大きく異なる。

B 保育所は、「児童福祉法」第39条に「日々保護者の委託を受けて、保育に欠けるその乳児又は幼児を保育することを目的とする」と示されている。

C 保育士となる資格を有する者が保育士となるには、現住所のある市町村にあらかじめ保育士の登録をしておかなければならない。

D 「児童福祉施設の設備及び運営に関する基準」（昭和23年厚生省令第63号）では、保育所の保育士の数は乳児おおむね３人につき１人以上、満１歳以上満３歳未満の幼児おおむね６人につき１人以上、満３歳以上満４歳未満の幼児おおむね20人につき１人以上、満４歳以上の幼児おおむね30人につき１人以上とされている。

E 「児童福祉施設の設備及び運営に関する基準」（昭和23年厚生省令第63号）では、乳児又は満２歳未満の幼児を入所させる保育所には、乳児室又はほふく室、医務室、調理室及び便所を設けることとされている。

（組み合わせ）

1	A○	B×	C○	D×	E○	2	A○	B×	C○	D×	E×
3	A×	B○	C×	D○	E○	4	A×	B×	C○	D○	E×
5	A×	B×	C×	D○	E○						

解説▶別冊 p.10 ▶▶▶

次のうち、「保育所保育指針」第５章「職員の資質向上」の一部として、（a）～（d）の下線部分が正しいものを○、誤ったものを×とした場合の正しい組み合わせを一つ選びなさい。

・　保育所においては、当該保育所における保育の課題や各職員の（a）キャリアアップも見据えて、初任者から管理職員までの（b）職位や職務内容等を踏まえた体系的な研修計画を作成しなければならない。

・　外部研修に参加する職員は、自らの（c）専門性の向上を図るとともに、保育所における保育の課題を理解し、その解決を実践できる力を身に付けることが重要である。また、研修で得た（d）知識及び判断力を他の職員と共有することにより、保育所全体としての保育実践の質及び専門性の向上につなげていくことが求められる。

（組み合わせ）

1	a○	b○	c○	d×
2	a○	b×	c×	d○
3	a×	b○	c○	d×
4	a×	b○	c×	d○
5	a×	b×	c○	d×

次の保育所の【事例】を読んで、【設問】に答えなさい。

【事例】

Ｍちゃんは、この４月に１歳児クラスに進級したばかりで、朝の登園時に泣くことが続いている。今朝も母親に抱っこされて保育室に入ってくるが、Ｍちゃんの表情は硬く、母親にしがみついている。保育士がＭちゃんを抱っこすると、母親を求めてのけぞって大声で泣く。母親が保育室から出ていき、泣いているＭちゃんを保育士が抱っこしてあやすが、Ｍちゃんはなかなか泣き止まない。母親は保育室から出てもＭちゃんの泣く声が聞こえてきて心配なようで、しばらく廊下で立ち止まっている。

【設問】

次のうち、「保育所保育指針」第1章「総則」及び第2章「保育の内容」、第4章「子育て支援」に照らし、Mちゃんの母親への保育士の対応として、適切な記述を○、不適切な記述を×とした場合の正しい組み合わせを一つ選びなさい。

A Mちゃんが泣かずに登園できるよう、家庭でよくいい聞かせるように伝える。

B Mちゃんを受け入れた後、Mちゃんがどう泣き止んだか、落ち着いてから保育士や友達と1日をどう過ごしているのか、具体的な姿を伝える。

C 今は母親との別れに大泣きしてしまう状況であるが、今後のMちゃんの育ちの見通しを伝える。

D 泣いている子どもと別れる母親の気持ちを受けとめ、共感する言葉をかける。

（組み合わせ）

1	**A○**	**B○**	**C○**	**D×**	**2**	**A○**	**B×**	**C○**	**D○**
3	**A×**	**B○**	**C○**	**D○**	**4**	**A×**	**B○**	**C×**	**D○**
5	**A×**	**B×**	**C○**	**D○**					

次のうち、世界における保育の歴史に関する記述として、適切なものを○、不適切なものを×とした場合の正しい組み合わせを一つ選びなさい。

A ルソー（Rousseau, J.-J.）は、フランスの啓蒙思想家であり、近代教育思想の古典とされる『エミール』を著した。

B ペスタロッチ（Pestalozzi, J.H.）はスイスの教育思想家であり、幼児教育における家庭の役割、特に母親の役割を重視した。その実践は教育界に多大な影響を与えた。

C フレーベル（Fröbel, F.W.）は、ドイツの作曲家であり、民俗音楽をもとにした音楽教育をすることで子どもの人間形成を図った。

解説▶別冊 p.11 ～ 12 ▶▶▶

（組み合わせ）

1	**A○**	**B○**	**C×**	**2**	**A○**	**B×**	**C○**	**3**	**A×**	**B○**	**C○**
4	**A×**	**B○**	**C×**	**5**	**A×**	**B×**	**C○**				

次のうち、日本における保育の歴史に関する記述として、適切なものを○、不適切なものを×とした場合の正しい組み合わせを一つ選びなさい。

A 1876（明治９）年、幼稚園が創設されると同時に保姆資格が法律で規定された。

B 1890（明治 23）年に赤沢鍾美が創設した新潟静修学校では、子守をしながら通う生徒のために次第に乳幼児を別室で預かるようになり、これがのちの保育事業へと発展した。

C 1900（明治 33）年、経済的に恵まれない家庭の子どもたちのために野口幽香と森島峰の二人が二葉幼稚園を創設した。

D 1947（昭和 22）年、幼児教育への期待が高まり、幼稚園に関する最初の独立した法律である「幼稚園令」が制定された。

（組み合わせ）

1	**A○**	**B○**	**C×**	**D×**	**2**	**A○**	**B×**	**C×**	**D○**
3	**A×**	**B○**	**C○**	**D×**	**4**	**A×**	**B×**	**C○**	**D×**
5	**A×**	**B×**	**C×**	**D○**					

次のうち、「保育所保育指針」第１章「総則」（２）「幼児期の終わりまでに育ってほしい姿」に関する記述として、適切なものを一つ選びなさい。

1 2008（平成 20）年の「保育所保育指針」の改定において具体的な 10 項目が定められ、2017（平成 29）年の改定によって総合的な内容に再定義された。

2 小学校入学前までに身につけるべき資質・能力について記されている。

3 この育ってほしい姿は、到達すべき目標として定められているわけではない。

4 年齢、発達段階ごとにおおむねの到達の目安が示されている。

5 育ってほしい姿の一つとして示されている「やり遂げる心」とは、困難な課題を主体的に解決しながら取り組む姿を想定したものである。

次のうち、「保育所保育指針」に照らし、保育の計画に関する記述として、適切なものを○、不適切なものを×とした場合の正しい組み合わせを一つ選びなさい。

A 保育所の全体的な計画は、長期・短期の指導計画や保健計画・食育計画といった計画に基づいて作成されるべきものである。

B 全体的な計画は、子どもや家庭の状況、地域の実態、保育時間などを考慮し、子どもの育ちに関する長期的見通しをもって作成される必要がある。

C 異年齢で構成される組やグループでの保育においては、一人一人の子どもの生活に配慮できない状況が多くみられるため、集団で一律に食事や午睡ができるよう指導計画を作成する必要がある。

D ３歳未満児については、一人一人の子どもの生育歴、心身の発達、活動の実態等に即して、個別的な計画を作成することが求められる。

（組み合わせ）

1	A○	B○	C○	D×	**2**	A○	B○	C×	D×
3	A×	B○	C×	D○	**4**	A×	B×	C○	D○
5	A×	B×	C×	D○					

解説▶別冊 p.12 ▶▶▶

次の文は、「保育所保育指針」第２章「保育の内容」１「乳児保育に関わるねらい及び内容」の一部である。（　A　）～（　E　）にあてはまる語句の正しい組み合わせを一つ選びなさい。

乳児期の発達については、視覚、（　A　）などの感覚や、座る、（　B　）、歩くなどの運動機能が著しく発達し、（　C　）との（　D　）な関わりを通じて、情緒的な（　E　）が形成されるといった特徴がある。これらの発達の特徴を踏まえて、乳児保育は、愛情豊かに、（　D　）に行われることが特に必要である。

（組み合わせ）

	A	B	C	D	E
1	聴覚	はう	担当保育士	応答的	信頼関係
2	聴覚	はう	特定の大人	応答的	絆
3	聴覚	立つ	担当保育士	積極的	絆
4	触覚	はう	担当保育士	積極的	信頼関係
5	触覚	立つ	特定の大人	応答的	絆

次の文は、「保育所保育指針」第２章「保育の内容」４「保育の実施に関して留意すべき事項」（２）「小学校との連携」の一部である。（　A　）～（　D　）にあてはまる語句を【語群】から選択した場合の正しい組み合わせを一つ選びなさい。

保育所保育において育まれた（　A　）を踏まえ、（　B　）が円滑に行われるよう、小学校教師との意見交換や合同の（　C　）の機会などを設け、（中略）「幼児期の終わりまでに育って欲しい姿」を共有するなど連携を図り、保育所保育と（　B　）との円滑な（　D　）を図るよう努めること。

【語群】

ア 生きる力	**イ** 研修	**ウ** 小学校教育	**エ** 繋がり
オ 研究	**カ** 資質・能力	**キ** 接続	**ク** 義務教育

（組み合わせ）

1	**Aア**	**Bウ**	**Cイ**	**Dエ**	**2**	**Aア**	**Bウ**	**Cオ**	**Dキ**
3	**Aア**	**Bク**	**Cイ**	**Dエ**	**4**	**Aカ**	**Bウ**	**Cオ**	**Dキ**
5	**Aカ**	**Bク**	**Cオ**	**Dキ**					

次のうち、発達障害に関する記述として、正しいものを一つ選びなさい。

1 「発達障害者支援法」において、発達障害とは、「知的障害、アスペルガー症候群、学習障害、注意欠陥多動性障害、過敏性障害その他これに類する脳機能の障害である」と定められている。

2 「発達障害者支援法」では、「市町村は、発達障害児が早期の発達支援を受けることができるよう、発達障害児の保護者に対し、（中略）適切な措置を講じるものとする」と定めている。

3 発達障害は一つの個性として捉えることができ、保育所等での配慮は特に必要としない。

4 発達障害の子どもがパニックを起こしたら、大勢で協力して止めにいくのがよい。

5 発達障害の子どもには、学習障害と注意欠陥多動性障害とが重複している例は存在しない。

問 18

次のうち、障害児保育に関する記述として、「保育所保育指針」第1章「総則」3「保育の計画及び評価」（2）「指導計画の作成」に照らし、適切なものを○、不適切なものを×とした場合の正しい組み合わせを一つ選びなさい。

解説▶別冊 p.13 ▶▶▶

A 保育所では、障害など特別な配慮を必要とする子どもの保育を指導計画に位置付けることが求められている。

B 障害のある子どもとの関わりにおいては、個に応じた関わりと集団の中の一員としての関わりの両面を大事にしながら、職員相互の連携の下、組織的かつ計画的に保育を展開する。

C 保育所では、障害のある子どもを含め、全ての子どもが自己を十分に発揮できるよう見通しをもって保育することが必要であるため、クラス等の指導計画と切り離して、個別の指導計画を作成する必要がある。

D 障害など特別な配慮を必要とする子どもは、他の子どもに比べて発達や成長に時間を要することが多いため、個別の指導計画を作成する際には、長期間の計画を作成することが重要であり、短期間の計画を作成する必要はない。

E 障害や発達上の課題のある子どもが、他の子どもと共に成功する体験を重ね、子ども同士が落ち着いた雰囲気の中で育ち合えるようにするための工夫が必要である。

（組み合わせ）

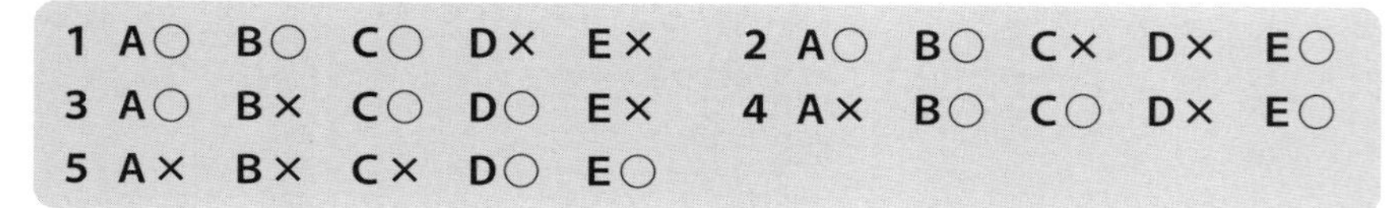
1 A○　B○　C○　D×　E×　　**2** A○　B○　C×　D×　E○
3 A○　B×　C○　D○　E×　　**4** A×　B○　C○　D×　E○
5 A×　B×　C×　D○　E○

次のうち、「保育所保育指針」第４章「子育て支援」（３）「不適切な養育等が疑われる家庭への支援」に関する記述として、適切なものの組み合わせを一つ選びなさい。

A 保護者に育児不安等が見られる場合には、保護者の希望に応じて個別の支援を行うよう努める。

B 保護者に不適切な養育等が疑われる場合には、市町村や関係機関と連携し、要保護児童対策地域協議会で検討するなど適切な対応を図る。

C 虐待が疑われる場合には、速やかに警察に相談し、適切な対応を図る。

D 虐待に対しては秘密保持の観点からできるだけ少人数の保育士が関わり、

虐待に関する事実関係の記録も最小限にとどめる。

（組み合わせ）

1 AB　**2** AC　**3** AD　**4** BC　**5** CD

次の表は、令和４年４月の年齢区分別の保育所等利用児童数および待機児童数を示したものである。この表を説明した記述として、誤ったものを一つ選びなさい。ただし、ここでいう「保育所等」は、従来の保育所に加え、平成27年４月に施行した子ども・子育て支援新制度において新たに位置づけられた幼保連携型認定こども園等の特定教育・保育施設と特定地域型保育事業（うち２号・３号認定）を含むものとする。

表　年齢区分別の利用児童数・待機児童数

	利用児童数	待機児童数
３歳未満児（０～２歳）	1,100,925 人　(40.3%)	2,576 人　(87.5%)
うち０歳児	144,835 人　(5.3%)	304 人　(10.3%)
うち１・２歳児	956,090 人　(35.0%)	2,272 人　(77.2%)
３歳以上児	1,628,974 人　(59.7%)	368 人　(12.5%)
全年齢児計	2,729,899 人 (100.0%)	2,944 人 (100.0%)

出典：厚生労働省「保育所等関連状況取りまとめ（令和４年４月１日）」（令和４年８月30日発表）

1 利用児童数は、３歳未満児（０～２歳）よりも３歳以上児の方が多い。

2 待機児童数は、１・２歳児が最も多い。

3 待機児童数は、3,000 人を下回っているが、そのうち３歳未満児（０～２歳）が９割以上を占めている。

4 利用児童数の割合は、３歳未満児（０～２歳）が４割を超えている。

5 待機児童数は、３歳以上児が３歳未満児（０～２歳）よりも少ない。

解説▶別冊 p.14 ▶▶▶

2024年・前期　子ども家庭福祉

次のうち、「児童福祉法」に関する記述として、適切なものを○、不適切なものを×とした場合の正しい組み合わせを一つ選びなさい。

A　乳児とは、満１歳に満たない者をいう。
B　幼児とは、満１歳から、小学校就学の始期に達するまでの者をいう。
C　少年とは、小学校就学の始期から、満20歳に達するまでの者をいう。
D　妊産婦とは、妊娠中又は出産後２年以内の女子をいう。

（組み合わせ）

1　A○　B○　C×　D○　　**2**　A○　B○　C×　D×
3　A○　B×　C○　D○　　**4**　A×　B○　C○　D×
5　A×　B×　C○　D○

次のA～Eは、児童の権利に関する歴史的事項である。これらを年代の古い順に並べた場合の正しい組み合わせを一つ選びなさい。

A　児童の権利に関するジュネーブ宣言の採択
B　国際児童年を宣言
C　世界人権宣言の採択
D　児童の権利に関する条約の採択
E　児童の権利に関する宣言の採択

（組み合わせ）

1　A→B→C→E→D　　**2**　A→C→E→B→D
3　C→A→E→D→B　　**4**　C→E→D→A→B
5　E→A→B→D→C

次のうち、放課後児童健全育成事業（放課後児童クラブ）に関する記述として、不適切なものを一つ選びなさい。

1 放課後児童健全育成事業者は、運営の内容について、自ら評価を行い、その結果を公表するよう努めなければならない。

2 放課後児童健全育成事業者の職員は、正当な理由がなく、その業務上知り得た利用者又はその家族の秘密を漏らしてはならない。

3 放課後児童健全育成事業に携わる放課後児童支援員は、保育士資格を有していなければならない。

4 厚生労働省が公表した「令和４年（2022年）放課後児童健全育成事業（放課後児童クラブ）の実施状況（令和４年（2022年）５月１日現在）」によると、登録児童数が1,392,158人となり、過去最高値となっている。

5 厚生労働省が公表した「令和４年（2022年）放課後児童健全育成事業（放課後児童クラブ）の実施状況（令和４年（2022年）５月１日現在）」によると、当該事業を利用できなかったいわゆる待機児童数は前年に比べ増加したことが報告されている。

次のうち、人物と関連の深い事項の組み合わせとして、適切なものを一つ選びなさい。

A バーナード（Barnardo, T.J.）―――― ハル・ハウス
B 石井十次 ―――― 岡山孤児院
C 留岡幸助 ―――― 池上感化院
D エレン・ケイ（Key, E.）―――― 『児童の世紀』

（組み合わせ）

1 AB　**2** AC　**3** BC　**4** BD　**5** CD

解説▶別冊 p.15 ～ 16 ▶▶▶

問5　次の文は、「児童買春、児童ポルノに係る行為等の規制及び処罰並びに児童の保護等に関する法律」の第1条である。（　A　）～（　C　）にあてはまる語句の正しい組み合わせを一つ選びなさい。

この法律は、児童に対する性的（　A　）及び性的虐待が児童の権利を著しく侵害することの重大性に鑑み、あわせて児童の権利の擁護に関する（　B　）動向を踏まえ、児童買春、児童ポルノに係る行為等を規制し、及びこれらの行為等を処罰するとともに、これらの行為等により（　C　）に有害な影響を受けた児童の保護のための措置等を定めることにより、児童の権利を擁護することを目的とする。

（組み合わせ）

	A	B	C
1	搾取	国際的	心身
2	強要	教育的	精神
3	暴力	教育的	発達
4	暴力	道徳的	心身
5	搾取	国際的	発達

問6　次のうち、子ども家庭福祉の専門職についての記述として、適切なものを○、不適切なものを×とした場合の正しい組み合わせを一つ選びなさい。

A　家庭相談員は、福祉事務所の家庭児童相談室に配置されている。

B　母子・父子自立支援員は、配偶者のない者で現に児童を扶養しているもの及び寡婦に対して、相談に応じている。

C　児童委員は、児童相談所に配置され、子どもの保護や福祉に関する相談に応じている。

D　児童福祉司は、精神保健福祉士や公認心理師からも任用することができる。

（組み合わせ）

1	A○	B○	C×	D○	2	A○	B×	C○	D○
3	A○	B×	C×	D○	4	A×	B○	C○	D×
5	A×	B×	C○	D○					

次の文は、「児童虐待の防止等に関する法律」第14条の一部である。（ A ）～（ C ）にあてはまる語句の正しい組み合わせを一つ選びなさい。

児童の（ A ）を行う者は、児童のしつけに際して、児童の（ B ）を尊重するとともに、その年齢及び発達の程度に配慮しなければならず、かつ、（ C ）その他の児童の心身の健全な発達に有害な影響を及ぼす言動をしてはならない。

（組み合わせ）

	A	B	C
1	親権	権利	体罰
2	親権	人格	懲戒
3	親権	人格	体罰
4	養育	権利	体罰
5	養育	人格	懲戒

次のうち、若者のための支援に関する記述として、適切なものを○、不適切なものを×とした場合の正しい組み合わせを一つ選びなさい。

A　地域若者サポートステーションは、就労に向けた支援を行う機関であるため、18歳未満の児童は対象外である。

B　「ヤングケアラー」とは、本来大人が担うと想定されている家事や家族の世話などを日常的に行っている子どものことをいう。

C　ひきこもり地域支援センターは、ひきこもりに特化した専門的な相談窓

解説▶別冊 p.16 ～ 17 ▶▶▶

口として、都道府県及び指定都市に設置されている。

D 社会的養護自立支援事業は、社会的養護の措置解除後、個々の状況に応じて引き続き必要な支援を提供するものである。

（組み合わせ）

1	**A○**	**B○**	**C×**	**D×**	**2**	**A○**	**B×**	**C○**	**D×**
3	**A×**	**B○**	**C○**	**D○**	**4**	**A×**	**B○**	**C○**	**D×**
5	**A×**	**B×**	**C○**	**D○**					

問9 **次のうち、「児童養護施設入所児童等調査の概要（平成30年2月1日現在）」（厚生労働省）における児童福祉施設等に関する記述として、適切なものを○、不適切なものを×とした場合の正しい組み合わせを一つ選びなさい。**

A 児童養護施設に入所している児童の入所時の年齢で最も多いのは、6歳である。

B 入所（措置）児童数が最も多いのは児童養護施設であるが、次に多いのは乳児院である。

C 被虐待経験がある児童が入所している割合が最も高いのは児童心理治療施設である。

D 児童養護施設・児童心理治療施設・児童自立支援施設・自立援助ホーム入所児童の、入所時の保護者の状況が両親又は一人親ありの児童では「実父母有」が最も多いが、乳児院は「実母のみ」が最も多い。

（組み合わせ）

1	**A○**	**B○**	**C○**	**D×**	**2**	**A○**	**B○**	**C×**	**D×**
3	**A○**	**B×**	**C×**	**D×**	**4**	**A×**	**B×**	**C○**	**D○**
5	**A×**	**B×**	**C○**	**D×**					

問10 **次の文は、「児童館ガイドライン」（平成30年10月1日　厚生労働省）の一部である。（　A　）～（　C　）にあてはまる語句の正しい組み合わせを一つ選びなさい。**

児童館は、子どもの（　A　）の拠点と居場所となることを通して、その活動の様子から、必要に応じて家庭や地域の子育て環境の（　B　）を図ることによって、子どもの安定した日常の生活を支援することが大切である。

児童館が子どもにとって日常の安定した生活の場になるためには、最初に児童館を訪れた子どもが「来てよかった」と思え、利用している子どもがそこに自分の求めている場や活動があって、必要な場合には援助があることを実感できるようになっていることが必要となる。そのため、児童館では、訪れる子どもの（　C　）に気付き、子どもと信頼関係を築く必要がある。

（組み合わせ）

	A	B	C
1	遊び	構築	衣服の汚れなど
2	遊び	調整	心理と状況
3	学び	構築	衣服の汚れなど
4	学び	調整	不審な言動
5	遊び	構築	心理と状況

問11 **次のうち、「令和３年度雇用均等基本調査」（2022（令和４）年　厚生労働省）の育児休業に関する記述として、適切なものを○、不適切なものを×とした場合の正しい組み合わせを一つ選びなさい。**

A　2021（令和３）年度の女性の育児休業取得率は、90%を超えている。

B　2021（令和３）年度の男性の育児休業の取得期間は、「12か月～18か月未満」が最も多くなっている。

C　2021（令和３）年度の女性の有期契約労働者の育児休業取得率は、50%以下である。

D　2020（令和２）年４月１日から2021（令和３）年３月31日までの１年

解説▶別冊 p.17～18 ▶▶▶

間に育児休業を終了し、復職予定であった女性のうち、実際に復職した者の割合は90%を超えている。

（組み合わせ）

1	A○	B○	C×	D×	2	A○	B×	C○	D×
3	A○	B×	C×	D○	4	A×	B○	C×	D○
5	A×	B×	C×	D○					

次のうち、「産前・産後サポート事業ガイドライン　産後ケア事業ガイドライン」（令和２年８月　厚生労働省）の産後ケア事業に関する記述として、適切なものを○、不適切なものを×とした場合の正しい組み合わせを一つ選びなさい。

A　実施主体は市町村で、産後ケア事業の趣旨を理解し、適切な実施が期待できる団体等に事業の全部又は一部を委託することができる。

B　対象者は、当該自治体に住民票のある産婦に限られる。

C　実施担当者は、原則医師を中心とした実施体制とする。

D　事業の種類は、短期入所（ショートステイ）型、通所（デイサービス）型、居宅訪問（アウトリーチ）型である。

（組み合わせ）

1	A○	B○	C○	D×	2	A○	B×	C○	D×
3	A○	B×	C×	D○	4	A×	B○	C×	D○
5	A×	B×	C×	D○					

次のうち、放課後等デイサービス事業に関する記述として、適切なものの組み合わせを一つ選びなさい。

A　放課後等デイサービス事業は、小学校に就学している児童であって、その保護者が労働等により昼間家庭にいないものに、授業の終了後に児童厚生施設等の施設を利用して適切な遊び及び生活の場を与えて、その健全な育成を図る事業である。

B　放課後等デイサービス事業所数は、2021（令和３）年は、2020（令和２）年から比べて減少している。

C　機能訓練を行う場合には機能訓練担当職員を置かなければならない。

D　子どもに必要な支援を行う上で、学校との役割分担を明確にし、連携を積極的に図る必要がある。

（組み合わせ）

1　**AB**　　**2**　**AC**　　**3**　**BC**　　**4**　**BD**　　**5**　**CD**

次の【事例】を読んで、【設問】に答えなさい。

【事例】

Ｔ保育所のＳ保育士は、Ｎ君（５歳、男児）の担当をしている。Ｎ君は父親、兄（９歳、小学４年生、男児）、父方祖母と４人で暮らしている。父親は夜遅くまで仕事をしており、父方祖母がＮ君と兄の面倒を見ている。最近、父方祖母が入院してしまい、父と兄がＮ君のＴ保育所への送り迎えをしている。父が仕事の時は、22時頃まできょうだいだけで留守番をしており、夕飯を食べないで寝てしまうこともあるらしい。Ｓ保育士は、兄が迎えに来た時、Ｎ君が兄の言うことを聞かないため、兄がＮ君の腕をつねっている場面を目撃した。

【設問】

次のうち、Ｓ保育士の対応として、適切なものの組み合わせを一つ選びなさい。

A　兄にＮ君の腕をつねるのは虐待行為なのでやめるようにきつく注意をする。

解説▶別冊 p.19 ▶▶▶

B 兄がＮ君を虐待しているので児童相談所に通告するよう兄の学校に要請する。

C 送迎時、兄に声をかけ、Ｎ君や家のことで困ったことがないか尋ね、兄の気持ちに寄り添う。

D Ｎ君と兄の養育状況が心配であると保育所長に相談し、要保護児童対策地域協議会担当者に連絡する。

E 父親に兄がＮ君を虐待しているので指導するよう伝える。

（組み合わせ）

1 AB　**2** BD　**3** BE　**4** CD　**5** CE

次の文は、「子ども虐待による死亡事例等の検証結果等について（第18次報告）」（2022（令和４）年９月　厚生労働省）の2020（令和２）年４月から2021（令和３）年３月までの１年間の死亡事例についての記述である。適切なものの組み合わせを一つ選びなさい。

A 「心中以外の虐待死」と、「心中による虐待死」を比較すると「心中による虐待死」の方が多い。

B 「心中以外の虐待死」で、加害者で最も多いのは「実母」である。

C 「心中以外の虐待死」で、最も多い子どもの年齢は「３歳」である。

D 「心中による虐待死」における加害の動機（背景）は、「保護者自身の精神疾患、精神不安」が最も多い。

（組み合わせ）

1 AB　**2** AC　**3** BC　**4** BD　**5** CD

問 16

次の図は、令和４年の保育所等の施設・事業数である。（　A　）～（　C　）にあてはまる施設名・事業名の正しい組み合わせを一つ選びなさい。

図　保育所等数

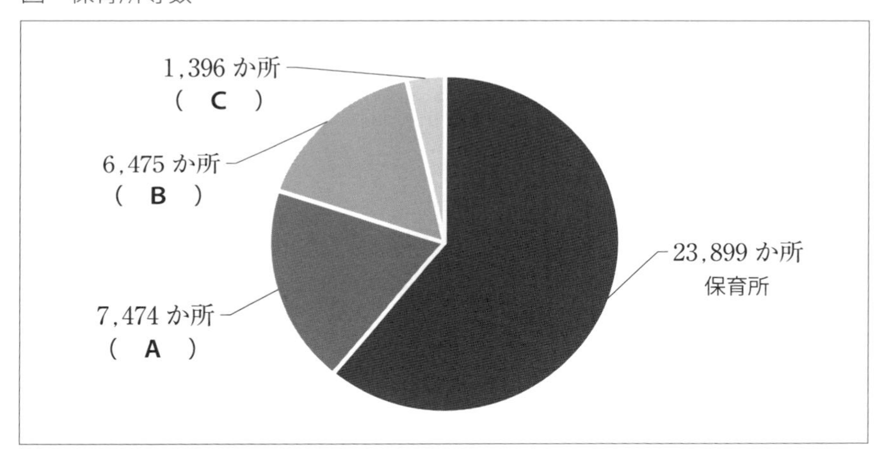

出典：「保育所等関連状況取りまとめ（令和４年４月１日）」（令和４年　厚生労働省）

（組み合わせ）

	A	B	C
1	特定地域型保育事業	幼保連携型認定こども園	幼稚園型認定こども園等
2	幼稚園型認定こども園等	幼保連携型認定こども園	特定地域型保育事業
3	特定地域型保育事業	幼稚園型認定こども園等	幼保連携型認定こども園
4	幼保連携型認定こども園	特定地域型保育事業	幼稚園型認定こども園等
5	幼保連携型認定こども園	幼稚園型認定こども園等	特定地域型保育事業

問 17

次のうち、子育て支援に関する記述として、「保育所保育指針」に照らし、適切なものを○、不適切なものを×とした場合の正しい組み合わせを一つ選びなさい。

A　保育所における保護者に対する子育て支援は、子どもの最善の利益を念

解説▶別冊 p.20 ～ 21 ▶▶▶

頭に置きながら、保育と密接に関連して展開されるところに特徴があることを理解して行う必要がある。

B 保護者自身の主体性、自己決定を尊重することが子育て支援の基本となる。

C 子育て支援に当たり保育士等は、保護者に対する指導的態度が求められる。

D 保育者と保護者の援助関係は、安心して話をすることができる状態が保障されていること、プライバシーの保護や守秘義務が前提となる。

（組み合わせ）

1 A○ B○ C○ D○　**2** A○ B○ C× D○
3 A○ B× C○ D×　**4** A× B× C○ D○
5 A× B× C× D○

問18 **次の文は、「令和３年度　全国ひとり親世帯等調査結果報告」（2022（令和４）年　厚生労働省）に示された2021（令和３）年11月1日現在のひとり親世帯の状況についての記述である。適切なものを○、不適切なものを×とした場合の正しい組み合わせを一つ選びなさい。**

A 母子世帯になった理由別の構成割合をみると、離婚などの「生別」が全体の約９割を占めている。

B 調査時点の父子世帯の父の88.1%が就業しており、このうち「正規の職員・従業員」が48.8%と最も多く、次いで「パート・アルバイト等」が38.8%となっている。

C ひとり親世帯になった時の末子の年齢をみると、母子世帯では平均年齢が4.6歳となっている。一方、父子世帯では平均年齢は7.2歳となっており、母子世帯の方が末子の年齢が低いうちにひとり親世帯になっている。

D 母子世帯の母自身の2020（令和２）年の平均年間収入は約520万円、母自身の平均年間就労収入は約500万円となっている。

E 養育費の取り決めについて、ひとり親世帯になってからの年数が短い方が、「取り決めをしている」と回答した世帯の割合が高い傾向となっている。

（組み合わせ）

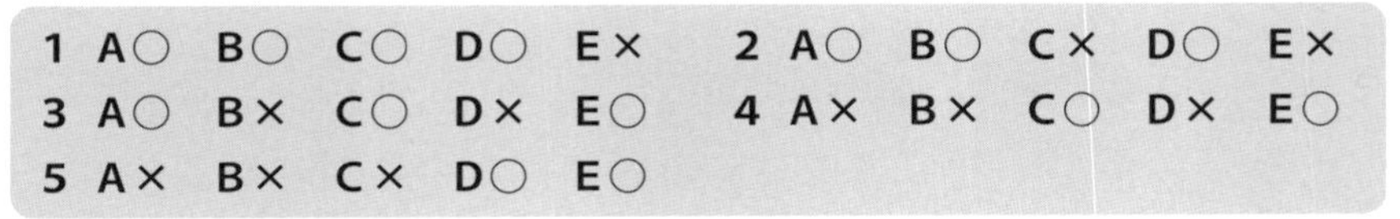

1	A○	B○	C○	D○	E×
2	A○	B○	C×	D○	E×
3	A○	B×	C○	D×	E○
4	A×	B×	C○	D×	E○
5	A×	B×	C×	D○	E○

次のうち、養育支援訪問事業の事業内容として、誤ったものを一つ選びなさい。

1 若年の養育者に対する育児相談・支援
2 児童養護施設等の退所後、アフターケアを必要とする児童の家庭等に対する養育相談・支援
3 出産後間もない時期の養育者の育児不安の解消や養育技術に関する相談・支援
4 産褥期の母子に対する育児支援や簡単な家事等の援助
5 障害児に対する療育・栄養指導

次の【事例】を読んで、【設問】に答えなさい。

【事例】
　H保育所では、週に１回園庭開放と子育て相談を実施している。そこに母親のMさんとK君（２歳、男児）が何度かやってきて園庭開放を利用している。園庭開放を担当するN保育士は、K君が他の子どもと関わらずに、園庭の隅で耳を塞いでじっと座っている姿が多いことが気になっていた。
　ある日、N保育士がMさんに声をかけ、話を始めた。子育てのことに話が及ぶと、１歳６か月児健診の時に、Mさんが保健師にK君の発達の遅れについて相談すると、保健師に「様子を見ましょう」と言われたことを教えてくれた。

解説▶別冊 p.21 ～ 22 ▶▶▶

【設問】
次のうち、N保育士の対応として、適切なものを一つ選びなさい。

1 Mさんに K 君の発達障害の可能性を伝え、すぐに療育手帳の取得を勧める。
2 Mさんの話を傾聴し、母親の K 君の発達の遅れに対する不安を受け止める。
3 他の子どもと遊ぶよう、K 君の手を引っ張って集団の中に連れていく。
4 「発達に関することは分からない」と言ってMさんの相談をさえぎる。
5 「発達の遅れの心配はないですよ」とMさんを励ます。

2024 年・前期　社会福祉

次のうち、「社会福祉法」に関する記述として、適切なものを○、不適切なものを×とした場合の正しい組み合わせを一つ選びなさい。

A 「社会福祉法」は、社会福祉を目的とする事業の全分野における共通的基本事項、社会福祉事業の定義や社会福祉に関する具体的な事項等を定めた法律である。
B 「社会福祉法」第３条では、福祉サービスの基本的理念について定められている。
C 「社会福祉法」第４条では、福祉サービスを必要とする地域住民のあらゆる分野への社会参加を推進する旨が定められている。
D 「社会福祉法」では、福祉サービス提供に関して、情報の提供や福祉サービスの利用の援助、運営適正化委員会等について定められている。

（組み合わせ）

1	A○	B○	C○	D○	2	A○	B×	C×	D○
3	A○	B×	C×	D×	4	A×	B○	C○	D×
5	A×	B○	C×	D○					

次のうち、社会福祉の歴史に関する記述として、不適切なものを一つ選びなさい。

1 イギリスでは、1942年に「社会保険と関連サービス」（通称「ベヴァリッジ報告」）が示された。

2 生存権及び国民生活の社会的進歩向上に努める国の義務について定めた「日本国憲法」第25条は、日本の社会福祉に関する法制度の発展に寄与した。

3 社会福祉は、近代社会の発展の中で成立したが、それ以前の相互扶助や宗教的な慈善事業も重要な役割を担っていた。

4 イギリスのCOS（慈善組織協会）の創設は、都市に急増した貧困者、浮浪者等に対する慈善の濫救、漏救を防ぎ、効率的に慈善を行う意図があった。

5 ブース（Booth, C.J.）らによる19世紀末から20世紀初頭にかけてのイギリスで行われた貧困調査では、貧困の原因は個人の責任であり、社会の責任ではないことを明らかにした。

次のうち、「児童福祉法」に関する記述として、適切なものを○、不適切なものを×とした場合の正しい組み合わせを一つ選びなさい。

A 全て国民は、児童が良好な環境において生まれ、かつ、社会のあらゆる分野において、児童の年齢及び発達の程度に応じて、その意見が尊重され、その最善の利益が優先して考慮され、心身ともに健やかに育成されるよう努めなければならない。

B 国及び地方公共団体は、児童が家庭において心身ともに健やかに養育されるよう、児童の保護者を支援しなければならない。

解説▶別冊 p.23～24 ▶▶▶

C　児童を心身ともに健やかに育成することについての第一義的責任は保護者にあり、国や地方公共団体は責任を一切負わない。

D　保育士とは、登録を受け、保育士の名称を用いて、専門的知識及び技術をもって、児童の保育及び児童の保護者に対する保育に関する指導を行うことを業とする者をいう。

（組み合わせ）

1	A○	B○	C×	D○	**2**	A○	B×	C×	D○
3	A○	B×	C×	D×	**4**	A×	B○	C○	D○
5	A×	B○	C×	D○					

次のうち、地域福祉を推進しようとする専門職や団体などが、生活問題を抱えた住民に直面した場合の対応として、適切なものを○、不適切なものを×とした場合の正しい組み合わせを一つ選びなさい。

A　町内会や自治会は、地域の支え合いの仕組みをつくって対応した。

B　民生委員は、援助を必要とする住民に対して福祉サービス等の利用について情報提供や援助などの対応を行った。

C　ボランティア・コーディネーターは、生活問題の解決につながる活動を行っているボランティアを紹介するという対応を行った。

D　社会福祉専門職は、社会福祉に関する制度改善を求める住民の行動を支えた。

（組み合わせ）

1	A○	B○	C○	D○	**2**	A○	B×	C○	D○
3	A×	B○	C×	D○	**4**	A×	B○	C×	D×
5	A×	B×	C×	D○					

次のうち、「令和４年版　厚生労働白書」による社会福祉制度等に関する記述として、適切なものを○、不適切なものを×とした場合の正しい組み合わせを一つ選びなさい。

A　社会福祉法人は、社会福祉事業を行うことを目的とする法人として、長年、福祉サービスの供給確保の中心的な役割を果たしてきた。

B　生活困窮者自立支援制度は、福祉事務所を設置する地方自治体において、複雑かつ多様な課題を背景とする生活困窮者に対し、各種支援等を実施するほか、地域のネットワークを構築し、生活困窮者の早期発見や包括的な支援につなげている。

C　介護保険制度が定着し、サービス利用者の増加に伴い、介護費用が増大し、介護保険制度開始当時 2000（平成 12）年度の介護費用が、2020（令和２）年度には約６倍となった。

D　成年後見制度は、認知症、知的障害その他の精神上の障害があることにより、財産の管理または日常生活等に支障がある者を支える重要な手段である。

（組み合わせ）

1	A○	B○	C○	D×	2	A○	B○	C×	D○
3	A○	B×	C○	D○	4	A×	B○	C○	D×
5	A×	B×	C×	D○					

次のうち、機関とその業務内容として、適切なものを○、不適切なものを×とした場合の正しい組み合わせを一つ選びなさい。

	〈機関〉	〈業務内容〉
A	市町村の福祉事務所	知的障害者援護
B	児童相談所	児童福祉施設への入所措置
C	身体障害者更生相談所	障害者支援施設への入所措置
D	精神保健福祉センター	精神保健及び精神障害者の福祉に関する知識の普及

解説▶別冊 p.24 ～ 25 ▶▶▶

（組み合わせ）

1	A○	B○	C×	D○	2	A○	B○	C×	D×
3	A○	B×	C○	D×	4	A×	B○	C○	D○
5	A×	B×	C○	D○					

次のうち、社会保険制度に関する記述として、適切なものを○、不適切なものを×とした場合の正しい組み合わせを一つ選びなさい。

A 国民年金の保険給付には、老齢基礎年金、障害基礎年金、遺族基礎年金等がある。

B 健康保険の保険給付には、療養の給付、訪問看護療養費、出産育児一時金等がある。

C 労働者災害補償保険の業務災害に関する保険給付には、療養補償給付、休業補償給付、障害補償給付等がある。

D 介護保険の介護給付におけるサービスには、訪問介護、居宅療養管理指導、訪問入浴介護、訪問リハビリテーション等がある。

（組み合わせ）

1	A○	B○	C○	D○	2	A○	B×	C○	D×
3	A○	B×	C×	D○	4	A×	B○	C○	D×
5	A×	B×	C×	D○					

次の文は、日本の高齢化社会対策に関する記述である。A～Dの法律が制定された順に並べた場合の正しい組み合わせを一つ選びなさい。

A 「老人福祉法」の制定によって、高齢者福祉対策は積極的な進展を果たした。

B 介護に対する社会的支援、社会保険方式の導入、利用者本位とサービスの総合化等を目的として、「介護保険法」が制定された。

C 「高齢者虐待の防止、高齢者の養護者に対する支援等に関する法律」が制定され、高齢者虐待の防止等に関する施策が推進されるようになった。

D 「高齢社会対策基本法」の制定によって、高齢社会対策の基本的枠組みがつくられた。

（組み合わせ）

1 A→C→D→B	2 A→D→B→C	3 B→D→C→A
4 C→A→D→B	5 D→B→A→C	

次のうち、相談援助の展開過程の中の「アセスメント」に関する記述として、不適切なものを一つ選びなさい。

1 アセスメントでは、利用者の状況を包括的に評価するために、利用者の心身の状況、心理・情緒的状況、利用者を取り巻く環境や社会資源に関する情報が必要である。

2 アセスメントでは、利用者の情報を整理する上で、ジェノグラムやエコマップなどが活用される。

3 アセスメントは、利用者の抱える問題や課題を分析するため、利用者の持っているストレングスに注目することは必要としない。

4 アセスメントで、利用者の抱える問題が複数ある場合、どれから取り組むのかといった優先順位をつけることが重要である。

5 アセスメントは、プランニングのための重要な過程であるため、ケースによってはモニタリング等を通して何度も繰り返し行われる。

次のうち、相談援助の原理・原則に関する記述として、適切なものを○、不適切なものを×とした場合の正しい組み合わせを一つ選びなさい。

A 人権を尊重し擁護することは、相談援助における重要な原理である。

B 相談援助は、差別、貧困、抑圧、排除、暴力などのない、自由、平等、共生に基づく社会正義の実現を目指す。

解説▶別冊 p.25 ～ 26 ▶▶▶

C　相談援助は、利用者の多様性を承認し、尊重しなければならない。

D　相談援助に際しての原則としては、バイステック（Biestek, F.P.）の７つの原則が重要である。

（組み合わせ）

1	A○	B○	C○	D○	2	A○	B○	C○	D×
3	A○	B○	C×	D○	4	A○	B×	C○	D○
5	A×	B○	C○	D○					

次のうち、相談援助の展開過程の中の「エバリュエーション」についての説明として、適切なものを○、不適切なものを×とした場合の正しい組み合わせを一つ選びなさい。

A　エバリュエーションとは、事前評価のことをいう。

B　エバリュエーションでまず行うことは、利用者との信頼関係の構築である。

C　エバリュエーションでは、援助・支援のためのプログラムを作成する。

D　エバリュエーションでは、実施した支援が適切であったか、あるいは支援の効果があったかどうかを評価する。

（組み合わせ）

1	A○	B×	C○	D×	2	A○	B×	C×	D×
3	A×	B○	C×	D○	4	A×	B×	C×	D○
5	A×	B×	C×	D×					

次のうち、福祉における相談援助の過程についての記述として、適切なものを○、不適切なものを×とした場合の正しい組み合わせを一つ選びなさい。

A　相談援助の開始期において、地域社会に潜在している多くのケースを発見するようにアウトリーチを行うことは重要である。

B　アセスメントにおいて、利用者のニーズを評価したり、利用者のストレングスなどを評価したりする。

C　プランニングは、アセスメントに基づき、問題解決に向けての目標を設定し、具体的な支援内容を計画する。

D　モニタリングは、支援計画実施後の事後評価において不可欠な経過観察である。

（組み合わせ）

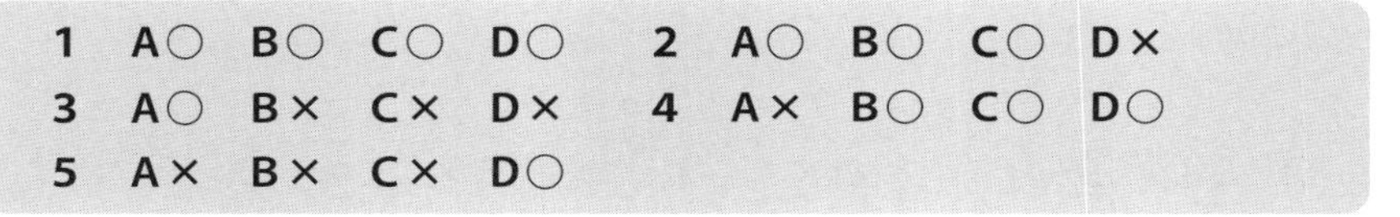

1	A○	B○	C○	D○	**2**	A○	B○	C○	D×
3	A○	B×	C×	D×	**4**	A×	B○	C○	D○
5	A×	B×	C×	D○					

次のうち、福祉サービス第三者評価に関する記述として、適切なものを○、不適切なものを×とした場合の正しい組み合わせを一つ選びなさい。

A　保育所は、第三者評価の受審が義務づけられている。

B　児童養護施設は、第三者評価の受審が義務づけられている。

C　乳児院は、第三者評価の受審が義務づけられていない。

D　福祉サービス第三者評価の所轄庁は、法務省である。

（組み合わせ）

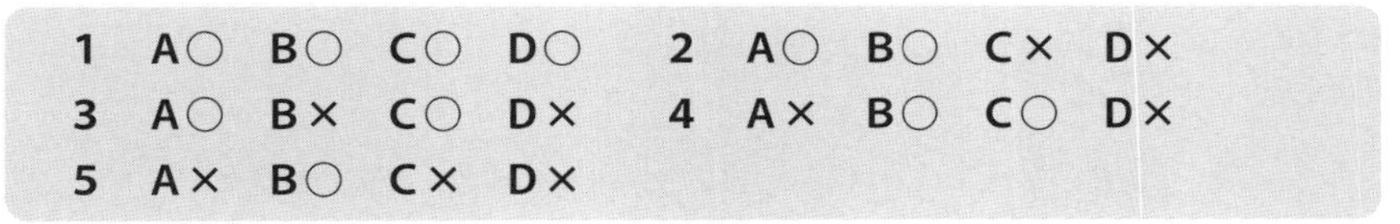

1	A○	B○	C○	D○	**2**	A○	B○	C×	D×
3	A○	B×	C○	D×	**4**	A×	B○	C○	D×
5	A×	B○	C×	D×					

解説▶別冊 p.26～27 ▶▶▶

次のうち、成年後見制度に関する記述として、適切なものを○、不適切なものを×とした場合の正しい組み合わせを一つ選びなさい。

A 成年後見制度は、それまでの「禁治産・準禁治産制度」にかわり、2000（平成 12）年４月から新たに施行されたものである。

B 成年後見制度の所轄庁は、内閣府である。

C 成年後見制度を利用する際に申し立てができるのは、本人と配偶者、四親等以内の親族に限られる。

D 「成年後見人、保佐人、補助人」は、家庭裁判所が選任する。

（組み合わせ）

1	A○	B○	C×	D×	2	A○	B×	C×	D○
3	A×	B○	C○	D○	4	A×	B○	C×	D×
5	A×	B×	C○	D○					

次のうち、福祉サービス利用援助事業（日常生活自立支援事業）に関する記述として、適切なものを○、不適切なものを×とした場合の正しい組み合わせを一つ選びなさい。

A 実施主体は、市町村社会福祉協議会に限られる。

B 支援内容に、日常的な金銭管理は含まれない。

C 原則として、生活保護受給世帯は利用することができない。

D 利用料は、実施主体により異なる。

（組み合わせ）

1	A○	B○	C×	D×	2	A○	B×	C○	D×
3	A×	B○	C○	D○	4	A×	B○	C×	D○
5	A×	B×	C×	D○					

問16 **次のうち、福祉サービスにおける苦情解決に関する記述として、適切なものを○、不適切なものを×とした場合の正しい組み合わせを一つ選びなさい。**

A 「社会福祉法」第82条では、社会福祉事業の経営者に対して、提供する福祉サービスについて、利用者等からの苦情の適切な解決に努めなければならないと規定されている。

B 苦情の申し出は、福祉サービス利用者が都道府県や運営適正化委員会に直接行うことはできない。

C 「保育所保育指針」では、保護者の苦情などに対し、その解決を図るよう努めなければならないとされている。

D 社会福祉事業者には、苦情解決のための第三者委員の設置が義務づけられている。

（組み合わせ）

1	A○	B○	C○	D○	**2**	A○	B○	C○	D×
3	A○	B○	C×	D○	**4**	A○	B×	C○	D×
5	A×	B×	C×	D○					

問17 **次のうち、「令和4年版男女共同参画白書」（2022（令和4）年　内閣府）における男女共同参画の実態に関する記述として、適切なものを○、不適切なものを×とした場合の正しい組み合わせを一つ選びなさい。**

A 雇用者の共働き世帯数は増加傾向にある。一方で、2021（令和3）年における専業主婦世帯は、妻が64歳以下の世帯では、夫婦のいる世帯全体の23.1%となっている。

B 近年、男性の育児休業取得率は上昇しているが、2020（令和2）年度における民間企業の男性の育児休業取得率は5%未満である。

C 男女間賃金格差の国際比較によると、日本は2020（令和2）年においてフルタイム労働者の男性の賃金を100とすると女性の賃金は77.5であり、

解説▶別冊 p.27～28 ▶▶▶

OECD 諸国の平均を下回っている。

D 「男女共同参画社会基本法」第 14 条では、市町村男女共同参画計画策定の努力義務を定めているが、2021（令和３）年における市区町村全体の策定率は 50.0%を下回っている。

（組み合わせ）

1 A○ B○ C○ D×　**2** A○ B○ C× D×
3 A○ B× C○ D×　**4** A× B○ C× D○
5 A× B× C○ D○

問 18　次のうち、「社会福祉法」に基づく市町村社会福祉協議会の活動や事業に関する記述として、適切なものの組み合わせを一つ選びなさい。

A 社会福祉に関する活動への住民の参加を援助するために、ボランティアセンターの設置が義務づけられている。

B 社会福祉を目的とする事業に調査、普及、宣伝、連絡、調整及び助成を行うこととされている。

C 市町村社会福祉協議会は、生活困窮者に対する相談援助は行っていない。

D 社会福祉を目的とする事業の企画や実施を通して地域福祉の推進を図ることとされている。

（組み合わせ）

1 AB　**2** AC　**3** AD　**4** BC　**5** BD

問 19　次のうち、共同募金に関する記述として、適切なものを○、不適切なものを×とした場合の正しい組み合わせを一つ選びなさい。

A 共同募金及び共同募金会に関する基本的な事項は、「共同募金法」に規定されている。

B　毎年12月に実施される「歳末たすけあい運動」は、共同募金の一環として行われている。
C　共同募金は、地域福祉の推進を図るために行われている。
D　共同募金による寄附金の公正な配分を行うために、共同募金会に配分委員会が置かれている。

（組み合わせ）

1	A○	B○	C○	D×	2	A○	B○	C×	D×
3	A○	B×	C×	D○	4	A×	B○	C○	D○
5	A×	B×	C○	D○					

次の文は、「こども基本法」第3条の一部である。（　A　）～（　C　）にあてはまる語句の正しい組み合わせを一つ選びなさい。

・　全てのこどもについて、個人として尊重され、その基本的人権が保障されるとともに、（　A　）的取扱いを受けることがないようにすること。
・　全てのこどもについて、その年齢及び発達の程度に応じて、自己に直接関係する全ての事項に関して意見を表明する機会及び多様な社会的活動に（　B　）する機会が確保されること。
・　全てのこどもについて、その年齢及び発達の程度に応じて、その（　C　）が尊重され、その最善の利益が優先して考慮されること。

（組み合わせ）

	A	B	C
1	画一	参加	個性
2	画一	参加	意見
3	差別	参画	個性
4	差別	参加	個性
5	差別	参画	意見

解説▶別冊 p.28 ～ 29 ▶▶▶

2024年・前期　教育原理

次のうち、「教育基本法」の一部として、正しいものを○、誤ったものを×とした場合の正しい組み合わせを一つ選びなさい。

A　学問の自由は、これを保障する。

B　教育は、人格の完成を目指し、平和で民主的な国家及び社会の形成者として必要な資質を備えた心身ともに健康な国民の育成を期して行われなければならない。

C　学校を設置しようとする者は、学校の種類に応じ、文部科学大臣の定める設備、編制その他に関する設置基準に従い、これを設置しなければならない。

（組み合わせ）

1　A○　B○　C×　**2**　A○　B×　C×　**3**　A×　B○　C○
4　A×　B○　C×　**5**　A×　B×　C○

次の文は、「児童憲章」の一部である。（　A　）・（　B　）にあてはまる語句の正しい組み合わせを一つ選びなさい。

すべての児童は、家庭で、正しい（　A　）と知識と技術をもつて育てられ、家庭に恵まれない児童には、これにかわる（　B　）が与えられる。

（組み合わせ）

	A	B
1	愛着形成	環境
2	愛着形成	支援の場
3	かかわり	環境
4	愛情	支援の場
5	愛情	環境

問3 次の図は、「諸外国の教育統計　令和３（2021）年版」（文部科学省）からある国の学校系統図を示したものである。正しい国名を一つ選びなさい。

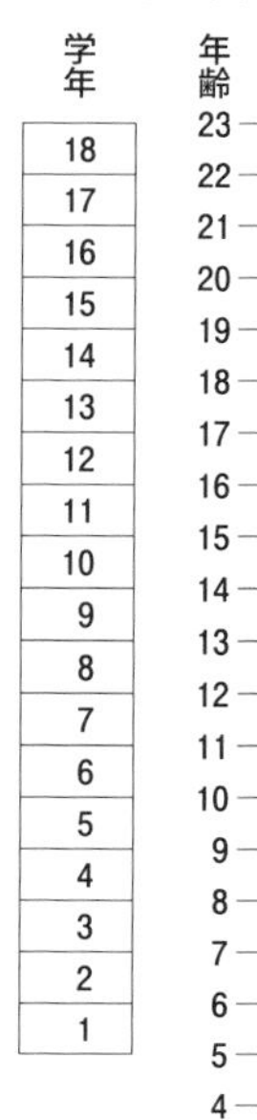

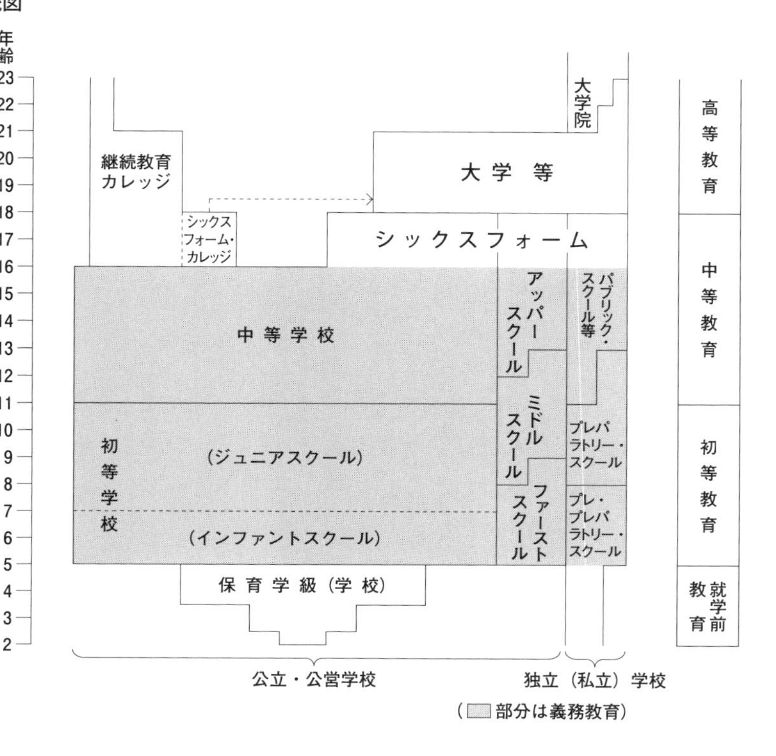

解説▶別冊 p.29 ～ 30 ▶▶▶

1　オーストラリア　　2　フィンランド　　3　フランス
4　イギリス　　5　アメリカ

次の文は、モンテッソーリ（Montessori, M.）が著した『幼児の秘密』の一部である。（　　　）に入る人名を一つ選びなさい。

おとなはそんな子らを、散漫な関連のない動作の仕方のためには罰しはしますが、しかしおとなが、創造に達するかも知れない、子どもの知恵の発芽とも見られる、子どもの空想活動を、感心し奨励します。誰しも知っているように、たとえば（　　　）は彼の遊戯の多くを、まさにこの象徴的空想の発達にねらいを定めました。彼は区別して整頓した立方体や直方体の中に、馬や砦（とりで）や汽車を見るように子どもに手伝います。実際象徴的なものへのこんな傾向は、子どもに何をでも、自分の頭脳の空想的イメージを照らす電気のスイッチでもあるかのように、利用することを可能にします。（中略）おもちゃは活動をさせますが、ことに錯覚を起こさせて、ただ不完全な実を結ばない現実の模型にすぎません。

1　フレーベル　　2　ルソー　　3　ペスタロッチ
4　アリエス　　5　デューイ

次の記述に該当する人物として、正しいものを一つ選びなさい。

日本において最も早く体系的ともいえる教育論をまとめた儒学者である。ロック（Locke, J.）とほぼ同時代の人であり、ともに医学を修め、しかも自分自身健康に恵まれなかったことに共通したものがあるため、「日本のロック」と称されることもある。

子育ての書として晩年にまとめた著作では、6歳から20歳に至るまでの成長過程に即して、教育方法と学習教材とが「随年教法」として提示されている。彼は、「小児の教は早くすべし」と、早い時期からの善行の習慣形成の必要性を主張した。

1　荻生　徂徠　　2　貝原　益軒　　3　佐藤　信淵
4　伊藤　仁斎　　5　太田　道灌

次の【Ⅰ群】の人名と、【Ⅱ群】の語句を結びつけた場合の正しい組み合わせを一つ選びなさい。

【Ⅰ群】
A　世阿弥　　B　北条　実時　　C　広瀬　淡窓

【Ⅱ群】
ア　咸宜園　　イ　翁問答　　ウ　金沢文庫　　エ　風姿花伝

（組み合わせ）

1　Aア　Bウ　Cイ　　2　Aイ　Bア　Cエ　　3　Aウ　Bイ　Cエ
4　Aエ　Bア　Cイ　　5　Aエ　Bウ　Cア

次の文の著者として、正しいものを一つ選びなさい。

教育目的なくして教育はありません。しかも、その目的を必ずしもこちらから押しつけなくとも、幼児の生活それ自身が自己充実の大きな力を持っていることによって、すでにそこに教育の目的に結びつくつながりが見い出せるはずです。つまり、幼児の生活をさながらにしておくのは、ただうっちゃり放しにしておくということでなく、幼児自身の自己充実を信頼してのことです。

1　澤柳　政太郎　　2　羽仁　もと子　　3　城戸　幡太郎
4　倉橋　惣三　　5　小原　國芳

解説▶別冊 p.30 ～ 31 ▶▶▶

次の記述に該当する語句として、正しいものを一つ選びなさい。

学ぶ内容をそれぞれの分野に分けて系統的に教えるような編成をしたカリキュラム。すべての分野において身に付けさせたいとおとなが考えていることがバランスよく配置でき、かつその習得状況の把握が容易である。また、系統的に教えることができるため、既習事項の把握を行いながら、学習者にとっても効率的に多くのことを学ぶことができる。一方で、子どもの興味関心とのずれが生じやすいこと、教えられる内容の間で関連性がみえにくいことがある。

1　経験カリキュラム
2　潜在的カリキュラム
3　教科カリキュラム
4　合科カリキュラム
5　統合カリキュラム

次の文は、「保育所保育指針」第１章「総則」４「幼児教育を行う施設として共有すべき事項」（２）「幼児期の終わりまでに育ってほしい姿」の一部である。（　A　）～（　C　）にあてはまる語句を【語群】から選択した場合の正しい組み合わせを一つ選びなさい。

家族を大切にしようとする気持ちをもつとともに、（　A　）の身近な人と触れ合う中で、人との様々な関わり方に気付き、相手の気持ちを考えて関わり、自分が役に立つ喜びを感じ、（　A　）に親しみをもつようになる。また、保育所内外の様々な（　B　）に関わる中で、遊びや生活に必要な（　C　）を取り入れ、（　C　）に基づき判断したり、（　C　）を伝え合ったり、活用したりするなど、（　C　）を役立てながら活動するようになるとともに、公共の施設を大切に利用するなどして、社会とのつながりなどを意識するようになる。

【語群】

ア 地域　イ 郷土　ウ 情報　エ 環境　オ 知識

（組み合わせ）

1 Aア　Bウ　Cオ　2 Aア　Bエ　Cウ　3 Aア　Bエ　Cオ
4 Aイ　Bウ　Cオ　5 Aイ　Bエ　Cウ

次の文は、「学びや生活の基盤をつくる幼児教育と小学校教育の接続について～幼保小の協働による架け橋期の教育の充実～」（令和5年2月　中央教育審議会　初等中等教育分科会　幼児教育と小学校教育の架け橋特別委員会）の一部である。（　A　）・（　B　）にあてはまる語句の正しい組み合わせを一つ選びなさい。

幼児教育と小学校教育の教育課程の構成原理等の違いは、子供の発達の段階に応じた教育を行うために必要な違いではあるが、子供一人一人の発達や学びは幼児期と児童期ではっきりと分かれるものではなく、（　A　）ため、必ずしも合致しない場合があるためである。また、合致しない場合に、小学校入学当初の子供が、小学校での学習や生活に関する自らの不安や不満を自覚し大人に伝えることは難しいと考えられ、一人で戸惑いや悩みを抱えこむことにより、その後の小学校での学習や生活に支障をきたすおそれがある。子供にとっては、初めての進学であり、この時期につまずいてしまうことは、その後の学校生活や成長に大きな負の影響を与えかねない。そして、ひいては（　B　）の要因にもなりかねず、低学年の（　B　）の子供への支援の観点からも、幼児教育と小学校教育の円滑な接続が重要であることが指摘されているところである。

解説▶別冊 p.31 ～ 32 ▶▶▶

（組み合わせ）

	A	B
1	重なりがある	不登校
2	重なりがある	学力不足
3	つながっている	学習意欲不足
4	つながっている	学力不足
5	つながっている	不登校

2024年・前期　社会的養護

次の文は、「児童養護施設運営指針」（平成24年3月　厚生労働省）の一部である。（　A　）～（　C　）にあてはまる語句の正しい組み合わせを一つ選びなさい。

・　社会的養護は、その始まりから（　A　）までの継続した支援と、できる限り（　B　）の養育者による一貫性のある養育が望まれる。

・　児童相談所等の行政機関、各種の施設、里親等の様々な社会的養護の担い手が、それぞれの専門性を発揮しながら、巧みに（　C　）し合って、一人一人の子どもの社会的自立や親子の支援を目指していく社会的養護の（　C　）アプローチが求められる。

（組み合わせ）

	A	B	C
1	リービングケア	複数	連携
2	アフターケア	特定	連携
3	リービングケア	特定	媒介
4	アフターケア	複数	媒介
5	リービングケア	特定	連携

問2　次の文は、「社会的養護関係施設における親子関係再構築支援ガイドライン」（平成 26 年　厚生労働省）に示された「親子関係再構築」についての考え方を説明したものである。（　A　）～（　C　）にあてはまる語句の正しい組み合わせを一つ選びなさい。

このガイドラインでは、（　A　）の回復を支えるという視点で親子関係再構築を捉えている。そのため、その内容は、内的イメージから外的現実まで幅広く、家族形態や問題の程度も様々なものを含む等、多面的で重層的に考える必要がある。ガイドラインでは、親子関係再構築を「子どもと親がその相互の（　B　）すること」と定義する。

親子関係再構築支援を家族の状況によって２つに分類すると、分離となった家族に対するものと、（　C　）親子に対するものとがある。

（組み合わせ）

	A	B	C
1	親自身	肯定的なつながりを主体的に回復	代替養育による新たな
2	親自身	親愛の情を自然発生的に醸成	代替養育による新たな
3	子ども	肯定的なつながりを主体的に回復	代替養育による新たな
4	子ども	肯定的なつながりを主体的に回復	ともに暮らす
5	子ども	親愛の情を自然発生的に醸成	ともに暮らす

解説▶別冊 p.33 ▶▶▶

問3　次のうち、「新しい社会的養育ビジョン」（平成29年　厚生労働省）に示された内容として、適切なものを○、不適切なものを×とした場合の正しい組み合わせを一つ選びなさい。

A　社会的養育の対象は全ての子どもであり、家庭で暮らす子どもから代替養育を受けている子ども、その胎児期から自立までが対象となる。

B　新たな社会的養育という考え方では、そのすべての局面において、子ども・家族の参加と支援者との協働を原則とする。

C　子どもに永続的な家族関係をベースにしたパーマネンシーを保障するために、特別養子縁組や普通養子縁組は実父母の死亡などの場合に限られる。

D　施設で培われた豊富な体験による子どもの養育の専門性をもとに、施設が地域支援事業やフォスタリング機関事業等を行う多様化を、乳児院から始め、児童養護施設、児童心理治療施設、児童自立支援施設でも行う。

（組み合わせ）

1　A○　B○　C×　D○　　**2**　A○　B×　C○　D○
3　A○　B×　C○　D×　　**4**　A×　B○　C○　D×
5　A×　B×　C×　D○

問4　次の文は、「児童養護施設運営ハンドブック」（平成26年3月　厚生労働省）の「地域支援」の一部である。（　A　）～（　C　）にあてはまる語句の正しい組み合わせを一つ選びなさい。

・　地域住民に対する相談事業を実施すること等を通じて、具体的な（　A　）の把握を行う。
・　施設が有する専門性を活用し、地域の子育ての相談・助言や（　B　）の子育て事業の協力をする。
・　地域の里親支援、子育て支援等に取組など、施設の（　C　）機能を活用し、地域の拠点となる取組を行う。

（組み合わせ）

	A	B	C
1	福祉ニーズ	市町村	ソーシャルワーク
2	福祉ニーズ	市町村	マネジメント
3	福祉ニーズ	都道府県	ソーシャルワーク
4	問題	市町村	マネジメント
5	問題	都道府県	マネジメント

問5 **次のうち、「児童養護施設運営指針」（平成24年3月　厚生労働省）における家族への支援に関する記述として、適切なものを○、不適切なものを×とした場合の正しい組み合わせを一つ選びなさい。**

A 親子が必要な期間を一緒に過ごせるような宿泊設備を施設内に設ける。

B 子どもと家族の関係づくりの支援として、家族に学校行事等への参加を働きかける。

C 家族等との交流の乏しい子どもには、週末里親やボランティア家庭等での家庭生活を体験させるなど配慮する。

D 子どもの一時帰宅は、保護者の意向により決定する。

（組み合わせ）

	A	B	C	D
1	A○	B○	C○	D×
2	A○	B○	C×	D○
3	A○	B×	C×	D×
4	A×	B○	C×	D×
5	A×	B×	C○	D○

問6 **次のうち、「里親及びファミリーホーム養育指針」（平成24年3月　厚生労働省）で示された養育・支援に関する記述として、適切なものを○、不適切なものを×とした場合の正しい組み合わせを一つ選びなさい。**

A 里親及びファミリーホームに委託される子どもは、原則として新生児から義務教育終了までの子どもが対象である。

解説▶別冊 p.33 ～ 34 ▶▶▶

B 児童相談所は、子どもが安定した生活を送ることができるよう自立支援計画を作成し、養育者はその自立支援計画に基づき養育を行う。

C 里親に委託された子どもは、里親の姓を通称として使用することとされている。

D 里親やファミリーホームは、特定の養育者が子どもと生活基盤を同じ場におき、子どもと生活を共にする。

（組み合わせ）

1	**A**○	**B**○	**C**○	**D**×	**2**	**A**○	**B**×	**C**○	**D**○
3	**A**×	**B**○	**C**○	**D**×	**4**	**A**×	**B**○	**C**×	**D**○
5	**A**×	**B**×	**C**×	**D**○					

次のうち、「被措置児童等虐待対応ガイドライン」（令和４年　厚生労働省）に示された虐待防止のための施設運営に関する記述として、不適切なものを一つ選びなさい。

1 組織全体が活性化され、風通しのよい組織づくりを進める。

2 第三者評価の積極的な受審や活用など、外部の目を取り入れる。

3 施設内で生じた被措置児童等虐待に関する情報提供は、当該施設等で生活を送っている他の被措置児童等に対しては行わない。

4 自立支援計画の策定や見直しの際には、子どもの意見や意向等を確認し、確実に反映する。

5 経験の浅い職員等に対し、施設内外からスーパービジョンを受けられるようにする。

次のうち、明治時代以降に、育児救済等を目的として長崎に創設された施設とその創設者の組み合わせとして、正しいものを一つ選びなさい。

（組み合わせ）

1	博愛社	――――	松方正義
2	浦上養育院	――――	岩永マキ
3	家庭学校	――――	石井亮一
4	日田養育院	――――	小橋勝之助
5	滝乃川学園	――――	池上雪枝

次の【事例】を読んで、【設問】に答えなさい。

【事例】

児童養護施設のグループホームに勤務する新任のU保育士は、主任のH児童指導員から、「K君（13歳、男児）は職員の気を引いて自分を見てほしいときにわざと嘘をつくことがあるから、あまり取り合わないように」と助言を受けた。確かにK君の話には事実でないことが後からわかったこともあったが、U保育士はK君なりの事情があったのだろうと考えていた。H児童指導員は、K君の話に矛盾があると厳しく問いただしたり、無視することがあった。K君はH児童指導員に叱られるとU保育士に助けを求めてくるので、U保育士は対応に困ってしまった。

【設問】

次のうち、U保育士の対応として、適切な記述の組み合わせを一つ選びなさい。

A 職員によって対応が異なるのは周囲の子どもたちにとっても良くないので、U保育士もK君が嘘をついている時には厳しく問いただし、叱責した。

B グループホームのホーム会議に心理療法担当職員にも出席してもらい、K君の言動や成育歴について取り上げ、自立支援計画の見直しを提案した。

C K君に対して、「H児童指導員はK君のためを思って言ってくれているのだから、自分の行動を振り返りなさい」とH児童指導員の意図を説明し、

解説▶別冊 p.34～35 ▶▶▶

反省を促した。

D　Ｋ君と個別に関わる時間を増やし、「Ｋ君の話をちゃんと聞いているから、話したいことがあったらいつでも言ってきてね」と繰り返し伝えた。

（組み合わせ）

1　**AB**　　**2**　**AD**　　**3**　**BC**　　**4**　**BD**　　**5**　**CD**

次の文は、「児童養護施設運営指針」（平成 24 年３月　厚生労働省）に示された「養育のあり方の基本」の一部である。（　A　）～（　C　）にあてはまる語句の正しい組み合わせを一つ選びなさい。

子どもの養育を担う専門性は、養育の場で（　**A**　）過程を通して培われ続けなければならない。経験によって得られた知識と技能は、現実の養育の場面と過程のなかで絶えず見直しを迫られることになるからである。養育には、子どもの生活を（　**B**　）にとらえ、日常生活に根ざした（　**C**　）な養育のいとなみの質を追求する姿勢が求められる。

（組み合わせ）

	A	B	C
1	相互的な	部分的	平凡
2	相互的な	部分的	特別
3	相互的な	トータル	特別
4	生きた	トータル	特別
5	生きた	トータル	平凡

2024年・前期　子どもの保健

問1　**次の文は、「保育所保育指針」第１章「総則」（２）「保育の目標」の一部である。（　A　）～（　D　）にあてはまる語句の正しい組み合わせを一つ選びなさい。**

（　A　）、（　B　）など生活に必要な基本的な（　C　）や（　D　）を養い、心身の（　A　）の基礎を培うこと。

（組み合わせ）

	A	B	C	D
1	活気	安全	習慣	態度
2	活気	安心	行動様式	姿勢
3	健康	安心	行動様式	姿勢
4	健康	安全	習慣	態度
5	健康	安全	習慣	姿勢

問2　**次のうち、日本におけるこれまでと現在の母子保健に関する記述として、適切なものを一つ選びなさい。**

1　母子保健は、妊娠・出産・育児という一連の時期にある母親のみを対象としている。
2　現在行われている母子保健に関する様々なサービスや活動にかかわる法的根拠は、1937（昭和12）年施行の「保健所法」である。
3　母子保健施策の成果の一つとして、乳児死亡率の著しい減少があげられる。
4　現在の「母子保健法」には児童虐待防止に関する条文はない。
5　妊産婦登録制度の発端となった法律は、「児童福祉法」である。

解説▶別冊 p.35 ▶▶▶

次のうち、児童虐待の発生予防・防止をねらいの一つとした制度等として、最もあてはまらないものを一つ選びなさい。

1 産後ケア事業
2 乳児家庭全戸訪問事業
3 要保護児童対策地域協議会
4 新生児スクリーニング検査
5 地域子育て支援拠点事業

次のうち、身体的発育に関する記述として、適切なものを○、不適切なものを×とした場合の正しい組み合わせを一つ選びなさい。

A 脳細胞の役割に情報伝達があるが、軸索の髄鞘化により脳細胞が成熟し、情報を正確に伝えるようになっても伝達の速さは変わらない。
B 運動機能の発達には個人差があるが、一定の方向性と順序性をもって進む。
C 発育をうながすホルモンには、成長ホルモンのほか、甲状腺ホルモン、副腎皮質ホルモンなどがある。
D 原始反射は、通常の子どもでは成長とともにほとんどみられなくなる。
E 出生時、頭蓋骨の縫合は完全ではなく、前方の骨の隙間を大泉門という。

（組み合わせ）

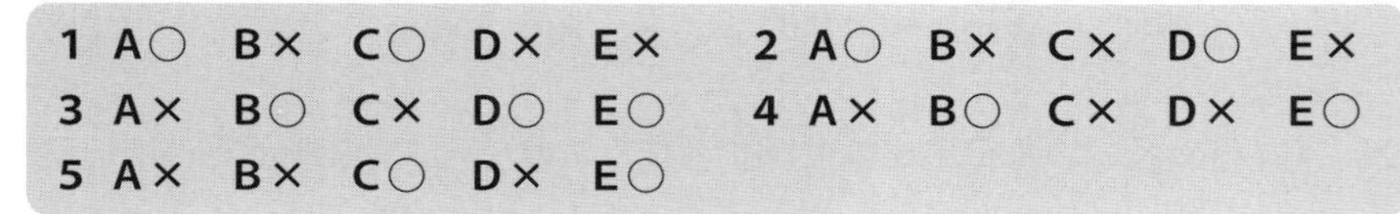
1 A○ B× C○ D× E×
2 A○ B× C× D○ E×
3 A× B○ C× D○ E○
4 A× B○ C× D× E○
5 A× B× C○ D× E○

次の【Ⅰ群】の脳の構造と【Ⅱ群】の機能を結びつけた場合の正しい組み合わせを一つ選びなさい。

【Ⅰ群】

A　前頭葉	B　側頭葉	C　延髄	D　小脳

【Ⅱ群】

ア　運動に関連する領域と精神に関連する領域に大別される。
イ　呼吸や循環などの生命維持に直接関与する部分である。
ウ　聴覚や嗅覚などの中枢、記憶の中枢、感覚性言語中枢を含んでいる。
エ　身体の姿勢や運動の制御、眼球運動に関係している。

（組み合わせ）

1	Aア	Bウ	Cイ	Dエ	2	Aア	Bウ	Cエ	Dイ
3	Aイ	Bア	Cウ	Dエ	4	Aウ	Bア	Cイ	Dエ
5	Aウ	Bア	Cエ	Dイ					

次のうち、乳幼児の排尿・排便の自立に関する記述として、適切なものを○、不適切なものを×とした場合の正しい組み合わせを一つ選びなさい。

A　新生児期の膀胱は未熟であり、１回の排尿量は少なく、排尿回数は１日５回程度である。
B　尿がたまった感覚がある程度わかるようになるのは３歳頃である。
C　生後６か月未満では、多くに１日２回以上の排便がある。
D　４歳以上では、ほとんどが便意を伴うようになり、排便が自立する。

（組み合わせ）

1	A○	B○	C×	D×	2	A○	B×	C○	D×
3	A○	B×	C×	D○	4	A×	B○	C×	D×
5	A×	B×	C○	D○					

解説▶別冊 p.36 ～ 37 ▶▶▶

次のうち、乳幼児の健康診査に関する記述として、適切なものを一つ選びなさい。

1 乳幼児健康診査は、全て法律に基づき市区町村において定期健康診査として実施されている。
2 「令和3年度地域保健・健康増進事業報告の概況」（令和5年3月　厚生労働省）によると、日本における乳幼児健康診査の受診率は、年月齢を問わず70%前後である。
3 乳幼児健康診査は疾病の異常や早期発見のために重要であり、必要に応じて、子育て支援対策が講じられる。
4 保育所では、入所時健康診断及び少なくとも1年に2回の定期健康診断を行うことと、「母子保健法」に定められている。
5 保育所における定期健康診断や入所時健康診断は、定型的な業務なので実施後の評価は行わない。

次のうち、「保育所における感染症対策ガイドライン（2018年改訂版）（2022（令和4）年10月一部改訂）」（厚生労働省）の別添1「具体的な感染症と主な対策（特に注意すべき感染症）」にあげられている「RSウイルス感染症」に関する記述として、適切なものの組み合わせを一つ選びなさい。

A 生後6か月未満の乳児では重症な呼吸器症状を生じ、入院管理が必要となる場合も少なくない。
B 一度かかれば十分な免疫が得られるため、何度も罹患する可能性は低い。
C 大人がかかると重症化することが多い。
D 流行期には、0歳児と1歳児以上のクラスは互いに接触しないよう離しておき、互いの交流を制限する。

（組み合わせ）

1 AB　**2** AC　**3** AD　**4** BC　**5** BD

問9

次のうち、感染症に関する記述として、不適切なものを一つ選びなさい。

1 水痘は、水痘・帯状疱疹ウイルスによっておこり、紅斑、水疱、膿疱、痂皮などいろいろな段階の発疹が混在していることが特徴である。
2 インフルエンザは主に冬に流行し、肺炎、気管支炎、脳症などを合併することがある。
3 咽頭結膜熱は、エコー・ウイルスによっておこり、プールの水を介して感染することが多い。
4 手足口病は、コクサッキー・ウイルス A16 型、A10 型、A6 型やエンテロウイルス 71 型等によっておこる水疱を伴う発疹性感染症で、回復期に爪が脱落することがある。
5 伝染性紅斑（りんご病）は、ヒトパルボウイルス B19 によっておこり、風邪症状に引き続いて両頬に紅斑が現れる。

問10

次のうち、学校において予防すべき感染症に関する記述として、適切なものを○、不適切なものを×とした場合の正しい組み合わせを一つ選びなさい。

A 各感染症の出席停止の期間は、感染様式と疾患の特性を考慮して、人から人への感染力の程度を考えて算出している。
B 他人に容易に感染させる状態の期間は、集団の場を避け、感染症の拡大を防ぐ必要がある。
C 健康が回復するまで治療や休養の時間を確保することが必要である。
D 学校において予防すべき感染症は、「学校保健安全法施行規則」で定められている。

（組み合わせ）

1	A○	B○	C○	D○	2	A○	B○	C○	D×
3	A○	B×	C×	D○	4	A×	B○	C○	D×
5	A×	B×	C○	D○					

解説▶別冊 p.37 ～ 38 ▶▶▶

問11 次のうち、保育所における防災に関する記述として、適切なものを○、不適切なものを×とした場合の正しい組み合わせを一つ選びなさい。

A 万が一に備え、保育所内では最低３日分の必需品を備蓄しておくとよい。

B 保育所では、避難及び消火に対する訓練は少なくとも毎月１回実施すること、消火器などの消防用設備の定期点検が義務づけられている。

C 火災防止のため、カーテンには防炎加工が必要である。

D 災害時は保護者に確実に情報が伝わるよう連絡手段は一つに決めて保護者に知らせておくとよい。

E 園児を移動させる手押し車は、緊急時には使用を控えたほうがよいとされている。

（組み合わせ）

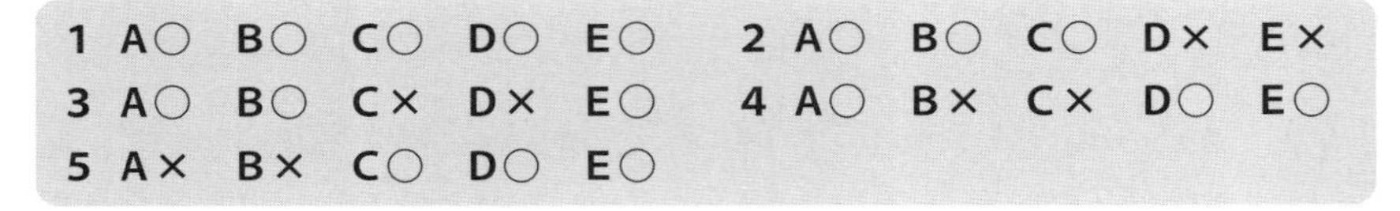

1 A○　B○　C○　D○　E○
2 A○　B○　C○　D×　E×
3 A○　B○　C×　D×　E○
4 A○　B×　C×　D○　E○
5 A×　B×　C○　D○　E○

問12 次のうち、保育所等における防災・防犯訓練に関する記述として、適切なものを一つ選びなさい。

1 事前に訓練について指導すると、防災訓練にならないため、事前指導は行わない。

2 防災訓練は、保護者のお迎えを考え、毎回同じ曜日や時間帯に設定する。

3 年間を通して指導計画の中に位置づけ、実践的な訓練を計画する。

4 防災訓練は保護者の負担にならないように保護者の参加を計画の中に入れず、保育者だけで行う。

5 不審者が侵入した場合の防犯訓練は、子ども達に恐怖を与えるため行わない。

次のうち、小児のけいれんに関する記述として、適切なものの組み合わせを一つ選びなさい。

A けいれんは様々な原因で起こり、ときには脳炎などの重大な病気による場合がある。

B けいれんが起こった時はいかなる場合でも適切に対処しなければならないので、けいれんがおさまった場合でも、医師の診察を受ける必要がある。

C 小児がけいれんを起こした時、緊急の処置として、スプーンなどを噛ませ、歯で舌などを傷つけないようにしなければならない。

D 発熱を伴うけいれんは熱性けいれんであり、解熱剤を飲ませて様子をみれば短時間で消失する。

E けいれんを起こした時は、強い刺激を与えないように注意して、意識の状態を確かめる必要がある。

（組み合わせ）

1 ABC	2 ABE	3 BCD	4 BDE	5 CDE

次のうち、体調不良や事故等に関する記述として、適切なものの組み合わせを一つ選びなさい。

A 子どもの感電事故があった場合、電源の供給を止め、絶縁性の高いゴム手袋などを着用して感電箇所から子どもを遠ざける。

B 溺水した子どもを発見した場合、呼吸をしていなければ、一次救命処置を行う。

C 子どもに起こりがちな肘内障は、肘の関節の腱が抜けるために起こるもので、手を上にあげると痛がる。

D 日本スポーツ協会による「熱中症予防のための運動指針」によれば、暑さ指数が 28 ～ 31℃で激しい運動をするときの必要最小限の休息は、1時間に1回程度である。

解説▶別冊 p.39 ～ 40 ▶▶▶

（組み合わせ）

1 AB	2 AC	3 AD	4 BC	5 BD

次の【事例】を読んで、【設問】に答えなさい。

【事例】

Ｔ保育所に通園しているＳ君（５歳、男児）は、保育室内で遊んでいるうちに「気持ちが悪い」と言い出し、その場で嘔吐してしまった。嘔吐物は保育室の床だけでなく、Ｓ君の衣服にも付着した。Ｋ保育士がそのことに気づき、他の保育士と協力・分担して、Ｓ君への対応と嘔吐物処理等を行った。

【設問】

次のうち、Ｓ君への対応および嘔吐物処理を含んだ事後の対応として、「保育所における感染症対策ガイドライン（2018 年改訂版）（2022（令和４）年 10 月一部改訂）」に照らして、適切なものを○、不適切なものを×とした場合の正しい組み合わせを一つ選びなさい。

A Ｓ君にうがいができるか確認したところ、できると言ったので、うがいをさせた。

B 嘔吐した後、脱水症状になることが心配だったので、嘔吐した後なるべく早く経口補水液を 200ml 程度飲ませた。

C Ｓ君が横になりたいと言ったので、嘔吐物が気管に入らないように体を横向きにして寝かせた。

D 嘔吐物が付着した床は、嘔吐物を取り除いてから、製品濃度６％の次亜塩素酸ナトリウムを 0.02%濃度に希釈して消毒した。

E 嘔吐物が付着したＳ君の衣服は、嘔吐物をよく落として保育所内で洗濯し、よく乾燥してからＳ君の保護者に返却した。

（組み合わせ）

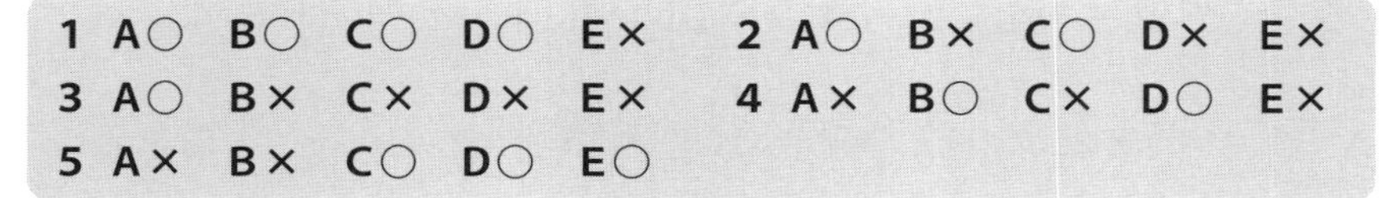

1	A○	B○	C○	D○	E×	2	A○	B×	C○	D×	E×
3	A○	B×	C×	D×	E×	4	A×	B○	C×	D○	E×
5	A×	B×	C○	D○	E○						

問16　次の【事例】を読んで、【設問】に答えなさい。

【事例】

Wちゃん（生後6か月、女児）は、朝お母さんが保育所に連れて来たときに、珍しくぐずっていた。10時頃、Wちゃんがぐずっていて機嫌が悪いので、Y保育士が抱き上げるとかなり体が熱くなっており、熱を測ったところ38.5℃の高熱になっていた。Wちゃんは、その後も大量の水様便を何度もしていた。

【設問】

次のうち、Wちゃんのかかっている可能性のある感染症を考慮したうえでの保育所の対応として、適切な記述の組み合わせを一つ選びなさい。

A　できるだけ早く、保護者に迎えに来てもらうよう連絡をした。
B　Wちゃんを他児と同室でY保育士の目が届きやすい場所で保育した。
C　Wちゃんを他児とは別室で保育しながら、保護者が迎えに来るのを待った。
D　おむつ交換は、いつも通り保育している部屋で行った。
E　高熱でぐずっていて、水分を摂取させようとしたが飲まないので、そのまま様子を見た。

（組み合わせ）

1　AC　　**2**　AD　　**3**　BD　　**4**　BE　　**5**　CE

解説▶別冊 p.40 ～ 41 ▶▶▶

次のうち、病児保育事業に関する記述として、適切なものを○、不適切なものを×とした場合の正しい組み合わせを一つ選びなさい。

A 病児保育事業には、法的根拠がある。
B 制度上、対象は未就学児に限られている。
C 医師及び看護師の配置が義務づけられている。
D 体調不良児対応型の病児保育は保育所等で行う。

（組み合わせ）

1	A○	B○	C×	D×	2	A○	B×	C○	D×
3	A○	B×	C×	D○	4	A×	B○	C×	D○
5	A×	B×	C○	D○					

次のうち、「保育所におけるアレルギー対応ガイドライン（2019 年改訂版）」（厚生労働省）における「エピペン®」の使用に関する記述として、適切なものを○、不適切なものを×とした場合の正しい組み合わせを一つ選びなさい。

A 「エピペン®」は、原則、体重 15 kg 未満の子どもには処方されない。
B 保管する場合は、冷蔵庫で保管する。
C 「エピペン®」を使用した後は、速やかに医療機関を受診する必要がある。
D 「エピペン®」を保育所で預かる場合は、緊急時の対応内容について保護者と協議のうえ、「生活管理指導表」を作成する。

（組み合わせ）

1	A○	B○	C×	D×	2	A○	B×	C○	D×
3	A×	B○	C○	D×	4	A×	B○	C×	D○
5	A×	B×	C○	D○					

次のうち、「保育所におけるアレルギー対応ガイドライン（2019 年改訂版）」(厚生労働省）における食物アレルギーに関する記述として、適切なものを○、不適切なものを×とした場合の正しい組み合わせを一つ選びなさい。

A 食物アレルギーとは、特定の食物を摂取した後にアレルギー反応を介して皮膚・呼吸器・消化器あるいは全身に生じる症状のことをいう。
B 食物アレルギーのある幼児の割合は、年齢が上がるにつれて上昇する。
C 最も多い症状は皮膚・粘膜症状である。
D 治療の基本は薬物療法である。

（組み合わせ）

1	A○	B○	C×	D×	2	A○	B×	C○	D×
3	A×	B○	C○	D×	4	A×	B○	C×	D○
5	A×	B×	C○	D○					

次のうち、３歳の中等症の血友病の子どもを保育所で受け入れるにあたり、適切なものを○、不適切なものを×とした場合の正しい組み合わせを一つ選びなさい。

A 血友病は遺伝性疾患で父親が保因者であることが多く、保護者の気持ちに寄り添いながら話を聞く。
B 血友病は小児慢性特定疾病で、医療費助成の対象となっている。
C 歩いたり走ったりすることで目に見えない足の関節の出血が増えてくるため、運動を伴う活動や遊びをすべて制限することの理解を保護者に求める。
D 注射による予防接種は出血の原因になるため禁止されているので、感染症予防が必要となる。
E 目に見える出血があったときは、圧迫止血、冷却、安静を保って医療機関を受診することを決めておく。

解説▶別冊 p.41 ～ 42 ▶▶▶

（組み合わせ）

1	**A○**	**B○**	**C×**	**D○**	**E○**				
2	**A○**	**B×**	**C○**	**D×**	**E○**				
3	**A×**	**B○**	**C×**	**D○**	**E×**				
4	**A×**	**B○**	**C×**	**D×**	**E○**				
5	**A×**	**B×**	**C○**	**D○**	**E×**				

2024年・前期　子どもの食と栄養

次の文は、炭水化物に関する記述である。（　A　）～（　D　）にあてはまる語句の正しい組み合わせを一つ選びなさい。

炭水化物には、ヒトの消化酵素で消化されやすい（　A　）と消化されにくい（　B　）がある。（　A　）は、1gあたり（　C　）kcalのエネルギーを供給し、一部は、肝臓や筋肉でエネルギー貯蔵体である（　D　）となって体内に蓄えられる。

（組み合わせ）

	A	B	C	D
1	糖質	食物繊維	4	グリコーゲン
2	糖質	食物繊維	7	グリコーゲン
3	糖質	食物繊維	9	ガラクトース
4	食物繊維	糖質	4	グリコーゲン
5	食物繊維	糖質	7	ガラクトース

次のうち、ビタミンの主な働きに関する記述として、適切なものの組み合わせを一つ選びなさい。

A　ビタミンCは、糖質代謝に関与する。

B　ビタミンB_1は、鉄の吸収を促進する。
C　ビタミンKは、血液の凝固に関与する。
D　ビタミンDは、カルシウムの吸収を促進する。

（組み合わせ）

1 AB　2 AC　3 AD　4 BC　5 CD

次の【Ⅰ群】の「日本人の食事摂取基準（2020年版）」における栄養素の指標と【Ⅱ群】のその目的を結びつけた場合の正しい組み合わせを一つ選びなさい。

【Ⅰ群】
A　推定平均必要量、推奨量　B　目標量　C　耐容上限量

【Ⅱ群】
ア　生活習慣病の発症予防
イ　過剰摂取による健康障害の回避
ウ　摂取不足の回避

（組み合わせ）

1 Aア　Bイ　Cウ　2 Aア　Bウ　Cイ　3 Aイ　Bア　Cウ
4 Aウ　Bア　Cイ　5 Aウ　Bイ　Cア

解説▶別冊 p.43 ▶▶▶

次のうち、「食品表示法」において、容器包装に入れられた加工食品及び添加物に表示が義務づけられていないものを一つ選びなさい。

1 カルシウム　**2** たんぱく質　**3** 熱量
4 ナトリウム（食塩相当量で表示）　**5** 脂質

次のうち、調乳方法に関する記述として、適切なものを○、不適切なものを×とした場合の正しい組み合わせを一つ選びなさい。

A 調乳の際に使用する湯は、沸騰させた後 30 分以上放置しない。
B 調製粉乳の調整用として推奨された水の場合でも、沸騰させて使用する。
C 調乳の際には、一度沸騰させた後 50℃以上に保った湯を使用する。
D 常温で保存していた場合、調乳後 2 時間以内に使用しなかったミルクは廃棄する。

（組み合わせ）

	A	B	C	D
1	A○	B○	C○	D×
2	A○	B○	C×	D○
3	A×	B○	C○	D○
4	A×	B×	C○	D×
5	A×	B×	C×	D○

次のうち、母乳に関する記述として、適切なものを○、不適切なものを×とした場合の正しい組み合わせを一つ選びなさい。

A 分娩後、最初に分泌される母乳を初乳といい、その後、移行乳を経て成乳となる。
B 初乳は成乳に比べ、たんぱく質、ミネラルが少なく、乳糖は多い。
C 母乳分泌時にはプロラクチンが分泌され、排卵が促進される。
D 母乳栄養児は人工栄養児に比べ、乳幼児突然死症候群（SIDS）の発症率が低いとされている。

（組み合わせ）

1	A○	B○	C○	D×
2	A○	B○	C×	D○
3	A○	B×	C×	D○
4	A×	B○	C○	D×
5	A×	B×	C○	D○

次の文は、「授乳・離乳の支援ガイド」（2019 年改定版　厚生労働省）の離乳の支援の一部である。（　A　）～（　D　）にあてはまる語句の正しい組み合わせを一つ選びなさい。

離乳の開始とは、（　A　）の食物を初めて与えた時をいう。開始時期の子どもの発達状況の目安としては、（　B　）のすわりがしっかりして寝返りができ、５秒以上座れる、スプーンなどを口に入れても（　C　）ことが少なくなる（哺乳反射の減弱）、食べ物に興味を示すなどがあげられる。その時期は生後（　D　）頃が適当である。ただし、子どもの発育及び発達には個人差があるので、月齢はあくまでも目安であり、子どもの様子をよく観察しながら、親が子どもの「食べたがっているサイン」に気がつくように進められる支援が重要である。

（組み合わせ）

	A	B	C	D
1	舌でつぶせる状態	腰	舌で押し出す	３～４か月
2	舌でつぶせる状態	腰	舌で押し出す	５～６か月
3	歯ぐきでつぶせる状態	首	噛む	３～４か月
4	なめらかにすりつぶした状態	首	舌で押し出す	５～６か月
5	なめらかにすりつぶした状態	首	噛む	３～４か月

次のうち、幼児の食生活に関する記述として、適切なものを○、不適切なものを×とした場合の正しい組み合わせを一つ選びなさい。

A　ほとんどの子どもは３歳頃になるまでにすべての乳歯が生え揃う。

解説▶別冊 p.43 ～ 44 ▶▶▶

B　スプーンやフォークの握り方は、手のひら握り、鉛筆握り、指握りへと発達していく。

C　唾液中には、でんぷん分解酵素のプチアリンが含まれる。

D　「楽しく食べる子どもに～食からはじまる健やかガイド～」（平成 16 年厚生労働省）における「発育・発達過程に応じて育てたい“食べる力”」の一つとして、幼児期では「家族や仲間と一緒に食べる楽しさを味わう」をあげている。

（組み合わせ）

1	A○	B○	C×	D×	2	A○	B×	C○	D○
3	A○	B×	C×	D○	4	A×	B○	C○	D×
5	A×	B×	C○	D×					

次のうち、「学校給食法」に示された「学校給食の目標」として、正しいものを○、誤ったものを×とした場合の正しい組み合わせを一つ選びなさい。

A　日本の食料自給率を向上させること。

B　適切な栄養の摂取による体力の向上を図ること。

C　食生活が自然の恩恵の上に成り立つものであることについての理解を深め、生命及び自然を尊重する精神並びに環境の保全に寄与する態度を養うこと。

D　食料の生産、流通及び消費について、正しい理解に導くこと。

（組み合わせ）

1	A○	B○	C×	D○	2	A○	B×	C×	D×
3	A×	B○	C○	D×	4	A×	B○	C×	D○
5	A×	B×	C○	D○					

次のうち、学童期・思春期の肥満とやせに関する記述として、適切なものの組み合わせを一つ選びなさい。

A 「令和３年度学校保健統計調査」（文部科学省）における小学校の肥満傾向児の割合は、男女ともに２％未満である。

B 神経性やせ症（神経性食欲不振症）の思春期女子の発症頻度は、思春期男子と差がない。

C 小児期のメタボリックシンドロームの診断基準における腹囲の基準は、男女とも同じである。

D 学童期・思春期の体格の判定は、性別・年齢別・身長別の標準体重に対しての肥満度を算出し、肥満度が 20％以上の場合を肥満傾向児とする。

（組み合わせ）

1 AB　2 AC　3 AD　4 BC　5 CD

次のうち、妊娠期の栄養と食生活に関する記述として、適切なものを○、不適切なものを×とした場合の正しい組み合わせを一つ選びなさい。

A 「日本人の食事摂取基準（2020 年版）」（厚生労働省）において、妊婦にカルシウムの付加量は設定されていない。

B 「妊産婦のための食事バランスガイド」（令和３年　厚生労働省）において、妊娠中期の１日分付加量は、主食、副菜、主菜、牛乳・乳製品、果物の５つの区分すべてにおいて、＋１（SV：サービング）である。

C 妊娠期間中の推奨体重増加量は、妊娠前の体格別に設定されている。

D 妊娠中は胎児のために安静にし、ウォーキングなどの運動はしないようにする。

解説▶別冊 p.44 ～ 45 ▶▶▶

（組み合わせ）

1	A○	B○	C○	D×	2	A○	B○	C×	D○
3	A○	B×	C○	D×	4	A×	B○	C×	D○
5	A×	B×	C○	D○					

次の文は、「食育基本法」の前文の一部である。（ A ）・（ B ）にあてはまる語句を【語群】から選択した場合の正しい組み合わせを一つ選びなさい。

子どもたちに対する食育は、心身の成長及び人格の形成に大きな影響を及ぼし、生涯にわたって（ A ）を培い（ B ）をはぐくんでいく基礎となるものである。

【語群】

ア 生きる力　**イ** 健全な心と身体　**ウ** 適切な判断力
エ 豊かな人間性　**オ** 「食」を選択する力

（組み合わせ）

1	Aア	Bウ	2	Aア	Bエ	3	Aイ	Bエ
4	Aイ	Bオ	5	Aウ	Bオ			

次のうち、「第４次食育推進基本計画」（令和３年　農林水産省）の３つの重点事項として、適切なものの組み合わせを一つ選びなさい。

A 持続可能な食を支える食育の推進
B 家庭における共食を通じた子どもへの食育の推進
C 「新たな日常」やデジタル化に対応した食育の推進
D 若い世代を中心とした食育の推進
E 生涯を通じた心身の健康を支える食育の推進

（組み合わせ）

1 ABC	2 ACD	3 ACE	4 BCD	5 BDE

次のうち、「保育所保育指針」第３章「健康及び安全」２「食育の推進」の一部として、正しいものを○、誤ったものを×とした場合の正しい組み合わせを一つ選びなさい。

A 子どもと調理員等との関わりや、調理室など食に関わる保育環境に配慮すること。
B 栄養士が配置されている場合は、専門性を生かした対応を図ること。
C 食事の提供を含む食育計画を全体的な計画に基づいて作成し、その評価及び改善に努めること。
D 保育所における食育は、健康な生活の基本としての「生きる力」の育成に向け、その基礎を培うことを目標とすること。

（組み合わせ）

1	A○	B○	C○	D×	2	A○	B○	C×	D○
3	A○	B×	C○	D○	4	A×	B○	C○	D×
5	A×	B×	C×	D○					

次のうち、大豆からできる食べ物として、<u>不適切なもの</u>を一つ選びなさい。

1 しょうゆ　**2** 豆苗　**3** きな粉
4 油揚げ　**5** 豆乳

次のうち、「家庭でできる食中毒予防の６つのポイント」（厚生労働省）に関する記述として、<u>不適切な記述</u>を一つ選びなさい。

解説▶別冊 p.45 ～ 46 ▶▶▶

1 表示のある食品は、消費期限などを確認し、購入する。
2 食中毒予防の三原則は、食中毒菌を「付けない、増やさない、やっつける（殺す）」である。
3 購入した肉・魚は、水分のもれがないように、ビニール袋などにそれぞれ分けて包み、持ち帰る。
4 残った食品は、早く冷えるように浅い容器に小分けして保存する。
5 冷蔵庫は、15℃以下に維持することが目安である。

次のうち、「食品による子どもの窒息・誤嚥（ごえん）事故に注意！」（令和３年１月　消費者庁）の窒息・誤嚥（ごえん）事故防止に関する記述として、適切なものを○、不適切なものを×とした場合の正しい組み合わせを一つ選びなさい。

A 硬い豆やナッツ類を乳幼児に与える場合は、小さく砕いて与える。
B 食べているときは、姿勢をよくし、食べることに集中させる。
C 節分の豆まきは個包装されたものを使用するなど工夫して行い、子どもが拾って口に入れないように、後片付けを徹底する。
D ミニトマトやブドウ等の球状の食品を乳幼児に与える場合は、４等分する、調理して軟らかくするなどして、よく噛んで食べさせる。

（組み合わせ）

1	A○	B○	C○	D○	**2**	A○	B×	C○	D×
3	A×	B○	C○	D○	**4**	A×	B○	C×	D○
5	A×	B×	C×	D×					

次のうち、食品ロス及び食料自給率に関する記述として、適切なものを○、不適切なものを×とした場合の正しい組み合わせを一つ選びなさい。

A 「食品ロス」とは、本来食べられるのに捨てられてしまう食品のことをいう。

B　食品ロスを減らすための例として、陳列されている商品を奥からとらずに、賞味期限が切れるのが早い順番に買うことがあげられる。

C　「令和３年度食料需給表」（農林水産省）による、日本の供給熱量ベースの総合食料自給率は約 60％である。

D　令和２年度の食品ロス量推計値（農林水産省）では、家庭系食品ロス量（各家庭から発生する食品ロス）の方が、事業系食品ロス量（事業活動を伴って発生する食品ロス）よりも多い。

（組み合わせ）

1	A○	B○	C○	D×	2	A○	B○	C×	D×
3	A○	B×	C×	D○	4	A×	B○	C×	D×
5	A×	B×	C○	D○					

問 19　**次のうち、乳児ボツリヌス症の原因となる食品として、１歳を過ぎるまで与えてはいけない食品を一つ選びなさい。**

1　卵　　2　レバー　　3　バター　　4　はちみつ　　5　白身魚

問 20　**次のうち、食物アレルギーに関する記述として、適切なものの組み合わせを一つ選びなさい。**

A　「食品表示法」により容器包装された加工食品において、アレルギー表示が義務づけられている原材料は、卵、乳、小麦、大豆の４品目である。

B　卵アレルギーの場合、基本的に鶏肉は除去する必要はない。

C　食物アレルギーであっても、離乳食の開始や進行を遅らせる必要はない。

D　アレルギーを起こす原因物質をアナフィラキシーという。

（組み合わせ）

1	AB	2	AC	3	AD	4	BC	5	CD

解説▶別冊 p.47 ～ 48 ▶▶▶

2024年・前期　保育実習理論

次の曲の伴奏部分として、A～Dにあてはまるものの正しい組み合わせを一つ選びなさい。

（組み合わせ）

1	Aア	Bウ	Cイ	Dエ	2	Aイ	Bア	Cウ	Dエ
3	Aイ	Bウ	Cエ	Dア	4	Aウ	Bア	Cエ	Dイ
5	Aウ	Bエ	Cイ	Dア					

次のA～Dの音楽用語の意味を【語群】から選択した場合の正しい組み合わせを一つ選びなさい。

A　dim.　　B　andante　　C　D.S.　　D　rit.

【語群】

ア	コーダにとぶ	**イ**	やさしく
ウ	少し弱く	**エ**	だんだん遅く
オ	ゆっくり歩くような速さで	**カ**	だんだん弱く
キ	セーニョに戻る	**ク**	強く
ケ	音を短く切って	**コ**	中ぐらいの速さで

（組み合わせ）

1　**Aエ**　**Bオ**　**Cア**　**Dケ**
2　**Aエ**　**Bコ**　**Cキ**　**Dウ**
3　**Aカ**　**Bイ**　**Cア**　**Dエ**
4　**Aカ**　**Bオ**　**Cキ**　**Dエ**
5　**Aコ**　**Bイ**　**Cク**　**Dオ**

次の楽譜から長三和音（メジャーコード）を抽出した正しい組み合わせを一つ選びなさい。

ア　**イ**　**ウ**　**エ**　**オ**　**カ**

（組み合わせ）

1　**Aア**　**Bイ**　**Cエ**
2　**Aア**　**Bウ**　**Cカ**
3　**Aイ**　**Bエ**　**Cオ**
4　**Aイ**　**Bエ**　**Cカ**
5　**Aウ**　**Bオ**　**Cカ**

次の曲を４歳児クラスで歌ってみたところ、最高音が歌いにくそうであった。そこで短３度下げて歌うことにした。その場合、下記のコードはどのように変えたらよいか。正しい組み合わせを一つ選びなさい。

解説▶別冊 p.48 ～ 49 ▶▶▶

（組み合わせ）

1	F : E♭	Am : Gm	B♭6 : A6
2	F : E♭	Am : Gm	B♭6 : A♭6
3	F : D	Am : Fm	B♭6 : G♭6
4	F : D	Am : F♯m	B♭6 : G6
5	F : C	Am : Em	B♭6 : F6

次のリズムは、ある曲の歌い始めの部分である。それは次のうちのどれか、一つ選びなさい。

1　春の小川（文部省唱歌、作詞：高野辰之　作曲：岡野貞一）
2　かたつむり（文部省唱歌）
3　春がきた（文部省唱歌、作詞：高野辰之　作曲：岡野貞一）
4　虫のこえ（文部省唱歌）
5　茶つみ（文部省唱歌）

次のうち、不適切なものを一つ選びなさい。

1　『赤い鳥』は、大正時代に鈴木三重吉が創刊した雑誌である。
2　マザーグースとは、イギリスの伝承童謡である。
3　大太鼓や小太鼓は、膜鳴楽器である。
4　「むすんでひらいて」の旋律を作曲したのは、ルソー（Rousseau, J.-J.）である。
5　移調とは、曲の途中で、調が変化することである。

次の文は、「保育所保育指針」第２章「保育の内容」３「３歳以上児の保育に関するねらい及び内容」オ「表現」の一部である。（　A　）～（　C　）にあてはまる語句の正しい組み合わせを一つ選びなさい。

豊かな感性は、身近な（　A　）と十分に関わる中で美しいもの、優れたもの、心を動かす出来事などに出会い、そこから得た（　B　）を他の子どもや保育士等と共有し、様々に表現することなどを通して養われるようにすること。その際、（　C　）の音や雨の音、身近にある草や花の形や色など自然の中にある音、形、色などに気付くようにすること。

（組み合わせ）

	A	B	C
1	自然	感動	風
2	自然	情報	虫
3	環境	知識	波
4	環境	感動	風
5	自然	知識	虫

次のうち、幼児期の描画表現の発達に関する記述として、適切な記述を○、不適切な記述を×とした場合の正しい組み合わせを一つ選びなさい。

A　描画表現において見られる地面のような線（基底線表現）は、空間認識の表れや描かれているものの位置関係の表現と考えることができる。

B　人物表現の初期に見られる、頭から手足が出ているような表現は、一般的に「頭足人」とよばれる。

C　描画表現の発達段階については、発達の指標と考え、年齢段階に達するための技術指導を行う。

D　描画表現の発達は、文化的な影響が強いため、海外の幼児の描画発達との共通性は見られない。

解説▶別冊 p.49 ～ 50 ▶▶▶

（組み合わせ）

1	A○	B○	C○	D×	2	A○	B○	C×	D×
3	A○	B×	C×	D○	4	A×	B○	C○	D○
5	A×	B○	C×	D○					

次の【事例】を読んで、【設問】に答えなさい。

【事例】

子どもたちが透明な容器に水を入れ、絵の具をつけた筆を入れて色水を作って遊んでいます。その様子を見ながら、新任のＰ保育士（以下、Ｐ）と主任のＱ保育士（以下、Ｑ）が話し合っています。

Ｐ：Ｍさんは、黄色のついた筆と、同じ量の（　**A**　）色のついた筆を水の入った容器に入れて、よくかき混ぜました。すると、きれいな橙色になりました。

Ｑ：きれいな橙色になったのは、（　**B**　）色同士を混ぜたからですね。

Ｐ：Ｎさんは、（　**C**　）色のついた筆と、同じ量の黄色のついた筆を水の入った容器に入れて、よくかき混ぜたのですが、できた色は黒ずみました。

Ｑ：黒ずんだのは、（　**D**　）関係に近い色を混ぜたからですね。混ぜ合わせる色同士を、色相環の中にイメージすると、どんな色が生まれるかが分かるようになりますね。

【設問】

（　**A**　）～（　**D**　）にあてはまる語句の正しい組み合わせを一つ選びなさい。

（組み合わせ）

	A	B	C	D
1	赤	類似	紫	補色
2	紫	反対	緑	補色
3	赤	類似	緑	補色
4	紫	反対	緑	対比
5	赤	類似	紫	対比

問10 **次のうち、でんぷん糊の説明として、適切な記述を○、不適切な記述を×とした場合の正しい組み合わせを一つ選びなさい。**

A 主に、紙同士を接着する時に使われる。
B 天然の凝固物であるカゼインでできている。
C 古来より、穀物などを用いて作られてきた。
D 水と混ぜると硬化し固着する。

（組み合わせ）

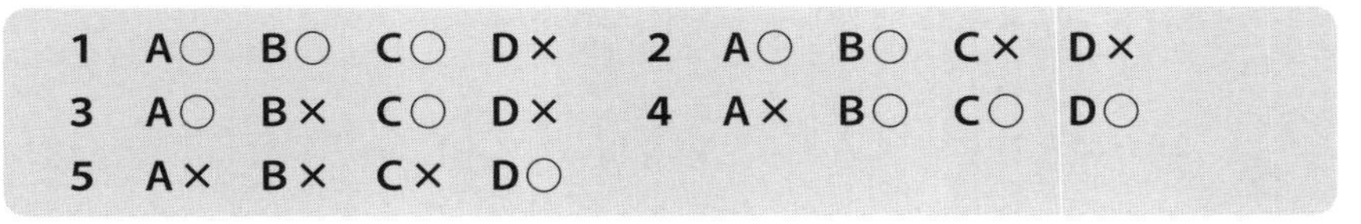

	A	B	C	D
1	A○	B○	C○	D×
2	A○	B○	C×	D×
3	A○	B×	C○	D×
4	A×	B○	C○	D○
5	A×	B×	C×	D○

問11 **次の【事例】を読んで、【設問】に答えなさい。**

【事例】

３歳児クラス担当のＫ保育士（以下、Ｋ）とＹ保育士（以下、Ｙ）は、明日の保育についての打ち合わせをしています。

Ｋ：この前、ボードに絵を付着させて演じる（　**A**　）を子どもたちと一緒に楽しみましたが、明日は保育者のコスチュームが舞台となる（　**B**　）

解説▶別冊 p.50 ～ 51 ▶▶▶

を使ってお話をしたいと思います。

Y：そうですね。フェルトで作った人形を使うので、演じた後に実際に触れることができるのがいいですね。（　**C**　）を使った人形の出し入れを、子どもたちもやってみたいと思うかもしれませんね。

K：子どもたちと演じる遊びを楽しむために、その他にも動かせる人形である（　**D**　）をいろいろな素材で作ってみたいと思います。

【設問】

（　**A**　）～（　**D**　）にあてはまる語句の正しい組み合わせを一つ選びなさい。

（組み合わせ）

	A	B	C	D
1	ペープサート	パネルシアター	ステープラー	パレット
2	ペープサート	パネルシアター	ポケット	パレット
3	パネルシアター	エプロンシアター	ポケット	パペット
4	パネルシアター	エプロンシアター	ステープラー	パペット
5	ペープサート	パネルシアター	ポケット	ペレット

切り紙遊びで図１のように紙を折って、図２の実線にはさみで切り込みを入れたのち、開くとできる模様として、図３の１～５のうち、正しいものを一つ選びなさい。（紙などを実際に折ったり切ったりしないで考えること。）

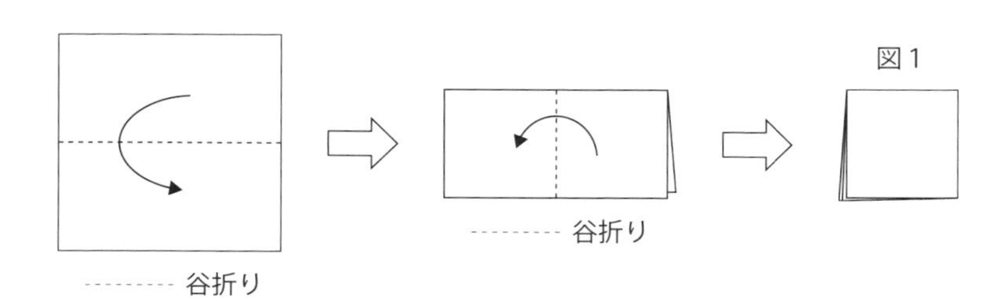

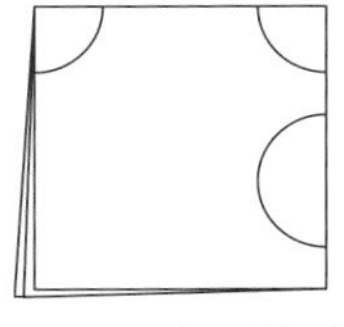

図3

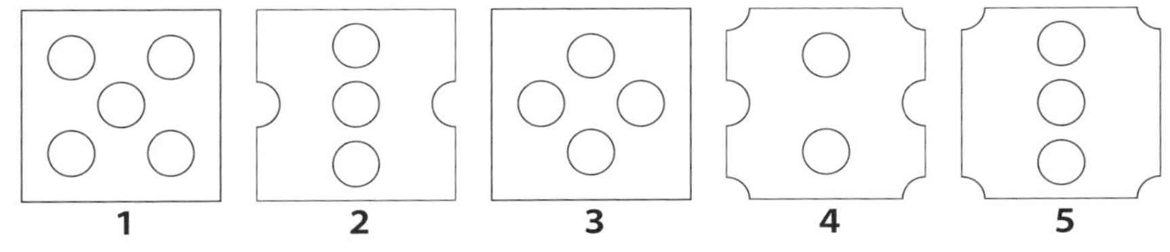

次の【事例】を読んで、【設問】に答えなさい。

【事例】

　P保育所の施設長は、今年度の研修について検討している。現在、P保育所には、食育に関心があると日頃から話しているK保育士、保護者対応に困難を感じているL保育士、ダウン症の子どもを担当しているM保育士などが在籍している。

【設問】

　次のうち、研修の取り組みとして、適切なものを○、不適切なものを×とした場合の正しい組み合わせを一つ選びなさい。

A　昨年度、食育の園外研修に参加したK保育士を食育の推進リーダーに任命し、園内研修で他の保育士に対して情報提供を行う機会を設ける。

B　保護者対応について園内研修としてカンファレンスを行うことにしたが、L保育士には守秘義務があるため自身が抱える事例に関しては触れないように伝える。

C　自治体が主催する知的障害・発達障害に関する今年度の研修会への参加

解説▶別冊 p.51 ▶▶▶

募集の案内が届いたため、M保育士にのみ、その情報を伝える。

（組み合わせ）

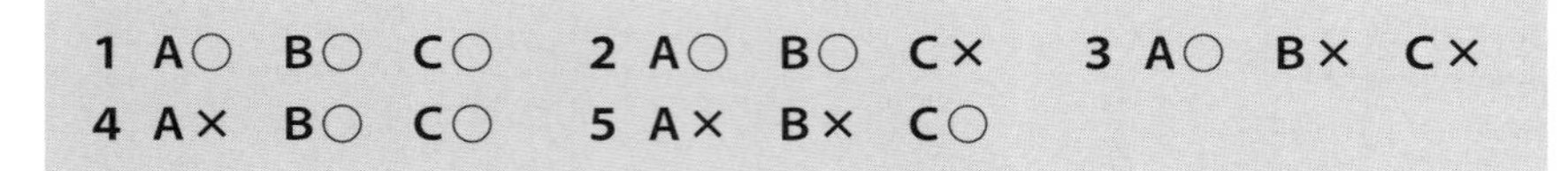

1	A○	B○	C○
2	A○	B○	C×
3	A○	B×	C×
4	A×	B○	C○
5	A×	B×	C○

次の【事例】を読んで、【設問】に答えなさい。

【事例】

　保育所に勤務して２年目になるＳ保育士は、５歳児クラスの担当をしている。昼食の前にクラスで絵本の読み聞かせをしている時に、Ｔ君は興味が続かず、一人で廊下に飛び出してしまい、Ｓ保育士が何度声を掛けても、保育室に戻らないことがたびたびあった。

【設問】

　次のうち、絵本の読み聞かせの際のＳ保育士の対応として、適切なものを○、不適切なものを×とした場合の正しい組み合わせを一つ選びなさい。

A　Ｔ君が絵本に集中できるように、掲示物がないシンプルな壁などを背景にして、読み聞かせを行う。

B　Ｔ君の様子を見守りつつすぐに声を掛けられるように、Ｓ保育士の近くにＴ君が座れるよう配慮する。

C　飛び出しそうになったら、Ｔ君をすぐに厳しく注意する。

D　読み聞かせをしている時には、Ｓ保育士はその場を離れられないので、月齢が高く、クラスのリーダー的役割を担っている子どもに、毎回Ｔ君を追いかけてもらうように頼む。

（組み合わせ）

1	A○	B○	C×	D×	2	A○	B×	C○	D×
3	A○	B×	C×	D○	4	A×	B○	C×	D×
5	A×	B×	C○	D○					

次のうち、「保育所保育指針」第２章「保育の内容」２「１歳以上３歳未満児の保育に関わるねらい及び内容」エ「言葉」の内容に照らし、適切なものを○、不適切なものを×とした場合の正しい組み合わせを一つ選びなさい。

A 子どもは、応答的な大人との関わりによって、自ら相手に呼びかけたり、承諾や拒否を表す片言や一語文を話したり、言葉で言い表せないことは指差しや身振りなどで示したりして、親しい大人に自分の欲求や気持ちを伝えようとする。

B 子どもは、保育所での集団生活を送る中で、様々な生活に必要な言葉に出会う。例えば「マンマ」や「ネンネ」など、生活習慣や慣れ親しんだ活動内容を表す言葉がある。一方、「散歩」「着替える」などのように、毎日の同じ生活場面で繰り返し耳にすることで、次第に気付くようになる言葉もある。

C 子どもは、家庭や地域の生活の中で、文字などの記号の果たす役割とその意味を理解するようになると、自分でも文字などの記号を使いたいと思うようになる。また、保育所の生活においては、複数のクラスや保育士等、さらには、多くの友達などがいるために、その所属や名前の文字を読んだり、理解したりすることが必要になる。

D 「当番の仕事」という言葉を耳にしても初めは何をどうすることなのか理解できない子どもも、保育士等や友達と一緒に行動することを通して、次第にその言葉を理解し、戸惑わずに行動できるようになっていく。

解説▶別冊 p.52 ▶▶▶

（組み合わせ）

1	A○	B○	C○	D×	2	A○	B○	C×	D×
3	A○	B×	C○	D×	4	A×	B○	C○	D○
5	A×	B×	C×	D○					

次の【事例】を読んで、【設問】に答えなさい。

【事例】

M保育所は、この地域で唯一休日保育を実施している認可保育所である。現在、M保育所の所長は、災害発生時等の保育所の安全対策や対応についての確認を行っているところである。

【設問】

次のうち、安全対策の取り組みとして、適切なものを○、不適切なものを×とした場合の正しい組み合わせを一つ選びなさい。

A 園庭にある遊具は、毎年専門の業者に点検に来てもらっているため、保育士は点検しない。

B 毎年運動会で使用する入退場門が園舎の横に置かれていたが、子どもが避難する際の避難経路の幅が確保できないため、撤去することとした。

C 休日保育は、通常保育とは勤務する保育士の人数が異なるため、休日保育を想定した避難訓練を計画する必要はない。

（組み合わせ）

1	A○	B○	C×	2	A○	B×	C×	3	A×	B○	C○
4	A×	B○	C×	5	A×	B×	C○				

問17 次のうち、保育所で保育実習を行っている実習生Jさんの行動や態度として、適切なものを○、不適切なものを×とした場合の正しい組み合わせを一つ選びなさい。

A 実習日誌の園児の個人の記録は詳細に書かなければならないため、子どもの氏名や家族構成、連絡先なども必ず書く。
B 保育者同士の連携が必要なので、帰り道にカフェなどを利用して、同じ期間に実習しているKさんと実習日誌を見せ合い、担当している子どもや家族についての情報交換を行う。
C 実習日誌に書いたことが正しいかわからないときは、ＳＮＳに実習先の保育所の情報や日誌の具体的な内容を書き込みし、色々な人から意見をもらって指摘してもらう。
D 実習先の子どもを街中で見かけた時には、積極的に声をかけ、その子どもの保育所での様子などを保護者に伝え、子どもへの接し方を改善するよう指導する。

（組み合わせ）

1	A○	B○	C×	D×	2	A○	B×	C○	D○
3	A○	B×	C×	D○	4	A×	B○	C○	D×
5	A×	B×	C×	D×					

問18 次のうち、保育場面で紙芝居を演じる際の留意点等として、適切な記述を○、不適切な記述を×とした場合の正しい組み合わせを一つ選びなさい。

A 場面に応じて、ぬき方のタイミングを工夫する。
B 声の大きさ、強弱、トーンなどの演出はしない。
C 演じ手は子どもの反応を受け止めずに進める。
D 舞台や幕を使うことが効果的である。

解説▶別冊 p.53 ▶▶▶

（組み合わせ）

1	**A○**	**B○**	**C○**	**D○**	**2**	**A○**	**B○**	**C×**	**D×**
3	**A○**	**B×**	**C×**	**D○**	**4**	**A×**	**B×**	**C○**	**D○**
5	**A×**	**B×**	**C×**	**D×**					

問19　次の【事例】を読んで、【設問】に答えなさい。

【事例】

Ｓちゃん（７歳、女児）は、児童養護施設で生活している。実習生のＭさんが実習を始めた当初は、声をかけると穏やかに応答していたが、しばらく経つと「早く来てよ」「これ終わるまで一緒にいてくれないとダメ」などと強い命令口調で言うようになった。ＭさんがＳちゃんの要求に応えないと「なんでよ！もうここに来ないで！」などと怒鳴る一方で、翌日には抱っこをせがむこともある。ある日、Ｓちゃんがぬいぐるみを投げたことを注意したところ、Ｓちゃんは「お姉さん嫌い！お姉さんもどうせ私のこと嫌いなんでしょ！」と言って泣き出し、近くにあった他のぬいぐるみも投げ続けた。

【設問】

次のうち、実習生ＭさんがとるべきＳちゃんへの対応として、適切なものを○、不適切なものを×とした場合の正しい組み合わせを一つ選びなさい。

A　「あなたがぬいぐるみを投げたことが悪いんでしょう」と伝える。

B　「Ｓちゃんが良い子にしていれば、みんなあなたのことを好きになるんだよ」と伝える。

C　Ｓちゃんが落ち着くまでしばらく見守りながら一緒にいる。

D　Ｓちゃんの言動について、その日の実習終了時に実習指導者に相談する。

（組み合わせ）

1	A○	B○	C○	D×	2	A○	B×	C○	D×
3	A×	B○	C×	D○	4	A×	B×	C○	D○
5	A×	B×	C×	D×					

次の【事例】を読んで、【設問】に答えなさい。

【事例】

児童養護施設のグループホームで実習をしているGさんは、Uさん（高校2年生、女児）から次のような相談を受けた。Uさんが、担当のP保育士に「高校卒業後に進学したい」と相談したところ、P保育士からは「親族の経済的な支援が期待できない中、学費について苦労をするから就職する方向で検討した方が良いと思うよ」と言われたため、「どうしたら良いかわからない」とのことだった。なお、実習開始時からGさんは、Q実習指導者に指導を受けている。

【設問】

次のうち、Gさんの Uさんへの対応として、適切な記述を○、不適切な記述を×とした場合の正しい組み合わせを一つ選びなさい。

A P保育士はUさんのことを思い助言しているのだから、就職するよう伝える。

B 相談内容について、Q実習指導者に伝えても良いかUさんに確認する。

C Uさんの気持ちを理解しようと努める。

D 「親族も支援してくれないのはひどいよね」と話す。

解説▶別冊 p.54 ▶▶▶

（組み合わせ）

1	**A**○	**B**○	**C**○	**D**×	**2**	**A**○	**B**○	**C**×	**D**×
3	**A**○	**B**×	**C**×	**D**○	**4**	**A**×	**B**○	**C**○	**D**×
5	**A**×	**B**×	**C**○	**D**○					

保育士試験

2023年後期

筆記試験

時間に合わせて解いてみましょう！

■試験内容と試験時間

科目	時間（分）	満点
保育の心理学	60	100
保育原理	60	100
子ども家庭福祉	60	100
社会福祉	60	100
教育原理	30	50
社会的養護	30	50
子どもの保健	60	100
子どもの食と栄養	60	100
保育実習理論	60	100
合格基準点	各科目で満点の６割以上	

※科目合格がありますが、「教育原理及び社会的養護」については、同年に両科目とも６割以上を得点した者が合格となります。

P.421～422 に解答用紙がありますので、コピーしてお使いください。
答え合わせに便利な正答一覧は別冊の P.231 にあります。

2023年・後期　保育の心理学

次のうち、ヒトの発達初期に関する記述として、適切なものを○、不適切なものを×とした場合の正しい組み合わせを一つ選びなさい。

A　馴化とは、乳児が信頼できる大人の表情を見て自らの行動に適用することをいう。

B　子どもは養育者から養育行動を引き出すための様々な特徴をもっているが、幼児図式もその一つである。

C　乳幼児期における養育者との関係は、その後の心身の健康や発達に影響を及ぼす。

D　養育者からの呼びかけに対して、乳児がリズミカルに体を動かし、またそれに養育者が応答するエントレインメントは、乳児期における養育者と子どもの関係づくりに貢献する。

（組み合わせ）

1	A○	B○	C○	D×
2	A○	B×	C×	D○
3	A×	B○	C○	D○
4	A×	B×	C○	D×
5	A×	B×	C×	D○

次のうち、発達理論に関する記述として、適切なものを○、不適切なものを×とした場合の正しい組み合わせを一つ選びなさい。

A　ジェンセン（Jensen, A.R.）は、人は経験によって変化しうるとし、行動主義の創始者となった。

B　ワトソン（Watson, J.B.）は、自分で自分の心の働きを振り返る、省察や内観をもとにした心理学研究の分野を確立した。

C　バンデューラ（Bandura, A.）は、条件づけをもとにした学習理論を社会的学習理論へと発展させ、人の行動を観察し、その人に罰や報酬が与えられるのを見たりすることによって、行動が変容することを実験によって明らかにした。

D　ゴールトン（Galton, F.）は、個人差の大部分が遺伝によるものであるとし、遺伝的に優れた人同士が数世代にわたって子孫を残すことで、人類は高い才能をつくり出しうると考えた。

（組み合わせ）

1	**A**○	**B**○	**C**×	**D**×	**2**	**A**○	**B**×	**C**○	**D**×
3	**A**○	**B**×	**C**×	**D**○	**4**	**A**×	**B**○	**C**×	**D**×
5	**A**×	**B**×	**C**○	**D**○					

問3

次のうち、発達を捉える方法に関する記述として、適切なものを○、不適切なものを×とした場合の正しい組み合わせを一つ選びなさい。

A　観察対象がありのままに生活や遊びをしている状況で観察を行う方法を、自然観察法という。

B　条件や状況を操作・統制して観察を行う方法を、実験的観察法という。

C　発達変化を捉えるために、同一の対象者を長期間にわたって調べる方法を、横断的方法という。

D　調査したい事柄や目標はあるものの、具体的な質問は「○○について」というきっかけの質問に始まり、対象者の自由な語りを引き出すような面接を、非構造化面接という。

（組み合わせ）

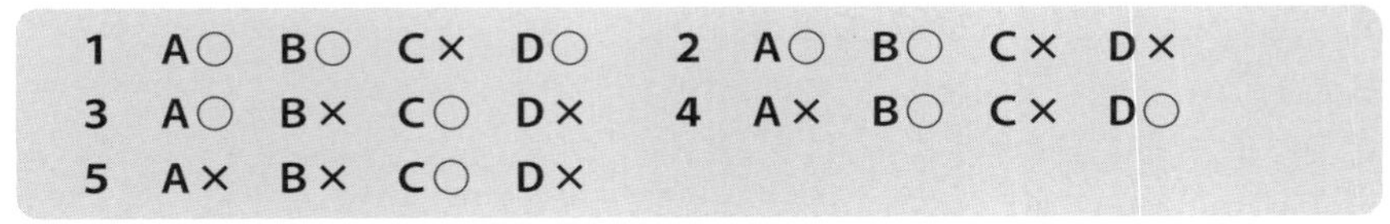

1	**A**○	**B**○	**C**×	**D**○	**2**	**A**○	**B**○	**C**×	**D**×
3	**A**○	**B**×	**C**○	**D**×	**4**	**A**×	**B**○	**C**×	**D**○
5	**A**×	**B**×	**C**○	**D**×					

解説▶別冊 p.55 ▶▶▶

次のうち、自己の発達に関する記述として、適切なものを○、不適切なものを×とした場合の正しい組み合わせを一つ選びなさい。

A ホフマン（Hoffman, M.L.）によれば、１歳頃までは自他の区別が未分化であり、他児が転んで泣くのを見て、自分も泣きそうになるなど、他者に起こったことが自分自身に起こったことのように振る舞う。

B 幼児期後半に社会的比較が可能になることにより、幼児期から学童期にかけて自己評価が否定的になり、自尊感情が低下する。

C 乳児期前半に自分の手を目の前にかざし、その手をじっと見つめるというショーイングと呼ばれる行動がみられる。

D 客体的自己の理解は、鏡に映った自分の姿を理解できるかという課題を用いて調べることができる。

（組み合わせ）

1	**A**○	**B**○	**C**○	**D**○
2	**A**○	**B**×	**C**○	**D**×
3	**A**○	**B**×	**C**×	**D**○
4	**A**×	**B**○	**C**○	**D**×
5	**A**×	**B**×	**C**×	**D**○

次のA～Eは、「遠城寺式・乳幼児分析的発達検査（九州大学小児科改訂新装版）」の課題のうち「移動運動」の項目を抽出したものである。発達過程の中で出現する順に並べた場合の正しい組み合わせを一つ選びなさい。

A 足を交互に出して階段をあがる

B 走る

C 片足で２～３秒立つ

D ボールを前にける

E 幅とび（両足をそろえて前にとぶ）

（組み合わせ）

1	B→D→A→C→E	2	B→D→A→E→C
3	B→D→C→E→A	4	D→B→A→C→E
5	D→B→C→E→A		

問6　次のうち、認知の発達に関する記述として、適切なものを○、不適切なものを×とした場合の正しい組み合わせを一つ選びなさい。

A　延滞模倣とは、自分の外部にある物理的対象である物に働きかけ、その結果として生じる感覚を楽しみ、それを再現しようとして繰り返すような行動をいう。

B　最初期に出現する指さしは、他者から問われたことに指さしで応じる「応答の指さし」である。

C　ヒトは、生後間もない頃は母語にない音を区別できるが、生後６か月頃から、次第に母語にない音を区別できなくなる。例えば、日本語母語話者の場合、１歳頃には「L」と「R」の音の区別ができなくなる。

D　脱中心化によって、複数の視点で物事を捉えることができるようになると、保存課題に正答できるようになる。

（組み合わせ）

1	A○	B○	C×	D×	2	A○	B×	C○	D○
3	A×	B○	C×	D○	4	A×	B×	C○	D○
5	A×	B×	C×	D×					

問7　次のA～Cの記述に該当する語句の最も適切な組み合わせを一つ選びなさい。

A　「ワンワン」という言葉を聞いて、目の前に「イヌ」がいなくても、頭の中に「イヌ」をイメージできる。

B　子どもが生得的にもつ能力を引き出すように、環境からの刺激を養育者

解説▶別冊 p.56 ～ 57 ▶▶▶

が調整することによって、子どもは言葉を獲得する、と考えた。

C しりとりができるためには、示された言葉から正しく語尾音を抽出する能力と、定められた音を語頭音としてもつ単語を心的辞書から検索する能力が必要である。

（組み合わせ）

	A	B	C
1	感覚機能	ブルーナー（Bruner, J.S.）	音韻意識
2	感覚機能	ピアジェ（Piaget, J.）	普遍文法
3	象徴機能	ブルーナー（Bruner, J.S.）	音韻意識
4	象徴機能	ピアジェ（Piaget, J.）	音韻意識
5	象徴機能	ピアジェ（Piaget, J.）	普遍文法

次の文は、幼児の学びの過程に関する記述である。A～Dに関する用語を【語群】から選択した場合の最も適切な組み合わせを一つ選びなさい。

A 病院で、注射の痛みで泣く経験をした子どもが、医者が着ている白衣に似たものを見ただけで泣き出す。

B 新入園児が、その保育所やクラスの行動様式を徐々に学び、身につけ、クラスに溶け込み、クラスの一員となっていく。

C 保育者の手伝いをして褒められた子どもが、次からは、褒めてもらうために手伝いをしたがる。

D 子どもが「昨日は家族で公園に行った」など、過去の自分の経験について話をする。

【語群】

ア 古典的条件づけ	**イ** 外発的動機づけ	**ウ** 正統的周辺参加
エ 手続き的記憶	**オ** 内発的動機づけ	**カ** エピソード記憶
キ 認知的徒弟制	**ク** 観察学習	

（組み合わせ）

1	**Aア**	**Bウ**	**Cイ**	**Dカ**	**2**	**Aア**	**Bウ**	**Cオ**	**Dエ**
3	**Aア**	**Bキ**	**Cイ**	**Dカ**	**4**	**Aク**	**Bキ**	**Cイ**	**Dエ**
5	**Aク**	**Bキ**	**Cオ**	**Dエ**					

次の文は、発達と教育に関する記述である。（ A ）～（ D ）にあてはまる語句を【語群】から選択した場合の最も適切な組み合わせを一つ選びなさい。

教育と心的機能の発達の相互作用に関する理論の中で（ **A** ）は、子どもが自力で課題を解決できる限界である（ **B** ）水準と、大人の援助や指導を受けることによって解決が可能となる（ **C** ）可能水準があるとした。この二つの水準の間の領域を（ **D** ）と呼んだ。教育的働きかけは、この範囲に対してなされなければ子どもの発達に貢献できないし、また、教育は（ **D** ）をつくり出すように配慮しなければならない。

【語群】

ア	固有の知識領域	**イ**	ヴィゴツキー（Vygotsky, L.S.）
ウ	ボウルビィ（Bowlby, J.）	**エ**	現時点での発達
オ	潜在的な発達	**カ**	発達の最近接領域

（組み合わせ）

1	**Aイ**	**Bエ**	**Cオ**	**Dア**	**2**	**Aイ**	**Bエ**	**Cオ**	**Dカ**
3	**Aイ**	**Bオ**	**Cエ**	**Dカ**	**4**	**Aウ**	**Bエ**	**Cオ**	**Dカ**
5	**Aウ**	**Bオ**	**Cエ**	**Dア**					

解説▶別冊 p.57 ～ 58 ▶▶▶

次のうち、青年期に関する記述として、適切なものを○、不適切なものを×とした場合の正しい組み合わせを一つ選びなさい。

A エインズワース（Ainsworth, M.D.S.）によると、青年期の発達課題は自律性の獲得である。

B 青年期の始まりは第二次性徴が現れることで特徴づけられ、この時期は、ピアジェ（Piaget, J.）のいう形式的操作期から抽象的操作期への移行の時期である。

C マーシア（Marcia, J.E.）のアイデンティティ・ステイタスによると、親や年長者などの価値観を吟味することなく無批判に自分のものとして受け入れている状態を早期完了という。

D 青年期後期の特徴として、ある領域に特化した知識やスキルを精力的に習得し、新しいものの見方や考え方、技能を習得していく「熟達化」があげられる。

（組み合わせ）

1	**A○**	**B○**	**C×**	**D×**	**2**	**A○**	**B×**	**C○**	**D×**
3	**A×**	**B○**	**C×**	**D○**	**4**	**A×**	**B○**	**C×**	**D×**
5	**A×**	**B×**	**C○**	**D○**					

次のうち、高齢期に関する記述として、適切なものを○、不適切なものを×とした場合の正しい組み合わせを一つ選びなさい。

A コンボイモデルによると、高齢者の社会生活における人間関係は、補充や修正を行うことができず減少していくとされている。

B バルテス（Baltes, P.B.）によると、高齢期は決して何かを失うばかりではなく、喪失することで失ったものの重要さを実感し、状況へ適応することを模索しながら、新たなものを得ようとまた挑戦していく過程であるとされている。

C エリクソン（Erikson, E.H.）は、高齢期は人格を完成させることが発達課題であり、これまでの自分の人生に意義と価値を見出すことができることを「自我の統合」とした。

D キャッテル（Cattell, R.B.）らによると、知能には、結晶性知能と流動性知能があり、経験と強く関係する結晶性知能は生涯にわたって伸び続ける。

（組み合わせ）

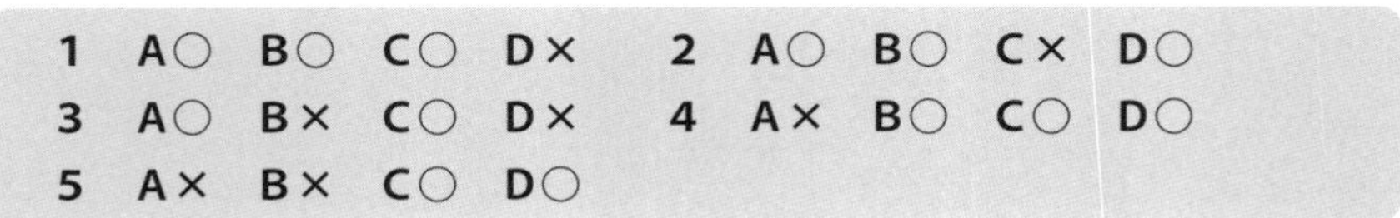

1	A○	B○	C○	D×	**2**	A○	B○	C×	D○
3	A○	B×	C○	D×	**4**	A×	B○	C○	D○
5	A×	B×	C○	D○					

問 12 **次の文は、子どもの生活環境を捉える考え方の特徴を示したものである。この考え方を提唱した人物として正しいものを一つ選びなさい。**

・ 子どもが所属し、多様な経験をする場として家庭、保育所、地域などがあるとした。
・ きょうだいの誕生や就学など、人生の出来事が影響を及ぼすとした。
・ しつけとして重視する内容は各家庭で異なっても、文化として共通する面もあるとした。
・ 人間を取り巻く環境を入れ子構造として捉えた。

1 コールバーグ（Kohlberg, L.）
2 フェスティンガー（Festinger, L.）
3 ブロンフェンブレンナー（Bronfenbrenner, U.）
4 バルテス（Baltes, P.B.）
5 ブルーナー（Bruner, J.S.）

問 13 **次のうち、親になることに関する記述として、適切なものを○、不適切なものを×とした場合の正しい組み合わせを一つ選びなさい。**

A 親になることによる変化は、母親だけに生じるわけではなく、父親でも子育てをすることで親としての自覚、人間としての成熟、ストレスを感じることがみられる。

解説▶別冊 p.58 ～ 59 ▶▶▶

B　エリクソン（Erikson, E.H.）によれば、成人後期の「親密性 対 孤立」は、私的な親子関係を超えて、次の世代やより広い社会へと広がり、成熟していく。

C　養護性（ナーチュランス）とは、対人関係能力の一つとして、人との関わりの中で獲得され、大人になっても、子どもとの関わりの中で親自身の発達としてさらに発展する。

D　養護性（ナーチュランス）とは、「相手の健全な発達を促進するために用いられる共感性と技能」として捉えられる。

（組み合わせ）

1　A○　B○　C×　D×　　2　A○　B×　C○　D○
3　A○　B×　C○　D×　　4　A×　B○　C×　D○
5　A×　B×　C○　D○

問14　次のうち、子どもの貧困に関する記述として、適切なものを○、不適切なものを×とした場合の正しい組み合わせを一つ選びなさい。

A　生存に必要な食料や衣服、衛生、住居など、人間としての最低限の生存条件を欠くような貧困を相対的貧困という。

B　子どもの相対的貧困は、学習環境や、塾などの学校外での学習の機会を奪い、それらが複雑に絡みあって、学業達成に影響を及ぼす。

C　「2019 年国民生活基礎調査」によれば、子どものいるひとり親世帯の約半数が相対的貧困の状態にある。そのため子どもが進学を諦めて就職したり、親が多くの仕事をかけもちしたりしなければならない状況が考えられる。

（組み合わせ）

1　A○　B○　C○　　2　A○　B○　C×　　3　A○　B×　C×
4　A×　B○　C○　　5　A×　B×　C○

問15　**次のうち、中年期の危機に関する記述として、適切なものを○、不適切なものを×とした場合の正しい組み合わせを一つ選びなさい。**

A　先端技術や情報化社会の急激な進展、終身雇用制や年功序列制の揺らぎ・崩壊など、職場環境の急激な変化は、職業人に、様々なストレスと職場不適応をもたらしている。

B　子育てが一段落する中年期に至って、これまで親密な関係性を育ててこなかった夫婦は、夫婦共通の目標を失う。長い結婚生活を経た中高年の離婚は「熟年離婚」といわれる。

C　親子関係においては、親は、子どもの自立にともなう親役割の喪失感、すなわち「心理的離乳」とよばれる不安定感が存在する。

D　中年期の危機を契機として、これまでの生き方の見直しや、将来の生き方への模索をすることによって、自分の生活や働き方の修正が行われるプロセスは、「アイデンティティの拡散」と捉えられる。

（組み合わせ）

1	A○	B○	C×	D×	2	A○	B×	C○	D×
3	A○	B×	C×	D○	4	A×	B○	C×	D×
5	A×	B×	C○	D○					

問16　**次のうち、低出生体重児に関する記述として、適切なものを○、不適切なものを×とした場合の正しい組み合わせを一つ選びなさい。**

A　出生体重が 1,500 グラム未満の児を低出生体重児と呼び、その中でも、1,000 グラム未満の児を極低出生体重児、700 グラム未満の児を超低出生体重児と呼ぶ。

B　出産後に母親の胸元で乳児と肌を触れ合わせるレスパイトケアは、子どもの発達、母子相互作用、愛着形成の促進などの効果が指摘されている。

C　超低出生体重児は予定日よりも３～４か月も早く生まれ、医療ケアのため長期の入院を余儀なくされる。その間、母子分離の状態におかれるため、母子の愛着形成不全が生じる危険性がある。

解説▶別冊 p.59 ～ 60 ▶▶▶

D 低出生体重児の母親は、小さく産んだ自責の念や、罪悪感、子どもの状態や治療に不安や緊張などのネガティブな気持ちをもって子育てに向かうことがある。

（組み合わせ）

1	A○	B○	C○	D○	2	A○	B○	C×	D×
3	A○	B×	C○	D×	4	A×	B○	C×	D○
5	A×	B×	C○	D○					

問 17 次のうち、子どもの心の健康に関する記述として、適切なものを○、不適切なものを×とした場合の正しい組み合わせを一つ選びなさい。

A 選択性緘黙とは、DSM-5 によれば、他の状況で話しているにもかかわらず、話すことが期待されている特定の社会的状況（例：学校）において、話すことが一貫してできない症状をいう。

B 起立性調節障害は、起立に伴う循環動態の変化に対応できず、低血圧や頻脈を起こし、症状が強いと失神することがある。小学校入学前頃に発症し、1年以上持続する。

C 自閉スペクトラム症については、心の理論説、実行機能説、中枢性統合説などによって説明されてきたが、どれか一つの理論のみで説明することは難しいとされている。

D 限局性学習症は、勉強ができない子ども一般をさすものであり、子どもの読み書きや計算における二つ以上の能力の低さを必ず併発するものである。

（組み合わせ）

1	A○	B○	C×	D×	2	A○	B×	C○	D×
3	A○	B×	C×	D○	4	A×	B○	C×	D×
5	A×	B×	C○	D○					

次のうち、児童虐待に関する記述として、適切なものを○、不適切なものを×とした場合の正しい組み合わせを一つ選びなさい。

A 虐待が疑わしい段階では通告義務はないが、児童虐待を受けたと思われる児童を発見した者は、速やかに都道府県、市町村の福祉事務所や児童相談所に通告しなければならない。

B 2019（令和元）年公布、2020（令和２）年施行の「児童虐待の防止等に関する法律（児童虐待防止法）」の改正では、親権者による体罰の禁止、児童虐待の再発防止を目的とした医学的または心理学的知見に基づく保護者の指導などを定めた。

C 「令和２年度福祉行政報告例」によると、児童虐待相談における主な虐待者は「実母」が最も多く、次いで「実父」が多い。

D 不適切な養育を表すマルトリートメントは、過保護や過干渉、年齢不相応な厳しい教育など、子どもの健全な成長を阻害するような養育態度や環境を広く含むものである。

（組み合わせ）

1	**A○**	**B○**	**C×**	**D×**	**2**	**A○**	**B×**	**C○**	**D×**
3	**A○**	**B×**	**C×**	**D○**	**4**	**A×**	**B○**	**C○**	**D○**
5	**A×**	**B×**	**C○**	**D○**					

次の文は、保育場面でみられる幼児の行動についての記述である。A～Dの行動の基盤となる社会的発達に関する用語を【語群】から選択した場合の最も適切な組み合わせを一つ選びなさい。

A 泣いている他児に近づき、その子の頭をなでながら自分のハンカチを差し出す。

B 10 か月児が、はじめての場所でどのように行動してよいかわからないので保育士の表情を見る。

C お店屋さんごっこで、それぞれがレジ係と客になり、やりとりをしている。

D グループ対抗の大縄跳び競争に勝とうと、グループでの練習に欠かさず

解説▶別冊 p.60 ～ 61 ▶▶▶

参加している。

【語群】

ア	向社会的行動	**イ**	道徳判断	**ウ**	役割取得	**エ**	安全基地
オ	社会的参照	**カ**	模倣	**キ**	対人葛藤	**ク**	帰属意識

（組み合わせ）

1 Aア　Bエ　Cウ　Dキ　**2** Aア　Bオ　Cウ　Dク
3 Aイ　Bエ　Cウ　Dク　**4** Aイ　Bエ　Cカ　Dキ
5 Aイ　Bオ　Cカ　Dク

次のうち、「保育所保育指針解説」（厚生労働省）における就学に向けた移行期に関する記述として、適切なものを○、不適切なものを×とした場合の正しい組み合わせを一つ選びなさい。

A 就学時期の子どもの心理的不安を軽減させる目的で、長時間の着席や文字や数を習得するなど小学校教育の先取りをすることは有効である。
B 卒園を迎える年度の子どもが、小学校の活動に参加するなどの交流活動を行うことは、就学に向けて自信や期待を高め、極端な不安を感じないようにする効果がある。
C 保育所児童保育要録は、小学校における基礎学力の資料として、一人一人の子どもが育ってきた過程を振り返り、指導の経過をまとめたものである。

（組み合わせ）

1 A○　B○　C○　**2** A○　B×　C×　**3** A×　B○　C×
4 A×　B×　C○　**5** A×　B×　C×

2023年・後期　保育原理

次のうち、日本の保育制度に関する記述として、適切なものを○、不適切なものを×とした場合の正しい組み合わせを一つ選びなさい。

A 1948（昭和 23）年、文部省は「保育要領」を刊行したが、これは、幼稚園のみならず保育所や家庭にも共通する手引きとして作成された。

B 1991（平成３）年、「幼稚園と保育所との関係について」という通知が文部省、厚生省の局長の連名で出された。その中で、保育所のもつ機能のうち、教育に関するものは、幼稚園教育要領に準ずることが望ましいことなどが示された。

C 現在も保育所は託児を行い、幼稚園は教育を行うなどその保育内容の基本はまったく違うものとなっている。

D 幼保連携型認定こども園は、国、地方公共団体、学校法人、社会福祉法人及び株式会社のみが設置することができる。

（組み合わせ）

1	A○	B○	C×	D×	2	A○	B×	C○	D×
3	A○	B×	C×	D×	4	A×	B○	C×	D○
5	A×	B×	C○	D○					

次のうち、「保育所保育指針」についての記述として、<u>あてはまらないもの</u>を一つ選びなさい。

1 現行の「保育所保育指針」は、厚生労働大臣告示として定められたものであり、規範性を有する基準としての性格をもつ。

2 「保育所保育指針」は、1955（昭和 30）年に策定され、1990（平成２）年、1999（平成 11）年と２回の改訂を経た後、2018（平成 30）年の改定に際して告示化された。

3 各保育所は、「保育所保育指針」に規定されている事項を踏まえ、それぞ

解説▶別冊 p.61 ～ 62 ▶▶▶

れの実情に応じて創意工夫を図り、保育を行うとともに、保育所の機能及び質の向上に努めなければならない。

4 各保育所では、「保育所保育指針」を日常の保育に活用し、社会的責任を果たしていくとともに、保育の内容の充実や職員の資質・専門性の向上を図ることが求められる。

5 保育所にとどまらず、小規模保育や家庭的保育等の地域型保育事業及び認可外保育施設においても、「保育所保育指針」の内容に準じて保育を行うこととされている。

次の文は、「保育所保育指針」第２章「保育の内容」１「乳児保育に関わるねらい及び内容」の一部である。（ A ）～（ C ）にあてはまる語句の正しい組み合わせを一つ選びなさい。

保育士等との（ A ）関係に支えられて生活を確立していくことが人と関わる基盤となることを考慮して、子どもの多様な感情を受け止め、温かく（ B ）的・（ C ）的に関わり、一人一人に応じた適切な援助を行うようにすること。

（組み合わせ）

	A	B	C
1	信頼	受容	応答
2	愛着	共感	協応
3	愛着	共感	応答
4	愛着	受容	応答
5	信頼	受容	協応

次のうち、「保育所保育指針」第２章「保育の内容」に関する記述として、適切なものを○、不適切なものを×とした場合の正しい組み合わせを一つ選びなさい。

A 「ねらい」は、子どもが保育所において安定した生活を送り、充実した活動ができるように、保育を通じて育みたい資質・能力を、子どもの生活する姿から捉えたものである。

B　「内容」は、「ねらい」を達成するために、子どもの生活やその状況に応じて保育士等が適切に行う事項と、保育士等が援助して子どもが環境に関わって経験する事項を示したものである。

C　保育における「養護」とは、子どもの生命の保持及び情緒の安定を図るために保育士等が行う援助や関わりのことである。

D　保育における「教育」とは、子どもが健やかに成長し、その活動がより豊かに展開されるために保育士等が行う発達の援助のことである。

E　「保育の内容」では、主に養護に関わる側面からの視点が示されており、実際の保育においても、教育より養護を優先して展開されることに留意する必要がある。

（組み合わせ）

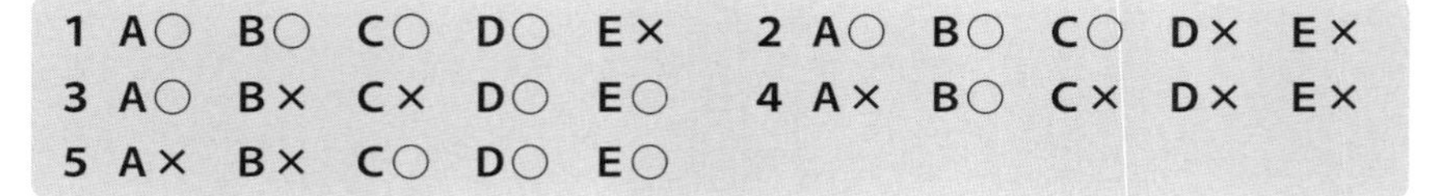

1	A○	B○	C○	D○	E×
2	A○	B○	C○	D×	E×
3	A○	B×	C×	D○	E○
4	A×	B○	C×	D×	E×
5	A×	B×	C○	D○	E○

次のうち、保育所における保育士の子どもへの対応として、「保育所保育指針」第1章「総則」、第2章「保育の内容」に照らし、適切なものを○、不適切なものを×とした場合の正しい組み合わせを一つ選びなさい。

A　1歳児が他児に噛みついた時に、その子の手をつねり、いけないことだと伝えた。

B　悔しくて涙を流している4歳児に「赤ちゃんみたいに泣かないの」と伝えた。

C　5歳児が昼食のおかわりを希望しても「前日に昼食を残したからあげることはできない」と伝えた。

D　2歳児が園外での散歩の際、車道に出ようとするのをとっさに後ろから抱きかかえて止めた。

解説▶別冊 p.62～63 ▶▶▶

（組み合わせ）

1	**A○**	**B×**	**C×**	**D×**	**2**	**A×**	**B○**	**C×**	**D×**
3	**A×**	**B×**	**C○**	**D×**	**4**	**A×**	**B×**	**C×**	**D○**
5	**A×**	**B×**	**C×**	**D×**					

次の文は、「保育所保育指針」第２章「保育の内容」３「３歳以上児の保育に関するねらい及び内容」の一部である。（　A　）～（　C　）にあてはまる語句の正しい組み合わせを一つ選びなさい。

子どもが、遊びの中で周囲の（　A　）と関わり、次第に周囲の世界に（　B　）を抱き、その意味や操作の仕方に関心をもち、物事の法則性に気付き、自分なりに考えることができるようになる（　C　）を大切にすること。

（組み合わせ）

	A	B	C
1	人	探究心	過程
2	人	疑問	経験
3	環境	探究心	経験
4	環境	好奇心	過程
5	自然	好奇心	過程

次の表は、「保育所保育指針」第１章「総則」４「幼児教育を行う施設として共有すべき事項」（１）「育みたい資質・能力」をまとめたものである。表中の（　　　）にあてはまるものを一つ選びなさい。

表

知識及び技能の基礎	豊かな体験を通じて、感じたり、気付いたり、分かったり、できるようになったりする
思考力、判断力、表現力等の基礎	気付いたことや、できるようになったことなどを使い、考えたり、試したり、工夫したり、表現したりする
学びに向かう力、人間性等	（　　　）

1　友達と豊かに関わる中で、協同的に作ったり、表現したりする
2　心情、意欲、態度が育つ中で、よりよい生活を営もうとする
3　小学校に向けて、自ら考え、自ら学習に取り組もうとする
4　見通しをもって物事を考え、問題解決しようとする
5　自らの意思を強くもち、葛藤経験からも自らの力で乗り越えようとする

次のうち、「保育所保育指針」第２章「保育の内容」４「保育の実施に関して留意すべき事項」の一部として、正しいものを○、誤ったものを×とした場合の正しい組み合わせを一つ選びなさい。

A　子どもの心身の発達及び活動の実態などの個人差を踏まえるとともに、一人一人の子どもの気持ちを受け止め、援助すること。
B　子どもが自ら周囲に働きかけ、試行錯誤しつつ自分の力で行う活動を見守るだけでなく、子どもに対して、保育士等が先回りして援助を行うこと。
C　子どもの入所時の保育に当たっては、できるだけどの子どもにも同じ対応をし、子どもが安定感を得て、次第に保育所の生活になじんでいくようにするとともに、既に入所している子どもに不安や動揺を与えないようにすること。
D　子どもの国籍や文化の違いを認め、互いに尊重する心を育てるようにすること。

解説▶別冊 p.63 ～ 64 ▶▶▶

（組み合わせ）

1	A○	B○	C○	D×	2	A○	B○	C×	D○
3	A○	B×	C×	D○	4	A×	B×	C○	D○
5	A×	B×	C○	D×					

問9　次のうち、「保育所保育指針」第1章「総則」（4）「保育の環境」に照らし、不適切な記述を一つ選びなさい。

1　子ども自身の興味や関心が触発され、好奇心をもって自ら関わりたくなるような、子どもにとって魅力ある環境を保育士等が構成することが重要である。

2　保育の環境の構成に当たっては、複数の友達と遊べる遊具やコーナーなどを設定するとともに、物の配置や子どもの動線などに配慮することが重要である。

3　保育室は、温かな親しみとくつろぎの場となるとともに、生き生きと活動できる場となるように配慮すること。

4　衛生や安全について確認するための体制を整えるなど、子どもが安心して過ごせる保育の環境の確保に保育所全体で取り組んでいく必要がある。

5　子どもは人的環境である大人の影響を受けやすいため、保育士等との関わりができるだけ最小限となるよう配慮する必要がある。

問10　次の保育所の【事例】を読んで、【設問】に答えなさい。

【事例】

10月のある日、週1回の園庭開放に、脳性まひの障害があるNちゃん（3歳、女児）と母親が来所した。母親からの話では、Nちゃんは脳性まひの障害があり、週1回歩行の訓練で児童発達支援センターに通っており、食事前や寝る前にたんの吸引が必要であることがわかった。少し緊張している様子のNちゃんだったが、保育士に笑顔を見せたり、砂場のままごと道具に興味を示す姿も見られた。母親からは、新年度からNちゃんがこの保育所で集団生活を送ることを希望していて、継続して園庭開放に来たいといった言葉が聞かれた。

【設問】

次のうち、保育所の対応として、適切なものを○、不適切なものを×とした場合の正しい組み合わせを一つ選びなさい。

A Nちゃんに障害があることから保育所での生活は難しいと母親にまず伝える。

B 研修を受けた保育士は、たんの吸引などの医療的ケアができることを伝え、この保育所での対応に関する情報提供を行う。

C 母親の了解を得ていないが、Nちゃんの様子を聞くため児童発達支援センターに連絡する。

D Nちゃんや母親の様子を観察し、把握した結果を職員間で共有し、今後、この親子にどのように関わるかを話し合う。

（組み合わせ）

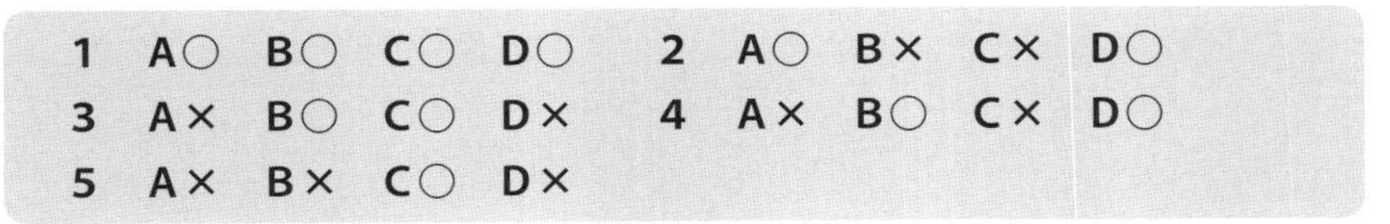

1	**A**○	**B**○	**C**○	**D**○	**2**	**A**○	**B**×	**C**×	**D**○
3	**A**×	**B**○	**C**○	**D**×	**4**	**A**×	**B**○	**C**×	**D**○
5	**A**×	**B**×	**C**○	**D**×					

次の【Ⅰ群】の記述と、【Ⅱ群】の人名を結びつけた場合の正しい組み合わせを一つ選びなさい。

【Ⅰ群】

A 経営する工場の労働者とその家族のために教育施設を開設し、そこに「幼児学校」をおいた。

B 最も恵まれない子どもを豊かに育む方法こそ、すべての子どもにとって最良の方法であるとする考えに基づき、「保育学校」を創設し、医療機関との連携を図って保育を進めた。

解説▶別冊 p.64 ～ 65 ▶▶▶

【Ⅱ群】

ア　デューイ（Dewey, J.）　イ　オーエン（Owen, R.）
ウ　マクミラン（McMillan, M.）　エ　オーベルラン（Oberlin, J.F.）

（組み合わせ）

1　Aア　Bイ　2　Aイ　Bア　3　Aイ　Bウ
4　Aエ　Bア　5　Aエ　Bウ

次のうち、保育所が行う一時預かり事業に関して「保育所保育指針」に照らし、適切な記述を○、不適切な記述を×とした場合の正しい組み合わせを一つ選びなさい。

A　家庭での様子などを踏まえ、一人一人の子どもの心身の状態などを考慮して保育することが求められる。
B　一人一人の子どもの家庭での生活と保育所における生活との連続性に配慮する必要がある。
C　子どもが無理なく過ごすことができるよう、必要に応じて午睡の時間を設けたり、子どもがくつろぐことのできる場を設けたりするなど、一日の流れや環境を工夫することが大切である。
D　一日の生活の流れに慣れることを考え、保育所で行っている活動や行事に参加することは避けるように配慮する。

（組み合わせ）

1　A○　B○　C○　D×　2　A○　B○　C×　D×
3　A×　B○　C○　D×　4　A×　B×　C○　D○
5　A×　B×　C×　D○

次の文は、「保育所保育指針」第５章「職員の資質向上」の一部である。（　A　）～（　E　）にあてはまる語句を【語群】から選択した場合の正しい組み合わせを一つ選びなさい。

保育所においては、保育の内容等に関する（　A　）等を通じて把握した、保育の質の向上に向けた課題に（　B　）に対応するため、（　C　）の改善や保育士等の役割分担の見直し等に取り組むとともに、それぞれの（　D　）や職務内容等に応じて、各職員が必要な知識及び（　E　）を身につけられるよう努めなければならない。

【語群】

ア	自己評価	イ	職位	ウ	柔軟	エ	保育方法
オ	組織的	カ	保育内容	キ	技術	ク	能力
ケ	研修	コ	技能				

（組み合わせ）

1	Aア	Bウ	Cエ	Dク	Eコ
2	Aア	Bウ	Cカ	Dイ	Eキ
3	Aア	Bオ	Cカ	Dイ	Eコ
4	Aケ	Bウ	Cカ	Dク	Eキ
5	Aケ	Bオ	Cエ	Dク	Eキ

次の保育所の【事例】を読んで、【設問】に答えなさい。

【事例】

Ｌ君は、９月から３歳児クラスに入所し、保育所での生活は４日目である。昼食後の午睡では、担当保育士が絵本を読み終えると、他の子どもたちは自分の布団に横になるが、Ｌ君は自分の布団に横になっても、すぐに起き上がってカーテンにもぐって外を見たりする。担当保育士が近づくと、Ｌ君はカーテンから顔をのぞかせて担当保育士に笑いかけるが、またカーテンにもぐる。しばらくして、担当保育士が「Ｌ君、ねようね」と声をかけ、Ｌ君は布団に

解説▶別冊 p.65 ～ 66 ▶▶▶

横になる。Ｌ君は、「ママは？」と聞き、担当保育士は「おしごとだよ」と答えると、Ｌ君はまた起き上がってカーテンにもぐる。「せんせい、カーテンにいる子がいるよ」と担当保育士に伝える子どももいる。担当保育士がもう一度「ねようね」と声をかけると、「ねないよ」と答える。時々、自分の布団にうつぶせになってみたりもするが、カーテンを引っ張ってみたり、なかなか落ちつかない様子である。担当保育士がそばで寝たふりをしても、Ｌ君は起き上がり、担当保育士にいろいろと話しかける。結局、Ｌ君はほとんど眠らずにおやつの時間になった。

【設問】

次のうち、「保育所保育指針」第１章「総則」、第２章「保育の内容」に照らし、Ｌ君への担当保育士の対応として、適切なものを○、不適切なものを×とした場合の正しい組み合わせを一つ選びなさい。

A 他の子どもの迷惑になるので、明日からは午睡の時間は眠るようＬ君にしっかり伝える。

B Ｌ君にとって新しい環境で眠れるようになるには、もう少し時間がかかると考えられるため、しばらく様子を見ていく。

C Ｌ君が安心して眠ることができるよう、なるべく午睡の時間はＬ君のそばにいて必要に応じて話しかけに応じるなどリラックスできるように関わる。

D Ｌ君の保護者には、新しい環境でなかなか眠らなかったことを伝え、家での様子を聞く。

（組み合わせ）

1	**A**○	**B**○	**C**×	**D**○	**2**	**A**○	**B**×	**C**○	**D**×
3	**A**○	**B**×	**C**×	**D**○	**4**	**A**×	**B**○	**C**○	**D**○
5	**A**×	**B**○	**C**○	**D**×					

次のうち、「保育所保育指針」第１章「総則」３「保育の計画及び評価」に照らし、全体的な計画の作成に続く保育の計画及び評価の過程として、A～Dを並べた場合の正しい組み合わせを一つ選びなさい。

A　評価を踏まえた計画の改善
B　保育内容等の評価
C　指導計画の展開
D　指導計画の作成

（組み合わせ）

1　A→B→C→D	2　B→A→C→D	3　C→B→D→A
4　D→B→A→C	5　D→C→B→A	

次のうち、「保育所保育指針」第２章「保育の内容」２「１歳以上３歳未満児の保育に関わるねらい及び内容」に関する記述として、適切なものを○、不適切なものを×とした場合の正しい組み合わせを一つ選びなさい。

A　食事や午睡、遊びと休息など、保育所における生活のリズムが形成される。
B　走る、跳ぶ、登る、押す、引っ張るなど全身を使う遊びを楽しむ。
C　友達と食べることを楽しみ、食べ物への興味や関心をもつ。
D　身の回りを清潔に保つ心地よさを感じ、その習慣が少しずつ身に付く。
E　保育所における生活の仕方を知り、自分たちで生活の場を整えながら見通しをもって行動する。

（組み合わせ）

	A	B	C	D	E
1	○	○	○	○	×
2	○	○	×	○	×
3	○	×	○	×	○
4	×	○	○	×	○
5	×	×	×	○	○

解説▶別冊 p.66～67 ▶▶▶

次の文は、「保育所保育指針」第１章「総則」３「保育の計画及び評価」（２）「指導計画の作成」の一部である。（　A　）～（　E　）にあてはまる語句を【語群】から選択した場合の正しい組み合わせを一つ選びなさい。

障害のある子どもの保育については、一人一人の子どもの発達（　A　）や障害の状態を把握し、適切な（　B　）の下で、障害のある子どもが他の子どもとの生活を通して共に成長できるよう、（　C　）計画の中に位置付けること。また、子どもの状況に応じた保育を実施する観点から、家庭や関係機関と連携した（　D　）のための計画を（　E　）に作成するなど適切な対応を図ること。

【語群】

ア　段階	**イ**　環境	**ウ**　柔軟	**エ**　支援
オ　指導	**カ**　過程	**キ**　個別	**ク**　保育

（組み合わせ）

1	**Aア**	**Bイ**	**Cオ**	**Dク**	**Eウ**
2	**Aア**	**Bイ**	**Cク**	**Dエ**	**Eキ**
3	**Aア**	**Bク**	**Cエ**	**Dオ**	**Eウ**
4	**Aカ**	**Bイ**	**Cオ**	**Dエ**	**Eキ**
5	**Aカ**	**Bク**	**Cエ**	**Dオ**	**Eキ**

次の文は、「児童の権利に関する条約」第27条の一部である。（　A　）～（　C　）にあてはまる語句の正しい組み合わせを一つ選びなさい。

1　締約国は、児童の身体的、精神的、道徳的及び社会的な発達のための相当な（　A　）についてのすべての児童の権利を認める。

2　父母又は児童について責任を有する他の者は、自己の能力及び資力の範囲内で、児童の発達に必要な生活条件を確保することについての（　B　）責任を有する。

3　締約国は、国内事情に従い、かつ、その能力の範囲内で、１の権利の実現のため、父母及び児童について責任を有する他の者を援助するための適当な措置をとるものとし、また、必要な場合には、特に栄養、衣類及び住居に関して、（　C　）及び支援計画を提供する。

（組み合わせ）

	A	B	C
1	教育環境	一定程度の	緊急避難所
2	生活水準	第一義的な	物的援助
3	文化水準	全面的な	保健衛生
4	教育環境	第一義的な	保健衛生
5	生活水準	全面的な	物的援助

問19　次のうち、「児童福祉施設の設備及び運営に関する基準」（昭和23年厚生省令第63号）において、保育所の職員として、位置づけられているものを○、位置づけられていないものを×とした場合の正しい組み合わせを一つ選びなさい。

A　調理員
B　事務員
C　保育士
D　嘱託医

（組み合わせ）

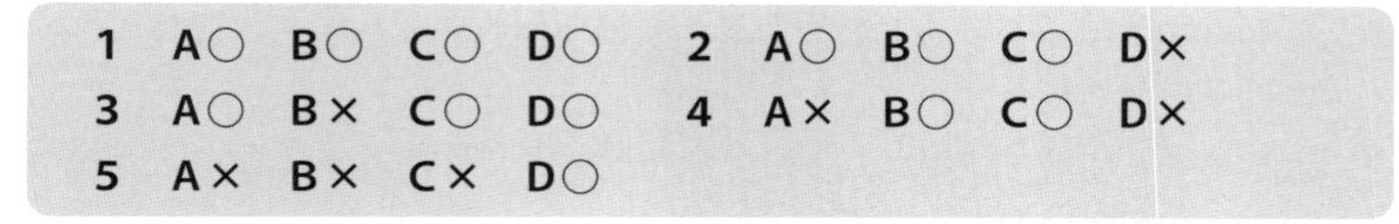

1	A○	B○	C○	D○	2	A○	B○	C○	D×
3	A○	B×	C○	D○	4	A×	B○	C○	D×
5	A×	B×	C×	D○					

解説▶別冊 p.67～68 ▶▶▶

次の表は、年齢区分別の保育所等利用児童の人数と割合（保育所等利用率）を示したものである。この表を説明した記述として、正しいものを一つ選びなさい。ただし、ここでいう「保育所等」は、従来の保育所に加え、平成27年４月に施行した子ども・子育て支援新制度において新たに位置づけられた幼保連携型認定こども園等の特定教育・保育施設と特定地域型保育事業（うち２号・３号認定）を含むものとする。

表　年齢区分別の就学前児童数に占める保育所等利用児童数の割合（保育所等利用率）

	令和４年４月	令和３年４月
３歳未満児（０～２歳）	1,100,925人（43.4%）	1,105,335人（42.1%）
うち０歳児	144,835人（17.5%）	146,361人（17.5%）
うち１・２歳児	956,090人（56.0%）	958,974人（53.7%）
３歳以上児	1,628,974人（57.5%）	1,636,736人（56.0%）
全年齢児計	2,729,899人（50.9%）	2,742,071人（49.4%）

（保育所等利用率：当該年齢の保育所等利用児童数÷当該年齢の就学前児童数）
出典：厚生労働省「保育所等関連状況取りまとめ（令和４年４月１日）」（令和４年８月30日発表）

1　令和４年４月の全年齢児の保育所等利用児童数は前年と比べて増えており、保育所等利用率も前年と比べて高くなっている。

2　令和４年４月の保育所等利用率は、０歳児、１・２歳児、３歳以上児のすべてにおいて前年と比べて低くなっている。

3　令和４年４月の３歳未満児の保育所等利用率は、同年の３歳以上児の保育所等利用率と比べて高い。

4　令和４年４月において、前年と比べて最も保育所等利用率が増えたのは１・２歳児である。

5　令和４年４月の全年齢児の保育所等利用率は50%を超えており、３歳未満児、３歳以上児別にみても、保育所等利用率はともに50%を超えている。

2023年・後期　子ども家庭福祉

次の文は、「児童の権利に関する条約」第23条の一部である。（　A　）～（　C　）にあてはまる語句の正しい組み合わせを一つ選びなさい。

締約国は、精神的又は身体的な障害を有する児童が、その（　A　）を確保し、（　B　）を促進し及び（　C　）を容易にする条件の下で十分かつ相応な生活を享受すべきであることを認める。

（組み合わせ）

	A	B	C
1	尊厳	社会参加	自立
2	幸福	自立	意見表明
3	幸福	意見表明	社会への積極的な参加
4	尊厳	自立	社会への積極的な参加
5	尊厳	社会参加	意見表明

次のうち、日本の児童福祉の歴史に関する記述として、不適切なものを一つ選びなさい。

1 糸賀一雄は、第二次世界大戦後の混乱期に「近江学園」を設立し、園長に就任した。その後「びわこ学園」を設立した。「この子らを世の光に」という言葉を残したことで有名である。

2 野口幽香らは、東京麹町に「二葉幼稚園」を設立し、日本の保育事業の草分けの一つとなった。

3 岩永マキは、1887（明治20）年に「岡山孤児院」を設立した。

4 日本で最初の知的障害児施設は、1891（明治24）年に石井亮一が設立した「滝乃川学園」である。

5 留岡幸助は、1899（明治32）年に東京巣鴨に私立の感化院である「家庭学校」を設立した。

解説▶別冊 p.68 ～ 69 ▶▶▶

次の図は、「令和３年度福祉行政報告例の概況」（2023（令和５）年厚生労働省）の 2021（令和３）年度中の児童相談所における相談の種類別対応件数の状況である。（　A　）・（　B　）にあてはまる相談種別の正しい組み合わせを一つ選びなさい。

【図】 児童相談所における相談の種類別対応件数

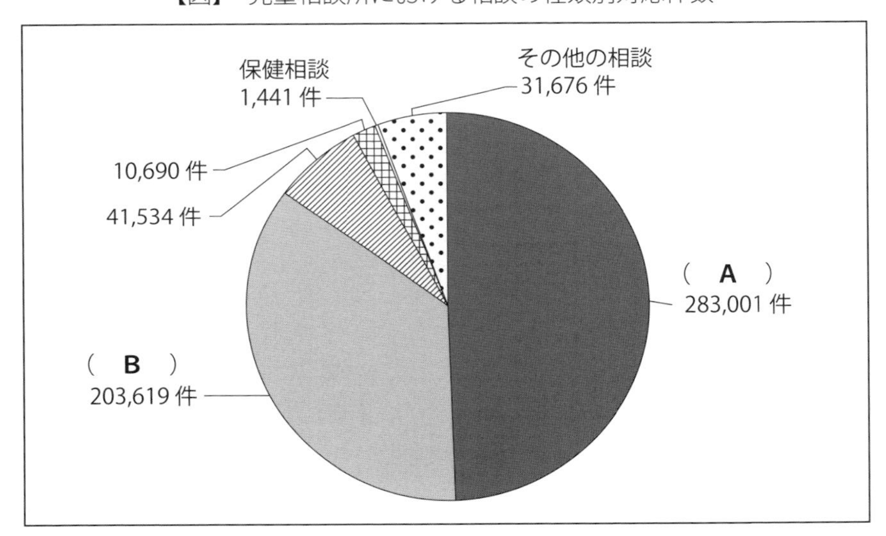

（組み合わせ）

	A	B
1	育成相談	障害相談
2	育成相談	養護相談
3	養護相談	障害相談
4	養護相談	育成相談
5	養護相談	非行相談

次の文は、「子どもの貧困対策の推進に関する法律」第２条の一部である。（　A　）～（　C　）にあてはまる語句の正しい組み合わせを一つ選びなさい。

・　子どもの貧困対策は、社会のあらゆる分野において、子どもの年齢及び発達の程度に応じて、その（　A　）が尊重され、その最善の利益が優先して考慮され、子どもが心身ともに健やかに育成されることを旨として、推進されなければならない。
・　子どもの貧困対策は、子ども等に対する（　B　）の支援、生活の安定に資するための支援、職業生活の安定と向上に資するための就労の支援、経済的支援等の施策を、子どもの現在及び将来がその生まれ育った環境によって左右されることのない社会を実現することを旨として、子ども等の生活及び取り巻く環境の状況に応じて包括的かつ早期に講ずることにより、推進されなければならない。
・　子どもの貧困対策は、国及び（　C　）の関係機関相互の密接な連携の下に、関連分野における総合的な取組として行われなければならない。

（組み合わせ）

	A	B	C
1	権利	教育	地方公共団体
2	権利	自立	地方公共団体
3	意見	教育	保護者
4	意見	教育	地方公共団体
5	意見	自立	保護者

次のA～Eは、子ども家庭福祉に関する法律である。これらを制定年の古い順に並べた場合の正しい組み合わせを一つ選びなさい。

A　母子保健法
B　児童買春、児童ポルノに係る行為等の規制及び処罰並びに児童の保護等に関する法律

解説▶別冊 p.69 ～ 70 ▶▶▶

C　少子化社会対策基本法
D　少年法
E　児童福祉法

（組み合わせ）

1	A→E→D→C→B	2	D→A→B→E→C
3	D→E→A→B→C	4	E→A→D→C→B
5	E→D→A→B→C		

次の文は、「男女共同参画白書　令和４年版」（2022（令和４）年内閣府）の一部である。（　A　）～（　D　）にあてはまる語句の正しい組み合わせを一つ選びなさい。

家族の姿の変化を見てみると、昭和55（1980）年時点では、全世帯の６割以上を「（　A　）（42.1%）」と「（　B　）（19.9%）」の家族が占めていた。令和２（2020）年時点では、「（　A　）」世帯の割合は25.0%に、「（　B　）」世帯の割合も7.7%に低下している一方で、「（　C　）」世帯の割合が38.0%と、昭和55（1980）年時点の19.8%と比較して２倍近く増加している。また、子供のいる世帯が徐々に減少する中、「（　D　）」世帯は増加し、令和２（2020）年に「（　B　）」世帯の数を上回っている

（組み合わせ）

	A	B	C	D
1	夫婦と子供	夫婦のみ	単独	３世代等
2	夫婦と子供	３世代等	単独	ひとり親と子供
3	夫婦と子供	３世代等	ひとり親と子供	夫婦のみ
4	３世代等	夫婦のみ	夫婦と子供	ひとり親と子供
5	３世代等	夫婦と子供	夫婦のみ	ひとり親と子供

問7 **次のうち、「令和４年版　厚生労働白書」(2022（令和４）年９月厚生労働省）の保育人材に関する記述として、適切なものを○、不適切なものを×とした場合の正しい組み合わせを一つ選びなさい。**

A 2020（令和２）年10月１日現在、保育士の登録者数は、150万人を超えている。

B 保育士資格を有しながら保育所等で働いていない潜在保育士数は、2011（平成23）年から2020（令和２）年まで毎年減少している。

C 保育士として就業した者が退職した理由として最も多いのは「職場の人間関係」である。

D 潜在保育士が保育士として就業を希望しない理由として最も多いのは「賃金が希望と合わない」である。

（組み合わせ）

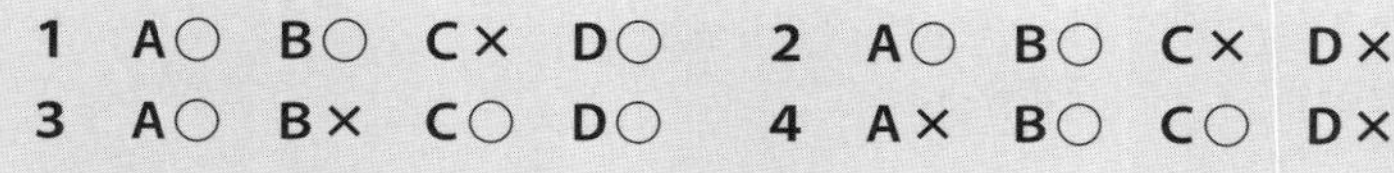

1	A○	B○	C×	D○	**2**	A○	B○	C×	D×
3	A○	B×	C○	D○	**4**	A×	B○	C○	D×
5	A×	B×	C○	D○					

問8 **次の文は、ある児童福祉施設の目的に関する記述である。該当する児童福祉施設として、正しいものを一つ選びなさい。**

　不良行為をなし、又はなすおそれのある児童及び家庭環境その他の環境上の理由により生活指導等を要する児童を入所させ、又は保護者の下から通わせて、個々の児童の状況に応じて必要な指導を行い、その自立を支援し、あわせて退所した者について相談その他の援助を行う。

1 児童自立支援施設
2 児童養護施設
3 児童厚生施設
4 児童家庭支援センター
5 児童心理治療施設

解説▶別冊 p.70 ～ 71 ▶▶▶

次のうち、「令和３年（2021）人口動態統計（確定数）の概況」（2022（令和４）年　厚生労働省）に関する記述として、適切なものを○、不適切なものを×とした場合の正しい組み合わせを一つ選びなさい。

A　2021（令和３）年の婚姻件数は、2020（令和２）年に比べて増加している。

B　2021（令和３）年の出生数は、2020（令和２）年に比べて減少している。

C　2021（令和３）年の離婚件数は、2020（令和２）年に比べて増加している。

（組み合わせ）

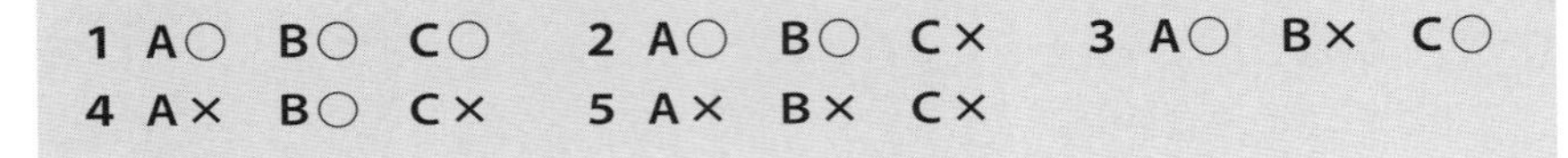

1　A○　B○　C○　　**2**　A○　B○　C×　　**3**　A○　B×　C○
4　A×　B○　C×　　**5**　A×　B×　C×

次のうち、「新子育て安心プラン」（2020（令和2）年12月21日　厚生労働省発表）に関する記述として、不適切なものを一つ選びなさい。

1　2021（令和３）年度から2024（令和６）年度末までの４年間で約14万人分の保育の受け皿を整備する。

2　必要な方に適切に保育が提供されるよう、地域の課題を丁寧に把握しつつ、地域の特性に応じた支援を実施する。

3　保育士が生涯働ける魅力ある職場づくりを推進するとともに、職業の魅力を広く発信する。

4　できるだけ早く待機児童の解消を目指すとともに、男性（25～44歳）の就業率の上昇に対応する。

5　幼稚園・ベビーシッターを含めた地域のあらゆる子育て資源を活用する。

次のうち、「民法」の一部として、正しいものを○、誤ったものを×とした場合の正しい組み合わせを一つ選びなさい。

A　親権を行う者は、子の財産を管理し、かつ、その財産に関する法律行為についてその子を代表する。ただし、その子の行為を目的とする債務を生ずべき場合には、本人の同意を得なければならない。

B 親権を行う者は、子の利益のために子の監護及び教育をする権利を有し、義務を負う。

C 親権を行う者は、監護及び教育のため、その子を懲戒することができる。

（組み合わせ）

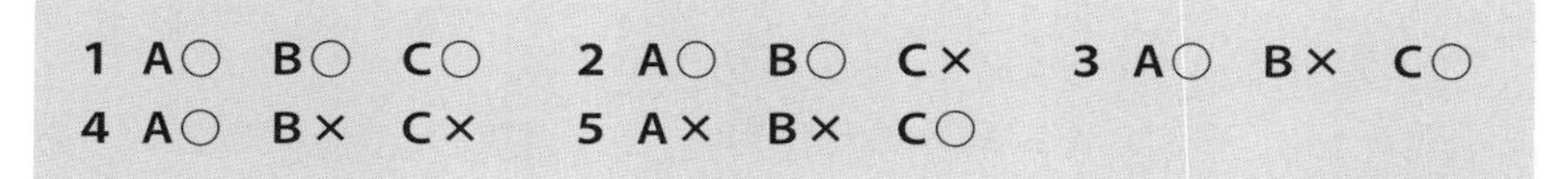

1 A○ B○ C○　2 A○ B○ C×　3 A○ B× C○
4 A○ B× C×　5 A× B× C○

次のうち、障害児入所施設に関する記述として、適切なものを○、不適切なものを×とした場合の正しい組み合わせを一つ選びなさい。

A 福祉型障害児入所施設は、入所児童の保護、日常生活の指導及び独立自活に必要な知識技能の付与を目的としている。

B 医療型障害児入所施設には、「医療法」に規定する病院として必要な設備のほか、訓練室及び浴室を設けることとされている。

C 「令和３年社会福祉施設等調査の概況」（2022（令和４）年 12 月　厚生労働省）では、2021（令和３）年 10 月 1 日現在、福祉型障害児入所施設の在所者数（人）は、医療型障害児入所施設の在所者数（人）より多くなっている。

（組み合わせ）

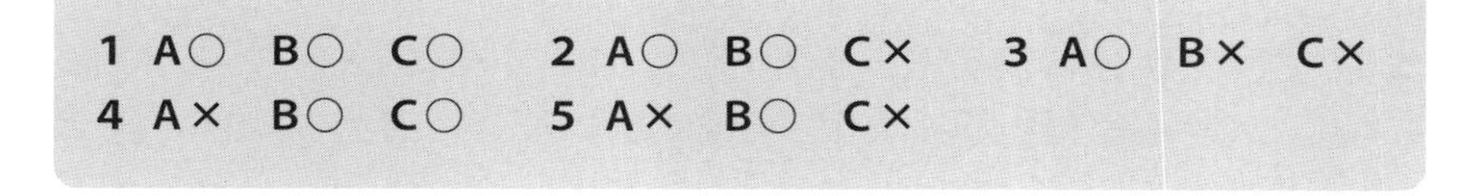

1 A○ B○ C○　2 A○ B○ C×　3 A○ B× C×
4 A× B○ C○　5 A× B○ C×

解説▶別冊 p.71 ～ 72 ▶▶▶

次のうち、外国籍や外国にルーツをもつ家庭の子どもの保育に関する記述として、適切なものを○、不適切なものを×とした場合の正しい組み合わせを一つ選びなさい。

A 保育士は、それぞれの文化の多様性を尊重し多文化共生の保育を進めていくことが求められる。

B 保育士は、特別な配慮を必要とする家庭の場合には、状況等に応じて個別の支援を行うよう努めることが求められる。

C 保育士は、子どもの家庭の文化や宗教、生活習慣など、どの家庭にもあるそれぞれの文化を尊重する必要がある。

（組み合わせ）

1	**A○**	**B○**	**C○**
2	**A○**	**B○**	**C×**
3	**A○**	**B×**	**C○**
4	**A×**	**B○**	**C○**
5	**A×**	**B×**	**C×**

次の【事例】を読んで、【設問】に答えなさい。

【事例】

児童養護施設で勤務するW保育士（女性）は、虐待を受けて入所しているRさん（12 歳、女児）を担当している。施設での生活の中で職員に反抗的な態度をとることもあり、どのように対応していくべきか検討が続いていた。ある日、Rさんから、「絶対に誰にも言わないでほしい」と前置きされた上で、夜間ひとりでいる時にX児童指導員（男性）が、性的な話をしてくると相談された。X児童指導員はW保育士の先輩にあたり、W保育士も頼りにしてきた存在だった。

【設問】

次のうち、W保育士の対応として、適切なものを一つ選びなさい。

1 反抗的な態度をとることもあるRさんの発言は、X児童指導員への嫌がらせであると考え、Rさんの問題行動として記録に残す。

2 「誰にも言わないでほしい」というRさんの意向を尊重し、相談内容はW保育士の胸の内にとどめる。

3 被措置児童等虐待の疑いがあるため、速やかに児童相談所に通告する。

4 児童養護施設内でのことを外部に話すことは守秘義務違反となるため、施設内での情報共有にとどめる。

5 X児童指導員は信頼できる先輩であるため、Rさんの発言内容をまずはX児童指導員に確認する。

次のうち、被措置児童等虐待の予防のための取り組み例として、<u>不適切なもの</u>を一つ選びなさい。

1 職員のメンタルヘルスに対する配慮

2 「子どもの権利ノート」の作成、配布

3 ケアの孤立化・密室化の防止

4 第三者による定期的な意見聴取の機会の設定

5 問題行動をとる児童の早期の措置解除

次のうち、「児童福祉法」の保育士に関する記述として、適切なものを○、不適切なものを×とした場合の正しい組み合わせを一つ選びなさい。

A 保育士は、専門的知識及び技術をもって、児童の保育のみをおこなう。

B 保育士は、正当な理由がなく、業務に関して知り得た秘密を漏らしてはならない。

C 保育士でない者が保育士の名称を使用することは禁じられている。

D 保育士は、保育士の信用を傷つけるような行為をしてはならない。

解説▶別冊 p.73 ～ 74 ▶▶▶

（組み合わせ）

1	A○	B○	C×	D○	2	A○	B○	C×	D×
3	A○	B×	C○	D○	4	A×	B○	C○	D○
5	A×	B×	C○	D○					

次のうち、「児童発達支援ガイドライン」（平成 29 年 7 月 24 日　厚生労働省通知）に盛り込まれた提供すべき支援として、適切なものを○、不適切なものを×とした場合の正しい組み合わせを一つ選びなさい。

A　発達支援　　**B**　家族支援　　**C**　地域支援

（組み合わせ）

1	A○	B○	C○	2	A○	B○	C×	3	A○	B×	C○
4	A○	B×	C×	5	A×	B×	C×				

次のうち、児童扶養手当制度に関する記述として、<u>不適切なもの</u>の組み合わせを一つ選びなさい。

A　児童扶養手当の目的は、父または母と生計を同じくしていない児童が育成される家庭の生活の安定と自立の促進に寄与するため、当該児童について児童扶養手当を支給し、児童の福祉の増進を図ることである。

B　各年度の福祉行政報告例（厚生労働省）を見ると、児童扶養手当受給者総数は 2012（平成 24）年度末を境に減少に転じている。

C　「令和３年度　全国ひとり親世帯等調査結果報告（令和３年 11 月１日現在）」（2022（令和４）年　厚生労働省）によると、児童扶養手当の受給状況は、母子世帯の母では「受給している」が 46.5%、父子世帯の父では 69.3%となっている。

D　児童扶養手当は、２か月分ずつ年６回支払われる。

E　児童手当を受給している場合、児童扶養手当を受給することはできない。

（組み合わせ）

1　AB　　2　AC　　3　BD　　4　CD　　5　CE

問 19　**次の【Ⅰ群】の地域子ども・子育て支援事業の概要と【Ⅱ群】の事業名を結びつけた場合の正しい組み合わせを一つ選びなさい。**

【Ⅰ群】

A　子ども及びその保護者が、確実に子ども・子育て支援給付を受け、及び地域子ども・子育て支援事業その他の子ども・子育て支援を円滑に利用できるよう、子ども及びその保護者の身近な場所において、地域の子ども・子育て支援に関する各般の問題につき、子どもまたは子どもの保護者からの相談に応じ、必要な情報の提供及び助言を行うとともに、関係機関との連絡調整等を総合的に行う事業

B　養育支援が特に必要であると判断した家庭に対し、保健師・助産師・保育士等がその居宅を訪問し、養育に関する指導、助言等を行うことにより、当該家庭の適切な養育の実施を確保することを目的とする事業

C　保護者の疾病その他の理由により家庭において養育を受けることが一時的に困難となった児童について、児童養護施設その他の施設に入所させ、または里親やその他の者に委託し、当該児童につき必要な保護を行う事業

D　乳児または幼児及びその保護者が相互の交流を行う場所を開設し、子育てについての相談、情報の提供、助言その他の援助を行う事業

E　家庭において保育を受けることが一時的に困難となった乳幼児を、主として昼間において、保育所、認定こども園その他の場所において、一時的に預かり、必要な保護を行う事業

解説▶別冊 p.74 ～ 75 ▶▶▶

【Ⅱ群】

ア	地域子育て支援拠点事業	**イ**	養育支援訪問事業
ウ	利用者支援事業	**エ**	子育て短期支援事業
オ	一時預かり事業		

（組み合わせ）

1	**Aア**	**Bイ**	**Cエ**	**Dオ**	**Eウ**	**2**	**Aア**	**Bウ**	**Cオ**	**Dイ**	**Eエ**
3	**Aウ**	**Bイ**	**Cア**	**Dエ**	**Eオ**	**4**	**Aウ**	**Bイ**	**Cエ**	**Dア**	**Eオ**
5	**Aウ**	**Bエ**	**Cイ**	**Dア**	**Eオ**						

次の【事例】を読んで、【設問】に答えなさい。

【事例】

５月中旬の月曜日に、放課後等デイサービスに勤めるＫ保育士は、Ｙ君（６歳、男児）のランドセルや手提げ袋に、何日も洗濯をしないで汚れたままの給食袋や体操服が入っているのを見かけた。Ｋ保育士はこれまでもＹ君の荷物や身なりについて同様なことがあり気になっていた。今回の件で、不審に思ったＫ保育士はＹ君に汚れたままの給食袋や体操服が入っていることを尋ねると、Ｙ君はあまり話したくない様子であった。しかし、しばらくするとＹ君は「週末はよく家にひとりでいることが多い」と答えた。

【設問】

次のうち、Ｋ保育士の対応として、適切なものを○、不適切なものを×とした場合の正しい組み合わせを一つ選びなさい。

A 不衛生なので汚れた給食袋や体操服を廃棄する。

B Ｙ君の状況を放課後等デイサービスの管理者に報告し、他の職員と情報を共有する。

C 何日も洗濯していない給食袋や体操服があることについて、Ｙ君を叱責する。
D　すぐにＹ君の保護者を呼び出し、給食袋や体操着を洗濯していないことを厳しく指導する。

（組み合わせ）

1	A○	B○	C○	D○	2	A○	B○	C×	D×
3	A×	B○	C×	D×	4	A×	B×	C○	D○
5	A×	B×	C×	D○					

2023年・後期　社会福祉

次のうち、日本の社会福祉の基本的な考え方に関する記述として、適切なものを○、不適切なものを×とした場合の正しい組み合わせを一つ選びなさい。

A　社会福祉における自立支援は、障害者福祉の分野ばかりでなく、高齢者福祉、子ども家庭福祉の分野にも共通の理念と考えられている。
B　私たち人間の幸福追求について、国が福祉政策によって関与することはない。
C　「日本国憲法」では、生存権を保障するため、最低限度の生活に関する基準を示している。
D　社会福祉における相談援助は、福祉サービスを必要とする人と社会資源を結びつける役割を果たす。

（組み合わせ）

1	A○	B○	C×	D○	2	A○	B×	C○	D×
3	A○	B×	C×	D○	4	A×	B○	C○	D×
5	A×	B×	C○	D○					

解説▶別冊 p.76～77 ▶▶▶

次のうち、社会福祉の歴史的な事柄に関する記述として、適切なものを○、不適切なものを×とした場合の正しい組み合わせを一つ選びなさい。

A ベヴァリッジ報告では、貧困を生みだす5つの要因に対して、新たな社会保障システムを打ち出した。

B 「新救貧法」(1834(天保5)年)では、窮民の援助は、最下層の労働者の生活以下にとどめ、働ける者には強制労働を課した。

C 「恤救規則」(1874(明治7)年)では、血縁や地縁などの無い窮民に対してのみ公的救済を行ったが、救済の責任は、本来血縁や地縁などの人民相互の情誼によって行うべきであるとした。

D 「救護法」(1929(昭和4)年)では、保護の対象を13歳以下の幼者のみと規定した。

(組み合わせ)

1	A○	B○	C○	D×	**2**	A○	B×	C○	D×
3	A○	B×	C×	D○	**4**	A×	B○	C○	D×
5	A×	B×	C○	D○					

次のうち、子育て支援に関する記述として、適切なものを○、不適切なものを×とした場合の正しい組み合わせを一つ選びなさい。

A 「保育所保育指針」には、保護者に対する子育て支援について示されている。

B 保護者に対する支援を行う際の留意点の一つとして、子どもの利益に反しない限りにおいて、保護者や子どものプライバシーの保護、知り得た事柄の秘密保持に留意することが挙げられる。

C 保育所において、日常の保育に関連した様々な機会を活用し子どもの日々の様子の伝達や収集、保育所保育の意図の説明などを通じて、保護者との相互理解を図るように努めることとされている。

D 地域子ども・子育て支援事業の実施は、子ども及びその保護者の身近な場所において行うとされている。

（組み合わせ）

1	**A**○	**B**○	**C**○	**D**○	**2**	**A**○	**B**○	**C**×	**D**×
3	**A**○	**B**×	**C**×	**D**○	**4**	**A**×	**B**○	**C**○	**D**○
5	**A**×	**B**○	**C**×	**D**○					

次のうち、保護者支援・子育て支援に関する記述として、適切なものを○、不適切なものを×とした場合の正しい組み合わせを一つ選びなさい。

A 子育ての相談にあたっては、保護者の話を頭から否定せずに、気持ちを受け止める姿勢を常に持つべきである。

B 不適切な養育等が疑われる家庭への支援では、保護者の子ども観や、子育て意識・方法などへの介入が必要となることがある。

C 家庭支援・子育て支援においては、親子と地域社会との関係を構築するという視点は、現状の地域社会における人間関係の希薄化現象を考えると、不要である。

D 子育て環境の整備に関しては、出産を含む医療保障制度、各種手当、育児休業、保育所や幼稚園、認定こども園の整備など、家庭支援・子育て支援に関する制度環境の改善も重要である。

（組み合わせ）

1	**A**○	**B**○	**C**○	**D**×	**2**	**A**○	**B**○	**C**×	**D**○
3	**A**○	**B**×	**C**×	**D**○	**4**	**A**×	**B**○	**C**○	**D**○
5	**A**×	**B**×	**C**×	**D**○					

解説▶別冊 p.77 ～ 78 ▶▶▶

次のうち、生活保護制度に関する記述として、適切なものを○、不適切なものを×とした場合の正しい組み合わせを一つ選びなさい。

A 「生活保護法」では、保護の原則として、申請保護の原則、基準及び程度の原則、必要即応の原則、世帯単位の原則の４つを掲げている。

B 「生活保護法」第11条で定めている保護の種類は、生活扶助、教育扶助、住宅扶助、医療扶助、介護扶助、出産扶助、生業扶助、葬祭扶助の８つがある。

C 「生活保護法」による保護施設は、救護施設、更生施設、医療保護施設の３つである。

D 令和４年版の「厚生労働白書」によると、生活保護制度の被保護者数は、1995（平成７）年を底に増加し、2015（平成27）年３月に過去最高を記録し、以降減少に転じたと示されている。

（組み合わせ）

1	**A**○	**B**○	**C**×	**D**○
2	**A**○	**B**×	**C**○	**D**○
3	**A**○	**B**×	**C**○	**D**×
4	**A**×	**B**○	**C**×	**D**×
5	**A**×	**B**×	**C**×	**D**○

次のうち、「社会福祉法」における施設の種別と事業の組み合わせとして、不適切なものを一つ選びなさい。

	〈施設〉	〈事業〉
1	児童自立支援施設 ――――	第一種社会福祉事業
2	特別養護老人ホーム ――――	第一種社会福祉事業
3	授産施設 ――――	第二種社会福祉事業
4	視聴覚障害者情報提供施設 ――――	第二種社会福祉事業
5	地域活動支援センター ――――	第二種社会福祉事業

問7　次のうち、社会福祉施設の職員について、国が定めているそれぞれの配置基準に照らし、適切なものを○、不適切なものを×とした場合の正しい組み合わせを一つ選びなさい。

A　障害者支援施設の職員配置基準に、生活支援員が含まれている。
B　母子生活支援施設の職員配置基準に、少年を指導する職員が含まれている。
C　補装具製作施設の職員配置基準に、訓練指導員が含まれている。
D　養護老人ホームの職員配置基準に、生活相談員が含まれている。

（組み合わせ）

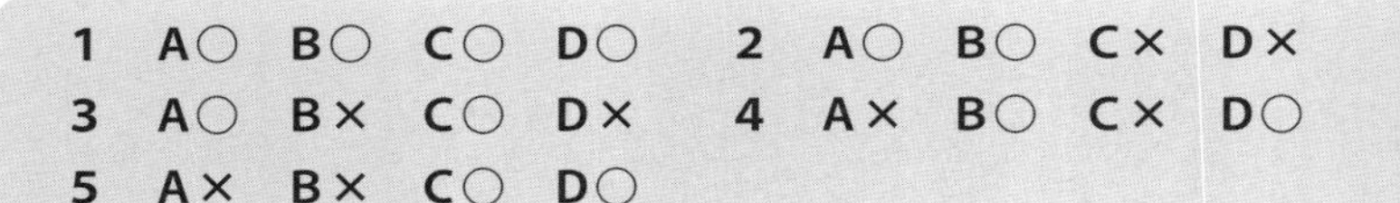

1	A○	B○	C○	D○	2	A○	B○	C×	D×
3	A○	B×	C○	D×	4	A×	B○	C×	D○
5	A×	B×	C○	D○					

問8　次のうち、社会保険に関する記述として、適切なものを○、不適切なものを×とした場合の正しい組み合わせを一つ選びなさい。

A　国民年金は、原則として日本国内に住所を有する 18 歳以上 65 歳未満の者が被保険者となる年金制度である。
B　雇用保険は、雇用に関する総合的機能を有する保険制度であり、失業等給付、育児休業給付、雇用保険二事業（雇用安定事業及び能力開発事業）から成り立っている。
C　国民健康保険及び健康保険には、保険給付として、高額療養費制度がある。
D　介護保険の被保険者は、第一号被保険者と第二号被保険者と第三号被保険者の３つに大別されている。

（組み合わせ）

1	A○	B○	C○	D×	2	A○	B×	C○	D×
3	A○	B×	C×	D○	4	A×	B○	C○	D×
5	A×	B○	C×	D○					

解説▶別冊 p.79 ～ 80 ▶▶▶

次のうち、相談援助の展開過程の中の「インテーク」に関する記述として、適切な記述を○、不適切な記述を×とした場合の正しい組み合わせを一つ選びなさい。

A インテークでは、相談者から発せられた非言語的表現に左右されることなく、相談者の発言から困っていることを明らかにする。
B インテークでは、信頼関係を形成するためにも、話しやすい雰囲気や環境を整える。
C インテークで支援者は、相談者にどのような支援ができるのかを伝える。

（組み合わせ）

1 A○	B○	C×		2 A○	B×	C○		3 A○	B×	C×
4 A×	B○	C○		5 A×	B×	C○				

次のうち、バイステック（Biestek, F.P.）の7原則の説明として、適切な記述を○、不適切な記述を×とした場合の正しい組み合わせを一つ選びなさい。

A 利用者を個人として捉える。
B 利用者を一方的に非難しない。
C 援助者は自分の感情を自覚して吟味する。
D 秘密を保持して信頼感を醸成する。

（組み合わせ）

1	A○	B○	C○	D○	2	A○	B○	C×	D×
3	A○	B×	C○	D×	4	A×	B○	C○	D○
5	A×	B×	C×	D○					

次のうち、相談援助の方法・技術等に関する記述として、適切なものを○、不適切なものを×とした場合の正しい組み合わせを一つ選びなさい。

A　ケアマネジメントとは、利用者に対して、効果的・効率的なサービスや社会資源を組み合わせて計画を策定し、それらを利用者に紹介や仲介するとともに、サービスを提供する機関などと調整を行い、さらにそれらのサービスが有効に機能しているかを継続的に評価する等の一連のプロセス及びシステムである。

B　ソーシャルアクションとは、関係機関、専門職、住民と問題の解決に向けて、情報交換、学習、地域活動を通して相互の役割や違いを認め、既存の制度や組織の制約を超えて、多様的かつ多元的な価値観や関係性をつくりあげていくことをいう。

C　ネットワーキングとは、行政や議会などに個人や集団、地域住民の福祉ニーズに適合するような社会福祉制度やサービスの改善、整備、創造を促す方法である。

（組み合わせ）

1	**A○**	**B○**	**C○**
2	**A○**	**B×**	**C×**
3	**A×**	**B○**	**C×**
4	**A×**	**B×**	**C○**
5	**A×**	**B×**	**C×**

次のうち、ソーシャルワークの社会資源についての説明として、適切なものを○、不適切なものを×とした場合の正しい組み合わせを一つ選びなさい。

A　社会資源とは、利用者等の問題解決やニーズを満たすために用いる、人的資源・物的資源・制度等の総称をいう。

B　フォーマルな社会資源には、家族、親戚、知人、近隣住民、ボランティアがある。

C　インフォーマルな社会資源には、行政や社会福祉法人によって提供され

解説▶別冊 p.80 ～ 81 ▶▶▶

るサービスがある。

（組み合わせ）

1	A○	B○	C○
2	A○	B×	C○
3	A○	B×	C×
4	A×	B○	C×
5	A×	B×	C×

次のうち、福祉サービスの第三者評価事業に関する記述として、適切なものを○、不適切なものを×とした場合の正しい組み合わせを一つ選びなさい。

A 第三者評価事業を受審することで、他の事業所や施設などとの優劣を示すことが目的である。

B 福祉サービスの第三者評価事業の普及促進については、「福祉サービス第三者評価事業に関する指針」において市町村社会福祉協議会の義務であることが規定されている。

C 福祉サービスの第三者評価事業を行う評価機関は、都道府県推進組織における第三者評価機関認証委員会から認証を受ける必要がある。

D 福祉サービス第三者評価機関認証ガイドラインの策定・更新は、厚生労働大臣が実施する。

（組み合わせ）

1	A○	B○	C○	D○
2	A○	B○	C×	D×
3	A○	B×	C○	D×
4	A×	B○	C○	D○
5	A×	B×	C○	D×

次のうち、成年後見制度に関する記述として、適切なものを○、不適切なものを×とした場合の正しい組み合わせを一つ選びなさい。

A 成年後見制度は、「社会福祉法」を根拠として 2000（平成 12）年４月から施行された制度である。

B 任意後見契約は、本人の判断能力が不十分になった場合に家族などの申し立てにより、家庭裁判所によって選任された後見人を決定、開始するもので、本人の判断能力の程度に応じて「補助人、保佐人、後見人」の３類型がある。

C 法定後見制度は、利用契約制度のもとで自己決定など判断能力が不十分な高齢者や意思決定が難しい知的障害者及び精神障害者などの自己決定権を法的に保障する制度である。

（組み合わせ）

1	A○	B○	C×
2	A○	B×	C×
3	A×	B○	C○
4	A×	B○	C×
5	A×	B×	C○

次のうち、福祉サービス利用援助事業（日常生活自立支援事業）に関する記述として、適切なものを○、不適切なものを×とした場合の正しい組み合わせを一つ選びなさい。

A 地域福祉権利擁護事業として開始され、2020（令和２）年度より日常生活自立支援事業に名称が変更された。

B 認知症高齢者、精神障害者のうち判断能力が不十分な者を対象としており、知的障害者は対象外とされている。

C 福祉サービス利用援助事業（日常生活自立支援事業）は、国庫補助事業として実施されている。

D 住民の立場に立って相談に応じ、必要な支援を行う民生委員が実施主体とされている。

解説▶別冊 p.81 ～ 82 ▶▶▶

（組み合わせ）

1　A○　B○　C○　D○　　2　A○　B○　C×　D×
3　A×　B○　C○　D○　　4　A×　B×　C○　D×
5　A×　B×　C×　D○

問16　次のうち、福祉サービスにおける苦情解決に関する記述として、適切なものを○、不適切なものを×とした場合の正しい組み合わせを一つ選びなさい。

A　運営適正化委員会は、福祉サービス利用援助事業の適正な運営を確保するとともに、福祉サービスに関する利用者等からの苦情を適切に解決するために設置するものである。

B　苦情解決体制として、「社会福祉事業の経営者による福祉サービスに関する苦情解決の仕組みの指針について」（厚生労働省）では、苦情解決責任者及び苦情受付担当者、並びに第三者委員を示している。

C　苦情解決に関するサービス事業者の自主的努力で解決が困難な場合は、市町村社会福祉協議会に設置された「運営適正化委員会」が苦情解決のためのあっせんや改善指導を行う。

D　運営適正化委員会は、人格が高潔であって、社会福祉に関する識見を有し、かつ、社会福祉、法律又は医療に関し学識経験を有する者で構成される。

（組み合わせ）

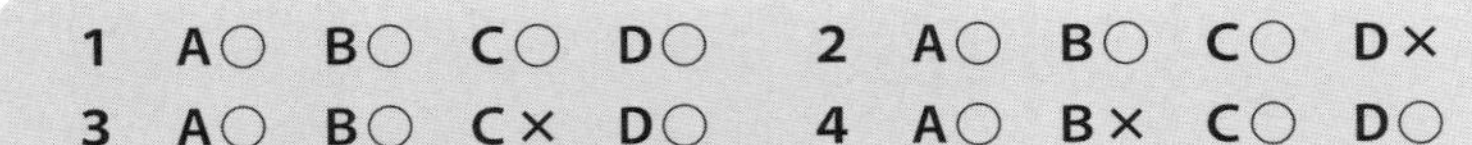

1　A○　B○　C○　D○　　2　A○　B○　C○　D×
3　A○　B○　C×　D○　　4　A○　B×　C○　D○
5　A×　B×　C×　D×

問17　次のA～Dは、子ども・子育て支援に関する施策である。これらを年代の古い順に並べた場合の正しい組み合わせを一つ選びなさい。

A　「次世代育成支援対策推進法」が制定され、従業員の仕事と子育ての両立を図るために、事業主による行動計画の策定等が盛り込まれた。

B 第３次「少子化社会対策大綱」が決定され、男性の育児休業取得率 13％等の数値目標が定められた。

C 「重点的に推進すべき少子化対策の具体的実施計画について」（新エンゼルプラン）が策定され、計画の内容として母子保健等の整備なども加えられた。

D 「子ども・子育てビジョン」が閣議決定され、父子家庭への児童扶養手当の支給等が具体的な施策として位置づけられた。

（組み合わせ）

1 A→B→C→D	**2** C→A→D→B	**3** C→D→B→A
4 D→A→B→C	**5** D→C→A→B	

次の文は、「社会福祉法」第４条に関する記述である。（ A ）～（ C ）にあてはまる語句を【語群】から選択した場合の最も適切な組み合わせを一つ選びなさい。

・ 地域福祉の推進は、地域住民が相互に人格と個性を尊重し合いながら、参加し、（ A ）する地域社会の実現を目指して行うこと。

・ 地域住民等は、地域福祉の推進に当たっては、福祉サービスを必要とする地域住民及びその世帯が抱える福祉、介護、介護予防、保健医療、住まい、就労及び教育に関する課題、福祉サービスを必要とする地域住民の地域社会からの（ B ）等の課題を把握すること。

・ 地域住民等は、地域福祉の推進に当たっては、（ C ）課題の解決に資する支援を行う関係機関との連携等によりその解決を図るよう留意すること。

【語群】

ア 包摂	**イ** 共生	**ウ** 相談支援	**エ** 排除
オ 孤立	**カ** 地域生活		

解説▶別冊 p.83 ▶▶▶

（組み合わせ）

1 Aア Bエ Cウ　2 Aア Bエ Cオ　3 Aア Bオ Cウ
4 Aイ Bウ Cカ　5 Aイ Bオ Cカ

次のうち、「2021（令和３）年　国民生活基礎調査の概況」（令和４年９月９日　厚生労働省）における2021（令和３）年の状況に関する記述として、適切なものを○、不適切なものを×とした場合の正しい組み合わせを一つ選びなさい。

A 児童のいる世帯のうち、核家族世帯は８割以上を占めている。
B 児童のいる世帯は、全世帯の３割未満である。
C 平均世帯人員は、３人未満である。
D 65歳以上の者のいる世帯では、夫婦のみの世帯よりも、三世代世帯が多い。

（組み合わせ）

1 A○ B○ C○ D×　2 A○ B× C× D×
3 A× B○ C○ D○　4 A× B○ C× D×
5 A× B× C○ D○

次のうち、多様化する地域生活課題に関する記述として、適切なものの組み合わせを一つ選びなさい。

A 「令和３年度　児童生徒の問題行動・不登校等生徒指導上の諸課題に関する調査結果について」（文部科学省）によると、令和３年度における小学生・中学生の不登校児童生徒数は約25万人であり、平成24年度から令和３年度にかけて、９年連続で増加している。
B 「ひきこもりの評価・支援に関するガイドライン」では、ひきこもりについて、様々な要因の結果として社会的参加を回避し、原則的には１年以上にわたって概ね家庭にとどまり続けている状態と定義している。

C　「令和３年中における自殺の状況」（厚生労働省自殺対策推進室）によると、令和３年における自殺者数は約２万人であった。このうち女性の自殺者数は約７千人であり、令和２年から２年連続で増加している。

D　ヤングケアラーの行っているケアの内容として、家族に代わり、幼いきょうだいの世話をすることについては含まれていない。

（組み合わせ）

1　**AB**　　**2**　**AC**　　**3**　**BC**　　**4**　**BD**　　**5**　**CD**

2023年・後期　教育原理

次の文は、「日本国憲法」第26条の一部である。（　A　）・（　B　）にあてはまる語句の正しい組み合わせを一つ選びなさい。

・　すべて国民は、法律の定めるところにより、その能力に応じて、ひとしく教育を受ける（　**A**　）を有する。

・　すべて国民は、法律の定めるところにより、その保護する子女に普通教育を受けさせる（　**B**　）を負ふ。

（組み合わせ）

	A	B
1	資格	義務
2	資格	責務
3	特権	義務
4	権利	責務
5	権利	義務

解説▶別冊 p.84 ～ 85 ▶▶▶

次の文は、「幼稚園教育要領」の一部である。（　A　）～（　C　）にあてはまる語句を【語群】から選択した場合の正しい組み合わせを一つ選びなさい。

（　A　）は、生涯にわたる人格形成の基礎を培う重要なものであり、（　B　）は、（　C　）に規定する目的及び目標を達成するため、幼児期の特性を踏まえ、環境を通して行うものであることを基本とする。

【語群】

ア　乳幼児教育	**イ**　幼稚園教育	**ウ**　幼児期の教育
エ　就学前教育	**オ**　教育基本法	**カ**　学校教育法

（組み合わせ）

1　Aア　Bイ　Cオ	**2　Aア　Bウ　Cカ**	**3　Aウ　Bア　Cカ**
4　Aウ　Bイ　Cカ	**5　Aエ　Bウ　Cオ**	

次のうち、「幼保連携型認定こども園教育・保育要領」第１章「総則」第２「教育及び保育の内容並びに子育ての支援等に関する全体的な計画等」の一部として、誤ったものの組み合わせを一つ選びなさい。

A　「幼児期の終わりまでに育ってほしい姿」を踏まえ教育及び保育の内容並びに子育ての支援等に関する全体的な計画を作成すること

B　満３歳以上の園児の教育課程に係る教育週数は、特別の事情のある場合を除き、51週を下ってはならない

C　１日の教育課程に係る教育時間は、８時間を標準とする。ただし、園児の心身の発達の程度や季節などに適切に配慮するものとする

D　園長の方針の下に、園務分掌に基づき保育教諭等職員が適切に役割を分担しつつ、相互に連携しながら、教育及び保育の内容並びに子育ての支援等に関する全体的な計画や指導の改善を図るものとする

E　教育及び保育の内容並びに子育ての支援等に関する全体的な計画に基づき組織的かつ計画的に各幼保連携型認定こども園の教育及び保育活動の質の向上を図っていくこと（以下「カリキュラム・マネジメント」という。）に努めるものとする

（組み合わせ）

1　AB　　2　AC　　3　BC　　4　BE　　5　DE

問4　次のうち、プロジェクト・メソッドについての説明として、不適切な記述を一つ選びなさい。

1　プロジェクト・メソッドは、デューイ（Dewey, J.）の後継者の一人であったキルパトリック（Kilpatrick, W.H.）によって提唱されたもので、問題解決学習の一種と考えられる。
2　プロジェクト・メソッドでは、目標の設定→計画の立案→実践→反省・評価、という一連の学習活動を生徒自身が行うことになる。
3　プロジェクト・メソッドは、学習内容を系統化し、学習者が各ステップを踏みながら、確実に目標に到達できるように計画された教授学習の方法である。
4　プロジェクトとは、「社会的な環境の中で全精神を打ち込んで行われる目的の明確な活動」と定義されるものである。
5　プロジェクト・メソッドでは、生徒の学習が生徒自身の自発的な活動として展開されることに力点がおかれる。

問5　次の文は、ある国の保育についての記述である。どこの国のものか、正しいものを一つ選びなさい。

この国において、「学びの物語 Learning Stories」と呼ばれる、子ども一人一人にフィードバックされ、蓄積される保育記録が開発された。子どもそれぞれの変容を捉えるとともに、子どもが関心を持ち取り組もうとしているこ

解説▶別冊 p.85 ～ 86 ▶▶▶

と、その過程で工夫したり考えたりしていることを学びの「構え disposition」として捉えようとしている。

1　ニュージーランド　　2　イタリア　　3　シンガポール
4　スウェーデン　　5　イギリス

次の文は、ある法令に関する説明である。正しいものを一つ選びなさい。

1872（明治5）年の「学制」に代わる教育に関する基本法制として、1879（明治12）年9月に公布された。学区制を廃止し、町村を小学校の設置単位と位置付け、その行政事務を行うために町村に人民公選の学務委員を置くこととされた。また、小学校の最低就学期間を16か月とし、公立学校の教育課程を地域の実情に即して学務委員と教員が定めることとなった。しかし、この法令の施行後、教育現場に混乱が見られるなどしたため、翌年、全面的な改正が行われた。

1　学事奨励ニ関スル被仰出書
2　小学校令
3　教育ニ関スル勅語（教育勅語）
4　教育令
5　教育基本法

次の文にあてはまる人物として、正しいものを一つ選びなさい。

江戸時代初期の儒学者。日本における陽明学の祖とされ、「近江聖人」と呼ばれた。『翁問答（おきなもんどう）』を著す。その内容は、人が単に外的な規範に形式的に従うことをよしとせず、人の内面の道徳的可能性を信頼し、聖人の心を模範として自らの心を正しくすることこそが真の正しい行為と正しい生き方をもたらすと説いた。

1　中江　藤樹　　2　伊藤　仁斎　　3　緒方　洪庵
4　林　羅山　　5　貝原　益軒

次の小学校における教師の指導のうち、潜在的カリキュラムとしてジェンダー・バイアスを助長する恐れのあるものとして、適切な記述の組み合わせを一つ選びなさい。

A　道徳の授業で、性別にかかわらず協力し助け合うように指導した。
B　誕生日のお祝いに、いつも女児には赤のカードを、男児には青のカードを渡している。
C　体育の授業で、思春期には内分泌の働きによって生殖に関わる機能が成熟し、体形に性差が表れることを教えた。
D　授業中に泣いている男児に対して、「男なのだから泣くのはやめなさい」と言って注意した。
E　いつもズボンを履いてくる女児に対して、「もっと女の子らしい服装をしましょう」と優しくアドバイスをした。

(組み合わせ)

1　ABC　2　ADE　3　BCD　4　BDE　5　CDE

次のうち、「新・放課後子ども総合プラン」(平成30年9月)についての記述として、不適切なものを一つ選びなさい。

1　共働き家庭等の「小1の壁」を打破するとともに、次世代を担う人材を育成するため、全ての児童(小学校に就学している児童をいう)が放課後等を安全・安心に過ごすことを専ら目的として、文部科学省から厚生労働省に移管して取り組んでいる事業である。
2　放課後児童クラブ及び放課後子供教室を一体的に又は連携して実施し、うち一体型の放課後児童クラブ及び放課後子供教室について、引き続き1万か所以上で実施することを目指している。

解説▶別冊 p.86〜87 ▶▶▶

3 全ての児童（小学校に就学している児童をいう）の安全・安心な居場所づくりの観点から、小学校の余裕教室等の活用や、教育と福祉との連携方策等について検討しつつ、放課後児童クラブ及び放課後子供教室を計画的に整備等していくことが必要である。

4 放課後児童クラブについては、既に多様な運営主体により実施されているが、待機児童が数多く存在している地域を中心に、民間企業が実施主体としての役割をより一層担っていくことが考えられる。その際、地域のニーズに応じ、本来事業に加えて高付加価値型のサービス（塾、英会話、ピアノ、ダンス等）を提供することも考えられる。

5 放課後子供教室については、地域と学校が連携・協働して社会総掛かりで子どもの育ちを支える観点から、大学生・高校生や企業退職者、高齢者などの地域住民の一層の参画促進を図るとともに、子育て・教育支援に関わるNPO、習い事や学習塾等の民間教育事業者、スポーツ・文化・芸術団体などの地域人材の参画を促進していくことも望まれる。

次の文は、中央教育審議会答申「「令和の日本型学校教育」の構築を目指して～全ての子供たちの可能性を引き出す、個別最適な学びと、協働的な学びの実現～」（令和３年１月）に関する記述である。適切なものを○、不適切なものを×とした場合の正しい組み合わせを一つ選びなさい。

A 学校教育には、一人一人の児童生徒が、自分のよさや可能性を認識するとともに、あらゆる他者を価値のある存在として尊重し、多様な人々と協働しながら様々な社会的変化を乗り越え、豊かな人生を切り拓き、持続可能な社会の創り手となることができるよう、その資質・能力を育成することが求められている。

B 次代を切り拓く子供たちに求められる資質・能力として、文章の意味を正確に理解する読解力、教科等固有の見方・考え方を働かせて自分の頭で考えて表現する力、対話や協働を通じて知識やアイディアを共有し新しい解や納得解を生み出す力などが挙げられている。

C 「みんなと同じことができる」「言われたことを言われたとおりにできる」というように、均質な労働者の育成が現代社会の要請として学校教育に求められている。

D 「予測困難な時代」の中、目の前の事象から解決すべき課題を見いだし、主体的に考え、多様な立場の者が協働的に議論し、納得解を生み出すなどの資質・能力が求められている。

（組み合わせ）

1	**A○**	**B○**	**C○**	**D×**	**2**	**A○**	**B○**	**C×**	**D○**
3	**A○**	**B×**	**C○**	**D○**	**4**	**A×**	**B○**	**C○**	**D×**
5	**A×**	**B×**	**C○**	**D×**					

2023年・後期　社会的養護

次のうち、「児童福祉法」の一部として、正しいものを一つ選びなさい。

1 国及び地方公共団体は、児童を心身ともに健やかに育成することについて第一義的責任を負う。

2 国及び地方公共団体は、児童を家庭において養育することが困難であり又は適当でない場合は、できる限り良好な家庭的環境において継続的に養育されることを優先し、必要な措置を講じなければならない。

3 全て国民は、児童の権利に関する条約の精神にのっとり、児童が適切に養育され、その生活を保障し、愛され保護されるよう努めなければならない。

4 全て国民は、児童が良好な環境において生まれ、かつ、社会のあらゆる分野において、児童の年齢及び発達の程度に応じて、その意見が尊重され、その最善の利益が優先して考慮され、心身ともに健やかに育成されるよう努めなければならない。

5 都道府県は、児童の身近な場所における児童の福祉に関する支援等に係る業務を適切に行う。

解説▶別冊 p.88 ▶▶▶

次のうち、「里親及びファミリーホーム養育指針」（平成24年3月厚生労働省）の一部として、正しいものを○、誤ったものを×とした場合の正しい組み合わせを一つ選びなさい。

A 社会的養護を必要とする子どもを、養育者の家庭に迎え入れて養育する「家庭的養護」である。

B 養育者の個人的な責任に基づいて提供される養育の場である。

C 家庭内における養育上の課題や問題を解決し或いは予防するためにも、養育者は協力者を活用し、養育のありかたをできるだけ「ひらく」必要がある。

D 里親制度は、養育里親、専門里親、養子縁組里親、親族里親の４つの類型の特色を生かしながら養育を行う。

（組み合わせ）

1	**A○**	**B○**	**C○**	**D×**	**2**	**A○**	**B○**	**C×**	**D○**
3	**A○**	**B×**	**C○**	**D×**	**4**	**A×**	**B×**	**C○**	**D○**
5	**A×**	**B×**	**C×**	**D○**					

次のうち、社会的養護に関わる専門職に関する記述として、適切なものを○、不適切なものを×とした場合の正しい組み合わせを一つ選びなさい。

A 児童養護施設、児童心理治療施設、福祉型障害児入所施設には、保育士を置かなければならない。

B 里親支援専門相談員は、里親会等と連携して、里親の新規開拓や里親委託の推進、里親への研修等を行う専門職であり、乳児院、児童養護施設、児童相談所に置かなければならない。

C 心理療法を行う必要があると認められる児童が10人以上いる児童養護施設、児童自立支援施設には、心理療法担当職員を置かなければならない。

D 虐待を受けた児童が10人以上いる乳児院、児童養護施設、児童自立支援施設には個別対応職員を置かなければならないが、虐待を受けた児童が10人未満の施設には任意で置くことができる。

（組み合わせ）

1	A○	B○	C○	D×	2	A○	B×	C○	D○
3	A○	B×	C○	D×	4	A×	B○	C×	D○
5	A×	B×	C×	D○					

次のうち、社会的養護の地域支援に関する記述として、適切なものの組み合わせを一つ選びなさい。

A 短期入所生活援助（ショートステイ）事業の対象者は、疾病や疲労などにより家庭において児童を養育することが一時的に困難になった保護者の児童や、経済的問題等により緊急一時的に保護が必要になった母子等である。

B 「新しい社会的養育ビジョン」（平成 29 年　厚生労働省）では、入所児童以外の地域の子育て家庭を支援する専門職として、乳児院と児童養護施設に地域支援専門相談員を配置することとされた。

C 施設に入所する子どもの早期家庭復帰を支援するため、乳児院、児童養護施設、児童心理治療施設、児童自立支援施設には、児童家庭支援センターを設置する義務がある。

D 乳児院、母子生活支援施設、児童養護施設、児童心理治療施設及び児童自立支援施設の長は、その行う児童の保護に支障がない限りにおいて、当該施設の所在する地域の住民につき、児童の養育に関する相談に応じ、及び助言を行うよう努めなければならない。

（組み合わせ）

1 AB　**2** AD　**3** BC　**4** BD　**5** CD

解説▶別冊 p.88 ～ 89 ▶▶▶

次のうち、「社会的養育の推進に向けて」（令和４年　厚生労働省）における親子関係再構築支援に関する記述として、適切なものを○、不適切なものを×とした場合の正しい組み合わせを一つ選びなさい。

A　里親は養育の一貫性を担うという意味において、実親との再統合のための支援は行わない。

B　親子関係再構築等の家庭環境の調整は、措置の決定・解除を行う市町村及び施設の役割である。

C　子どもの生い立ちや親との関係について、自分の心の中で整理をつけられるよう、子どもに対する支援も必要である。

D　里親支援専門相談員は、家庭復帰に向けて、親との面会や宿泊、一時的帰宅等を段階的に行う。

E　暴力以外の方法を知らずにしつけと称して虐待をしてしまう親に対し、ペアレントトレーニング等を取り入れる。

（組み合わせ）

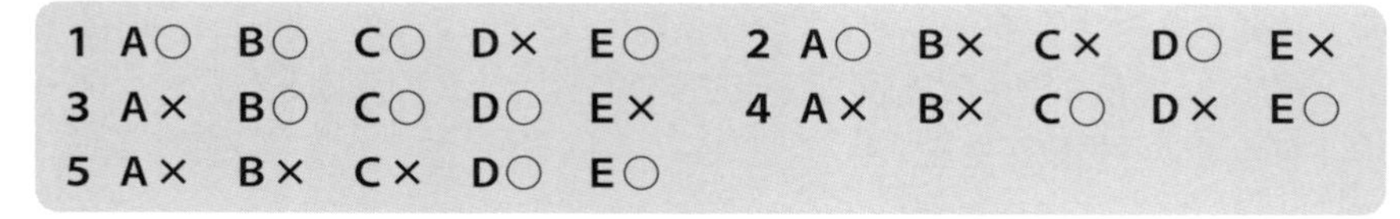

	A	B	C	D	E
1	A○	B○	C○	D×	E○
2	A○	B×	C×	D○	E×
3	A×	B○	C○	D○	E×
4	A×	B×	C○	D×	E○
5	A×	B×	C×	D○	E○

次のうち、「児童養護施設運営指針」（平成24年３月　厚生労働省）の自立支援およびアフターケアに関する記述として、適切なものを○、不適切なものを×とした場合の正しい組み合わせを一つ選びなさい。

A　退所にあたっては、保護者の申し出を優先し、児童相談所と協議したうえで決定し、子どもに提示する。

B　退所者の状況を把握し、退所後の記録を整備する。

C　アフターケアは施設の業務であり、退所後も施設に相談できることを伝える。

D　施設退所者が集まれるような機会を設けたり、退所者グループの活動を支援し、参加を促す。

（組み合わせ）

1	A○	B○	C○	D×	2	A○	B○	C×	D×
3	A○	B×	C○	D○	4	A×	B○	C○	D○
5	A×	B×	C×	D○					

次のうち、「児童養護施設運営指針」（平成24年3月　厚生労働省）の養育・支援に関する記述として、適切なものを○、不適切なものを×とした場合の正しい組み合わせを一つ選びなさい。

A　発達段階に応じて居室等の整理整頓、掃除等の習慣が身につくようにする。
B　性についての話題は不安を引き出す可能性があるため、控える。
C　でき得る限り他児との共有の物をなくし、個人所有とする。
D　行事などの企画・運営は職員が主体的にかかわり、子どもに指示をする。

（組み合わせ）

1	A○	B○	C○	D×	2	A○	B×	C○	D○
3	A○	B×	C○	D×	4	A×	B○	C×	D×
5	A×	B×	C×	D○					

次のうち、小規模住居型児童養育事業（ファミリーホーム）に関する記述として、適切なものを○、不適切なものを×とした場合の正しい組み合わせを一つ選びなさい。

A　養育者は、保育士または児童指導員の資格が必要である。
B　里親養育包括支援事業の支援対象である。
C　養育者の他に補助者を配置することとされている。

解説▶別冊 p.89 ～ 90 ▶▶▶

（組み合わせ）

1	**A○**	**B○**	**C○**	**2**	**A○**	**B×**	**C○**	**3**	**A○**	**B×**	**C×**
4	**A×**	**B○**	**C○**	**5**	**A×**	**B○**	**C×**				

次のうち、「児童福祉法」に基づく要保護児童の措置が採られる委託・入所先として、<u>不適切なもの</u>を一つ選びなさい。

1　乳児院
2　児童養護施設
3　母子生活支援施設
4　児童自立支援施設
5　里親

次の【事例】を読んで、【設問】に答えなさい。

【事例】

Ｙ君（10歳）は、乳児院に入所後、現在は児童養護施設で生活をしている。児童養護施設に入所後は、親との面会がない状態が続いている。同じ児童養護施設にいるＺ君（９歳）は、親との面会交流があり、その都度、玩具を買ってもらう等、面会交流後、笑顔で居住スペースに戻ってくる。そんなＺ君を見たＹ君は、Ｚ君に対し暴言を吐いたり、いいがかりをつけるなど、Ｚ君を困らせている。

【設問】

次のうち、児童養護施設におけるＹ君への対応として、最も適切なものを一つ選びなさい。

1　Ｚ君の、親との面会の回数を減らす。
2　Ｚ君とＹ君、どちらかを違う児童養護施設に移動させる。
3　Ｙ君を厳しく指導する。
4　Ｙ君へのライフストーリーワークの実施を検討する。
5　Ｙ君へのスーパービジョンの実施を検討する。

2023年・後期　子どもの保健

次のうち、「保育所保育指針」第1章「総則」2「養護に関する基本的事項」イ「情緒の安定」に関する記述として、不適切なものを一つ選びなさい。

1 一人一人の子どもが、自分の気持ちを安心して表すことができるようにする。
2 一人一人の子どもが、くつろいで共に過ごし、心身の疲れが癒されるようにする。
3 一人一人の子どもの発達過程、保育時間などに応じて、活動内容のバランスや調和を図りながらも、食事は全員一斉に取るように設定する。
4 保育士等との信頼関係を基盤に、一人一人の子どもが主体的に活動し、自発性や探索意欲などを高めるとともに、自分への自信を持つことができるよう、成長の過程を見守り、適切に働きかける。
5 一人一人の子どもの置かれている状態や発達過程などを的確に把握し、子どもの欲求を適切に満たしながら、応答的な触れ合いや言葉がけを行う。

次のうち、原始反射にあてはまらないものを一つ選びなさい。

1 吸てつ反射　**2** 膝蓋腱反射　**3** 把握反射
4 緊張性頸反射　**5** モロー反射

次のうち、正しいものを○、誤ったものを×とした場合の正しい組み合わせを一つ選びなさい。

A 新生児の体において、細胞内液と細胞外液から成る体液の割合は約80%である。
B 乳児は、出生後に血中性ホルモン濃度が増加する。

解説▶別冊 p.90～92 ▶▶▶

C 膵臓のランゲルハンス島にはα 細胞とβ 細胞等があり、血糖値を調節するインスリンを分泌するのはβ細胞である。

D 体温を測る場合、腋窩温は口腔温より約１℃高い。

（組み合わせ）

1	**A○**	**B○**	**C×**	**D×**	**2**	**A○**	**B×**	**C○**	**D×**
3	**A×**	**B○**	**C○**	**D×**	**4**	**A×**	**B○**	**C×**	**D○**
5	**A×**	**B×**	**C○**	**D○**					

次のうち、小児の生理機能の発達に関する記述として、適切な記述を一つ選びなさい。

1 嚥下機能は、生後ほ乳をすることによって開始される。
2 胎児期の血液の流れ、すなわち胎児循環との違いとして、生後の血液の循環には、肺循環がある。
3 乳歯は生後石灰化が始まり、前歯は生後６～８か月頃に生え始める。
4 脳の機能は、胎児期から既に発達しており、出生時にはほぼ成熟している。
5 乳児では膀胱に尿が溜まると、その刺激が脳で感知され、脳細胞の指令で排尿がおこる。

次の【Ⅰ群】の発疹の種類と、【Ⅱ群】の内容を結びつけた場合の正しい組み合わせを一つ選びなさい。

【Ⅰ群】
A 紅斑
B 苔癬化（たいせん）
C びらん
D 丘疹
E 痂皮

【Ⅱ群】
ア　皮膚表面より小さく盛り上がったブツブツで、風疹などでみられる。
イ　膿や血液が乾燥して固まったもので、伝染性膿痂疹などでみられる。
ウ　皮膚の毛細血管が拡張して赤色になっており、りんご病などでみられる。
エ　皮膚組織が剥がれたり、破れてじめじめしており、ブドウ球菌の皮膚炎などでみられる。
オ　湿疹が慢性化して表皮の肥厚が強まり皮膚表面がかさかさした状態になる。

（組み合わせ）

1	Aア	Bエ	Cウ	Dイ	Eオ	2	Aア	Bオ	Cイ	Dウ	Eエ
3	Aア	Bオ	Cウ	Dイ	Eエ	4	Aウ	Bエ	Cイ	Dア	Eオ
5	Aウ	Bオ	Cエ	Dア	Eイ						

次の文は、頭囲の計測法についての記述である。（　A　）～（　D　）にあてはまる語句の正しい組み合わせを一つ選びなさい。

乳幼児期は脳神経系の発育が急速に進む時期である。乳児では（　A　）の観察も行う。２歳未満の乳幼児はあおむけに寝かせ、２歳以上の幼児は座位または立位で計測する。計測者は一方の手で巻き尺の０点を持ち、他方の手で（　B　）を確認して、そこに巻き尺をあてながら前に回す。（　C　）に巻き尺を合わせてその周径を１（　D　）単位まで読む。

解説▶別冊 p.92 ～ 93 ▶▶▶

（組み合わせ）

	A	B	C	D
1	大泉門	両耳	眉と眉の間	cm
2	大泉門	後頭結節	眉と眉の間	mm
3	小泉門	両耳	前額の突出部	mm
4	大泉門	後頭結節	前額の突出部	cm
5	小泉門	後頭結節	前額の突出部	cm

次のうち、感染症に関する記述として、適切な記述を一つ選びなさい。

1 流行性耳下腺炎（おたふくかぜ）は、ムンプスウイルスが原因病原体であり、耳下腺の腫脹、痛み、発熱が主な症状である。合併症はなく、軽症で治癒する。

2 ポリオは、ポリオ菌によって起こり、脊髄の神経細胞が障害を受けて運動麻痺を起こす。

3 突発性発疹は、ヒトヘルペスウイルス６型及び７型が原因で主に乳幼児にみられる。高熱が３～５日続き、解熱とともに全身に淡紅色の細かい発疹が出現する。

4 風疹は、風疹ウイルスによって起こり、症状は麻疹に似ているが重症化しやすい。

5 結核は、主として結核菌が経口感染することによって起こる。

次のうち、「保育所保育指針解説」（厚生労働省）第３章「健康及び安全」１「子どもの健康支援」（３）「疾病等への対応」⑤「与薬に関する留意点」に関する記述として、適切なものを○、不適切なものを×とした場合の正しい組み合わせを一つ選びなさい。

A 保育所において保護者から預かった薬（座薬等を含む）を子どもに与える場合は、医師の診断及び指示による薬に限定する。

B 保護者に医師名、薬の種類、服用方法等を具体的に記載した与薬依頼票を持参させる。

C 保護者から預かった薬については、施錠できる場所に保管し管理を徹底する。

D 与薬をする際は、複数の保育士等で対象児を確認し、重複与薬や与薬量の確認、与薬忘れ等の誤りがないようにする。

（組み合わせ）

1	**A○**	**B○**	**C○**	**D○**	**2**	**A○**	**B○**	**C×**	**D○**
3	**A○**	**B×**	**C○**	**D×**	**4**	**A○**	**B×**	**C×**	**D○**
5	**A×**	**B○**	**C×**	**D×**					

問9 **次のうち、生ワクチンに関する記述として、適切なものの組み合わせを一つ選びなさい。**

A 生ワクチンの接種回数は、すべて１回に限られる。

B 液性免疫と細胞性免疫の両方が期待できる。

C 注射生ワクチンを接種した日から次の注射生ワクチン接種を行うまでの間隔は、27 日以上あける。

D 副反応は数人に一人の割合で起こるものから、きわめてまれなものまで、様々である。

E 妊婦に対しても接種することができる。

（組み合わせ）

1 **ABC**　**2** **ABD**　**3** **ADE**　**4** **BCD**　**5** **BCE**

解説▶別冊 p.93 ～ 94 ▶▶▶

次のうち、「保育所保育指針」で示された「午睡」に関する記述として、適切なものを○、不適切なものを×とした場合の正しい組み合わせを一つ選びなさい。

A 午睡は生活のリズムを構成する重要な要素であり、安心して眠ることのできる安全な睡眠環境を確保するよう努める。

B 在園時間が異なるなど、睡眠時間は子どもの発達の状況や個人によって差はあるが、午睡の時間は一律に取れるようにする。

C 乳児については、一人一人の生活のリズムに応じて、安全な環境の下で十分に午睡をする。

D １歳以上３歳未満児については、食事や午睡、遊びと休息など、保育所における生活のリズムが形成されるようにする。

（組み合わせ）

1	A○	B○	C○	D×	2	A○	B×	C○	D○
3	A○	B×	C○	D×	4	A○	B×	C×	D×
5	A×	B×	C○	D○					

次のうち、保育所における消毒薬の使用に関する記述として、適切なものを○、不適切なものを×とした場合の正しい組み合わせを一つ選びなさい。

A プールの水の消毒には、原則、塩素系の消毒剤を用いることと定められている。

B 嘔吐物の消毒に用いる次亜塩素酸ナトリウムと亜塩素酸水は、同じ調整濃度で使用する。

C アルコール消毒液は、引火性があるため空間噴霧は禁じられている。

D 床やドアノブを清掃する際、次亜塩素酸ナトリウムの希釈率は 0.02%である。

E 新型コロナウイルス感染症予防対策として、すぐに手洗いできない状況では、濃度 70%以上 95%以下のエタノールを用いて手によくすりこむ。

（組み合わせ）

1	A○	B○	C×	D×	E○	**2**	A○	B×	C○	D○	E○
3	A○	B×	C×	D○	E×	**4**	A×	B○	C○	D×	E×
5	A×	B○	C×	D○	E×						

問12 **次の文は、「保育所保育指針」第３章「健康及び安全」４「災害への備え」（２）「災害発生時の対応体制及び避難への備え」の一部である。（　A　）～（　C　）にあてはまる語句を【語群】から選択した場合の正しい組み合わせを一つ選びなさい。**

・　火災や（　A　）などの災害の発生に備え、緊急時の対応の具体的内容及び手順、職員の役割分担、避難訓練計画等に関するマニュアルを作成すること。
・　定期的に（　B　）を実施するなど、必要な対応を図ること。
・　災害の発生時に、保護者等への連絡及び子どもの引渡しを円滑に行うため、日頃から保護者との（　C　）に努め、連絡体制や引渡し方法等について確認をしておくこと。

【語群】

ア	地震	**イ**	豪雨	**ウ**	防災訓練
エ	避難訓練	**オ**	密接な連携	**カ**	適切な関係作り

（組み合わせ）

1	Aア	Bウ	Cオ	**2**	Aア	Bエ	Cオ	**3**	Aイ	Bウ	Cカ
4	Aイ	Bエ	Cオ	**5**	Aイ	Bエ	Cカ				

解説▶別冊 p.94 ～ 95 ▶▶▶

次のうち、保育所での感染症の集団発生の予防に関する記述として、適切なものを○、不適切なものを×とした場合の正しい組み合わせを一つ選びなさい。

A 学校感染症第二種に感染した場合は、保育所においても意見書または登園届の提出が義務付けられている。

B 全ての感染症において流行の拡大の恐れがある期間は、隔離をすることや登園を控えてもらう。

C ウイルスが体内に侵入してもその病気に対する感受性が低い人の場合は、感染しても症状が出ないことがある。

D 麻疹や風疹の感染症が１週間以内に２人以上発生した場合は、施設長は市区町村や保健所に報告する義務がある。

E 保育所の子どもや職員が感染症に罹患していることが判明した場合、子どもや職員の健康状態の把握や記録とともに、二次感染予防について保健所等に協力を依頼することは施設長の責務である。

（組み合わせ）

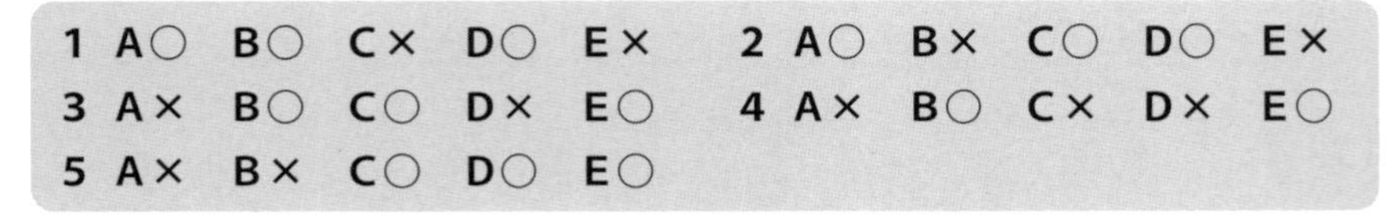

	A	B	C	D	E
1	○	○	×	○	×
2	○	×	○	○	×
3	×	○	○	×	○
4	×	○	×	×	○
5	×	×	○	○	○

次の記述のうち、<u>不適切なもの</u>を一つ選びなさい。

1 誤嚥防止のため、幼児が食事中姿勢よく座っているか注意する。

2 傷病者発生時、傷病者を助けるために最初に取る行動をファーストエイドという。

3 肘内障は幼児に多く、手が急に強く引っ張られたときに起こりやすい。

4 小児では、熱傷面積が全身の 10%以上を占める場合は、救急車を要請する。

5 たばこの誤飲は、ニコチン中毒を起こす可能性があり、十分な水を飲ませて吐かせ、受診する。

問 15 **次のうち、「保育所におけるアレルギー対応ガイドライン（2019 年改訂版）」（厚生労働省）の第Ⅰ部「基本編」1「保育所におけるアレルギー対応の基本」（3）「緊急時の対応（アナフィラキシーが起こったとき（「エピペン®」の使用））」に関する記述として、不適切なものを一つ選びなさい。**

1 消化器症状として、繰り返し下痢をするようであれば、「エピペン®」の使用や 119 番通報による救急車の要請など、速やかな対応をすることが求められる。

2 呼吸器症状として、のどや胸が締め付けられる、声がかすれる、犬が吠えるような咳、持続する強い咳込み、ゼーゼーする呼吸、息がしにくいといった状態であれば、「エピペン®」の使用や 119 番通報による救急車の要請など、速やかな対応をすることが求められる。

3 全身の症状として、唇や爪が青白い、脈が触れにくい・不規則、意識がもうろうとしている、ぐったりしている、尿や便を漏らすといった状態であれば、「エピペン®」の使用や 119 番通報による救急車の要請など、速やかな対応をすることが求められる。

4 「エピペン®」を使用した後は、速やかに救急搬送し、医療機関を受診する必要がある。

5 「エピペン®」を保管する際は、日光のあたる場所や冷蔵庫等を避けて 15 ～ 30℃で保管する。

問 16 **次のうち、「保育所における感染症対策ガイドライン（2018 年改訂版［2022（令和４）年 10 月一部改訂］）」（厚生労働省）の２「感染症の予防」⑤「血液媒介感染」に関する記述として、不適切なものを一つ選びなさい。**

1 血液媒介感染する主な病原体は、B型肝炎ウイルス（HBV）、C型肝炎ウイルス（HCV）、ヒト免疫不全ウイルス（HIV）等である。

2 ひっかき傷やすり傷、鼻血など、血液や傷口からの滲出液に周りの人がさらされる機会も多く、皮膚の傷を通して、病原体が侵入する可能性もある。

解説▶別冊 p.96 ～ 97 ▶▶▶

3 ひっかき傷等は流水できれいに洗い、絆創膏を貼らずによく乾かすようにする。

4 子どもの使用するコップ、タオル等には、唾液等の体液が付着する可能性があるため、共有しない。

5 全ての血液や体液には病原体が含まれていると考え、防護なく触れることがないように注意する。

問 17 **次のうち、保育所での感染症に関する記述として、<u>不適切なもの</u>を一つ選びなさい。**

1 乳児は成人に比べ鼻道や後鼻孔が狭く気道も細いため、風邪等で粘膜が腫れると息苦しくなりやすい。

2 動物に触れた後や動物を飼育している場所を清掃した後には、石鹸を用いた流水での手洗いを徹底する。

3 インフルエンザの主な感染経路は飛沫感染であるが、接触感染することもある。

4 保育所でのRSウイルス流行期は、特に異年齢間の交流を制限しない。

5 保育士等の職員は、自分が感染していることに気づかないまま感染源となることもあるので、職員の体調管理にも気を配る。

問 18 **次のうち、食物アレルギーのある子どもの誤食事故が発生する危険性を低減化しうる対策として、適切なものを○、不適切なものを×とした場合の正しい組み合わせを一つ選びなさい。**

A 食器の色を変える。

B 給食対応の単純化（完全除去か全解除かの二者択一の対応）を原則とする。

C 原因食物となる頻度の多い食材（鶏卵・牛乳・小麦等）を給食に使用しない献立を作成する。

D 調理や配膳にあたっては、指差し声出し確認を徹底する。

E ヒヤリ・ハット報告の収集及び要因分析を行う。

（組み合わせ）

	A	B	C	D	E		A	B	C	D	E
1	○	○	○	○	○	2	○	○	×	○	○
3	○	×	○	○	×	4	×	○	×	×	○
5	×	×	×	○	○						

次のうち、保育所における事故の応急処置に関する記述として、適切なものを○、不適切なものを×とした場合の正しい組み合わせを一つ選びなさい。

A 子どもの鼻に豆が入ってしまった。ピンセットでつまんで引っ張り出そうとした。

B 捻挫をした。痛がる部位をよくもんだ。

C 犬に咬まれた。傷口を流水で洗い、医師の診察を受けた。

D 蜂に刺された。子どもが痛がるので無理に針を抜かず、医師の診察を受けた。

E 誤って熱湯を子どもの手の甲にかけてしまった。すぐに冷水をかけた。

（組み合わせ）

	A	B	C	D	E		A	B	C	D	E
1	○	○	×	○	×	2	○	×	×	×	○
3	×	○	○	○	○	4	×	○	×	○	×
5	×	×	○	○	○						

次のうち、子どものアレルギーに関する記述として、適切なものを○、不適切なものを×とした場合の正しい組み合わせを一つ選びなさい。

A 食物アレルギー対応においては、安全・安心の確保を優先する。

B 気管支喘息の予防においては室内清掃だけではなく、特に寝具の使用に関しても、留意する必要がある。

C 保育所における気管支喘息の対応においては、保護者との連携により、運動等の保育所生活について事前に相談する。

解説▶別冊 p.97～99 ▶▶▶

D アレルギー性結膜炎において、角結膜炎があるときは、プールの水質管理のための消毒に用いる塩素が、その悪化要因となる。

（組み合わせ）

1	**A○**	**B○**	**C○**	**D○**	**2**	**A○**	**B○**	**C○**	**D×**
3	**A○**	**B×**	**C×**	**D○**	**4**	**A×**	**B○**	**C×**	**D×**
5	**A×**	**B×**	**C×**	**D○**					

2023年・後期　子どもの食と栄養

次のうち、「平成27年度乳幼児栄養調査結果の概要」（厚生労働省）の「離乳食について困ったこと（回答者：０～２歳児の保護者）」において、最も割合の高い回答の項目として、適切なものを一つ選びなさい。

1 もぐもぐ、かみかみが少ない（丸のみしている）
2 食べる量が少ない
3 食べ物をいつまでも口にためている
4 食べさせるのが負担、大変
5 作るのが負担、大変

次の文は、脂質に関する記述である。（　A　）・（　B　）にあてはまる数値を【数値群】から選択した場合の正しい組み合わせを一つ選びなさい。

脂質は、１g あたり約（　**A**　）kcal のエネルギーを産生する。「日本人の食事摂取基準（2020 年版）」では、脂肪エネルギー比率（総脂質からの摂取エネルギーが総摂取エネルギーに占める割合）の目標量を、１歳以上の全年齢で（　**B**　）％としている。

【数値群】

ア 4　イ 9　ウ 10～20　エ 20～30　オ 30～40

（組み合わせ）

1 Aア Bウ	2 Aア Bエ	3 Aア Bオ
4 Aイ Bウ	5 Aイ Bエ	

次のうち、「日本人の食事摂取基準（2020年版）」（厚生労働省）に関する記述として、適切なものを○、不適切なものを×とした場合の正しい組み合わせを一つ選びなさい。

A 年齢区分は1～17歳を小児、18歳以上を成人とする。
B 10年ごとに見直しがなされ、改定される。
C 栄養素の指標として、「推定平均必要量」「推奨量」「目安量」「耐容上限量」「目標量」の5種類が設定されている。
D 基本的に健康な個人及び集団を対象としている。

（組み合わせ）

1	A○	B○	C×	D×
2	A○	B×	C○	D○
3	A○	B×	C○	D×
4	A×	B○	C×	D○
5	A×	B×	C○	D○

次の【Ⅰ群】の味の相互作用と、【Ⅱ群】の例を結びつけた場合の正しい組み合わせを一つ選びなさい。

【Ⅰ群】
A 対比効果　**B** 抑制効果　**C** 相乗効果

解説▶別冊 p.100 ▶▶▶

【Ⅱ群】
ア すいかに塩をかける
イ ２種類のうま味（だし）を混ぜるとより一層うま味が強くなる
ウ コーヒーに砂糖を加える

（組み合わせ）

1 Aア Bイ Cウ **2** Aア Bウ Cイ **3** Aイ Bア Cウ
4 Aイ Bウ Cア **5** Aウ Bイ Cア

次のうち、授乳に関する記述として、適切なものを○、不適切なものを×とした場合の正しい組み合わせを一つ選びなさい。

A 「平成27年度乳幼児栄養調査結果の概要」（厚生労働省）では、「授乳について困ったこと」がある者（回答者：０～２歳児の保護者の総数）は、約５割であった。
B 分娩後、数日間分泌される黄色みをおびた粘りのある母乳を初乳という。
C 母乳育児の利点として、小児期の肥満やのちの２型糖尿病の発症リスクの低下が報告されている。
D 乳児用液体ミルクは、液状の人工乳を容器に密封したものであり、常温での保存が可能なものである。

（組み合わせ）

1 A○ B○ C○ D○ **2** A○ B○ C× D×
3 A○ B× C○ D× **4** A× B○ C○ D○
5 A× B× C× D○

次の文は、母乳分泌のしくみに関する記述である。（　A　）～（　C　）にあてはまる語句を【語群】から選択した場合の正しい組み合わせを一つ選びなさい。

乳児が乳首を吸う（　A　）反射とその刺激は、間脳視床下部を経て脳下垂体へと伝わる。下垂体前葉から（　B　）が分泌されて乳汁の合成が促進され、下垂体後葉から（　C　）が分泌され、乳汁を放出して射乳が起こる。また（　C　）は子宮の筋肉を収縮させて、子宮の回復を促す。

【語群】

ア　吸てつ	**イ**　吸引	**ウ**　プロラクチン
エ　エストロゲン	**オ**　オキシトシン	**カ**　黄体ホルモン

（組み合わせ）

1　Aア　Bウ　Cオ	**2　Aア　Bエ　Cウ**	**3　Aイ　Bウ　Cオ**
4　Aイ　Bエ　Cカ	**5　Aイ　Bカ　Cエ**	

次のうち、幼児期の健康と食生活に関する記述として、適切なものを○、不適切なものを×とした場合の正しい組み合わせを一つ選びなさい。

A　感染に対する抵抗力が弱い。
B　消化機能が十分に発達していないため、1回（食）に消化できる量などに配慮が必要である。
C　骨格、筋肉、臓器など身体のあらゆる組織をつくるために十分な栄養素の供給が必要となるが、体重1kgあたりでは成人よりも必要とする栄養素は少ない。
D　「偏食する」「むら食い」「遊び食べをする」などが起きやすい。

解説▶別冊 p.101 ▶▶▶

（組み合わせ）

1	A○	B○	C×	D○	2	A○	B×	C○	D×
3	A○	B×	C×	D×	4	A×	B○	C○	D○
5	A×	B○	C○	D×					

次のうち、幼児期の間食に関する記述として、適切なものを○、不適切なものを×とした場合の正しい組み合わせを一つ選びなさい。

A 「平成27年度乳幼児栄養調査結果の概要」（厚生労働省）の「子どもの間食（３食以外に食べるもの）の与え方（回答者：２～６歳児の保護者）」において、「欲しがるときにあげることが多い」と回答した保護者の割合が最も高かった。

B 「平成27年度乳幼児栄養調査結果の概要」（厚生労働省）の「子どもの間食（３食以外に食べるもの）として甘い飲み物やお菓子を１日にとる回数（回答者：２～６歳児の保護者）」において、どの年齢階級も「３回」と回答した者の割合が最も高かった。

C 幼児期では、間食を食事の一部と考え、間食でエネルギーや栄養素、水分の補給を行うことが望ましい。

（組み合わせ）

1	A○	B○	C○	2	A○	B○	C×	3	A○	B×	C○
4	A×	B○	C×	5	A×	B×	C○				

次のうち、学童期の食生活に関する記述として、<u>不適切なもの</u>を一つ選びなさい。

1 「学校給食摂取基準の策定について（報告）」（令和２年　文部科学省）によると、学校給食のない日は、ある日と比べて、カルシウムの摂取不足が顕著であった。

2 「楽しく食べる子どもに～食からはじまる健やかガイド～」（平成 16 年厚生労働省）では、学童期に育てたい「食べる力」として、「自分の食生活を振り返り、評価し、改善できる」をあげている。

3 「学校給食法」の「学校給食の目標」の一つに、「適切な栄養の摂取による健康の保持増進を図ること」があげられている。

4 「平成 31 年度（令和元年度）全国学力・学習状況調査」（文部科学省）によると、「朝食を毎日食べていますか」という質問に対し、「あまりしていない」、及び「全くしていない」と回答した小学校 6 年生の割合は約 3 割であった。

5 「食に関する指導の手引 第二次改訂版」（平成 31 年　文部科学省）では、「給食指導とは、給食の準備、会食、片付けなどの一連の指導を、実際の活動を通して、毎日繰り返し行う教育活動である」と述べられている。

問 10 **次のうち、学校給食に関する記述として、適切なものの組み合わせを一つ選びなさい。**

A 「学校給食法」第 2 条に定められた「学校給食の目標」は、5 項目である。

B 「令和 3 年度学校給食実施状況等調査」（文部科学省）によると、約 99% の小学校で学校給食（完全給食・補食給食・ミルク給食）を実施している。

C 「令和 3 年度学校給食実施状況等調査」（文部科学省）によると、完全給食を実施している国公私立学校での米飯給食の週当たりの平均実施回数は 2 回である。

D 「第 4 次食育推進基本計画」（農林水産省）では、実施最終年度までに、学校給食における地場産物を活用した取組等を増やすことを目標として設定している。

（組み合わせ）

1 AB　**2** AC　**3** BC　**4** BD　**5** CD

解説▶別冊 p.101 ～ 102 ▶▶▶

次の文は、「妊娠前からはじめる妊産婦のための食生活指針～妊娠前から、健康なからだづくりを～」（令和３年　厚生労働省）の一部である。（　A　）～（　C　）にあてはまる語句の正しい組み合わせを一つ選びなさい。

- 乳製品、緑黄色野菜、豆類、（　**A**　）などでカルシウムを十分に
- 妊娠中の（　**B**　）は、お母さんと赤ちゃんにとって望ましい量に
- （　**C**　）から赤ちゃんを守りましょう

（組み合わせ）

	A	B	C
1	小魚	食事量	感染症
2	小魚	食事量	たばことお酒の害
3	小魚	体重増加	たばことお酒の害
4	いも類	体重増加	たばことお酒の害
5	いも類	食事量	感染症

次のうち、「食育基本法」に定められた食育に関する基本理念として、適切な記述を○、不適切な記述を×とした場合の正しい組み合わせを一つ選びなさい。

A　伝統的な食文化、環境と調和した生産等への配意及び農山漁村の活性化と食料自給率の向上への貢献

B　子どもの食育における保護者、教育関係者等の役割

C　食品の安全性の確保等における食育の役割

D　健康寿命の延伸及び健康格差の縮小

（組み合わせ）

1	A○	B○	C○	D×	2	A○	B○	C×	D○
3	A×	B○	C×	D○	4	A×	B×	C○	D○
5	A×	B×	C○	D×					

次のうち、「食育推進基本計画」に関する記述として、適切なものを○、不適切なものを×とした場合の正しい組み合わせを一つ選びなさい。

A 食育推進基本計画は、「食育基本法」に基づき、食育の推進に関する基本的な方針や目標について定めている。

B 都道府県は、食育推進基本計画に基づき、食育推進計画を作成するよう努めなければならない。

C 「第４次食育推進基本計画」（農林水産省）は、令和４～６年度までの計画である。

D 「第４次食育推進基本計画」（農林水産省）の重点事項の一つに、「持続可能な食を支える食育の推進」がある。

（組み合わせ）

1	A○	B○	C○	D×	2	A○	B○	C×	D○
3	A○	B×	C○	D×	4	A×	B○	C×	D○
5	A×	B×	C○	D○					

次の文は、「保育所保育指針」第３章「健康及び安全」の２「食育の推進」の一部である。（ A ）～（ D ）にあてはまる語句の正しい組み合わせを一つ選びなさい。

・ 子どもが自らの感覚や体験を通して、自然の恵みとしての食材や（ A ）への意識、調理する人への感謝の気持ちが育つように、子どもと調理員等との関わりや、（ B ）など食に関わる保育環境に配慮すること。

・ （ C ）や地域の多様な関係者との連携及び協働の下で、食に関する取

解説▶別冊 p.102 ～ 103 ▶▶▶

組が進められること。また、（　D　）の支援の下に、地域の関係機関等との日常的な連携を図り、必要な協力が得られるよう努めること。

（組み合わせ）

	A	B	C	D
1	食の循環・環境	調理室	保護者	市町村
2	食の循環・環境	畑・園庭	行政	都道府県
3	いのちの大切さ	畑・園庭	保護者	市町村
4	いのちの大切さ	調理室	行政	市町村
5	いのちの大切さ	畑・園庭	保護者	都道府県

次のうち、保育所における地域の子育て家庭への支援に関する記述として、不適切なものを一つ選びなさい。

1　食を通した保育所機能の開放（調理施設活用による食に関する講習などの実施や情報の提供、体験保育など）
2　食に関する相談や援助
3　食を通した子育て家庭の交流の場の提供及び交流の促進
4　保護者に対する生活習慣病の指導
5　食を通した地域の人材の積極的な活用による地域の子育て力を高める取組の実施

次のうち、「楽しく食べる子どもに～保育所における食育に関する指針～」（平成 16 年　厚生労働省）における５つの期待する子ども像として、不適切なものを一つ選びなさい。

1　お腹がすくリズムのもてる子ども
2　好き嫌いがない子ども
3　一緒に食べたい人がいる子ども
4　食事づくり、準備にかかわる子ども
5　食べものを話題にする子ども

問 17 次のうち、「児童福祉施設の設備及び運営に関する基準」（昭和 23 年厚生省令第 63 号）に関する記述として、適切なものを○、不適切なものを×とした場合の正しい組み合わせを一つ選びなさい。

A 当該保育所の満 1 歳以上の幼児に対する食事の提供について、保育所は特例として当該保育所外で調理し搬入する方法により行うことができる。

B 当該保育所または他の施設、保健所、市町村等の栄養士により、献立等について栄養の観点からの指導が受けられる体制をとる。

C 幼児の年齢及び発達の段階並びに健康状態に応じた食事の提供や、アレルギー、アトピー等への配慮、必要な栄養素量の給与等、幼児の食事の内容、回数及び時機に適切に応じることができること。

D 食を通じた乳幼児の健全育成を図る観点から、乳幼児の発育及び発達の過程に応じて食に関し配慮すべき事項を定めた食育に関する計画に基づき食事を提供するよう努める。

（組み合わせ）

1	A○	B○	C×	D○
2	A○	B×	C×	D×
3	A×	B○	C○	D○
4	A×	B×	C○	D×
5	A×	B×	C×	D○

問 18 次のうち、果物に関する記述として、適切なものを一つ選びなさい。

1 「6 つの基礎食品」において、果物は、緑黄色野菜とともに第 3 群に分類されている。

2 「食事バランスガイド」（平成 17 年　厚生労働省・農林水産省）に示されている 5 つの料理区分に「果物」は含まれていない。

3 「授乳・離乳の支援ガイド」（2019 年改定版　厚生労働省）では、離乳開始前に果汁を与え、離乳の準備を行うことが推奨されている。

4 果物類は食物アレルギーの原因食物にならない。

5 「第 4 次食育推進基本計画」（農林水産省）では、実施最終年度までに、

解説▶別冊 p.103 ～ 104 ▶▶▶

１日あたりの果物摂取量が 100 g 未満の者の割合を 30%以下とすることを目標値として設定している。

次のうち、「児童福祉施設における食事の提供ガイド」（平成 22 年厚生労働省）の「調理実習（体験）等における食中毒予防のための衛生管理の留意点」に関する記述として、適切なものを○、不適切なものを×とした場合の正しい組み合わせを一つ選びなさい。

A 調理実習（体験）等の実施にあたっては、施設全体の職員の協力を得ることが望ましいことから、年間（月間）計画等の中で、施設全体の計画として立てる。
B 原材料および、調理済み品の保存食を確保する。
C 加熱調理後は 24 時間以内に喫食することを徹底する。
D 加熱する場合には十分に行い、中心温度計で、計測、確認、記録を行う。
E ソラニン類食中毒を防止する方法として、ジャガイモの芽や日光に当たって緑化した部分を十分に取り除き、調理を行う。

（組み合わせ）

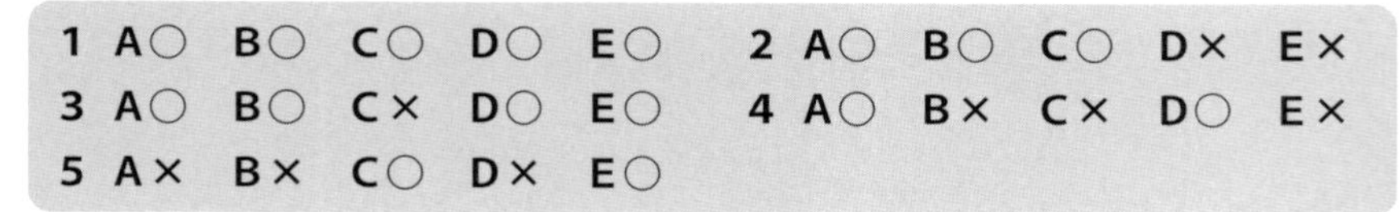

1	A○	B○	C○	D○	E○
2	A○	B○	C○	D×	E×
3	A○	B○	C×	D○	E○
4	A○	B×	C×	D○	E×
5	A×	B×	C○	D×	E○

次のうち、嚥下が困難な子どもの食事に関する記述として、適切な記述を○、不適切な記述を×とした場合の正しい組み合わせを一つ選びなさい。

A 誤嚥しやすい飲食物には、水やみそ汁などがある。
B 酸味の強い柑橘類は、食べやすい食品である。
C 飲み込みやすい食品形態には、ゼリー状、ポタージュ状などがある。
D トロミ調整食品（増粘剤）には、加熱することなくトロミがつけられるものがある。

E 食物を嚥下しやすくする食品には、かたくり粉、コーンスターチ、ゼラチンなどがある。

（組み合わせ）

1	**A○**	**B○**	**C○**	**D○**	**E○**	**2**	**A○**	**B○**	**C×**	**D×**	**E○**
3	**A○**	**B×**	**C○**	**D○**	**E○**	**4**	**A×**	**B○**	**C○**	**D×**	**E×**
5	**A×**	**B×**	**C×**	**D○**	**E×**						

2023年・後期　保育実習理論

次の曲の伴奏部分として、**A～D**にあてはまるものの正しい組み合わせを一つ選びなさい。

ア

イ

ウ

エ
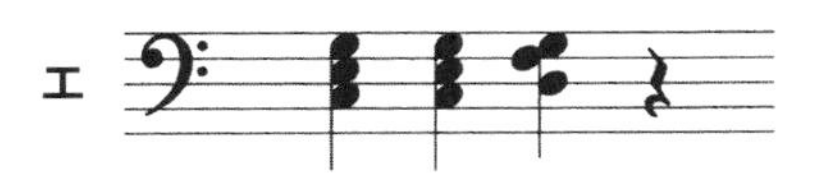

解説▶別冊 p.105 ～ 106 ▶▶▶

（組み合わせ）

1	Aア	Bエ	Cウ	Dイ	2	Aイ	Bエ	Cア	Dウ
3	Aウ	Bイ	Cエ	Dア	4	Aエ	Bア	Cエ	Dイ
5	Aエ	Bイ	Cア	Dウ					

次のA～Dの音楽用語の意味を【語群】から選んだ場合の正しい組み合わせを一つ選びなさい。

A mp　**B** D.C.　**C** cresc.　**D** cantabile

【語群】

ア	とても弱く	イ	おわり	ウ	だんだん遅く
エ	やわらかく	オ	歌うように	カ	もとの速さで
キ	少し弱く	ク	だんだん強く		
ケ	はじめに戻る	コ	音の間を切れ目なくつなぐ		

（組み合わせ）

1	Aア	Bイ	Cカ	Dコ	2	Aア	Bウ	Cク	Dエ
3	Aエ	Bケ	Cカ	Dオ	4	Aキ	Bイ	Cウ	Dコ
5	Aキ	Bケ	Cク	Dオ					

次の楽譜からマイナーコード（短三和音）を抽出した正しい組み合わせを一つ選びなさい。

（組み合わせ）

1 アイエ	2 アウエ	3 アエオ
4 イウオ	5 イエカ	

次の曲を５歳児クラスで歌ってみたところ、最低音が歌いにくそうであった。そこで短３度上げて歌うことにした。その場合、A、B、Cの音は、鍵盤の①〜⑳のどこを弾くか、正しい組み合わせを一つ選びなさい。

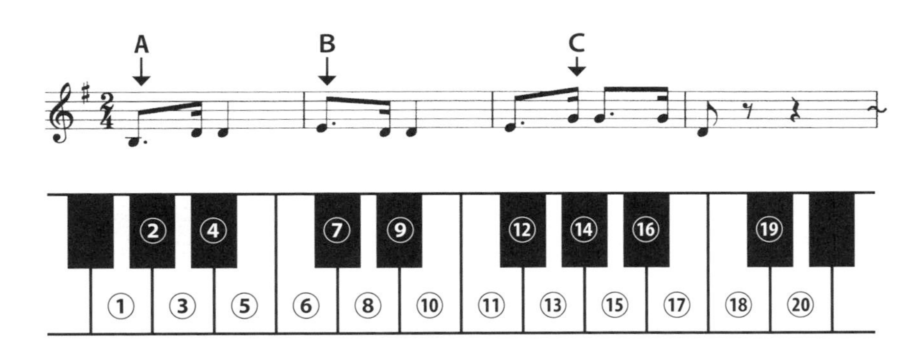

（組み合わせ）

1 A⑥ B⑪ C⑬	2 A⑥ B⑪ C⑭	3 A⑦ B⑫ C⑮
4 A⑧ B⑫ C⑮	5 A⑧ B⑬ C⑯	

解説▶別冊 p.106 〜 107 ▶▶▶

次のリズムは、ある曲の歌い始めの部分である。それは次のうちのどれか、一つ選びなさい。

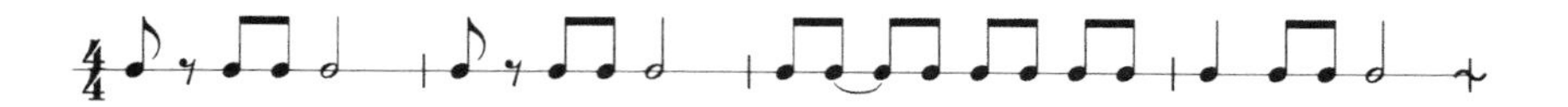

1 赤とんぼ（作詞：三木露風　作曲：山田耕筰）
2 たき火（作詞：巽聖歌　作曲：渡辺茂）
3 しゃぼん玉（作詞：野口雨情　作曲：中山晋平）
4 浜辺の歌（作詞：林古溪　作曲：成田為三）
5 まっかな秋（作詞：薩摩忠　作曲：小林秀雄）

次の楽譜は、ある曲の歌い始めの４小節である。これに関するＡ～Ｄのうち、適切な記述を○、不適切な記述を×とした場合の正しい組み合わせを一つ選びなさい。

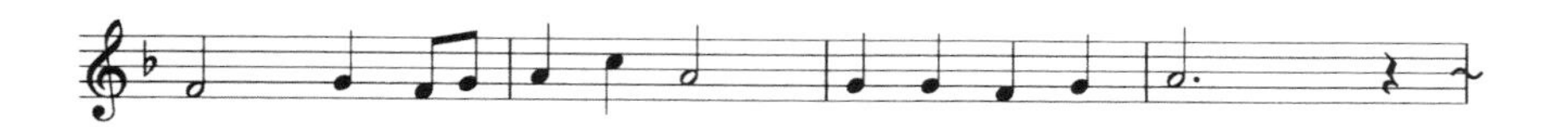

A この曲は、豆まきの様子を歌ったものである。
B この曲の作曲者は、滝廉太郎である。
C この曲は、明治時代に作曲された。
D この曲は、４分の４拍子、８小節からなる。

（組み合わせ）

1	A○	B○	C×	D×
2	A○	B×	C○	D○
3	A×	B○	C○	D×
4	A×	B○	C×	D○
5	A×	B×	C○	D×

次の文は、「保育所保育指針」第２章「保育の内容」２「１歳以上３歳未満児の保育に関わるねらい及び内容」オ「表現」(ウ)「内容の取扱い」の一部である。（　A　）～（　C　）にあてはまる語句の正しい組み合わせを一つ選びなさい。

・　子どもの表現は、遊びや生活の様々な場面で（　A　）されているものであることから、それらを積極的に受け止め、様々な（　B　）の仕方や感性を豊かにする経験となるようにすること。
・　子どもが試行錯誤しながら様々な（　B　）を楽しむことや、自分の力でやり遂げる（　C　）などに気付くよう、温かく見守るとともに、適切に援助を行うようにすること。

(組み合わせ)

	A	B	C
1	表現	表出	満足感
2	表現	表出	充実感
3	表現	表出	達成感
4	表出	表現	達成感
5	表出	表現	充実感

次の【事例】を読んで、【設問】に答えなさい。

【事例】
　学生のＬさんは、保育所で実習を行うことになった。Ｌさんは、事前に幼児の造形に関する発達理論を学習することで、実習を通して幼児の発達をより深く理解することができるのではないかと考えた。

【設問】
　次のうち、造形に関する発達理論として、適切なものを○、不適切なものを×とした場合の正しい組み合わせを一つ選びなさい。

解説▶別冊 p.107 ▶▶▶

A ローエンフェルド（Lowenfeld, V.）は、子どもの描画の発達として自己表現の最初の段階（なぐりがきの段階）、再現の最初の試み（様式化前の段階）、形態概念の成立（様式化の段階）、写実的傾向の芽生え（ギャング・エイジ）等の段階があるとした。

B ピアジェ（Piaget, J.）は、命のないものに生命や意思があると考える心理作用について、未成熟な子どもは、心の中の出来事と外界の出来事とがきちんと区別できているからだと考えた。

C ケロッグ（Kellogg, R.）は、子どもの描く初期のスクリブルを分類した。

（組み合わせ）

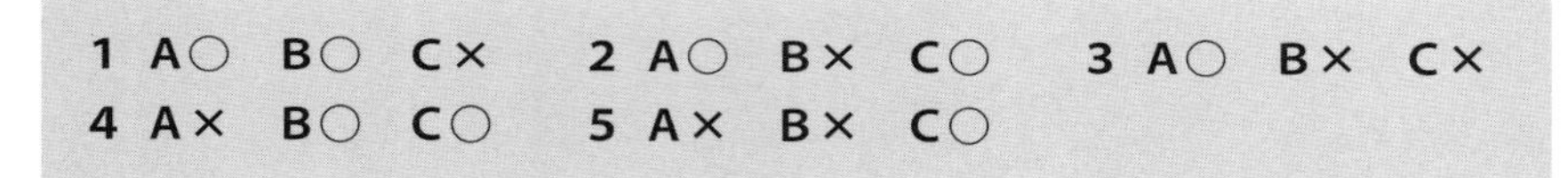

1 A○　B○　C×　　**2** A○　B×　C○　　**3** A○　B×　C×
4 A×　B○　C○　　**5** A×　B×　C○

次の【事例】を読んで、【設問】に答えなさい。

【事例】

運動会を翌週に控えたＳ保育所でＮ保育士（以下、Ｎ）とＲ保育士（以下、Ｒ）が、看板の文字と背景の色について話し合っています。

Ｎ：来週の運動会の看板は、目立つようにしたいですね。
Ｒ：そうですね。それなら看板に使う色の彩度にも気をつけたいですね。
Ｎ：彩度とはなんですか。
Ｒ：彩度とは、色の三属性の一つで、色みの強さや、（　**A**　）さの度合いのことをいいます。同じ色相・明度であっても、彩度が（　**B**　）、より（　**A**　）に見える、ということになります。
Ｎ：どんな色にも彩度はありますか。
Ｒ：白・灰・黒には彩度がありません。わずかでも彩度を持った色は（　**C**　）といいます。また彩度は、周りの色の彩度によって変化して感じられます。
Ｎ：そうなんですね。運動会の看板の色は彩度も考えて見やすいものをつくりたいですね。

【設問】
（ A ）～（ C ）にあてはまる語句の正しい組み合わせを一つ選びなさい。

（組み合わせ）

	A	B	C
1	きれい	高ければ	有彩色
2	鮮やか	高ければ	有彩色
3	きれい	低ければ	純色
4	鮮やか	高ければ	純色
5	鮮やか	低ければ	有彩色

次のうち、はさみの説明や使い方のアドバイスとして、適切な記述を○、不適切な記述を×とした場合の正しい組み合わせを一つ選びなさい。

A はさみには、右手用・左手用という区別はない。
B はさみは、刃元より刃先の方が厚紙などを容易に切ることができる。
C 円形を切り抜くときには、持っている紙を動かして切ると切りやすい。
D はさみを友達に渡すときには、安全のために柄を相手に向けて渡すようにする。

（組み合わせ）

1	A○	B○	C○	D○
2	A○	B○	C×	D○
3	A○	B×	C○	D×
4	A×	B×	C○	D○
5	A×	B×	C×	D×

解説▶別冊 p.108 ▶▶▶

次のうち、フィンガーペインティングに関する記述として、適切なものを○、不適切なものを×とした場合の正しい組み合わせを一つ選びなさい。

A フィンガーペインティングの技法は、太古から洞窟壁画などに用いられてきた。

B 洗濯のりにポスターカラーなどの色材を混ぜて、フィンガーペインティング用の絵の具を作ることができる。

C フィンガーペインティングを行った直後に、描かれた画面に紙をのせて版画のように写し取ることができる。

D フィンガーペインティングの活動では、絵の具の感触を楽しむことができる。

（組み合わせ）

1	**A○**	**B○**	**C○**	**D○**
2	**A○**	**B○**	**C×**	**D○**
3	**A○**	**B×**	**C○**	**D○**
4	**A×**	**B○**	**C○**	**D○**
5	**A×**	**B○**	**C×**	**D×**

M保育所では、室内飾りを切り紙で作ろうと準備している。図１のように紙を折り、はさみを入れて開くと図２のような形状になる飾りを作る場合、切り込み線の入れ方として、図３の1～5のうち、正しいものを一つ選びなさい。（紙などを実際に折ったり切ったりしないで考えること。）

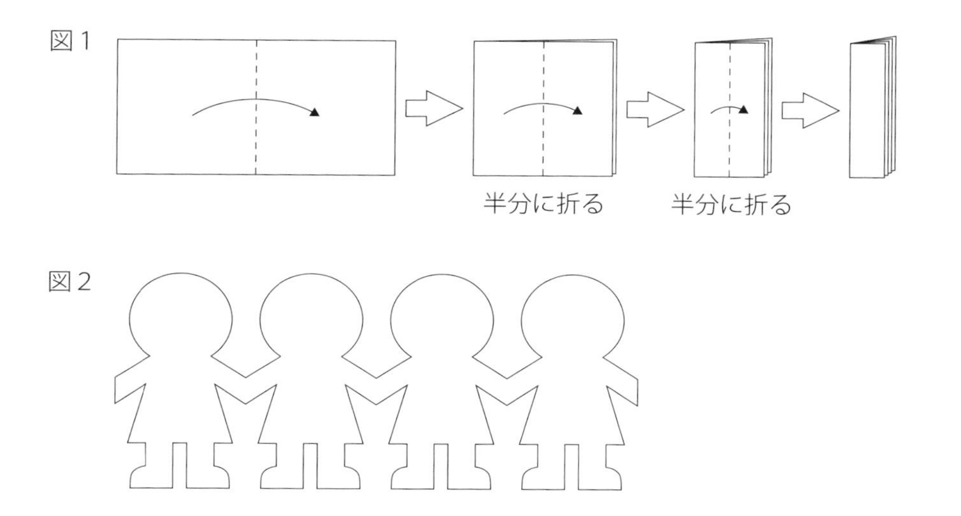

問13 **次の文は、「保育所保育指針」第1章「総則」4「幼児教育を行う施設として共有すべき事項」（2）「幼児期の終わりまでに育ってほしい姿」ク「数量や図形、標識や文字などへの関心・感覚」の一部である。（　A　）～（　C　）にあてはまる語句の正しい組み合わせを一つ選びなさい。**

遊びや（　A　）の中で、数量や図形、標識や文字などに親しむ体験を重ねたり、標識や文字の（　B　）に気付いたりし、自らの（　C　）に基づきこれらを活用し、興味や関心、感覚をもつようになる。

解説▶別冊 p.108 ～ 109 ▶▶▶

（組み合わせ）

	A	B	C
1	生活	性質	必要感
2	学び	役割	意思
3	学び	性質	意思
4	生活	役割	必要感
5	学び	性質	必要感

次の【事例】を読んで、【設問】に答えなさい。

【事例】

　保育所の新任のＰ保育士は、施設長から、「子どもの遊びを支える環境についてというテーマで、来週、保育所内で保育カンファレンスを行います」と伝えられました。

【設問】

　次のうち、保育カンファレンス当日のＰ保育士の行動や態度として、適切なものを○、不適切なものを×とした場合の正しい組み合わせを一つ選びなさい。

A　新任のため、保育所内の環境についてよく理解していないので、発言は控える。

B　他の保育士の意見より、施設長や主任などの意見を尊重する。

C　自分の考えと異なる保育士の意見にも耳を傾ける。

D　看護師、調理員、栄養士等とは職務内容が異なるので、それぞれが担う業務に対しての意見は控える。

（組み合わせ）

1 A○ B○ C○ D○　2 A○ B○ C× D×
3 A○ B× C○ D○　4 A× B○ C× D×
5 A× B× C○ D×

次の【事例】を読んで、【設問】に答えなさい。

【事例】

保育所の５歳児クラスを担当しているＲ保育士は、子どもの動線に配慮した園庭や遊具の配置などを検討するために、子どもの動線を記録することとした。

【設問】

次のうち、動線の記録と園庭や遊具の配置などの対応として、適切なものを○、不適切なものを×とした場合の正しい組み合わせを一つ選びなさい。

A 動線を記録してみると、園庭で広い空間を使って「色鬼（色つき鬼）」などルールのある遊びに熱中している活発な子どものグループがあることがわかった。しばしばこの動線が、３歳未満児クラスが砂場で遊んでいる空間と交差していた。そこで、３歳未満児クラスの担当保育士と話し合い、園庭の使い方の共通理解をはかることとした。

B 動線を記録してみると、虫取りが好きな子どものグループがあり、垣根や裏庭の花壇の周辺を回遊するように遊んでいることがわかった。そこで、子どもの自然な活動の流れが崩れないように、その動線上の安全点検をすることとした。

C 動線を記録してみると、保育室のままごとコーナーで遊んでいる子どもが「散歩に行こう」と園庭に出ていくことがあるとわかった。そこで、特定の場所でじっくり遊べるように、ままごとコーナーから園庭に簡単に出られないように、活動を分ける仕切りを置くこととした。

解説▶別冊 p.109 ～ 110 ▶▶▶

（組み合わせ）

1 A○ B○ C○　2 A○ B○ C×　3 A○ B× C○
4 A× B× C○　5 A× B× C×

次の【事例】を読んで、【設問】に答えなさい。

【事例】

実習生Kさんは、保育所で保育実習を行っている。３歳児クラスで、絵本『おむすびころりん』の読み聞かせをすることになり、指導計画を作成することになった。

【設問】

次のうち、指導計画の「ねらい及び内容」として、適切なものを○、不適切なものを×とした場合の正しい組み合わせを一つ選びなさい。

A　『おむすびころりん』の物語を楽しむ。
B　「おむすびころりん　すっとんとん」など、心地よい言葉のリズムを味わう。
C　絵本の中に出てくる言葉のやりとりを保育者（実習生）や友達と楽しむ。
D　絵本の読み聞かせが終わるまでは、動かずにきちんと座って話を聞かせる。

（組み合わせ）

1 A○ B○ C○ D×　2 A○ B○ C× D○
3 A○ B× C× D○　4 A× B○ C○ D×
5 A× B× C× D×

次の【事例】を読んで、【設問】に答えなさい。

【事例】

保育所で５歳児クラスを担当するＱ保育士は、近隣の小学校との連絡会に参加し、小学校との連携の取り組みについてまとめた。

【設問】

次のうち、小学校との連携に関する取り組みとして、適切なものを○、不適切なものを×とした場合の正しい組み合わせを一つ選びなさい。

A 保育所児童保育要録は子どもの生年月日などの個人情報が含まれているため、「個人情報の保護に関する法律」に照らして適切に運用するものであり、配偶者からの暴力の被害者と子どもというように特別の事情がある場合だけでなく、子どもの育ちを支えるための資料を小学校へ送付する場合においては必ず保護者から同意を得て、小学校に送付するという共通理解をはかった。

B 「保育所保育指針」に新しく取り入れられた「幼児期の終わりまでに育ってほしい姿」は、幼児教育の考え方であり、小学校の教員からは共通理解されにくいので、あえて触れないようにした。

C 保小連携の一環として、交流の機会を増やせるように、小学校と保育所の年間行事の内容を情報交換し、担当者間で話し合いを行うようにした。

（組み合わせ）

1	**A○ B○ C×**		**2**	**A○ B× C○**		**3**	**A× B○ C×**
4	**A× B× C○**		**5**	**A× B× C×**			

解説▶別冊 p.110 ～ 111 ▶▶▶

次の文は、「保育所保育指針」第1章「総則」1「保育所保育に関する基本原則」の一部である。（　　　）に「生活」という言葉を入れた場合に、正しい記述になるものを○、誤った記述になるものを×とした場合の正しい組み合わせを一つ選びなさい。

A　保育所は、子どもが生涯にわたる人間形成にとって極めて重要な時期に、その（　　　）時間の大半を過ごす場である。

B　子ども相互の関係づくりや互いに尊重する心を大切にし、集団における（　　　）を効果あるものにするよう援助すること。

C　子ども自らが環境に関わり、自発的に（　　　）し、様々な経験を積んでいくことができるよう配慮すること。

D　一人一人の子どもの状況や家庭及び地域社会での（　　　）の実態を把握するとともに、子どもが安心感と信頼感をもって活動できるよう、子どもの主体としての思いや願いを受け止めること。

（組み合わせ）

1	**A○**	**B○**	**C×**	**D×**	**2**	**A○**	**B×**	**C○**	**D×**
3	**A○**	**B×**	**C×**	**D○**	**4**	**A×**	**B○**	**C○**	**D×**
5	**A×**	**B○**	**C×**	**D○**					

次の【事例】を読んで、【設問】に答えなさい。

【事例】

母親の不適切な養育によりS乳児院に入所したKちゃん（1歳）。S乳児院で実習しているY実習生がKちゃんと遊んでいたところ、面会で訪れていたKちゃんの母親とW実習指導者がKちゃんのところに来た。その時、W実習指導者が電話対応のために、席を外した。母親がKちゃんを抱っこしようとすると、Kちゃんは泣きだした。それを見た母親は、「私だと泣いちゃいますね。一緒に暮らしていないから、私が母親だっていうのもわからないのかもしれない」と言い、寂しそうな表情を浮かべた。Y実習生は、その日に振り返りの機会を設けてもらい、このエピソードについてW実習指導者に報告した。

【設問】

次のうち、W実習指導者がY実習生にとるべき対応として、適切なものを○、不適切なものを×とした場合の正しい組み合わせを一つ選びなさい。

A 「Kちゃんが泣きだした段階で、母親から引き離してあなたが抱っこすべきでしたね」と伝える。

B 「母親がKちゃんに対して不適切な養育をしていたことで入所させたのだから、母親はもっとKちゃんの気持ちを考えて行動すべきですね」と話す。

C 「母親のその時の気持ちについてはどのように感じましたか」と尋ねる。

D 「少しずつ母子の関係形成ができるよう、支援することが大事ですね」と伝える。

（組み合わせ）

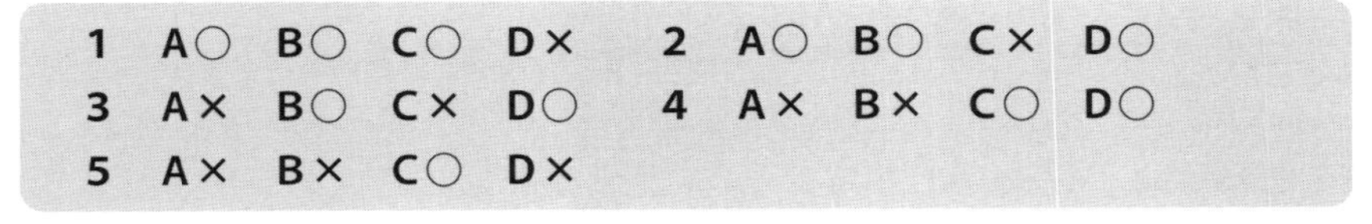

1	A○	B○	C○	D×
2	A○	B○	C×	D○
3	A×	B○	C×	D○
4	A×	B×	C○	D○
5	A×	B×	C○	D×

次のうち、「児童養護施設運営ハンドブック」（平成26年　厚生労働省）に示された実習生受入れに関する記述として、適切なものを○、不適切なものを×とした場合の正しい組み合わせを一つ選びなさい。

A 施設実習は、子どもを養育した経験のない実習生にとって具体的な援助技術の学びの場であると同時に実践の場である。

B 実習生にとって最も大切なことは、子どもたちがおかれている現実にどれだけ寄り添い、子どもたちの心の機微にどれだけ触れることができるかである。

C 個人情報保護の観点から、実習生には子どもたちの生い立ちに関する情報は一切伝えてはならない。

D 実習生の育成は、実習指導を通し将来の児童養護施設職員の育成につな

解説▶別冊 p.111 ▶▶▶

がり、そのことが人材確保に大きな役割を果たすことを意識して丁寧な指導をすることが必要である。

（組み合わせ）

1	**A**○	**B**○	**C**○	**D**○	**2**	**A**○	**B**○	**C**×	**D**○
3	**A**○	**B**×	**C**○	**D**×	**4**	**A**×	**B**○	**C**○	**D**×
5	**A**×	**B**×	**C**×	**D**○					

保育士試験

2023年前期

筆記試験

時間に合わせて解いてみましょう！

■試験内容と試験時間

科目	時間（分）	満点
保育の心理学	60	100
保育原理	60	100
子ども家庭福祉	60	100
社会福祉	60	100
教育原理	30	50
社会的養護	30	50
子どもの保健	60	100
子どもの食と栄養	60	100
保育実習理論	60	100
合格基準点	各科目で満点の6割以上	

※科目合格がありますが、「教育原理及び社会的養護」については、同年に両科目とも6割以上を得点した者が合格となります。

P.421～422に解答用紙がありますので、コピーしてお使いください。
答え合わせに便利な正答一覧は別冊のP.232にあります。

2023年・前期　保育の心理学

次のうち、発達についての考え方に関する記述として、適切なものを○、不適切なものを×とした場合の正しい組み合わせを一つ選びなさい。

A ゲゼル（Gesell, A.L.）は、一卵性双生児の階段登りの実験の結果から、発達は基本的に神経系の成熟によって規定されるとした。

B ワトソン（Watson, J.B.）は、成育初期に与えられたある種の経験が、後年の生理的・心理的な発達に消しがたい行動を形成させる期間として、臨界期の存在を明らかにした。

C 学習の成立にとって必要な個体の発達的素地、心身の準備性のことをレジリエンスという。

D 発達段階とは、ある時期の心身の機能や構造が前後と異なるというような量的な変化を想定して区切ったものである。

（組み合わせ）

1	A○	B○	C○	D○	2	A○	B○	C×	D×
3	A○	B×	C×	D×	4	A×	B○	C○	D○
5	A×	B×	C×	D○					

次のうち、子どもの発達と環境に関する記述として、適切なものを○、不適切なものを×とした場合の正しい組み合わせを一つ選びなさい。

A シュテルン（Stern, W.）は、発達における社会的・文化的環境の影響を重視しており、発達は環境のもつ社会、文化、歴史的な側面が個人との相互作用によって個人の中に取り入れられる過程であるとした。

B ブロンフェンブレンナー（Bronfenbrenner, U.）は、子どもを取り巻く社会的環境のうち、父親と母親との関係（夫婦関係）や親と学校の先生との関係など、相互の影響関係をエクソシステムとした。

C　ジェンセン（Jensen, A.R.）は、個々の特性が表れるのに必要な環境的要因には、特性ごとに固有な最低限度（閾値）があるとした。

D　ギブソン（Gibson, J.J.）は、環境の意味や価値は、人間の心の動きによって与えられるのではなく、環境が人間に提供するものであるとした。

（組み合わせ）

1	A○	B○	C×	D×	2	A○	B×	C○	D×
3	A×	B○	C○	D○	4	A×	B○	C×	D×
5	A×	B×	C○	D○					

問3　次のA～Cの記述について、子どもの姿に関連する用語の正しい組み合わせを一つ選びなさい。

A　タオルを掴むことに慣れた子どもが、ボールを上手く掴めず、何度か働きかけるうちに手を大きく開いて掴むようになる。

B　お店屋さんごっこという共通の目的に向かって、お客さんと店員に分かれてそれぞれの役割を果たしながら一緒に遊ぶ。

C　保育者が「りんご」「みかん」「いちご」が描かれた絵本のページを見せながら、「りんごはどれ？」と聞いた時に、子どもがりんごの絵を指さす。

（組み合わせ）

	A	B	C
1	調節	協同遊び	応答の指さし
2	同化	連合遊び	叙述の指さし
3	調節	協同遊び	叙述の指さし
4	同化	協同遊び	応答の指さし
5	調節	連合遊び	応答の指さし

解説▶別冊 p.113 ▶▶▶

次のうち、エリクソン（Erikson, E.H.）の心理・社会的発達段階説に関する記述として、適切なものを○、不適切なものを×とした場合の正しい組み合わせを一つ選びなさい。

A それぞれの発達段階の時期の中心的な発達課題は、漸成的（ぜんせい）で決まった順序がないと考えた。

B どの発達段階でも、肯定的な経験をすることが理想なのではなく、否定的な経験を上回って肯定的な経験をすることが発達課題の克服となると考えた。

C フロイト（Freud, S.）の精神・性的発達段階に、身体的な側面を加え、人生を８つの階層でとらえた。

D 乳児期の心理社会的危機は「自律 対 恥・疑念」であると考えた。

（組み合わせ）

1	**A○**	**B○**	**C×**	**D×**	**2**	**A○**	**B×**	**C○**	**D×**
3	**A○**	**B×**	**C×**	**D○**	**4**	**A×**	**B○**	**C×**	**D×**
5	**A×**	**B×**	**C○**	**D○**					

次のうち、乳幼児における言語の発達に関する記述として、適切なものを○、不適切なものを×とした場合の正しい組み合わせを一つ選びなさい。

A ２か月頃から、機嫌のよい時に、喉の奥からやわらかい発声をすることをクーイングという。

B ６か月以降の乳児期後半に、「ババババ」「マママ」のような子音と母音の連続である規準喃語を発するようになる。

C １歳頃になると、初めて意味のある言葉を発するようになるが、これをジャーゴンという。

D １歳半頃には、ものの名前を尋ねるようになるが、これを第二質問期という。

（組み合わせ）

1	A○	B○	C×	D×	2	A○	B×	C○	D×
3	A○	B×	C×	D○	4	A×	B○	C○	D×
5	A×	B×	C○	D○					

問6　次のうち、心の理論に関する記述として、適切なものを○、不適切なものを×とした場合の正しい組み合わせを一つ選びなさい。

A　心の理論とは、他者の行動からその背後にある心的状態を推測し、その次の行動を予測するための理論である。

B　誤信念課題は、他者が現実とは異なり誤った信念を有していることが理解できるかについて調べる課題である。

C　誤信念課題の正答の経緯をみると、３歳頃までは正答できず、４、５歳頃に正答できるようになる。

D　心の理論とは、他者の心がわかる行動心理学を利用した読心術のようなことを意味している。

（組み合わせ）

1	A○	B○	C○	D○	2	A○	B○	C○	D×
3	A○	B×	C○	D×	4	A×	B○	C×	D○
5	A×	B×	C○	D○					

解説▶別冊 p.114 ▶▶▶

次のうち、学習のメカニズムに関する【Ⅰ群】の記述と【Ⅱ群】の用語を結びつけた場合の正しい組み合わせを一つ選びなさい。

【Ⅰ群】

A 学習の目標となる反応を増大させるための条件づけの手続きである。
B 生得的な反射を基礎にする刺激と反応の新たな連合の習得である。
C ある行動を引き起こし、その行動を持続させ、一定の方向に導くプロセスである。
D 課題をスモール・ステップに分割し、学習者が自分のペースで自発的に学習する方法である。

【Ⅱ群】

ア 古典的条件づけ	**イ** 動機づけ	**ウ** プログラム学習
エ 道具的条件づけ	**オ** 強化	**カ** 発見学習

（組み合わせ）

1 Aア Bエ Cイ Dウ　**2** Aア Bエ Cウ Dカ
3 Aオ Bア Cイ Dウ　**4** Aオ Bア Cイ Dカ
5 Aオ Bア Cウ Dカ

次のA～Dの学習に関する記述について、関連する用語の正しい組み合わせを一つ選びなさい。

A 他者の行動とその結果を観察するだけで学習は成立する。
B 問題を取り巻く状況全体を把握して構造を理解し、見通しをもつことにより問題を解決する。
C ある学習をしたことがその後の別の学習に影響する。
D 大人の子どもに対する期待が子どもの学習に影響を与える。

(組み合わせ)

	A	B	C	D
1	モデリング	試行錯誤	学習曲線	ハロー効果
2	モニタリング	試行錯誤	学習曲線	ハロー効果
3	モニタリング	洞察	学習曲線	ピグマリオン効果
4	モデリング	洞察	学習の転移	ハロー効果
5	モデリング	洞察	学習の転移	ピグマリオン効果

次の文は、幼児期から学童期に関する記述である。(A)~(D)にあてはまる用語を【語群】から選択した場合の最も適切な組み合わせを一つ選びなさい。

子どもたちが最初に出会う移行は、家庭生活から幼児期の集団参加が始まる時期である。子どもが経験する2つ目の移行は、幼児期から学童期への移行であり、日本では小学校の入学が大きな節目となる。認知発達において、6~7歳前後にピアジェ(Piaget, J.)のいう (A)から次の発達段階に移行する。この時期には、自己中心性をぬけだし(B)が可能となり、子どもは具体物の助けを借りながら論理的に一貫性を持った思考ができるようになり、(C)が成立する。

言語でも語彙や発音、文法の基本的言語システムを獲得し、話し言葉は一通りの完成をみる。小学校の入学頃までに、長音や拗音などの特殊音節の(D)が可能となり、書き言葉の基盤ができあがる。この時期には、仲間関係にも発展がみられ、大人が介在しないで、子ども同士で遊んだり活動したりできるようになる。

【語群】

ア	具体的操作期	イ	前操作期	ウ	帰納的推理
エ	保存の概念	オ	構音や調音	カ	音韻の分解や抽出
キ	脱中心化	ク	互恵的視点		

解説▶別冊 p.114 ~ 115 ▶▶▶

（組み合わせ）

1	Aア	Bキ	Cウ	Dオ	2	Aア	Bク	Cエ	Dオ
3	Aイ	Bキ	Cウ	Dカ	4	Aイ	Bキ	Cエ	Dカ
5	Aイ	Bク	Cウ	Dオ					

次のうち、学童期以降における学校の適応に関する記述として、適切なものを○、不適切なものを×とした場合の正しい組み合わせを一つ選びなさい。

A いじめは、学年が上がるにしたがって、相手を無視する、相手を孤立させるよう周囲に働きかけるなど、直接相手に身体的危害を加えるわけではない関係性攻撃がみられるようになる。

B いじめを関係性の病理と位置づけると、いじめは、被害者と加害者という単純な構図ではなく、いじめをはやしたてる観衆、いじめの状況を知っていても黙って何も行動を起こさない傍観者を加えて、四層構造のダイナミクスとみなされる。

C 文部科学省は、不登校を「何らかの心理的、情緒的、身体的あるいは社会的要因・背景により、登校しない、あるいはしたくともできない状況にあたるために年間90日以上欠席した者のうち、病気や経済的な理由による者を除いたもの」と定義している。

D 不登校の背景には、学校での対人関係、家庭での虐待、貧困の問題、発達障害傾向などが根底にある可能性も指摘されている。

（組み合わせ）

1	A○	B○	C○	D○	2	A○	B○	C○	D×
3	A○	B○	C×	D○	4	A×	B○	C○	D×
5	A×	B×	C○	D○					

問 11 **次の文は、高齢期に関する記述である。（　A　）～（　D　）にあてはまる語句の正しい組み合わせを一つ選びなさい。**

高齢になると生理的予備能力が低下し、ストレスに対する脆弱性が亢進して（　A　）を引き起こしやすくなり、この状態をフレイルという。フレイルは病気を意味するのではなく、老化の過程で生じる「（　B　）や健康を失いやすい状態」で、①体重減少、②筋力低下、③疲労感、④歩行速度の低下、⑤身体活動の低下のうち、３つ以上が該当する場合をいう。その予防が（　C　）の延伸にかかわるという。健康、生存、生活満足感の３つが結合した状態を（　D　）という。

（組み合わせ）

	A	B	C	D
1	欲求不満	社会機能	健康寿命	アイデンティティ・ステイタス
2	欲求不満	自立機能	平均寿命	サクセスフル・エイジング
3	欲求不満	社会機能	健康寿命	サクセスフル・エイジング
4	不健康	社会機能	平均寿命	アイデンティティ・ステイタス
5	不健康	自立機能	健康寿命	サクセスフル・エイジング

問 12 **次のうち、「令和３年版男女共同参画白書」（内閣府）における男性の育児に関する記述として、適切なものを○、不適切なものを×とした場合の正しい組み合わせを一つ選びなさい。**

A　６歳未満の子どもを持つ夫の家事・育児関連時間は、「共働き世帯の夫」、「夫有業・妻無業世帯の夫」のいずれも、2006（平成 18）年以降は増加傾向にある。

B　６歳未満の子どもを持つ夫の家事・育児関連時間は、2016（平成 28）年には「共働き世帯の夫」、「夫有業・妻無業世帯の夫」のいずれも過去最高となり、妻と同水準となっている。

C　「夫は外で働き、妻は家庭を守るべきである」という考え方（性別役割分担意識）は、2019（令和元）年の調査では、男女ともに反対する者の割

解説▶別冊 p.116 ～ 117 ▶▶▶

合が賛成する者の割合を下回っている。

D 2019（令和元）年における男性の育児休業取得率は、民間企業、国家公務員、地方公務員で、近年上昇しているものの、依然として低水準にある。

（組み合わせ）

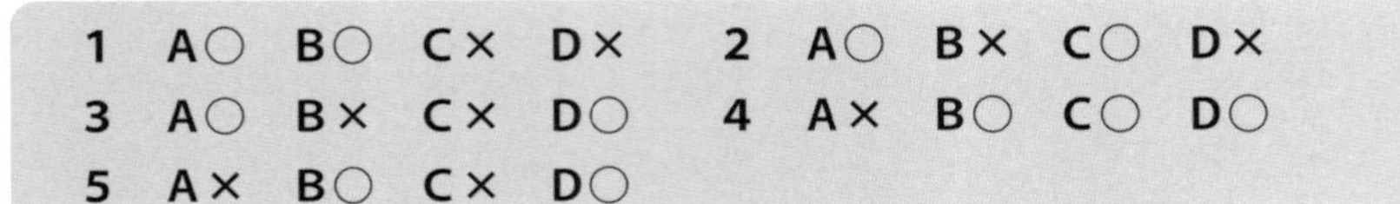

1	**A○**	**B○**	**C×**	**D×**	**2**	**A○**	**B×**	**C○**	**D×**
3	**A○**	**B×**	**C×**	**D○**	**4**	**A×**	**B○**	**C○**	**D○**
5	**A×**	**B○**	**C×**	**D○**					

次のうち、ひとり親世帯に関する記述として、適切なものを○、不適切なものを×とした場合の正しい組み合わせを一つ選びなさい。ただし、ここでいう「子ども」とは、20 歳未満で未婚の者とする。

A 「結婚と家族をめぐる基礎データ」（令和４年３月　内閣府男女共同参画局）によると、「子どものいる離婚件数」は、「子どものいない離婚件数」よりも少ない。

B 「ひとり親家庭の現状と支援施策について」（令和２年 11 月　厚生労働省子ども家庭局家庭福祉課）によると、近年ひとり親世帯は増加傾向にあり、ひとり親世帯になった理由は、母子世帯、父子世帯ともに「離婚」が最も多い。

C 「平成 28 年度全国ひとり親世帯等調査結果報告」（厚生労働省）によると、父子世帯は、母子世帯に比べると、年収が高いものの、子どものいる全世帯の年間収入よりは低い。

D 「平成 28 年度全国ひとり親世帯等調査結果報告」（厚生労働省）によると、ひとり親世帯の子どもについての悩みは、母子世帯、父子世帯ともに、「しつけ」が最も多く、次いで「教育・進学」となっている。

（組み合わせ）

1	A○ B○ C× D○				2	A○ B× C○ D×			
3	A× B○ C○ D○				4	A× B○ C○ D×			
5	A× B× C× D○								

次のうち、育児不安を感じる保護者に対する理解と支援に関する記述として、適切なものの組み合わせを一つ選びなさい。

A マタニティ・ブルーズの時期を過ぎても、不安、自信の低下、いらだちを訴える母親は少なくないが、産後の生理的現象が長引いているだけで、母親を取り巻く周囲の環境との関係は考慮しなくてもよい。

B 育児不安の内容にかかわらず、保育所の機能や専門性を生かし、保育所の保護者支援はその保育所のみで対応する。

C 育児不安を持つことが不適切な子育てというわけではなく、抱える育児不安の深刻度や緊急度、あるいはどのような経過や背景があるかに焦点をあてて考えるようにする。

D 保護者の育児態度が子どもへ影響するだけではなく、子どもの気質によって保護者も影響を受けるという相互作用で親子関係は成り立っていく。

（組み合わせ）

1 AB　**2** AC　**3** BC　**4** BD　**5** CD

次のうち、保育所における、外国籍家庭や外国にルーツをもつ家庭の状況への理解と支援に関する記述として、適切なものを○、不適切なものを×とした場合の正しい組み合わせを一つ選びなさい。

A 外国人の親は、言語が異なることでコミュニケーションが上手く取れない場合、孤立し、孤独感をもつことがあるため、送迎時などに丁寧に関わり、問題を把握する必要がある。

解説▶別冊 p.117 ～ 118 ▶▶▶

B 外国人であることや外見の違いから子どもがいじめられるのではないか、複数の文化的背景を持つ中で子どもはどのような性格になっていくか、子どもの文化的アイデンティティはどうなるか不安を抱く親もいる。

C 日本の文化や習慣に子どもや保護者が早く慣れるよう、特別な個別の支援を行う必要はない。

D 必要に応じて、園だよりや連絡帳の文章の漢字に読み仮名をつけたり、日常でも平易な単語や短い文章で表現するように工夫を行う。

（組み合わせ）

1	A○	B○	C○	D×	**2**	A○	B○	C×	D○
3	A○	B×	C○	D×	**4**	A×	B○	C×	D○
5	A×	B×	C×	D○					

次のうち、日本の家族・家庭に関する記述として、適切なものを○、不適切なものを×とした場合の正しい組み合わせを一つ選びなさい。

A 「2019年　国民生活基礎調査」（厚生労働省）によると、１世帯あたりの平均構成人数は減少傾向にあり、三世代世帯は減少し、単独世帯は増加している。

B 「2019年　国民生活基礎調査」（厚生労働省）によると、近年は核家族世帯のうち、「夫婦と未婚の子のみの世帯」は減少している。

C 家族の定義は、情緒面での満足といった安らぎや癒しを求めるものから、血縁や婚姻などによるつながりを重視するものへと変化してきた。

D 日本の高齢者の社会的ネットワークの特徴は、家族、親族、子どもが中心的な位置を占めているが、今後は家族・親族関係だけに頼らない、関係性を相対化できる社会的な広がりを持つことが必要である。

（組み合わせ）

1	A○	B○	C×	D○	2	A○	B×	C○	D○
3	A○	B×	C×	D×	4	A×	B○	C×	D○
5	A×	B×	C○	D×					

次のうち、児童虐待に関する記述として、適切なものを○、不適切なものを×とした場合の正しい組み合わせを一つ選びなさい。

A 発達障害は、虐待を受ける危険因子の一つである。

B 被虐待体験は、社会・情緒的問題を生むが、脳に器質的・機能的な影響を与えない。

C 被虐待体験は、心的外傷とはなり得ない。

D 児童虐待の通告義務は、守秘義務より優先される。

（組み合わせ）

1	A○	B○	C○	D○	2	A○	B×	C×	D○
3	A×	B○	C○	D×	4	A×	B×	C○	D○
5	A×	B×	C×	D×					

次のうち、災害後における子どもの反応に関する記述として、適切なものを○、不適切なものを×とした場合の正しい組み合わせを一つ選びなさい。

A 子どもの心の問題は、災害直後よりも、ある程度時間が経過し、日常生活が軌道にのり始めた頃に顕在化し始めることが多い。

B 幼児期・学童期の子どもでは、退行、分離不安、不安定な感情表出、身体症状など様々な形で表現される。例えば「災害ごっこ」を繰り返すなど、遊びで被災体験を表出することがある。

C 学童期以降の子どもでは、基本的な信頼感の喪失や周囲からの疎外感、日常生活の変化などが要因となって孤立を深めたり、逆に安心感を過度

解説▶別冊 p.118 ～ 119 ▶▶▶

に求めて特定の友人関係に固執したりすることがある。

D 思春期の子どもでは、抽象的概念の理解が進み、生き残った罪悪感や、何もできなかった無力感、後悔など複雑な感情を抱くことがある。

（組み合わせ）

1 **A**○ **B**○ **C**○ **D**○　**2** **A**○ **B**○ **C**× **D**×
3 **A**○ **B**× **C**× **D**○　**4** **A**× **B**○ **C**× **D**×
5 **A**× **B**× **C**○ **D**○

次の文は、保育の中でみられる子どもの姿についての記述である。A～Dを説明する用語を【語群】から選択した場合の正しい組み合わせを一つ選びなさい。

A まだ文字を読めない子どもが、お気に入りの絵本を見ながらまるで文字が読めるかのようにふるまう。

B 子どもに「お散歩に行こう」と声をかけると、帽子を取りに行き、靴を履こうとする。

C 自分が遊んでいる遊具に他児が近づいてくると、「今、私が遊んでいるからだめ」と言う。

D ３歳児が砂を入れた容器を差し出して「アイスクリーム食べて」と言った時に、保育士が「冷凍庫に入れてあとで食べるよ」と応じると、急に真顔になり、「本当は食べちゃダメなんだよ」とわざわざ言う。

【語群】

ア ナラティブ　**イ** いやいや期　**ウ** プレリテラシー
エ メタコミュニケーション　**オ** 自己主張　**カ** リテラシー
キ 二次的ことば　**ク** スクリプト

（組み合わせ）

1	Aウ	Bア	Cイ	Dキ	2	Aウ	Bク	Cオ	Dエ
3	Aウ	Bク	Cオ	Dキ	4	Aカ	Bア	Cイ	Dエ
5	Aカ	Bク	Cオ	Dキ					

次のうち、アタッチメント（愛着）についての記述として、適切なものを○、不適切なものを×とした場合の正しい組み合わせを一つ選びなさい。

A ボウルビィ（Bowlby, J.）によれば、アタッチメント（愛着）の発達には４つの段階があり、分離不安や人見知りがみられるのは最終段階である。

B 子どもが周囲のものや人に自ら関わろうとして上手くいかない時、愛着関係のある保育士の存在は、子どもにとっての安全基地となる。

C エインズワース（Ainsworth, M.D.S.）はアタッチメント（愛着）の個人差を調べるために、ストレンジ・シチュエーション法を考案した。

D 表象能力の発達によって、愛着対象に物理的に近接しなくても、そのイメージを心の拠り所として利用できるようになり、安心感を得られるようになる。

（組み合わせ）

1	A○	B○	C○	D○	2	A○	B○	C×	D○
3	A○	B×	C×	D○	4	A×	B○	C○	D○
5	A×	B×	C○	D×					

解説▶別冊 p.119 ▶▶▶

2023年・前期　保育原理

次の文は、「保育所保育指針」第1章「総則」の一部である。（　A　）～（　D　）にあてはまる語句を【語群】から選択した場合の正しい組み合わせを一つ選びなさい。

保育所は、入所する子どもを（　A　）するとともに、家庭や地域の様々な（　B　）との連携を図りながら、入所する子どもの保護者に対する（　C　）及び地域の（　D　）に対する（　C　）等を行う役割を担うものである。

【語群】

ア	教育	イ	保育	ウ	社会資源	エ	ステークホルダー
オ	指導	カ	支援	キ	関係機関等	ク	子育て家庭

（組み合わせ）

1	Aア	Bウ	Cオ	Dキ	2	Aア	Bキ	Cカ	Dク
3	Aイ	Bウ	Cカ	Dク	4	Aイ	Bエ	Cカ	Dキ
5	Aイ	Bキ	Cオ	Dエ					

次のうち、「保育所保育指針」第1章「総則」（4）「保育の環境」に関する記述として、適切なものを○、不適切なものを×とした場合の正しい組み合わせを一つ選びなさい。

A　保育の環境には、保育士等や子どもなどの人的環境、施設や遊具などの物的環境、更には自然や社会の事象などがある。

B　保育室は、温かな親しみとくつろぎの場となるとともに、生き生きと活動できる場となるように配慮すること。

C　子どもの活動が豊かに展開されるよう、保育所の設備や環境を整え、保育所の保健的環境や安全の確保などに努めること。

D 保育士自らが積極的に環境に関わり、子どもに遊びを提供するよう配慮すること。

（組み合わせ）

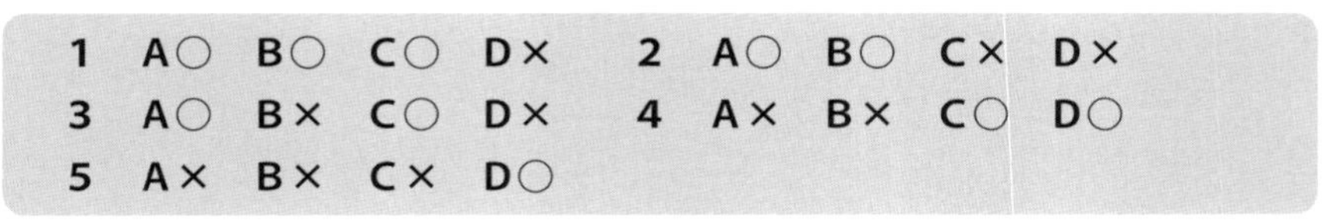

1	A○	B○	C○	D×
2	A○	B○	C×	D×
3	A○	B×	C○	D×
4	A×	B×	C○	D○
5	A×	B×	C×	D○

次の文は、「保育所保育指針」第１章「総則」（1）「養護の理念」の一部である。（　A　）～（　D　）にあてはまる語句の正しい組み合わせを一つ選びなさい。

保育における養護とは、子どもの（　A　）の保持及び（　B　）の安定を図るために保育士等が行う援助や関わりであり、保育所における保育は、養護及び（　C　）を一体的に行うことをその特性とするものである。保育所における保育全体を通じて、養護に関する（　D　）を踏まえた保育が展開されなければならない。

（組み合わせ）

	A	B	C	D
1	生命	情緒	教育	ねらい及び内容
2	安全	精神	学習	計画及び評価
3	生命	精神	教育	ねらい及び内容
4	安全	情緒	学習	ねらい及び内容
5	生命	情緒	教育	計画及び評価

解説▶別冊 p.120 ～ 121 ▶▶▶

次のうち、１歳以上３歳未満児の保育に関する記述として、「保育所保育指針」に照らし、適切なものを○、不適切なものを×とした場合の正しい組み合わせを一つ選びなさい。

A 保育のねらい及び内容について、「健康」、「人間関係」、「環境」、「言葉」、「表現」としてまとめ、示している。

B 指導計画は一人一人の子どもの生育歴、心身の発達、活動の実態等に即して作成し、個別的な計画は必要に応じて作成する。

C 自分でできることが増えてくる時期であることから、保育士等は、子どもの生活の安定を図りながら、自分でしようとする気持ちを尊重し、温かく見守るとともに、愛情豊かに応答的に関わる。

D 基本的な生活習慣の形成にあたっては、家庭での生活経験に配慮し、家庭からの要望を第一に優先して進めるようにする。

E 保育士等が仲立ちとなって、自分の気持ちを相手に伝えることや相手の気持ちに気付くことの大切さなど、友達の気持ちや友達との関わり方を丁寧に伝えていく。

（組み合わせ）

1	A○	B○	C×	D○	E×	2	A○	B×	C○	D×	E○
3	A○	B×	C×	D○	E×	4	A×	B○	C○	D×	E○
5	A×	B×	C×	D○	E×						

次の文は、「保育所保育指針」第１章「総則」（１）「全体的な計画の作成」の一部である。（　A　）～（　D　）にあてはまる語句の正しい組み合わせを一つ選びなさい。

保育所は、（中略）、各保育所の保育の方針や（　A　）に基づき、子どもの（　B　）を踏まえて、保育の内容が（　C　）的・計画的に構成され、保育所の生活の全体を通して、総合的に（　D　）されるよう、全体的な計画を作成しなければならない。

（組み合わせ）

	A	B	C	D
1	目標	発達過程	組織	展開
2	理念	家庭状況	組織	展開
3	理念	家庭状況	個別	達成
4	目標	発達過程	組織	達成
5	理念	発達過程	個別	達成

次のうち、乳児保育における保育の実施に関わる配慮事項に関する記述として、「保育所保育指針」第２章「保育の内容」１「乳児保育に関わるねらい及び内容」に照らして、適切なものの組み合わせを一つ選びなさい。

A 保護者との信頼関係を築きながら保育を進めるとともに、保護者からの相談に応じ、保護者への支援に努めていくこと。

B 自我が形成され、子どもが自分の感情や気持ちに気付くようになる重要な時期であることに鑑み、情緒の安定を図りながら、子どもの自発的な活動を尊重するとともに促していくこと。

C 子どもの発達や成長の援助をねらいとした活動の時間については、意識的に保育の計画等において位置付けて、実施することが重要であること。

D 一人一人の子どもの生育歴の違いに留意しつつ、欲求を適切に満たし、特定の保育士が応答的に関わるように努めること。

（組み合わせ）

1 AB　**2** AC　**3** AD　**4** BC　**5** BD

解説▶別冊 p.121 ▶▶▶

次の表は、「保育所保育指針」第２章「保育の内容」３「３歳以上児の保育に関するねらい及び内容」の一部である。表中の（　A　）～（　C　）にあてはまる記述をア～カから選択した場合の正しい組み合わせを一つ選びなさい。

表

領域	ねらい
健康	・明るく伸び伸びと行動し、充実感を味わう。 ・自分の体を十分に動かし、進んで運動しようとする。 ・（　A　）
人間関係	・保育所の生活を楽しみ、自分の力で行動することの充実感を味わう。 ・身近な人と親しみ、関わりを深め、工夫したり、協力したりして一緒に活動する楽しさを味わい、愛情や信頼感をもつ。 ・（　B　）
環境	・（　C　） ・身近な環境に自分から関わり、発見を楽しんだり、考えたりし、それを生活に取り入れようとする。 ・身近な事象を見たり、考えたり、扱ったりする中で、物の性質や数量、文字などに対する感覚を豊かにする。

ア　健康、安全な生活に必要な習慣や態度を身に付け、見通しをもって行動する。

イ　自分の体を十分に動かし、様々な動きをしようとする。

ウ　身近な環境に親しみ、触れ合う中で、様々なものに興味や関心をもつ。

エ　身近な環境に親しみ、自然と触れ合う中で様々な事象に興味や関心をもつ。

オ　保育所の生活の仕方に慣れ、きまりの大切さに気付く。

カ　社会生活における望ましい習慣や態度を身に付ける。

（組み合わせ）

1	Aア	Bオ	Cエ	2	Aア	Bカ	Cウ	3	Aア	Bカ	Cエ
4	Aイ	Bオ	Cウ	5	Aイ	Bカ	Cウ				

次のうち、保育所における保育士の子どもへの対応として、「保育所保育指針」第1章「総則」、第2章「保育の内容」に照らして、適切なものを○、不適切なものを×とした場合の正しい組み合わせを一つ選びなさい。

A 朝の登園時、父親に抱かれてなかなか離れられない2歳児に、「赤ちゃんみたいに抱っこしてもらっているなんて恥ずかしいよ」と言葉をかける。

B 自分から意思表示してトイレに行くことができる2歳児が「おしっこ出ない」と言っているが、「今はトイレの時間でしょ」と言葉をかけて、トイレに連れていく。

C 3歳児の食事の際、こぼす等の理由で、テーブルに給食のメニューをすべて配膳せず、一品食べ終えたら次のおかずを出す。

D 食事の時間にむけて片付けを促す言葉がけをした際、遊び続ける4歳児に「片付けをしないならご飯食べられないからね」と言葉をかける。

E 午睡の時間、他の子どもが横になっている中、「ねむれない」と言って起き上がった5歳児に対して、窓際の明るい場所で静かに遊ぶよう言葉をかける。

（組み合わせ）

1	A○	B○	C×	D○	E×	2	A○	B×	C○	D×	E×
3	A×	B○	C×	D×	E○	4	A×	B×	C○	D○	E×
5	A×	B×	C×	D×	E○						

解説▶別冊 p.122 ▶▶▶

次のうち、「保育所保育指針」第３章「健康及び安全」４「災害への備え」に関する記述として、適切なものを○、不適切なものを×とした場合の正しい組み合わせを一つ選びなさい。

A 災害の発生時に、保護者等への連絡及び子どもの引渡しを円滑に行うため、日頃から保護者との密接な連携に努め、連絡体制や引渡し方法等について確認をしておくこと。

B 防火設備、避難経路等の安全性が確保されるよう、定期的にこれらの安全点検を行うこと。

C 市町村の支援の下に、地域の関係機関との日常的な連携を図り、必要な協力が得られるよう努めること。

D 避難訓練は、少なくとも半年に１回定期的に実施するなど、必要な対応を図ること。

E 避難訓練については、地域の関係機関や保護者との連携の下に行うなど工夫すること。

（組み合わせ）

1	**A**○	**B**○	**C**○	**D**○	**E**×
2	**A**○	**B**○	**C**○	**D**×	**E**○
3	**A**○	**B**×	**C**×	**D**×	**E**○
4	**A**×	**B**○	**C**×	**D**○	**E**×
5	**A**×	**B**×	**C**×	**D**×	**E**○

次のうち、「保育所保育指針」に関する記述として、適切なものを○、不適切なものを×とした場合の正しい組み合わせを一つ選びなさい。

A 保育所の運営に関する事項は「保育所保育指針」に基づき、「児童福祉施設の設備及び運営に関する基準」（昭和23年厚生省令第63号）で定めている。

B 「保育所保育指針」はいまだ告示化されておらず、保育所は必ずしもこれに沿って保育を行う義務はない。

C 「保育所保育指針」には、保育所は入所する子どもの最善の利益を考慮し、その福祉を積極的に増進することに最もふさわしい生活の場でなければならないことが明記されている。

D 小規模保育や家庭的保育等の地域型保育事業においても、「保育所保育指針」の内容に準じて保育を行うこととされている。

（組み合わせ）

1	**A**○	**B**○	**C**×	**D**×	**2**	**A**○	**B**×	**C**○	**D**×
3	**A**×	**B**○	**C**×	**D**○	**4**	**A**×	**B**×	**C**○	**D**○
5	**A**×	**B**×	**C**×	**D**○					

次の【Ⅰ群】と【Ⅱ群】は、「保育所保育指針」第１章「総則」４「幼児教育を行う施設として共有すべき事項」（１）「育みたい資質・能力」に関する記述である。【Ⅰ群】と【Ⅱ群】の記述を結びつけた場合の正しい組み合わせを一つ選びなさい。

【Ⅰ群】

A 知識及び技能の基礎

B 思考力、判断力、表現力等の基礎

C 学びに向かう力、人間性等

【Ⅱ群】

ア してよいことや悪いことが分かり、自分の行動を振り返ったり、よりよい生活を営もうとする。

イ 気付いたことや、できるようになったことなどを使い、考えたり、試したり、工夫したり、表現したりする。

ウ 豊かな体験を通じて、感じたり、気付いたり、分かったり、できるようになったりする。

エ 心情、意欲、態度が育つ中で、よりよい生活を営もうとする。

解説▶別冊 p.123 〜 124 ▶▶▶

（組み合わせ）

1 Aア　Bイ　Cウ　　2 Aア　Bウ　Cエ　　3 Aイ　Bア　Cウ
4 Aウ　Bイ　Cエ　　5 Aウ　Bエ　Cイ

次の保育所での【事例】を読んで、【設問】に答えなさい。

【事例】

１歳児クラスでは運動会で、保護者も一緒に参加する内容を行うこととした。保護者にはクラス便りで次の２点を伝えた。一つ目は、特別に何かを発表するために練習するのではなく、普段の遊びの姿を見せていくこと、二つ目は、当日は保護者がゴール地点に立ち、子どもが保護者のもとに走っていくのを抱き止めてもらい、その後に親子でダンスをしてほしいことである。ダンスはこれまでクラスで子どもと親しんだものを選び、運動会までの間は保護者のお迎えの時間にも音楽をかけて、保護者も一緒にダンスを楽しめる機会を持つよう配慮した。運動会の当日は、いつもとは違う雰囲気の中で泣き出してしまう子どももいたが、ほとんどの子どもは普段通りの姿を見せることができた。

【設問】

次のうち、担当保育士の振り返りの記述として、「保育所保育指針」第１章「総則」、第２章「保育の内容」、第４章「子育て支援」に照らし、適切なものを○、不適切なものを×とした場合の正しい組み合わせを一つ選びなさい。

A　せっかく保護者が見に来ているので、子どもが一人ずつセリフを言う機会を設けるなど、より保護者が楽しめる内容を考える必要があった。

B　何か特別なことをするのではなく、普段の遊びの姿を見せる内容にすることで、子どもに負担をかけずに当日を迎えることができた。

C　普段の遊びの姿を見せるという保育方針を保護者とも共有した上で、運動会を迎えることができて良かった。

D　泣き出してしまった子どもの保護者には、保護者の思いを受けとめ、この時期の子どもの発達の姿を共有していこう。

（組み合わせ）

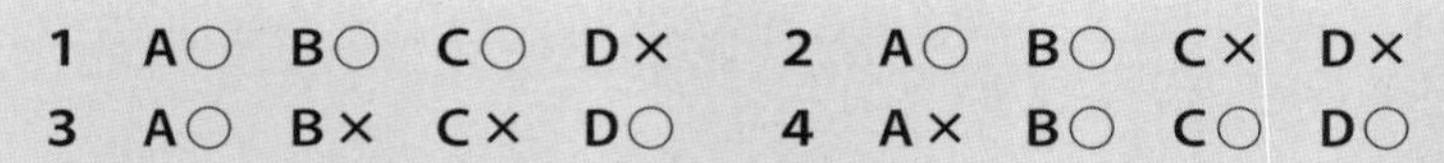

1	A○	B○	C○	D×	2	A○	B○	C×	D×
3	A○	B×	C×	D○	4	A×	B○	C○	D○
5	A×	B×	C×	D○					

問 13　**次のうち、障害のある子どもの保育に関する記述として、「保育所保育指針」第１章「総則」（２）「指導計画の作成」に照らし、適切なものを○、不適切なものを×とした場合の正しい組み合わせを一つ選びなさい。**

A　障害や発達上の課題のある子どもの理解と援助は、子どもの保護者や家庭との連携が大切であり、連携を通して保護者が保育所を信頼し、子どもについての共通理解の下に協力し合う関係を形成する。

B　障害や発達上の課題のある子どもとその保護者に関するプライバシーの保護が何よりも大切であるため、他の子どもの保護者に対しては、障害等についての個人情報を一切提供してはいけない。

C　障害のある子どもの保育にあたっては、専門的な知識や経験を有する地域の関係機関と連携し、互いの専門性を生かしながら、子どもの発達に資するよう取り組んでいくことが必要である。

D　障害のある子どもの就学にあたっては、就学に向けた支援の資料を作成するなど、保育所や児童発達支援センター等の関係機関で行われてきた支援が就学以降も継続していくよう留意する。

（組み合わせ）

1	A○	B○	C○	D×	2	A○	B○	C×	D×
3	A○	B×	C○	D○	4	A×	B×	C○	D×
5	A×	B×	C×	D○					

解説▶別冊 p.124 ～ 125 ▶▶▶

問14

次のうち、「保育所保育指針」第４章「子育て支援」に関する記述として、適切なものを○、不適切なものを×とした場合の正しい組み合わせを一つ選びなさい。

A 地域の関係機関等をよく理解して連携及び協働を図り、保育所全体で子育て支援に努めることが求められる。

B 外国籍家庭など、特別な配慮を必要とする家庭の場合には、状況等に応じて個別の支援を行うことが求められる。

C 子どもが虐待を受けている場合などにおいても、保護者や子どものプライバシー保護のため、他の機関に通告しないことが求められる。

D 子どもが自立するためには、保育の活動に対して保護者はなるべく参加しないことが求められる。

（組み合わせ）

1	A○	B○	C×	D×
2	A○	B×	C×	D×
3	A×	B○	C○	D×
4	A×	B×	C○	D○
5	A×	B×	C×	D○

問15

次のうち、保育所などでの保育を希望する場合の保育認定にあたって考慮される「保育を必要とする事由」として、適切なものを○、不適切なものを×とした場合の正しい組み合わせを一つ選びなさい。

A 災害復旧　**B** 就学　**C** 同居している親族の介護
D 起業準備　**E** 妊娠

（組み合わせ）

1	A○	B○	C○	D○	E○
2	A○	B○	C○	D○	E×
3	A○	B○	C○	D×	E○
4	A○	B×	C×	D○	E○
5	A×	B×	C○	D○	E○

問16 **次のうち、2019（令和元）年10月1日から日本において実施された「幼児教育・保育の無償化」に関する記述として、適切なものを○、不適切なものを×とした場合の正しい組み合わせを一つ選びなさい。**

A 「幼児教育・保育の無償化」の対象となる施設は、幼稚園、保育所、認定こども園のみである。

B 「幼児教育・保育の無償化」の対象となる子どもは、３歳から５歳児クラスの子どもであり、原則、満３歳になった後の４月１日から小学校入学前までの３年間である。

C 無償になるのは、保育所等の利用料であり、通園送迎費、食材料費、行事費等は保護者負担になる。ただし、食材料費については、保護者の年収等によって副食（おかず・おやつ等）の費用が免除される。

D 就学前の障害児の発達支援を利用する３歳から５歳までの子ども（満３歳になった後の４月１日から小学校入学前までの３年間）の利用料が無料となる。

（組み合わせ）

1	**A○**	**B○**	**C○**	**D×**	**2**	**A○**	**B○**	**C×**	**D×**
3	**A○**	**B×**	**C○**	**D○**	**4**	**A×**	**B○**	**C○**	**D○**
5	**A×**	**B×**	**C×**	**D○**					

問17 **次の保育所での【事例】を読んで、【設問】に答えなさい。**

【事例】

実習生のMさんは、初めて２歳児クラスで絵本の読み聞かせに取り組んだ。集中して絵本を見る子どももいるが、声を出したり、立ち上がったり、歩き回ったりする子どももいて、Mさんは対応に困りながらも何とか絵本を読み終えた。

解説▶別冊 p.125 ～ 126 ▶▶▶

【設問】

次のうち、実習生Mさんの振り返りの記述として、「保育所保育指針」第１章「総則」、第２章「保育の内容」に照らし、適切なものを○、不適切なものを×とした場合の正しい組み合わせを一つ選びなさい。

A 集中して絵本を見ている子どものじゃまをしてしまうので、声を出したり、立ち上がったり、歩き回ったりする子どもをしっかり注意するべきだった。

B 絵本に自然に子どもの関心が向くように、自分の読む位置に配慮したり、ござやマットを用意するなど、環境面で工夫ができないかを考えてみよう。

C 読み聞かせのときに声を出したり、立ち上がるのは、絵本に興味を持っていることの表れかもしれない。子どもなりの反応を肯定的に捉えてみよう。

D 子どもに何も声をかけられなかったが、２歳児クラスの子どもにはまだ何を言っても伝わらないから問題はないだろう。

E 選んだ絵本が、子どもの興味や関心に添うものだったかを検討してみよう。

（組み合わせ）

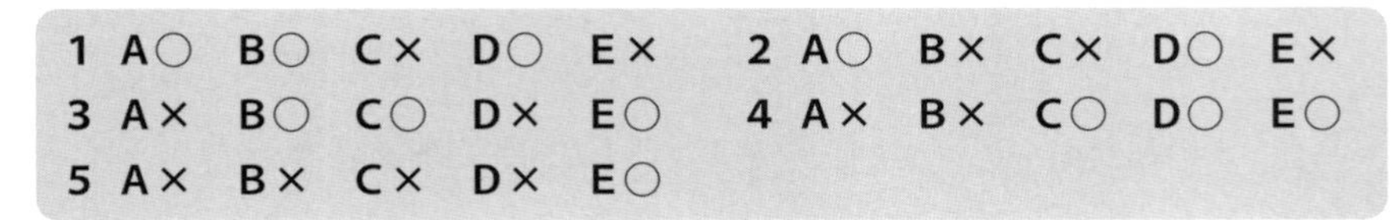

1	**A**○	**B**○	**C**×	**D**○	**E**×
2	**A**○	**B**×	**C**×	**D**○	**E**×
3	**A**×	**B**○	**C**○	**D**×	**E**○
4	**A**×	**B**×	**C**○	**D**○	**E**○
5	**A**×	**B**×	**C**×	**D**×	**E**○

次のうち、保育の発展に寄与した人物とその主な功績についての記述として、適切なものを○、不適切なものを×とした場合の正しい組み合わせを一つ選びなさい。

A コダーイ（Kodály, Z.）は、ハンガリーの作曲家である。民俗音楽による音楽教育法はのちに「コダーイ・システム」などにまとめられ、幼児教育にも活用された。

B　エレン・ケイ　（Key, E.）は、フランスにおいて、放任されていた子どもたちのための教育を始めた。このうちの幼児学校（幼児保護所）では、子どもの保護のみならず、楽しく遊ぶことや教育も実施された。

C　フレーベル（Fröbel, F.W.）は、ドイツの教育者で、世界で最初の幼稚園を創設した。彼の哲学的な人間教育に根ざした幼稚園教育は他の多くの国の幼児教育に大きな影響を与えた。

D　モンテッソーリ　（Montessori, M.）は、スウェーデンの社会運動家であり教職に就く傍ら多くの著作を世に出した。代表作に『児童の世紀』がある。

（組み合わせ）

1	**A○**	**B○**	**C○**	**D×**	**2**	**A○**	**B○**	**C×**	**D×**
3	**A○**	**B×**	**C○**	**D×**	**4**	**A×**	**B○**	**C×**	**D○**
5	**A×**	**B×**	**C○**	**D○**					

問 19　**次のうち、日本における保育の歴史についての記述として、適切なものを○、不適切なものを×とした場合の正しい組み合わせを一つ選びなさい。**

A　貧しい家庭の子どもたちのための幼稚園が明治期につくられ始めた。その一つ、二葉幼稚園は赤沢鍾美が慈善により開設したものである。

B　日本において最も早く設立された公立の幼稚園は、東京女子師範学校附属幼稚園であった。そこでは設立当初から、子どもの自由で自主的な活動が保育の中心であった。

C　幼児教育への期待が高まり全国に幼稚園が普及し始めた 1926（大正 15）年、「幼稚園基本法」が制定された。これによって、幼稚園ははじめて制度的な地位を確立した。

D　1948（昭和 23）年に文部省から刊行された「保育要領」は、幼稚園のみならず保育所及び家庭における幼児期の教育や世話の仕方などを詳細に解説したものである。

解説▶別冊 p.127 ～ 128 ▶▶▶

（組み合わせ）

1 A○ B○ C○ D×　2 A○ B× C× D○
3 A○ B× C× D×　4 A× B○ C○ D×
5 A× B× C× D○

次の表は、令和２年及び令和３年の保育所等数と利用児童数を示したものである。この表を説明した記述として、適切なものを○、不適切なものを×とした場合の正しい組み合わせを一つ選びなさい。

表　保育所等数と利用児童数の状況

	保育所等数		利用児童数	
令和２年	保育所	23,759 か所	保育所	2,039,179 人
	幼保連携型認定こども園	5,702 か所	幼保連携型認定こども園	553,707 人
	幼稚園型認定こども園等	1,280 か所	幼稚園型認定こども園等	55,718 人
	特定地域型保育事業	6,911 か所	特定地域型保育事業	88,755 人
	保育所等数の合計	37,652 か所	利用児童数の合計	2,737,359 人
令和３年	保育所	23,896 か所	保育所	2,003,934 人
	幼保連携型認定こども園	6,089 か所	幼保連携型認定こども園	588,878 人
	幼稚園型認定こども園等	1,339 か所	幼稚園型認定こども園等	58,807 人
	特定地域型保育事業	7,342 か所	特定地域型保育事業	90,452 人
	保育所等数の合計	38,666 か所	利用児童数の合計	2,742,071 人

出典：厚生労働省「保育所等関連状況取りまとめ（令和３年４月１日）」（令和３年８月27日発表）

A　令和２年と比較して、令和３年の保育所の数及び保育所の利用児童数はともに減少している。

B　令和２年と比較して、令和３年の保育所の利用児童数は減少している一方で、幼保連携型認定こども園の利用児童数は増加している。

C 令和２年と比較して、令和３年の特定地域型保育事業の数は増加している一方で、特定地域型保育事業の利用児童数は減少している。

D 令和２年と比較して、令和３年の保育所等数の合計は 1,000 か所以上増えている。

（組み合わせ）

1	**A○**	**B○**	**C○**	**D×**	**2**	**A○**	**B○**	**C×**	**D○**
3	**A○**	**B×**	**C○**	**D×**	**4**	**A×**	**B○**	**C×**	**D○**
5	**A×**	**B×**	**C○**	**D○**					

2023年・前期　子ども家庭福祉

次のうち、日本の子どもや家庭に関する記述として、適切な記述を○、不適切な記述を×とした場合の正しい組み合わせを一つ選びなさい。

A 「令和３年度出生に関する統計」（2021（令和３）年　厚生労働省）によると、2019（令和元）年の母の第１子出産時の平均年齢は 30 歳を超えている。

B 「令和２年（2020）人口動態統計（確定数）の概況」（2022（令和４）年　厚生労働省）によると、2006（平成 18）年以降、合計特殊出生率は常に前年より増加している。

C 「令和２年版男女共同参画白書」（2020（令和２）年　内閣府）によると、2019（令和元）年の「男性雇用者と無業の妻から成る世帯数」は、「雇用者の共働き世帯数」の３分の１以下となっている。

D 「2019 年国民生活基礎調査の概況」（2020（令和２）年　厚生労働省）によると、2019（令和元）年の「児童のいる世帯」は「児童のいない世帯」の３分の１以下の割合となっている。

解説▶別冊 p.128 ～ 129 ▶▶▶

（組み合わせ）

1	**A○**	**B○**	**C×**	**D×**	**2**	**A○**	**B×**	**C○**	**D×**
3	**A○**	**B×**	**C×**	**D○**	**4**	**A×**	**B○**	**C×**	**D×**
5	**A×**	**B×**	**C○**	**D○**					

次の文は、子ども家庭福祉に尽力した人物の紹介である。正しい人物を一つ選びなさい。

濃尾大震災で親を失った少女を引き取り「孤女学院」を開設した。その中に知的障害を持つ少女がいたことから障害児教育に専念するために「滝乃川学園」と改称している。

1　留岡　幸助　　**2**　石井　亮一　　**3**　高木　憲次
4　石井　十次　　**5**　川田　貞治郎

次のA～Eは、子ども家庭福祉に関する法律である。これらを制定年の古い順に並べた場合の正しい組み合わせを一つ選びなさい。

A　児童扶養手当法　　**B**　児童福祉法　　**C**　児童手当法
D　児童虐待の防止等に関する法律　　**E**　少年法

（組み合わせ）

1　**B→E→A→C→D**　　**2**　**B→E→D→A→C**
3　**C→B→E→D→A**　　**4**　**E→B→C→A→D**
5　**E→B→D→A→C**

次のうち、「児童の権利に関する条約」に関する記述として、適切な記述を○、不適切な記述を×とした場合の正しい組み合わせを一つ選びなさい。

A　締約国は、休息及び余暇についての児童の権利並びに児童がその年齢に適した遊び及びレクリエーションの活動を行い並びに文化的な生活及び芸術に自由に参加する権利を認めることが明記されている。

B　締約国は、自己の意見を形成する能力のある児童がその児童に影響を及ぼすすべての事項について自由に自己の意見を表明する権利を確保することが明記されている。

C　締約国は、学校の規律が児童の人間の尊厳に適合する方法で及びこの条約に従って運用されることを確保するためのすべての適当な措置をとることが明記されている。

（組み合わせ）

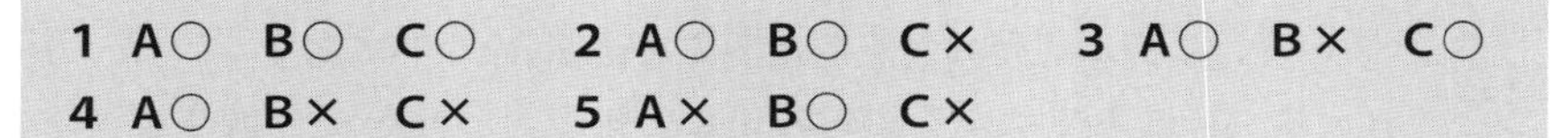

1 A○　B○　C○　　2 A○　B○　C×　　3 A○　B×　C○
4 A○　B×　C×　　5 A×　B○　C×

次の文は、「全国保育士会倫理綱領」の一部である。（　A　）～（　D　）にあてはまる語句の正しい組み合わせを一つ選びなさい。

前文　（略）

1　私たちは、一人ひとりの子どもの最善の利益を第一に考え、保育を通してその（　A　）を積極的に増進するよう努めます。

2　（略）

3　（略）

4　私たちは、一人ひとりのプライバシーを保護するため、保育を通して知り得た個人の情報や（　B　）を守ります。

5　（略）

6　私たちは、日々の保育や子育て支援の活動を通して子どものニーズを受けとめ、子どもの立場に立ってそれを（　C　）します。また、子育てをしているすべての保護者のニーズを受けとめ、それを（　C　）していくことも重要な役割と考え、行動します。

7　（略）

解説▶別冊 p.129～130 ▶▶▶

8　私たちは、研修や自己研鑽を通して、常に自らの（　D　）と専門性の向上に努め、専門職としての責務を果たします。

（組み合わせ）

	A	B	C	D
1	幸福	秘密	代弁	人間性
2	幸福	法規	弁護	人格
3	福祉	秘密	代弁	人間性
4	福祉	法規	弁護	人間性
5	福祉	秘密	代弁	人格

次の文は、「児童虐待の防止等に関する法律」の一部である。（　A　）・（　B　）にあてはまる語句の正しい組み合わせを一つ選びなさい。（◆）

・　都道府県知事は、児童虐待が行われているおそれがあると認めるときは、当該児童の保護者に対し、当該児童を同伴して（　A　）することを求め、児童委員又は児童の福祉に関する事務に従事する職員をして、必要な調査又は質問をさせることができる。この場合においては、その身分を証明する証票を携帯させ、関係者の請求があったときは、これを提示させなければならない。

・　都道府県知事は、前項の規定により当該児童の保護者の（　A　）を求めようとするときは、厚生労働省令で定めるところにより、当該保護者に対し、（　A　）を求める理由となった事実の内容、（　A　）を求める日時及び場所、同伴すべき児童の氏名その他必要な事項を記載した書面により告知しなければならない。

・　都道府県知事は、第一項の保護者が同項の規定による（　A　）の求めに応じない場合は、次条第一項の規定による児童委員又は児童の福祉に関する事務に従事する職員の（　B　）及び調査又は質問その他の必要な措置を講ずるものとする。

（組み合わせ）

	A	B
1	面会	面接
2	出頭	面接
3	出頭	立入り
4	訪問	面接
5	訪問	立入り

次のうち、児童相談所が受ける相談について、不適切な記述を一つ選びなさい。

1 養護相談には、父又は母等保護者の家出、失踪、死亡、離婚、入院等による養育困難児に関する相談が含まれる。

2 障害相談には、知的障害児、発達障害児、重症心身障害児に関する相談が含まれる。

3 保健相談とは、未熟児、虚弱児、内部機能障害児や小児喘息等の疾患を有する子どもに関する相談である。

4 非行相談とは、ぐ犯行為や触法行為を行う子どもに関する相談である。

5 育成相談とは、児童虐待に関する相談である。

次のうち、児童福祉司に関する記述として、不適切な記述を一つ選びなさい。

1 都道府県・指定都市及び児童相談所設置市は、その設置する児童相談所に、児童福祉司を置かなければならない。

2 児童福祉司の主な業務内容の一つに、子どもや保護者等の置かれている環境、問題と環境の関連、社会資源の活用の可能性等を明らかにし、どのような援助が必要であるかを判断するために行う社会診断がある。

3 児童福祉司は、業務に支障がないときは、職務の共通するものについて、他の相談所等と兼務することも差し支えない。

4 児童福祉司は、社会福祉士か公認心理師資格を有していなければならな

解説▶別冊 p.131 ▶▶▶

い。

5 児童福祉司については、各児童相談所の管轄区域の人口３万人に１人以上配置することを基本とし、人口１人当たりの児童虐待相談対応件数が全国平均より多い場合には、上乗せを行う。

次の【Ⅰ群】の児童福祉施設と【Ⅱ群】の役割を結びつけた場合の正しい組み合わせを一つ選びなさい。

【Ⅰ群】

A 児童心理治療施設
B 児童自立支援施設
C 医療型障害児入所施設
D 児童家庭支援センター

【Ⅱ群】

ア 地域の児童の福祉に関する各般の問題につき、児童に関する家庭その他からの相談のうち、専門的な知識及び技術を必要とするものに応じ、必要な助言を行う。

イ 障害のある児童を入所させて、保護、日常生活の指導、独立自活に必要な知識技能の付与及び治療を行う。

ウ 不良行為をなし、またはなすおそれのある児童及び家庭環境その他の環境上の理由により生活指導等を要する児童を入所させ、または保護者の下から通わせて、個々の児童の状況に応じて必要な指導を行い、その自立を支援し、あわせて退所した者について相談その他の援助を行う。

エ 保健上必要があるにもかかわらず、経済的理由により、入院助産を受けることができない妊産婦を入所させて、助産を受けさせる。

オ 児童を短期間入所させ、または保護者の下から通わせて、社会生活に適応するために必要な心理に関する治療及び生活指導を主として行い、あわせて退所した者について相談その他の援助を行う。

（組み合わせ）

1	Aウ	Bオ	Cイ	Dア	2	Aウ	Bオ	Cエ	Dイ
3	Aオ	Bア	Cウ	Dイ	4	Aオ	Bウ	Cイ	Dア
5	Aオ	Bウ	Cエ	Dア					

次の文は、児童虐待とその防止に関する記述である。適切な記述を○、不適切な記述を×とした場合の正しい組み合わせを一つ選びなさい。

A 全国の児童相談所における令和２年度の児童虐待相談対応件数は 20 万件より多かった。

B 児童虐待を受けたと思われる子どもを見つけた時などに、ためらわずに児童相談所に通告・相談ができるように、児童相談所全国共通ダイヤル番号「189（いちはやく）」を運用している。

C 「児童虐待の防止等に関する法律」では、学校及び児童福祉施設は、児童及び保護者に対して、児童虐待の防止のための教育または啓発に努めなければならないこととされる。

D 毎年 11 月を「児童虐待防止推進月間」と位置付け、関係府省庁や、地方公共団体、関係団体等が連携した集中的な広報・啓発活動を実施している。

（組み合わせ）

1	A○	B○	C○	D○	2	A○	B○	C○	D×
3	A○	B○	C×	D×	4	A○	B×	C○	D×
5	A×	B○	C×	D○					

次のA～Eは、日本におけるこれまでの少子化対策の取り組みである。これらを年代の古い順に並べた場合の正しい組み合わせを一つ選びなさい。

A 「新子育て安心プラン」の公表

B 「子ども・子育てビジョン」の閣議決定

解説▶別冊 p.132 ～ 133 ▶▶▶

C 「子ども・子育て応援プラン」の決定
D 「少子化社会対策基本法」の施行
E 「ニッポン一億総活躍プラン」の閣議決定

（組み合わせ）

1 B→A→D→C→E　　2 B→C→D→A→E
3 D→A→C→B→E　　4 D→B→C→E→A
5 D→C→B→E→A

問12 次のうち、「母子保健法」の産後ケア事業についての記述として、適切な記述を○、不適切な記述を×とした場合の正しい組み合わせを一つ選びなさい。

A 市町村は、出産後２年を経過しない女子及び乳児の心身の状態に応じた保健指導、療養に伴う世話または育児に関する指導、相談その他の援助を必要とする出産後２年を経過しない女子及び乳児につき、産後ケア事業を行うよう努めなければならない。
B 市町村は、産後ケア事業を行うにあたっては、産後ケア事業を管理する者を定めることの他、助産師、保健師または看護師のいずれかを常に１名以上置くとともに、事業の内容に応じ、心理に関する知識を有する者その他事業の実施に必要な者を置くこととされている。
C 市町村は、産後ケア事業として短期入所事業、通所事業、訪問事業のいずれかを行うよう努めなければならない。

（組み合わせ）

1 A○ B○ C○　　2 A○ B○ C×　　3 A○ B× C○
4 A× B○ C○　　5 A× B× C○

次のうち、子育て世代包括支援センター（母子健康包括支援センター）について、適切な記述を一つ選びなさい。（◆）

1 2019（令和元）年の「児童虐待防止対策の強化を図るための児童福祉法等の一部を改正する法律」（令和元年法律第 46 号）において規定された。
2 都道府県が実施主体である。
3 対象は、妊産婦及び乳幼児のみである。
4 保健師、助産師、看護師及びソーシャルワーカーをすべて配置しなければならない。
5 母子保健事業や子育て支援事業を実施することができる。

次の【Ⅰ群】の地域型保育事業についての説明と【Ⅱ群】の事業名を結びつけた場合の正しい組み合わせを一つ選びなさい。

【Ⅰ群】
A 保育を必要とする乳児・幼児であって、満 3 歳未満のものについて、当該保育を必要とする乳児・幼児の居宅において家庭的保育者による保育を行う事業。
B 保育を必要とする乳児・幼児であって、満 3 歳未満のものについて、家庭的保育者の居宅その他の場所において、家庭的保育者による保育を行う事業であり、利用定員が 5 人以下となっている。
C 保育を必要とする乳児・幼児であって、満 3 歳未満のものについて、当該保育を必要とする乳児・幼児を保育することを目的とする施設において保育を行う事業であり、利用定員が 6 人以上 19 人以下となっている。

【Ⅱ群】
ア 家庭的保育事業
イ 居宅訪問型保育事業
ウ 小規模保育事業

解説▶別冊 p.133 ～ 134 ▶▶▶

（組み合わせ）

1	**Aア**	**Bイ**	**Cウ**	**2**	**Aア**	**Bウ**	**Cイ**	**3**	**Aイ**	**Bア**	**Cウ**
4	**Aイ**	**Bウ**	**Cア**	**5**	**Aウ**	**Bア**	**Cイ**				

次のうち、「児童養護施設入所児童等調査の概要（平成 30 年２月１日現在）」（厚生労働省）における障害等のある児童について、不適切な記述を一つ選びなさい。

1 乳児院における障害等のある児童の割合は、約３割であった。
2 児童養護施設における障害等のある児童の割合は、約４割であった。
3 児童自立支援施設における障害等のある児童の割合は、約６割であった。
4 自立援助ホームにおける障害等のある児童の割合は、約５割であった。
5 児童心理治療施設における障害等のある児童の割合は、約５割であった。

次のうち、「児童養護施設入所児童等調査の概要（平成 30 年２月１日現在）」（厚生労働省）における、児童自立支援施設入所児の在所期間の平均に最も近い数値を一つ選びなさい。

1 １年　**2** ２年　**3** ３年　**4** ４年　**5** ５年

次のうち、「児童福祉法」に規定された障害児通所支援として、適切なものを○、不適切なものを×とした場合の正しい組み合わせを一つ選びなさい。

A 居宅訪問型児童発達支援
B 保育所等訪問支援
C 放課後等デイサービス

（組み合わせ）

1	A○	B○	C○	2	A○	B○	C×	3	A○	B×	C×
4	A×	B○	C○	5	A×	B×	C○				

問 18 **次の【事例】を読んで、【設問】に答えなさい。**

【事例】

Ｍちゃんは、Ｎ保育所に通う２歳児（女児）である。発話が極端に少なく、意思表示が明確でないことも多い。担当のＳ保育士は、Ｍちゃんの腕に、打撲のような跡があるのを見つけた。さらに１か月後に、着替えの際に、脇腹にはっきりとしたあざを見つけた。送迎の際、母親とはコミュニケーションは取れるものの、保育士からの会話を避けるような様子が見られた。

【設問】

次のうち、Ｎ保育所の対応として、不適切な記述を一つ選びなさい。

1 Ｓ保育士は、母親の様子について、保育所長に報告した。
2 子ども虐待の可能性もあるため、市町村と情報共有を行った。
3 保育所内で情報共有するとともに、あざについて記録を作成した。
4 母親に過去にも打撲痕を確認したことを伝え、なぜあざができたのか明確な説明を求めた。
5 母親に何か子育てで困ったことがあったらいつでも相談に乗れることをさりげなく伝えた。

問 19 **次のうち、「ヤングケアラー」について、不適切な記述を一つ選びなさい。**

1 ヤングケアラー支援に関する法令として全国で初めて「埼玉県ケアラー支援条例」が 2020（令和２）年に公布・施行された。

解説▶別冊 p.135 ～ 137 ▶▶▶

2　ヤングケアラーに対し、福祉と教育が連携して適切な支援を行う体制を構築するため、市町村教育委員会、学校の教職員等を対象とした合同研修を実施することが重要である。

3　がん・難病・精神疾患など慢性的な病気の家族の看病を日常的にしている子どもは、ヤングケアラーである。

4　日本語が第一言語でない家族や障害のある家族のために日常的に通訳をしている子どもは、ヤングケアラーである。

5　障害や病気のある家族に代わり、日常的に買い物・料理・掃除・洗濯などの家事をしている子どもは、ヤングケアラーではない。

次の文は、「新しい社会的養育ビジョン」（2017（平成 29）年　厚生労働省）に関する記述である。適切な記述を○、不適切な記述を×とした場合の正しい組み合わせを一つ選びなさい。

A　代替養育は施設での養育を原則とする。

B　代替養育の目的の一つは、子どもが成人になった際に社会において自立的生活を形成、維持しうる能力を形成し、また、そのための社会的基盤を整備することにある。

C　実親による養育が困難であれば、特別養子縁組による永続的解決（パーマネンシー保障）や里親による養育を推進する。

D　代替養育の場における自律・自立のための養育、進路保障、地域生活における継続的な支援を推進する際に当事者の参画と協働は必要としない。

（組み合わせ）

1　A○　B○　C×　D○　　**2**　A○　B○　C×　D×
3　A○　B×　C○　D×　　**4**　A×　B○　C○　D×
5　A×　B×　C×　D○

2023年・前期　社会福祉

問1　次の法律を、制定された順に並べた場合の正しい組み合わせを一つ選びなさい。

A　救護法　　B　介護保険法　　C　子ども・子育て支援法
D　社会事業法

（組み合わせ）

1　A→C→D→B　　2　A→D→B→C　　3　B→C→D→A
4　C→A→B→D　　5　D→C→A→B

問2　次のうち、社会福祉の対象に関する記述として、適切な記述を○、不適切な記述を×とした場合の正しい組み合わせを一つ選びなさい。

A　病院に入院している患者が、医療費を支払えない等の問題を抱えている場合は、社会福祉の対象となる。
B　保護者の養育を支援することが特に必要と認められる要支援児童は、児童福祉の対象ではない。
C　社会福祉は生活問題を対象とするが、その問題状況を解明するために、生活の全体像を理解することが求められる。
D　保育所は保育を必要とする乳幼児の保育を行うことを目的とする施設であるので、地域住民は対象としない。

（組み合わせ）

1　A○　B○　C×　D×　　2　A○　B×　C○　D×
3　A×　B○　C×　D○　　4　A×　B×　C○　D×
5　A×　B×　C×　D○

解説▶別冊 p.137 ～ 138 ▶▶▶

次のうち、福祉の専門職としての保育士に関する記述として、適切な記述を○、不適切な記述を×とした場合の正しい組み合わせを一つ選びなさい。

A 保育士の資格は2001（平成13）年に改正された「児童福祉法」によって、国家資格となった。

B 保育士は、従来の子どもに対して直接的にかかわる保育の専門家としてだけでなく、保護者に対して保育に関する指導をおこなう専門職として位置づけられている。

C 「保育所保育指針」では、保育士の倫理観について言及している。

D 保育士は、社会制度の改編や創設を提案することもある。

（組み合わせ）

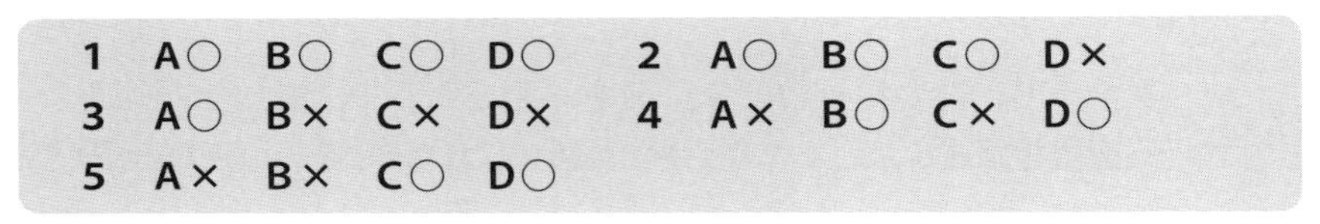

1	A○	B○	C○	D○	**2**	A○	B○	C○	D×
3	A○	B×	C×	D×	**4**	A×	B○	C×	D○
5	A×	B×	C○	D○					

次のうち、日本の社会保険制度に関する記述として、適切な記述を○、不適切な記述を×とした場合の正しい組み合わせを一つ選びなさい。

A 介護保険制度の保険者は、国民に最も身近な行政単位である市町村（特別区を含む）とされている。

B 公的医療保険の種類は、国民健康保険と後期高齢者医療制度の２種類である。

C 雇用保険制度とは、失業等給付を行うことであり、その他の事業は行わない。

D 労働者災害補償保険制度では、原則として業種の規模や正規・非正規職員の別などの雇用形態を問わず、労働者のすべてに適用される。

（組み合わせ）

1	A○	B○	C○	D×	2	A○	B○	C×	D○
3	A○	B×	C×	D○	4	A×	B○	C○	D×
5	A×	B×	C○	D×					

問5 **次のうち、適切な記述を○、不適切な記述を×とした場合の正しい組み合わせを一つ選びなさい。**

A 「保育所保育指針」では、保護者の苦情などへの対応に関する記述はない。

B 児童相談所長は、一時保護が行われた児童で親権を行う者または未成年後見人のない者に対し、親権を行う者または未成年後見人があるに至るまでの間、親権を行う。

C 保育士は、子どもや保護者が抱える問題やニーズを代弁（アドボカシー）して支援していくことが求められている。

（組み合わせ）

1	A○	B○	C×	2	A○	B×	C×	3	A×	B○	C○
4	A×	B×	C○	5	A×	B×	C×				

問6 **次のうち、社会福祉における専門職に関する記述として、適切な記述を○、不適切な記述を×とした場合の正しい組み合わせを一つ選びなさい。**

A 社会福祉士資格を持つ者は、児童指導員として児童養護施設等で働くことができる。

B 「児童福祉法」において、児童相談所に社会福祉主事を置かなければならない、と規定されている。

C 「社会福祉法」において、都道府県、市及び福祉に関する事務所を設置する町村に、社会福祉主事を置く、と規定されている。

解説▶別冊 p.139 〜 140 ▶▶▶

D 乳児院は、国の規定により看護師の配置が義務づけられている。

（組み合わせ）

1	A○	B○	C○	D×	2	A○	B○	C×	D○
3	A○	B×	C○	D○	4	A×	B○	C×	D○
5	A×	B×	C○	D×					

次のうち、市町村社会福祉協議会に関する記述として、適切な記述を○、不適切な記述を×とした場合の正しい組み合わせを一つ選びなさい。

A 市町村社会福祉協議会の財源は、市町村の補助金のみで賄われている。
B 市町村社会福祉協議会は、第一種社会福祉事業の経営に関する指導及び助言を行う。
C 市町村社会福祉協議会は、民間の福祉関係者・福祉団体・関係機関のみで構成された組織である。
D 「福祉活動専門員」は、市町村社会福祉協議会に置くものとされている。

（組み合わせ）

1	A○	B○	C×	D×	2	A○	B×	C○	D×
3	A○	B×	C×	D○	4	A×	B×	C○	D○
5	A×	B×	C×	D○					

問8

次のうち、児童心理治療施設に関する記述として、適切な記述の組み合わせを一つ選びなさい。

A 「児童養護施設入所児童等調査結果（平成30年2月1日現在）」では、被虐待経験がある児童の占める割合は、7割を超えている。
B 「児童養護施設入所児童等調査結果（平成30年2月1日現在）」では、児童の委託（入所）経路は、半数以上が児童養護施設からの入所となっている。

C　「障害者の日常生活及び社会生活を総合的に支援するための法律」に基づく障害者支援施設に定められている。

D　2017（平成 29）年に施行された「児童福祉法」等の一部改正によって、「情緒障害児短期治療施設」から名称変更された。

（組み合わせ）

1	AB	2	AC	3	AD	4	BD	5	CD

次のうち、「児童扶養手当法」に関する記述として、適切な記述を○、不適切な記述を×とした場合の正しい組み合わせを一つ選びなさい。

A　支給を受けた父または母は、自ら進んでその自立を図り、家庭の生活の安定と向上に努めなければならない。

B　児童の住所が日本国外である場合も支給対象となる。

C　児童扶養手当の手当額は、法律で定められている。

D　児童扶養手当は、その受給者の所得に関係なく支給される。

（組み合わせ）

	A	B	C	D
1	○	○	×	×
2	○	×	○	×
3	○	×	×	○
4	×	○	×	×
5	×	×	○	○

次のうち、社会福祉における専門職に関する記述として、適切な記述を○、不適切な記述を×とした場合の正しい組み合わせを一つ選びなさい。

A　保育士は、資格更新のため定期的に所定の講習を受講しなければならない。

解説▶別冊 p.141 ～ 142 ▶▶▶

B　社会福祉主事は、「生活保護法」に規定されている行政機関に従事する専門職である。

C　社会福祉に関する資格は、国家資格のみである。

（組み合わせ）

1	A○	B○	C×	2	A○	B×	C×	3	A×	B○	C○
4	A×	B×	C○	5	A×	B×	C×				

次のうち、相談援助に関する記述として、適切なものを○、不適切なものを×とした場合の正しい組み合わせを一つ選びなさい。

A　ウェルビーイングとは、個人の権利や自己実現が保障され、その個人が身体的・精神的・社会的により良い状態にあることを意味するものとして理解される。

B　ソーシャルアクションとは、制度改善、制度創設等のために地域住民や専門家などが行う行動をいう。

C　エンパワメントとは、支援計画や、それに基づく支援の最終的な評価を行う段階のことをいう。

（組み合わせ）

1	A○	B○	C○	2	A○	B○	C×	3	A○	B×	C○
4	A×	B○	C○	5	A×	B×	C×				

次のうち、ソーシャルワークの定義に関する記述として、適切なものを○、不適切なものを×とした場合の正しい組み合わせを一つ選びなさい。

A　リッチモンド（Richmond, M.E.）は、ソーシャル・ケースワークを「人間とその社会的環境との間を個別に、意識的に調整することを通してパーソナリティを発達させる諸過程からなり立っている」と定義している。

B コノプカ（Konopka, G.）は、グループワークを「意図的なグループ経験を通じて、個人の社会的に機能する力を高め、また個人、集団、地域社会の諸問題に、より効果的に対処し得るよう、人びとを援助するものである」と定義している。

C コミュニティワークとは、「地域社会の中で生起する住民の共通的・個別的生活課題を住民主体で、組織的、地域協働的に解決するのを側面的に支援するために、地域住民の組織化や福祉活動への参加を促進したり、社会福祉機関・施設・団体間の連携を図りながら地域社会の社会資源を整備し、協働的に地域社会の福祉力を増進し、住民にとって住みやすい地域社会を創造していく援助技術」である。

（組み合わせ）

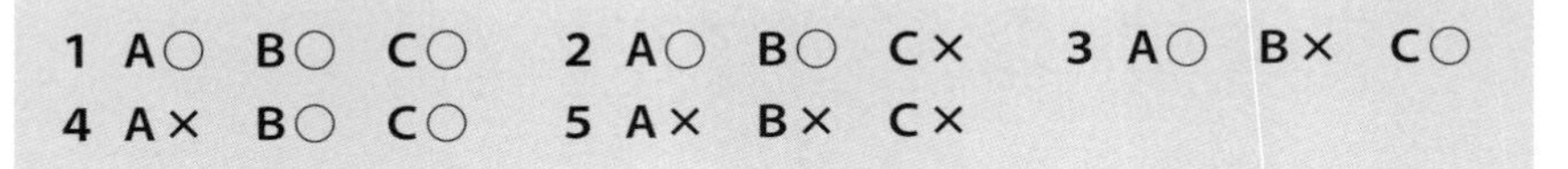

1 A○ B○ C○　**2** A○ B○ C×　**3** A○ B× C○
4 A× B○ C○　**5** A× B× C×

次のうち、バイステック（Biestek, F.P.）の７原則についての記述として、適切なものを○、不適切なものを×とした場合の正しい組み合わせを一つ選びなさい。

A 「受容」とは、利用者の尊厳と価値を尊重しつつ、利用者の現在のありのままを受けとめることである。

B 「個別化」とは、利用者の自己決定を促し尊重することである。

C 「統制された情緒的関与」とは、利用者の感情表現を大切にすることである。

D 「秘密保持」とは、利用者が専門的援助関係のなかでうち明ける秘密の情報を、援助者がきちんと保全することである。

解説▶別冊 p.142 ～ 143 ▶▶▶

（組み合わせ）

1	**A**○	**B**○	**C**○	**D**○	**2**	**A**○	**B**○	**C**×	**D**×
3	**A**○	**B**×	**C**×	**D**○	**4**	**A**×	**B**×	**C**○	**D**○
5	**A**×	**B**×	**C**×	**D**×					

次のうち、パールマン（Perlman, H.H.）が著したソーシャル・ケースワークの４つの要素として、適切なものを○、不適切なものを×とした場合の正しい組み合わせを一つ選びなさい。

A　人（Person）――――生活上で課題を抱え、支援を必要とする人
B　問題（Problem）――利用者の直面する生活上の問題や課題
C　計画（Plan）――――支援を行うにあたり必要とされる支援計画
D　過程（Process）―――利用者と支援者との関係を基盤として展開される支援の過程

（組み合わせ）

1	**A**○	**B**○	**C**○	**D**○	**2**	**A**○	**B**○	**C**○	**D**×
3	**A**○	**B**○	**C**×	**D**○	**4**	**A**○	**B**×	**C**○	**D**○
5	**A**×	**B**○	**C**○	**D**○					

次のうち、コノプカ（Konopka, G.）によるグループワークの過程に関する記述として、適切なものを○、不適切なものを×とした場合の正しい組み合わせを一つ選びなさい。

A　準備期とは、支援の準備と波長合わせを実施する段階である。
B　開始期とは、グループを活用してメンバーの問題解決に向けた取り組みを支援する段階である。
C　作業期とは、グループとして実際の活動に取り組めるように支援する段階である。

D　終結期とは、グループワークを通じて、メンバーの学びや獲得したことを評価し、それをふまえて今後のメンバー自身の興味、関心、課題などを明確化する段階である。

（組み合わせ）

1	A○	B○	C○	D○	2	A○	B○	C×	D×
3	A○	B×	C×	D○	4	A×	B×	C○	D○
5	A×	B×	C×	D×					

問 16　次のうち、福祉サービス利用援助事業（日常生活自立支援事業）に関する記述として、適切な記述を○、不適切な記述を×とした場合の正しい組み合わせを一つ選びなさい。

A　福祉サービス利用援助事業（日常生活自立支援事業）は、すべての高齢者を利用対象者としている。

B　福祉サービス利用援助事業（日常生活自立支援事業）の実施主体は、各都道府県及び指定都市の社会福祉協議会及び地域包括支援センターとされている。

C　福祉サービス利用援助事業（日常生活自立支援事業）は、「社会福祉法」に基づく利用者の権利擁護事業の一つである。

D　福祉サービス利用援助事業（日常生活自立支援事業）では、生活福祉資金貸付制度を実施している。

（組み合わせ）

1	A○	B○	C×	D×	2	A○	B×	C○	D×
3	A○	B×	C×	D○	4	A×	B○	C×	D○
5	A×	B×	C○	D×					

解説▶別冊 p.143 ～ 144 ▶▶▶

次のうち、苦情解決制度に関する記述として、適切な記述を○、不適切な記述を×とした場合の正しい組み合わせを一つ選びなさい。

A 「社会福祉法」に基づき、福祉サービスに関する苦情の解決等を行う機関として、都道府県社会福祉協議会に運営適正化委員会が設置されている。

B 苦情解決事業が対象とする福祉サービスの範囲は、「社会福祉法」第２条に規定する社会福祉事業において提供される福祉サービスのみとされている。

C 苦情解決体制は、苦情解決責任者、苦情受付担当者、および第三者委員で構成され、そのうち、第三者委員は、市区町村長の責任において選任されている。

D 苦情解決制度の解決結果については、個人情報に関するものを除き、福祉サービスを提供する事業所の所在地の市町村が、公表することになっている。

（組み合わせ）

1	**A○**	**B○**	**C○**	**D○**	**2**	**A○**	**B×**	**C○**	**D○**
3	**A○**	**B×**	**C×**	**D×**	**4**	**A×**	**B○**	**C×**	**D×**
5	**A×**	**B×**	**C○**	**D○**					

次の計画とその根拠となる法律名の組み合わせとして、適切なものを○、不適切なものを×とした場合の正しい組み合わせを一つ選びなさい。

	〈計画〉	〈法律名〉
A	都道府県障害児福祉計画	「児童福祉法」
B	都道府県介護保険事業支援計画	「介護保険法」
C	都道府県地域福祉支援計画	「社会福祉法」
D	都道府県障害福祉計画	「障害者の日常生活及び社会生活を総合的に支援するための法律」

（組み合わせ）

1	**A**○	**B**○	**C**○	**D**○	**2**	**A**○	**B**○	**C**×	**D**×
3	**A**○	**B**×	**C**○	**D**×	**4**	**A**×	**B**○	**C**×	**D**○
5	**A**×	**B**×	**C**○	**D**○					

次のうち、民生委員に関する記述として、適切な記述を○、不適切な記述を×とした場合の正しい組み合わせを一つ選びなさい。

A 民生委員は、「社会福祉法」に基づき地域社会の福祉を増進することを目的として市町村の区域に置かれている民間奉仕者である。

B 民生委員の任期は３年である。

C 民生委員は、「児童福祉法」によって児童委員に充てられたものとされている。

D 民生委員の職務の一つに、福祉事務所その他の関係行政機関の業務に協力することがあげられる。

（組み合わせ）

1	**A**○	**B**○	**C**○	**D**×	**2**	**A**○	**B**○	**C**×	**D**×
3	**A**○	**B**×	**C**×	**D**○	**4**	**A**×	**B**○	**C**○	**D**○
5	**A**×	**B**×	**C**○	**D**○					

次の法律名とその法律の条文の見出しとして掲げられている事項の組み合わせとして、適切なものを○、不適切なものを×とした場合の正しい組み合わせを一つ選びなさい。

解説▶別冊 p.145 〜 146 ▶▶▶

〈法律名〉	〈事項〉
A 「障害者基本法」	障害者週間
B 「身体障害者福祉法」	社会参加を促進する事業の実施
C 「精神保健及び精神障害者福祉に関する法律」	正しい知識の普及
D 「発達障害者支援法」	放課後児童健全育成事業の利用

（組み合わせ）

1	A○	B○	C○	D○	2	A○	B○	C○	D×
3	A○	B×	C○	D×	4	A×	B○	C×	D○
5	A×	B×	C×	D○					

2023年・前期　教育原理

次のうち、「教育基本法」に関する記述として、適切なものを○、不適切なものを×とした場合の正しい組み合わせを一つ選びなさい。

A 「教育基本法」は学校教育に関する法律であり、家庭教育や社会教育に関しては記述がない。

B 1947（昭和22）年に制定された「教育基本法」は、2006（平成18）年に改正されるまでの約60年間、一度も改正されることがなかった。

C 2006（平成18）年に改正された「教育基本法」では、第11条「幼児期の教育」の記載が加えられた。

（組み合わせ）

1 A○ B○ C×　2 A○ B× C○　3 A× B○ C○
4 A× B○ C×　5 A× B× C×

問2 次の文は、「幼稚園教育要領」前文の一部である。（ A ）・（ B ）にあてはまる語句の正しい組み合わせを一つ選びなさい。

これからの幼稚園には、学校教育の始まりとして、こうした教育の目的及び目標の達成を目指しつつ、一人一人の幼児が、将来、自分のよさや可能性を認識するとともに、あらゆる他者を価値のある存在として尊重し、多様な人々と協働しながら様々な社会的変化を乗り越え、豊かな人生を切り拓き、（ A ）の創り手となることができるようにするための基礎を培うことが求められる。このために必要な教育の在り方を具体化するのが、各幼稚園において教育の内容等を組織的かつ計画的に組み立てた（ B ）である。

（組み合わせ）

	A	B
1	持続可能な社会	教育課程
2	多様性を包含した社会	教育課程
3	持続可能な社会	保育課程
4	多様性を包含した社会	保育課程
5	国際化社会	教育課程

問3 次の文の著者として、正しいものを一つ選びなさい。

結局、幼な児の教育のためには、かれ自身のもっている内的な力を活用することが最も大切だということであります。とは言っても果してそれは可能なことでしょうか。勿論可能です。それだけではなく必要なことです。集中

解説▶別冊 p.147 ▶▶▶

状態に入るための注意は、段階的な刺戟(しげき)を必要とします。最初は幼な児の興味をひくような、感覚で見分けられるものであればよいのです。たとえば、大きさのそれぞれ異なる円柱、濃度の段階によって順序に並べる色板、区別するための異なる音色、触って判断するための種々のザラ板などです。

1 ルソー（Rousseau, J.-J.）
2 ペスタロッチ（Pestalozzi, J.H.）
3 エレン・ケイ　（Key, E.）
4 モンテッソーリ　（Montessori, M.）
5 キルパトリック（Kilpatrick, W.H.）

問4 **次の【Ⅰ群】の記述と、【Ⅱ群】の人物を結びつけた場合の正しい組み合わせを一つ選びなさい。**

【Ⅰ群】

A 子どもの年齢に応じた教え方として「随年教法」を示した。「和俗童子訓」において「其おしえは、予(あらかじ)めするを先とす。予とは、かねてよりといふ意。小児の、いまだ悪にうつらざる先に、かねて、はやくをしゆるを云」と述べた。

B 農民生活の指導者として、子どもの発達過程に即した教育の在り方を説いた。子どもの心と身体の成長を「実植えしたる松」「二葉極りたる頃」「萌したる才智の芽のふき出」など松の生長にたとえた。

【Ⅱ群】

ア 大原幽学　**イ** 伊藤仁斎　**ウ** 荻生徂徠　**エ** 貝原益軒

（組み合わせ）

1 Aア　Bイ　**2** Aイ　Bウ　**3** Aウ　Bイ
4 Aエ　Bア　**5** Aエ　Bイ

問 5 **次の記述に該当する人物は誰か。正しいものを一つ選びなさい。**

イギリス産業革命期にスコットランドのニュー・ラナークの紡績工場の経営に従事した。この工場での労働者教育の経験から、人間の性格が環境の産物であり、環境を整えることで性格形成が可能であるとの考えをもつに至り、『新社会観』を執筆した。また性格形成学院を開校。彼は、人間の性格形成において幼児期の環境の影響をとりわけ重視し、性格形成学院内に今日の保育所的機能を果たす幼児学校を設け、労働者の子どもを１歳から預かった。

1　ベル（Bell, A.）
2　コメニウス（Comenius, J.A.）
3　オーエン（Owen, R.）
4　ランカスター（Lancaster, J.）
5　ロック（Locke, J.）

問 6 **次のうち、中央教育審議会答申「幼稚園、小学校、中学校、高等学校及び特別支援学校の学習指導要領等の改善及び必要な方策等について」（平成 28 年 12 月）の教育課程に関する記述として、適切なものを○、不適切なものを×とした場合の正しい組み合わせを一つ選びなさい。**

A　教育課程とは、学校教育の目的や目標を達成するために、教育の内容を子供の心身の発達に応じ、授業時数との関連において総合的に組織した学校の教育計画のことである。
B　教育課程の編成主体は学級担任である。
C　各学校には、学習指導要領等を受け止めつつ、子供たちの姿や地域の実情等を踏まえて、各学校が設定する学校教育目標を実現するために、学習指導要領等に基づき教育課程を編成する。
D　教育課程を実施・評価し改善していくことが求められる。これが、いわゆる「カリキュラム・マネジメント」である。

解説▶別冊 p.148 ▶▶▶

（組み合わせ）

1	**A**○	**B**○	**C**×	**D**○	**2**	**A**○	**B**×	**C**○	**D**○
3	**A**×	**B**○	**C**×	**D**×	**4**	**A**×	**B**×	**C**○	**D**○
5	**A**×	**B**×	**C**○	**D**×					

次の文は、「保育所保育指針」に示された「幼児期の終わりまでに育ってほしい姿」の一部である。（　A　）～（　C　）にあてはまる語句の正しい組み合わせを一つ選びなさい。

コ　豊かな感性と表現
　心を動かす出来事などに触れ感性を働かせる中で、様々な（　A　）の特徴や表現の仕方などに気付き、感じたことや（　B　）を自分で表現したり、友達同士で表現する（　C　）を楽しんだりし、表現する喜びを味わい、意欲をもつようになる。

（組み合わせ）

	A	B	C
1	素材	考えたこと	過程
2	素材	教えられたこと	遊び
3	素材	考えたこと	活動
4	遊具	考えたこと	過程
5	遊具	教えられたこと	活動

次の文は、2019（令和元）年12月に文部科学省から示された政策についての説明である。その政策の名称として、正しいものを一つ選びなさい。

・　１人１台端末及び高速大容量の通信ネットワークを一体的に整備する。
・　多様な子供たちを誰一人取り残すことのない、公正に個別最適化された学びを全国の学校現場で持続的に実現させる。

1　SDGs 教育プロジェクト
2　プログラミング教育プロジェクト
3　ICT 活用教育プロジェクト
4　GIGA スクール構想
5　デジタルスクール構想

次の文は、中央教育審議会答申「人口減少時代の新しい地域づくりに向けた社会教育の振興方策について」（平成30年12月）の一部である。（　A　）・（　B　）にあてはまる語句の正しい組み合わせを一つ選びなさい。

地域における学びのきっかけづくりとしては、住民にとって身近で目的を共有しやすいテーマを設定し、それぞれが持つ知恵を出し合いながら、楽しく、誇りをもって取り組んでいけるような学習の機会を作ることが有効と考えられる。同時に、学習の成果を地域での活動に生かすことで、充実感が味わえ、また、新たな課題の解決のために更に学ぼうという、「（　A　）」につながっていくことが期待される。

そのような観点からは、特に、幅広い地域住民等の参画により、地域と学校が共に手を携え、地域の子供たちの豊かな学びや健やかな成長と、地域活性化の双方を目指す「（　B　）」は、全ての地域で実施が望まれるものである。

（組み合わせ）

	A	B
1	学びと活動の循環	地域住民による教育指導
2	学びと活動の循環	コミュニティスクール
3	学びと活動の循環	地域学校協働活動
4	正の循環	地域住民による教育指導
5	正の循環	地域学校協働活動

解説▶別冊 p.149 ▶▶▶

次の文は、「生徒指導提要」（平成22年　文部科学省）の一部である。（　A　）・（　B　）にあてはまる語句の正しい組み合わせを一つ選びなさい。

特別活動では、多様な集団活動の中で児童生徒にそれぞれに役割を受け持たせ、自己存在感を持たせ、自己の思いを実現する機会を十分に与えるとともに、集団との関係で自己の在り方を自覚させるように指導し、集団の一員としての連帯感や連帯意識、（　A　）を養うことが大切です。また、社会の一員として生活の充実と向上のために進んで貢献していこうとする社会性の基礎となる態度や行動を身に付け、様々な場面で自己の能力をより良く生かし（　B　）を図るようにさせることも大切です。

（組み合わせ）

	A	B
1	所属意識	自己実現
2	所属意識	自己覚知
3	責任感	自己実現
4	責任感	自己覚知
5	社会的技能	自己実現

2023年・前期　社会的養護

次のうち、「児童の権利に関する条約」（国連）に関する記述として、適切なものを○、不適切なものを×とした場合の正しい組み合わせを一つ選びなさい。

A　この条約において児童とは、20歳未満のすべての者をいう。

B　児童に関するすべての措置を取るにあたっては、児童の最善の利益が主として考慮される。

C 父母の一方または双方から分離されている児童が、定期的に父母のいずれとも人的な関係および直接の接触を維持する権利を尊重する。

D 児童が自身に影響を及ぼすすべての事項について自由に自己の意見を表明する権利を確保する。

（組み合わせ）

1	**A○**	**B○**	**C○**	**D×**	**2**	**A○**	**B○**	**C×**	**D×**
3	**A○**	**B×**	**C×**	**D×**	**4**	**A×**	**B○**	**C○**	**D○**
5	**A×**	**B×**	**C○**	**D○**					

問2 **次のうち、小規模住居型児童養育事業（ファミリーホーム）に関する記述として、適切なものを一つ選びなさい。**

1 この事業は、家庭養護として養育者が親権者となり、委託児童を養育する取り組みである。

2 この事業の対象児童は、「児童福祉法」における「要支援児童」である。

3 この事業は、第一種社会福祉事業である。

4 この事業は、５人または６人の児童を養育者の家庭において養育を行う取り組みである。

5 この事業において委託児童の養育を担う養育者は、保育士資格を有していなければならない。

問3 **次の文は、「児童養護施設運営指針」（平成24年３月　厚生労働省）の一部である。（　A　）～（　C　）にあてはまる語句の正しい組み合わせを一つ選びなさい。**

子どもの入所理由の背景は単純ではなく、複雑・重層化している。ひとつの虐待の背景をみても、経済的困難、両親の不仲、精神疾患、（　A　）など多くの要因が絡み合っている。そのため、入所に至った直接の要因が改善されても、別の課題が明らかになることも多い。

解説▶別冊 p.149 ～ 151 ▶▶▶

こうしたことを踏まえ、子どもの背景を十分に把握した上で、必要な（　B　）も含めて養育を行っていくとともに、（　C　）も丁寧に行う必要がある。

（組み合わせ）

	A	B	C
1	危機管理能力	心のケア	家庭環境の調整
2	危機管理能力	教育的指導	里親委託への移行
3	養育能力の欠如	心のケア	里親委託への移行
4	養育能力の欠如	教育的指導	里親委託への移行
5	養育能力の欠如	心のケア	家庭環境の調整

次のうち、里親支援専門相談員（里親支援ソーシャルワーカー）に関する記述として、適切なものを○、不適切なものを×とした場合の正しい組み合わせを一つ選びなさい。（◆B）

A　児童養護施設や乳児院に配置され、里親の支援に関わる職員である。
B　里親の新規開拓や里親委託の推進等を役割としている。
C　業務内容の範囲は里親委託までであり、委託後の里親支援については、児童相談所が担う。
D　資格要件は、保育士資格取得者でなければならないと定められている。

（組み合わせ）

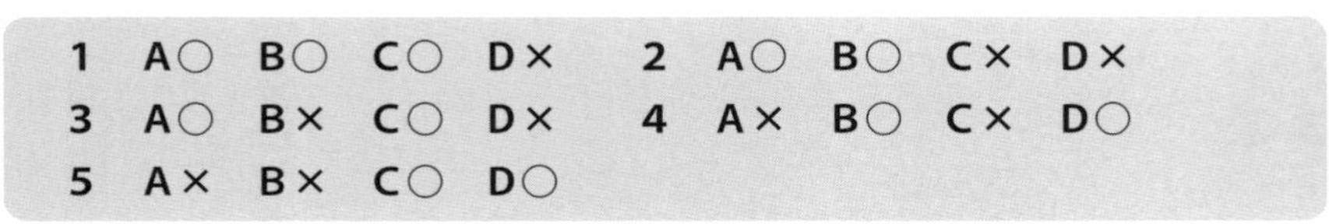

1	A○	B○	C○	D×
2	A○	B○	C×	D×
3	A○	B×	C○	D×
4	A×	B○	C×	D○
5	A×	B×	C○	D○

次のうち、「社会的養育の推進に向けて」（令和４年　厚生労働省）に示された「家庭と同様の養育環境」として、正しいものを○、誤ったものを×とした場合の正しい組み合わせを一つ選びなさい。

A　里親
B　養子縁組
C　地域小規模児童養護施設（グループホーム）
D　小規模グループケア（分園型）

（組み合わせ）

1	**A**○	**B**○	**C**○	**D**×	**2**	**A**○	**B**○	**C**×	**D**×
3	**A**○	**B**×	**C**○	**D**×	**4**	**A**×	**B**○	**C**×	**D**○
5	**A**×	**B**×	**C**○	**D**×					

次のうち、「児童養護施設運営指針」（平成24年3月　厚生労働省）に基づく養育・支援に関する記述として、適切な記述を○、不適切な記述を×とした場合の正しい組み合わせを一つ選びなさい。

A　子ども自身が自分たちの生活について主体的に考えて、自主的に改善していくことができるような活動（施設内の子ども会、ミーティング等）を行うことができるよう支援する。
B　子どもが孤独を感じることがないよう、できるだけ中学生以上においても２人以上の相部屋とする。
C　子どもが基本的な信頼感を獲得し、良好な人間関係を築くために、職員と子どもが個別的にふれあう時間を確保する。
D　成長の記録（アルバム）が整理され、成長の過程を振り返ることができるようにする。

（組み合わせ）

1	**A**○	**B**×	**C**○	**D**○	**2**	**A**○	**B**×	**C**×	**D**○
3	**A**×	**B**○	**C**○	**D**×	**4**	**A**×	**B**○	**C**×	**D**○
5	**A**×	**B**×	**C**○	**D**×					

解説▶別冊 p.151 ～ 152 ▶▶▶

次のうち、社会的養護に関わる相談援助の専門用語に関する記述として、適切なものの組み合わせを一つ選びなさい。

A ソーシャル・アクションとは、制度やサービスの改善を目指して行政や市民等に働きかけることをいう。

B スーパービジョンとは、異なる分野の専門職と協働して問題解決を図ることをいう。

C ネットワーキングとは、家族や社会資源等が連携して支援体制を構築していくことをいう。

D ケースワークとは、入浴の援助や食事場面での援助等、日常生活における支援のことをいう。

（組み合わせ）

1 AB　**2** AC　**3** AD　**4** BC　**5** CD

次のうち、社会的養護関係施設における第三者評価事業に関する記述として、適切なものを○、不適切なものを×とした場合の正しい組み合わせを一つ選びなさい。

A 職員の参画による評価結果の分析・検討する場を設け実行する。

B 施設の利用者を対象とした調査を実施するよう努める。

C 毎年第三者評価を受けなければならない。

D 第三者評価の基準は施設が独自に決める。

（組み合わせ）

1 A○ B○ C○ D×　**2** A○ B○ C× D×
3 A○ B× C× D×　**4** A× B○ C○ D○
5 A× B× C○ D○

次の【事例】を読んで、【設問】に答えなさい。

【事例】

Uちゃん（小学３年生、女児）は、母親と二人でK母子生活支援施設に入所している。Uちゃんの母親は、最近就職した。まだ仕事に慣れない様子で、疲れている様子がその表情にも見られた。ある日、施設内の学習室にUちゃんが来て、「お母さんがイライラしてすぐに怒る。一緒にいると喧嘩になるからこっちに来た。本当はみてもらいたい宿題だってあるのに」とH母子支援員に言った。

【設問】

次のうち、H母子支援員のとるべき対応として、最も不適切なものを一つ選びなさい。

1 「宿題をみるのが私でも良いのであれば、一緒にやろうか」とUちゃんに話す。

2 Uちゃんの母親を学習室に呼び、Uちゃんの宿題をみるよう指導する。

3 Uちゃんが母親に言い返したり喧嘩をしたりせずに学習室に来たことをほめ、Uちゃんの話を聴く。

4 「お母さんは、新しい仕事に行くようになって疲れがたまっているのかもしれないね」とUちゃんに話す。

5 Uちゃんの母親に、職場の様子や体調、精神的なストレスの様子について話を聴く。

次の【事例】を読んで、【設問】に答えなさい。

【事例】

S児童養護施設のグループホーム（地域小規模児童養護施設）に勤務している新人のL保育士は、中学生のY君（14歳、男児）を担当している。Y君は、学校以外のほとんどの時間は自室で過ごし、他児とも関わろうとしない。L

解説▶別冊 p.152 ～ 153 ▶▶▶

保育士はY君と話をしようと声掛けするが「お前に話すことなんてない」と返答され、Y君へどのような支援を行えば良いか悩んでいる。

【設問】

次のうち、L保育士がY君の支援を検討するために行うものとして、適切なものを○、不適切なものを×とした場合の正しい組み合わせを一つ選びなさい。

A L保育士が自らの関わりについて日誌を通して振り返る。
B 基幹的職員にスーパービジョンを依頼する。
C Y君の通う学校の先生と連絡をとり、Y君の学校での様子を聴く。
D 今までY君を担当した職員から、入所までの経緯やこれまでの関わりに関する情報を得る。

（組み合わせ）

1	A○	B○	C○	D○
2	A○	B○	C○	D×
3	A○	B○	C×	D×
4	A○	B×	C○	D×
5	A×	B○	C×	D○

2023年・前期　子どもの保健

次の文は、「保育所保育指針」第3章「健康及び安全」の（2）「健康増進」の一部である。（　A　）～（　D　）にあてはまる語句の正しい組み合わせを一つ選びなさい。

子どもの心身の健康状態や（　A　）等の把握のために、（　B　）等により定期的に（　C　）を行い、その結果を記録し、保育に活用するとともに、（　D　）が子どもの状態を理解し、日常生活に活用できるようにすること。

（組み合わせ）

	A	B	C	D
1	疲労	嘱託医	家庭調査	保育者
2	疲労	主治医	家庭調査	保護者
3	疲労	嘱託医	健康診断	保育者
4	疾病	主治医	家庭調査	保護者
5	疾病	嘱託医	健康診断	保護者

次のうち、糖尿病に関する記述として、最も適切なものを一つ選びなさい。

1 糖が尿中に出る病気を糖尿病といい、尿検査によって診断される。
2 糖尿病は過食が原因であり、子どもには稀な疾患である。
3 糖尿病は、ステロイドホルモンの分泌異常が主な原因である。
4 糖尿病の原因となっている臓器は、腎臓である。
5 糖尿病が悪化すると、失明、腎不全、神経症などを起こす。

次の文は、「保育所保育指針」第２章「保育の内容」の４「保育の実施に関して留意すべき事項」（３）「家庭及び地域社会との連携」である。（a）～（c）の下線部分が正しいものを○、誤ったものを×とした場合の正しい組み合わせを一つ選びなさい。

子どもの生活の（**a**）連続性を踏まえ、家庭及び地域社会と連携して保育が展開されるよう配慮すること。その際、家庭や地域の機関及び団体の協力を得て、地域の（**b**）自然、高齢者や異年齢の子ども等を含む人材、行事、施設等の地域の資源を積極的に活用し、（**c**）豊かな生活体験をはじめ保育内容の充実が図られるよう配慮すること。

解説▶別冊 p.153 ～ 154 ▶▶▶

（組み合わせ）

1	a○	b○	c○	2	a○	b×	c○	3	a×	b○	c○
4	a×	b○	c×	5	a×	b×	c×				

次の文は、小児期の歯科保健に関する記述である。不適切な記述の組み合わせを一つ選びなさい。

A 乳歯の生える順序は、下あごの前歯が最初に生えることが多いが、上あごからの場合もあり、生える順序で心配する必要はない。
B むし歯予防や永久歯の萌出のために、乳歯の場合は歯と歯の間に多少のすき間が開いている方が望ましい。
C 食物を食べていない時の口中の酸度はpH6.5～7.0くらいであるが、pHが上昇することにより、歯が侵されやすい状態になる。
D むし歯の発生には、歯垢中の細菌の存在が要因としてあげられるが、咀しゃくや唾液流出の状態も関係している。
E 乳歯の多くは妊娠後期に形成を開始し、続いて石灰化が行われる。

（組み合わせ）

1 AB　**2** AE　**3** BD　**4** CD　**5** CE

次の文は、乳児に起こりやすい事故に関する記述である。（ A ）～（ F ）にあてはまる語句の正しい組み合わせを一つ選びなさい。

6か月ごろの子どもは、（ A ）をするため、ベッドに一人にしておくと（ B ）が起きる。8か月ごろになると（ C ）ができるが、まだ安定していないため（ D ）し、ものに当たって（ E ）へと発展する。（ F ）の事故としては、窒息のリスクに注意をする。

（組み合わせ）

	A	B	C	D	E	F
1	寝返り	打撲事故	ハイハイ	後ろに転倒	転落事故	移動中
2	ハイハイ	打撲事故	お座り	後ろに転倒	打撲事故	睡眠中
3	寝返り	転落事故	ハイハイ	前に転倒	打撲事故	睡眠中
4	寝返り	転落事故	お座り	後ろに転倒	打撲事故	睡眠中
5	ハイハイ	打撲事故	お座り	前に転倒	転落事故	移動中

次のうち、乳幼児突然死症候群（SIDS）に関する記述として、適切なものを○、不適切なものを×とした場合の正しい組み合わせを一つ選びなさい。

A 生後３か月前後に多い。
B 予防のため、寝かせるときはうつぶせ寝にする。
C 予防のため、同居の家族等がたばこを吸わないようにする。
D 保育所では、乳児部屋は保育者が常駐し、定期的に呼吸などをチェックする。
E 予防のためには、乳児の体を冷やさないように、衣類や布団を多めに使用する。

（組み合わせ）

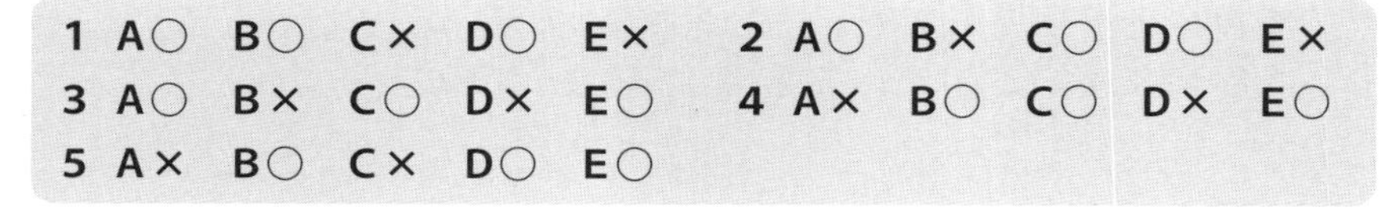

	A	B	C	D	E
1	A○	B○	C×	D○	E×
2	A○	B×	C○	D○	E×
3	A○	B×	C○	D×	E○
4	A×	B○	C○	D×	E○
5	A×	B○	C×	D○	E○

次の【事例】を読んで、【設問】に答えなさい。

【事例】

発達に問題なく元気な児が６～７か月乳児健診を受けたところ、カウプ指

解説▶別冊 p.154～155 ▶▶▶

数が 21 だった。自宅に帰り母が保育雑誌を読んでいるうちに、カウプ指数の数値が心配になり入所している保育所の保育士に相談した。ちなみに、母乳栄養の児である。

【設問】

次のうち、保育士の対応として、最も適切な記述を一つ選びなさい。

1 太りすぎていて健康によくないので、1日に与える母乳の回数を制限するように指導した。

2 母乳を減らして離乳食を増やし、カウプ指数が正常域内になることを目指すように指導した。

3 乳児がやや太っていても、元気で発達も良好なら気にする必要はないと話した。

4 病院に行って栄養指導を受けるように勧めた。

5 この児のカウプ指数は正常域の中にあり、特に心配する必要がないことを説明した。

次の記述のうち、適切なものを○、不適切なものを×とした場合の正しい組み合わせを一つ選びなさい。

A 子どもは新陳代謝が活発なので、体温は高めである。

B 子どもの血管壁は薄く硬化が少ないため、血圧は大人より高めである。

C 体温は睡眠中の早朝が最も低く、夕方が最も高い。

D 体温は測定箇所で異なり、腋窩温は直腸温より高い。

(組み合わせ)

1 A○ B○ C× D×　**2** A○ B× C○ D×
3 A○ B× C× D○　**4** A× B○ C○ D×
5 A× B× C○ D○

問9

次のうち、「てんかん」に関する記述として、適切なものを○、不適切なものを×とした場合の正しい組み合わせを一つ選びなさい。

A　乳幼児期から高齢期まで幅広く発症するが、３歳以下の発症が多い。
B　原因が不明なものもあり、ほとんど遺伝しない。
C　てんかんは、熱性けいれんと同じくけいれん発作を主症状とするが、意識消失など、けいれんを伴わないものもある。
D　医師の指示があった場合は、保育所の行事への参加を制限する。
E　抗てんかん薬を長期的に服用する場合がある。

（組み合わせ）

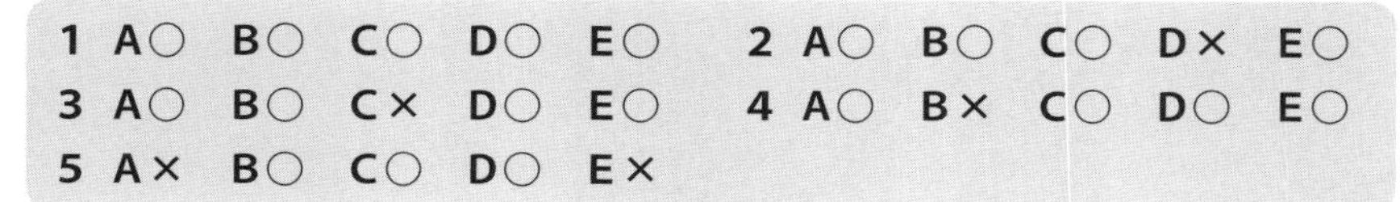

	A	B	C	D	E
1	○	○	○	○	○
2	○	○	○	×	○
3	○	○	×	○	○
4	○	×	○	○	○
5	×	○	○	○	×

問10

次の文は、乳幼児への薬の飲ませ方の工夫に関する記述である。不適切な記述を一つ選びなさい。

1　砂糖、シロップ、ココア、バニラなどの甘味料や香料を加えて飲ませる。
2　コップ一杯のスポーツドリンクやお茶などの飲料に溶かして飲ませる。
3　薬を飲んだ後、ミルクや水を飲ませる。
4　粉薬は少量のぬるま湯で練ってペースト状にし、上あご又は頬の内側にぬる。
5　粉薬はおよそ 10ml のぬるま湯で溶かし、スポイト等でなるべく口の奥に入れる。

問11

次のうち、保育施設における衛生管理に関する記述として、適切なものを○、不適切なものを×とした場合の正しい組み合わせを一つ選びなさい。

A　感染予防の観点から標準予防策は遵守するよう義務づけられている。

解説▶別冊 p.156 ▶▶▶

B　希釈して使用する消毒薬は原液の濃度が異なり換算して作るため、毎週希釈しなおして常備する。

C　簡易的砂場消毒法とは、天気の良い日に黒のビニール袋を、砂場を覆うようにシート状に１日中被せておくことである。

D　プールの遊離残留塩素濃度を適切に保つため、毎時間水質検査を行う。

E　新しい動物を飼い始めるときには、２週間くらいの観察期間を設けて感染症を防止する。

（組み合わせ）

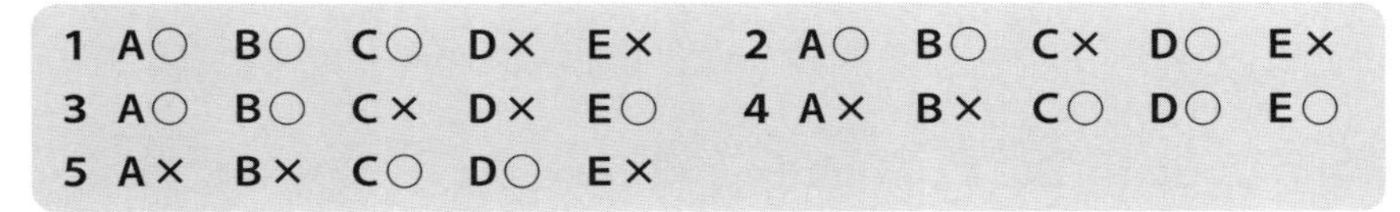

1	**A○**	**B○**	**C○**	**D×**	**E×**	**2**	**A○**	**B○**	**C×**	**D○**	**E×**
3	**A○**	**B○**	**C×**	**D×**	**E○**	**4**	**A×**	**B×**	**C○**	**D○**	**E○**
5	**A×**	**B×**	**C○**	**D○**	**E×**						

次の【事例】を読んで、【設問】に答えなさい。

【事例】

11月のある朝、保育所に登園してきたＷ君が何となく元気がないように担当のＭ保育士は思い、Ｗ君の母に様子を聞いた。Ｗ君の母は「朝、食欲がなかったので、牛乳だけ飲んできた。でも平熱で、その他はいつも通りなので連れてきた。大丈夫だと思う」と答えたので預かることにした。Ｗ君のことに注意を払いながら一人で保育をしていたところ、午前中の室内遊びの途中で突然Ｗ君が嘔吐をした。

【設問】

次のうち、担当のＭ保育士のとる行動として、最も適切な記述を一つ選びなさい。

1　他の児はそのままにしてＷ君のそばにすぐに行き、Ｗ君の介助及び嘔吐処理を行う。

2　応援を頼み、他の児をすぐにその部屋から出し、Ｗ君の介助を行い他の部屋（保健室など）に連れていく。

3 他児への対応とW君の介助及び嘔吐処理を同時に行う。

4 すぐに隣の部屋に行き、保育士を呼び、W君の介助と他の児童の対応を分担して行う。

5 すぐに嘔吐処理用の一式を用意し、嘔吐処理を行ってからW君の介助を行う。

問 13 次の文は、世界保健機関（WHO）憲章の前文にある健康の定義（官報訳）である。（　A　）～（　D　）にあてはまる語句の正しい組み合わせを一つ選びなさい。

健康とは、完全な（　A　）、（　B　）及び（　C　）福祉の状態であり、単に（　D　）又は病弱の存在しないことではない。

（組み合わせ）

	A	B	C	D
1	経済的	精神的	宗教的	障害
2	肉体的	精神的	社会的	疾病
3	精神的	霊的	経済的	障害
4	肉体的	霊的	社会的	疾病
5	肉体的	精神的	経済的	障害

問 14 次の【Ⅰ群】の病名と、【Ⅱ群】の内容を結びつけた場合の正しい組み合わせを一つ選びなさい。

【Ⅰ群】
A　A型肝炎　**B**　B型肝炎　**C**　ジフテリア　**D**　ポリオ

解説▶別冊 p.157 ～ 158 ▶▶▶

【Ⅱ群】

ア 糞口感染で伝播する。発熱、倦怠感などに続いて血清トランスアミナーゼが上昇する。典型的な症例では黄疸、肝腫大、濃色尿、灰白色便などが認められる。

イ 上気道粘膜疾患のひとつ。灰色がかった偽膜が形成され、気道が閉塞することもある。

ウ 血液・体液を介して感染し、感染した時期、感染時の宿主の免疫能によって、一過性感染に終わるものと持続感染するものとに大別される。子どもへの感染は、母子感染が一般的である。

エ 脊髄神経前角の運動神経核を侵すことで四肢を中心とする全身の筋肉の運動障害、いわゆる弛緩性麻痺（だらりとした麻痺）を起こす急性ウイルス感染症である。

（組み合わせ）

1 Aア Bイ Cウ Dエ **2** Aア Bウ Cイ Dエ
3 Aイ Bア Cウ Dエ **4** Aイ Bウ Cエ Dア
5 Aウ Bエ Cイ Dア

次のうち、ワクチンに関する記述として、不適切なものを一つ選びなさい。

1 生後２か月になったら、定期接種としてHib（ヒブ）ワクチン、小児用肺炎球菌ワクチン、B型肝炎ワクチンの予防接種を受けることが重要であることを周知する。

2 BCGは、標準接種期間の生後５か月から８か月までのできるだけ早い時期に接種することが勧められている。

3 水痘ワクチンは、１歳になったら３か月以上の間隔をあけて２回接種するのが重要である。

4 ５歳児クラス（年長組）になったら、卒園までに麻しん風しん混合（MR）ワクチンの２回目の予防接種を受けることが重要であることを周知する。

5　ロタウイルス感染症の予防接種は、任意接種であるが、感染力が強い疾患のため、発症する前に予防接種を受けることが重要であることを周知する。

次の文は、「保育所保育指針」第３章「健康及び安全」の一部である。（　A　）～（　C　）にあてはまる語句の正しい組み合わせを一つ選びなさい。

保育所保育において、子どもの健康及び（　A　）は、子どもの（　B　）と（　C　）の基本であり、一人一人の子どもの健康の保持及び増進並びに（　A　）とともに、保育所全体における健康及び（　A　）に努めることが重要となる。

（組み合わせ）

	A	B	C
1	安全の確保	道徳の向上	豊かな日常
2	安全の確保	生命の保持	健やかな生活
3	安心の保証	道徳の向上	豊かな日常
4	安全の確保	道徳の向上	健やかな生活
5	安心の保証	生命の保持	健やかな生活

次の文は、発育に関する記述である。適切な記述の組み合わせを一つ選びなさい。（★A）

A　出生時には頭囲は胸囲を上回るが、一般的には生後２歳には胸囲が頭囲よりはるかに大きくなる。

B　出生時の頭蓋骨は縫合部が閉鎖していないため、大泉門と小泉門が開いた状態であるが、大泉門は生後まもなく閉じる。

C　２歳未満の身長計測は仰臥位で行い、足蹠面（足のうらの面）を固定し、頭部に移動板を垂直に当てて目盛りを読み取る。

D　妊娠中の母親の喫煙本数が多いと出生体重は軽くなるが、父親や同居人

解説▶別冊 p.158 ～ 159 ▶▶▶

の喫煙と出生体重との間にも同様の関連がみられる。

E 出生後に肺呼吸が開始されると、心臓・血管系に、卵円孔やボタロー静脈管の閉鎖などの解剖学的変化が認められる。

（組み合わせ）

1 AC　**2** AD　**3** BD　**4** BE　**5** CE

次のうち、乳幼児の身体測定に関する記述として、適切なものを一つ選びなさい。

1 乳幼児の体重測定を行う場合は、授乳時間や食事に関係なく測定する。

2 身長については、2歳以上の児は立位で計測し、1 mm 単位まで計測する。

3 乳幼児の体重測定の際は、必ず全裸にして測定する。

4 頭囲を測定する際は、正確に測定する必要があるため、乳児の場合は必ず寝ているときに測定する。

5 胸囲を測定する際は、体軸に垂直な平面内にある巻き尺で計測しなければならないので、仰臥位で測定する。

次のうち、食物アレルギーに関する記述として、適切な記述を○、不適切な記述を×とした場合の正しい組み合わせを一つ選びなさい。

A 免疫が外から体内に入る物質を異物として認識し排除する仕組みの中で、自分自身を攻撃する状態を作り出すことをアレルギー反応と呼ぶ。

B アナフィラキシーショックは、食物アレルギーのある人に起こり、呼吸器や消化器など複数のアレルギー反応が起こるが、血圧低下など循環器の症状は起こらない。

C 食物アレルギーのある子どもには、必ずエピペン® が処方されている。

D 食物アレルギーの場合、血液検査で特異的及び非特異的 IgE を測定するが、アレルゲンとなる食物摂取制限の決め手にはならない。

（組み合わせ）

1	A○	B○	C×	D×	2	A○	B×	C○	D×
3	A○	B×	C×	D○	4	A×	B○	C○	D×
5	A×	B×	C○	D○					

問20　次のうち、児童虐待に関する記述として、正しいものを○、誤ったものを×とした場合の正しい組み合わせを一つ選びなさい。

A　不適切な養育の兆候が見られる場合には、「児童福祉法」等に基づき適切な対応を図る。

B　地域社会から孤立した家庭は、そうでない場合に比べて、児童虐待が起こりやすい。

C　児童虐待の発生予防のために、都道府県が実施主体となって「乳児家庭全戸訪問事業」が行われている。

D　児童虐待の発生予防のためには、産前産後の心身の不調などに対応できるサービスが重要である。

（組み合わせ）

1	A○	B○	C○	D×	2	A○	B○	C×	D○
3	A○	B×	C○	D×	4	A○	B×	C×	D○
5	A×	B○	C○	D○					

解説▶別冊 p.159 ～ 160 ▶▶▶

2023年・前期　子どもの食と栄養

次のうち、「食生活指針」（平成28年　文部科学省、厚生労働省、農林水産省）の「食生活指針の実践」の一部として、正しいものを○、誤ったものを×とした場合の正しい組み合わせを一つ選びなさい。

A　動物、植物、魚由来の脂肪をバランスよくとりましょう。
B　特に若年女性のやせ、高齢者の肥満にも気を付けましょう。
C　夜食や間食はとりすぎないようにしましょう。
D　たっぷり野菜と毎日の果物で、たんぱく質、炭水化物をとりましょう。

（組み合わせ）

1	A○	B○	C○	D×	2	A○	B○	C×	D○
3	A○	B×	C○	D×	4	A×	B○	C×	D○
5	A×	B×	C○	D○					

次の文は、子どもの食生活に関する記述である。適切な記述の組み合わせを一つ選びなさい。

A　「乳幼児栄養調査」（厚生労働省）は、全国の乳幼児の栄養方法及び食事の状況等の実態を把握することにより、授乳・離乳の支援や乳幼児の食生活の改善のための基礎資料を得ることを目的としている。
B　「平成27年度乳幼児栄養調査結果の概要」（厚生労働省）（回答者：２～６歳児の保護者）によると、起床時間が遅くなるにつれて、朝食を食べる子どもの割合は減少する。
C　「平成27年度乳幼児栄養調査結果の概要」（厚生労働省）（回答者：２～６歳児の保護者）によると、子どもだけで食べる「子食」は、朝食より夕食の方がその比率は高い。
D　５つの基本味は、甘味、酸味、塩味、苦味、辛味であり、子どもはさまざまな食経験とともに複雑な味も好むようになっていく。

（組み合わせ）

1 AB	2 AD	3 BC	4 BD	5 CD

次の文は、炭水化物に関する記述である。適切な記述の組み合わせを一つ選びなさい。

A 炭水化物の１gあたりのエネルギー量は９kcalである。
B 麦芽糖は、母乳や牛乳に多く含まれる。
C 果糖（フルクトース）は、単糖類である。
D 炭素（C）、水素（H）、酸素（O）で構成されている。

（組み合わせ）

1 AB	2 AC	3 BC	4 BD	5 CD

次の文は、ミネラルに関する記述である。適切な記述を○、不適切な記述を×とした場合の正しい組み合わせを一つ選びなさい。

A 亜鉛が不足すると、味覚障害の一因となる。
B 鉄は、ヘモグロビンの成分であり、レバーに多く含まれる。
C マグネシウムは、骨や歯の構成成分であり、乳製品に多く含まれる。
D ヨウ素は、甲状腺ホルモンの構成成分であり、昆布に多く含まれる。

（組み合わせ）

	A	B	C	D
1	○	○	○	○
2	○	○	×	○
3	○	×	×	×
4	×	○	×	○
5	×	×	○	○

解説▶別冊 p.161 ～ 162 ▶▶▶

次の表は、3色食品群の食品の分類に関するものである。表中の（　A　）〜（　D　）にあてはまる語句の正しい組み合わせを一つ選びなさい。

表

（　A　）のグループ （主に体を作るもとになる）	魚・肉・卵 （　C　）
（　B　）のグループ （主に体を動かすエネルギーのもとになる）	いも類 米・パン・めん類 （　D　）
緑のグループ （主に体の調子を整えるもとになる）	野菜・果物

（組み合わせ）

	A	B	C	D
1	赤	黄	大豆	油脂
2	赤	黄	きのこ	大豆
3	黄	赤	きのこ	大豆
4	黄	赤	大豆	油脂
5	黄	赤	油脂	きのこ

次の文は、日本人の食事摂取基準に関する記述である。適切な記述を○、不適切な記述を×とした場合の正しい組み合わせを一つ選びなさい。

A　日本人の食事摂取基準は、「健康増進法」に基づき、10年ごとに改定されている。

B　「日本人の食事摂取基準（2020年版）」では、生活習慣病の発症予防・重症化予防に加え、高齢者の低栄養予防やフレイル予防も視野に入れて策定された。

C　「日本人の食事摂取基準（2020年版）」の栄養素の5つの指標は、推定平均必要量、推奨量、目安量、耐容上限量、目標量である。

D 「日本人の食事摂取基準（2020年版）」の年齢区分は、1～19歳を小児、20歳以上を成人とする。

（組み合わせ）

1	A○	B○	C○	D×	2	A○	B×	C×	D×
3	A×	B○	C○	D○	4	A×	B○	C○	D×
5	A×	B×	C×	D○					

次のうち、牛乳よりも母乳に多く含まれる成分として、適切なものを○、不適切なものを×とした場合の正しい組み合わせを一つ選びなさい。

A 炭水化物　B たんぱく質　C リン　D カルシウム

（組み合わせ）

1	A○	B○	C○	D×	2	A○	B○	C×	D○
3	A○	B×	C×	D×	4	A×	B○	C○	D○
5	A×	B×	C○	D○					

次のうち、「授乳・離乳の支援ガイド」（2019年　厚生労働省）の「2　離乳の支援の方法（2）離乳の進行」の≪離乳後期（生後9か月～11か月頃）≫に関する記述として、不適切な記述を一つ選びなさい。

1 歯ぐきでつぶせる固さのものを与える。
2 離乳食は1日3回にし、食欲に応じて、離乳食の量を増やす。
3 手づかみ食べは、積極的にさせたい行動である。
4 食べさせ方は、丸み（くぼみ）のある離乳食用のスプーンを下唇にのせ、上唇が閉じるのを待つ。
5 食べる時の口唇は、左右対称の動きとなり、噛んでいる方向によっていく動きがみられる。

解説▶別冊 p.162～163 ▶▶▶

次のうち、「平成27年度乳幼児栄養調査結果の概要」（厚生労働省）に関する記述として、「授乳について困ったこと」（回答者：0～2歳児の保護者）の回答の割合が、最も高かったものを一つ選びなさい。

1 特にない
2 相談する人がいない、もしくは、わからない
3 子どもの体重の増えがよくない
4 外出の際に授乳できる場所がない
5 母乳が足りているかどうかわからない

次の文は、「楽しく食べる子どもに～食からはじまる健やかガイド～」（平成16年　厚生労働省）における「発育・発達過程に応じて育てたい“食べる力”」の一部である。幼児期の内容として、誤ったものを一つ選びなさい。

1 食べ物や身体のことを話題にする
2 いろいろな食べ物を見て、触って、味わって、自分で進んで食べようとする
3 おなかがすくリズムがもてる
4 家族や仲間と一緒に食べる楽しさを味わう
5 食べたいもの、好きなものが増える

次の文は、学童期・思春期の身体の発達と食生活に関する記述である。不適切な記述の組み合わせを一つ選びなさい。

A 「令和元年度全国体力・運動能力、運動習慣等調査」（スポーツ庁）によると、朝食を「毎日食べる」と回答した小・中学生が、それ以外の回答をした小・中学生よりも、体力合計点が低い傾向がみられた。
B 「令和元年度学校保健統計調査」（文部科学省）によると、むし歯（う歯）と判定された者は、ピーク時（昭和40～50年代）より減少傾向が続いている。
C 「日本人の食事摂取基準（2020年版）」では、12～14歳におけるカルシ

ウムの推奨量は、男女ともに他の年代に比べて最も低い。

D 「健やか親子 21（第２次）」における各課題の取組の指標のうち、「10 代の喫煙率」と「10 代の飲酒率」は、ともに「０％とする」ことを目標としている。

（組み合わせ）

1 AB	2 AC	3 BC	4 BD	5 CD

次のうち、「妊娠前からはじめる妊産婦のための食生活指針」（令和３年　厚生労働省）の一部として、正しいものを○、誤ったものを×とした場合の正しい組み合わせを一つ選びなさい。

A 無理なくからだを動かしましょう
B 乳製品、緑黄色野菜、豆類、小魚などで鉄を十分に
C お母さんと赤ちゃんのからだと心のゆとりは、周囲のあたたかいサポートから
D 妊娠前から、バランスのよい食事をしっかりとりましょう
E 「主菜」を組み合わせてたんぱく質を十分に

（組み合わせ）

	A	B	C	D	E
1	○	○	○	○	○
2	○	×	○	○	○
3	×	○	×	○	×
4	×	○	×	×	○
5	×	×	○	×	○

次の文は、「第４次食育推進基本計画」（令和３年　農林水産省）における「食育の推進に関する施策についての基本的な方針」の重点事項の一部である。次の（　A　）～（　C　）にあてはまる語句を【語群】から選択した場合の正しい組み合わせを一つ選びなさい。

解説▶別冊 p.164 ～ 165 ▶▶▶

・(　A　)心身の健康を支える食育の推進
・(　B　)を支える食育の推進
・「新たな日常」や(　C　)に対応した食育の推進

【語群】

ア	若い世代を中心とした	イ	生涯を通じた	ウ	食の循環や環境
エ	持続可能な食	オ	多様な暮らし	カ	デジタル化
キ	国際化				

(組み合わせ)

1	Aア	Bウ	Cカ	2	Aア	Bエ	Cキ	3	Aイ	Bウ	Cオ
4	Aイ	Bエ	Cカ	5	Aイ	Bオ	Cキ				

問14 次の【Ⅰ群】の郷土料理と、【Ⅱ群】の都道府県を結びつけた場合の正しい組み合わせを一つ選びなさい。

【Ⅰ群】
A　かきめし
B　三平汁
C　さんが焼き
D　ゴーヤーチャンプルー

【Ⅱ群】
ア　広島県
イ　千葉県
ウ　北海道
エ　沖縄県

(組み合わせ)

1	Aア	Bウ	Cイ	Dエ	2	Aア	Bエ	Cウ	Dイ
3	Aイ	Bウ	Cア	Dエ	4	Aウ	Bイ	Cエ	Dア
5	Aエ	Bア	Cイ	Dウ					

次のうち、「保育所保育指針」第３章「健康及び安全」の２「食育の推進」の一部として、正しいものを○、誤ったものを×とした場合の正しい組み合わせを一つ選びなさい。

A 食事の提供を含む食育計画を全体的な計画に基づいて作成し、その評価及び改善に努めること。

B 保育所における食育は、健康な生活の基本としての「生きる力」の育成に向け、その基礎を培うことを目標とすること。

C 栄養士が配置されている場合は、専門性を生かした対応を図ること。

D 子どもと調理員等との関わりや、調理室など食に関わる保育環境に配慮すること。

（組み合わせ）

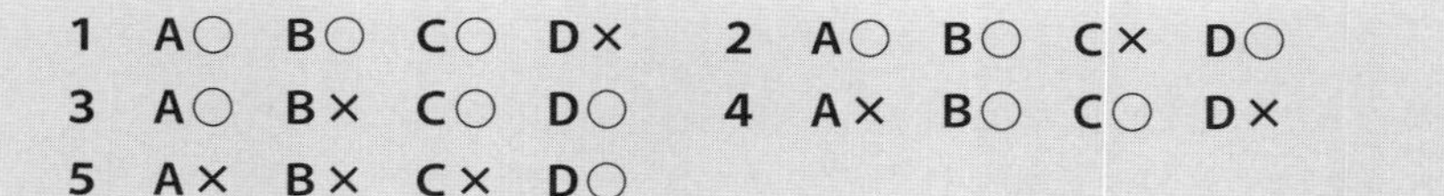

1	**A○**	**B○**	**C○**	**D×**	**2**	**A○**	**B○**	**C×**	**D○**
3	**A○**	**B×**	**C○**	**D○**	**4**	**A×**	**B○**	**C○**	**D×**
5	**A×**	**B×**	**C×**	**D○**					

次のうち、食中毒予防に関する記述として、不適切なものを一つ選びなさい。

1 食中毒予防の三原則は、「付けない、増やさない、やっつける」である。

2 黄色ブドウ球菌の食中毒は、化膿した傷などに触った手指での調理等が原因としてあげられる。

3 乳児ボツリヌス症予防のために、１歳未満の子どもに、はちみつを与えない。

4 カンピロバクターの食中毒は、十分に加熱していない鶏肉が原因となることが多い。

5 サルモネラ菌の食中毒は、カレーやシチューの再加熱が不十分であることが原因となることが多い。

解説▶別冊 p.165 ▶▶▶

次の文は、「食品による子どもの窒息・誤嚥（ごえん）事故に注意！」（令和３年１月　消費者庁）における食品の窒息・誤嚥事故防止に関する記述である。適切な記述を○、不適切な記述を×とした場合の正しい組み合わせを一つ選びなさい。

A 豆やナッツ類は、小さく砕いて与えれば、肺炎や気管支炎のリスクにはなりません。

B 物を口に入れたままで、走ったり、笑ったり、泣いたり、声を出したりすると、誤って吸引し、窒息・誤嚥するリスクがあります。

C ミニトマトやブドウ等の球状の食品は、乳幼児には、４等分する、調理して軟らかくするなどして、よく噛んで食べさせましょう。

D 食べているときは、姿勢を良くし、食べることに集中させましょう。

（組み合わせ）

1	**A○**	**B○**	**C×**	**D×**
2	**A○**	**B×**	**C○**	**D○**
3	**A○**	**B×**	**C×**	**D○**
4	**A×**	**B○**	**C○**	**D○**
5	**A×**	**B×**	**C○**	**D×**

次の図は、「児童福祉施設における食事の提供ガイド」（平成22年厚生労働省）における「子どもの健やかな発育・発達を目指した食事・食生活支援」である。図中のＡ～Ｄにあてはまらないものを一つ選びなさい。

図

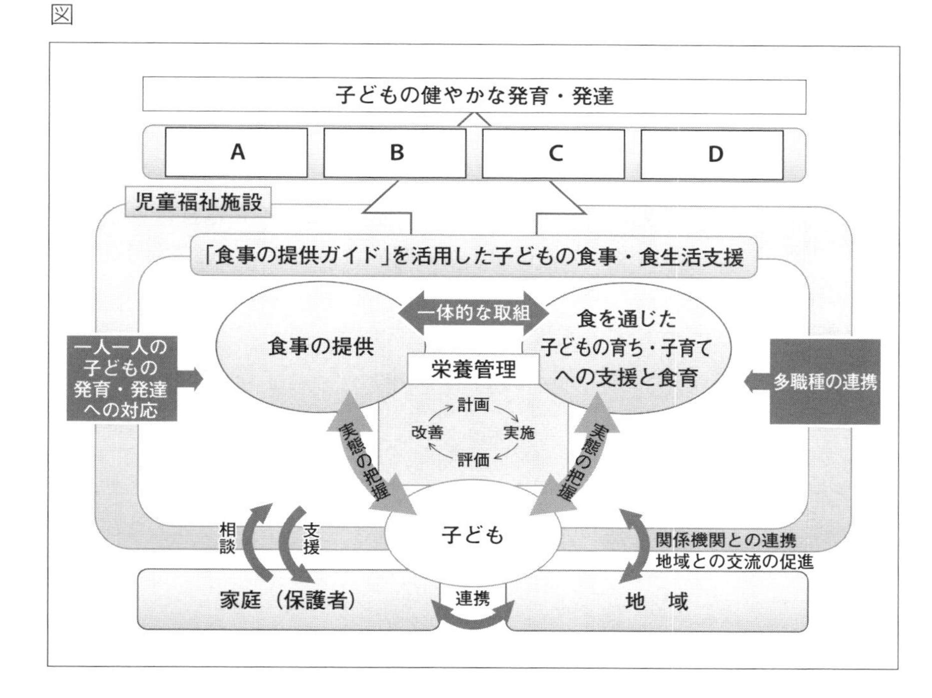

1　食環境の整備

2　安全・安心な食事の確保

3　食生活の自立支援

4　心と体の健康の確保

5　豊かな食体験の確保

次のうち、食物アレルギーに関する記述として、適切な記述の組み合わせを一つ選びなさい。

A　鶏卵アレルギーは卵黄のアレルゲンが主原因である。

B　小麦アレルギーの場合、米や他の雑穀類は摂取することができる。

C　鶏卵を材料とする天ぷらの衣やハンバーグのつなぎなどは、いも類やでんぷんで代替可能である。

D　牛乳アレルギーの場合、基本的に牛肉も除去する。

解説▶別冊 p.166 ▶▶▶

（組み合わせ）

1　A B　　2　A C　　3　B C　　4　B D　　5　C D

次の文は、授乳及び調乳に関する記述である。適切な記述を○、不適切な記述を×とした場合の正しい組み合わせを一つ選びなさい。

A　調乳にあたって使用する湯は、40℃以上を保つ。

B　常温で保存していた場合は、調乳後２時間以内に使用しなかったミルクは廃棄する。

C　冷凍母乳を用いる場合は、搾乳、冷凍、運搬など、すべてが衛生的に行われるようにする。

D　調乳法には無菌操作法や終末殺菌法がある。

（組み合わせ）

1　A○　B○　C○　D×　　2　A○　B○　C×　D×
3　A○　B×　C○　D○　　4　A×　B○　C○　D○
5　A×　B×　C×　D○

2023年・前期　保育実習理論

問1　次の曲の伴奏部分として、A～Dにあてはまるものの正しい組み合わせを一つ選びなさい。

（組み合わせ）

1	Aア	Bウ	Cイ	Dア	2	Aイ	Bア	Cウ	Dエ
3	Aイ	Bウ	Cエ	Dウ	4	Aウ	Bア	Cイ	Dウ
5	Aウ	Bエ	Cア	Dエ					

次のA～Dの音楽用語の意味を【語群】から選択した場合の正しい組み合わせを一つ選びなさい。

A　adagio　　**B**　ritardando　　**C**　D.C.　　**D**　molto

解説▶別冊 p.166～167

【語群】

ア	柔らかく	**イ**	ゆるやかに	**ウ**	悲しげに
エ	だんだんゆるやかに	**オ**	はじめに戻る	**カ**	非常に
キ	セーニョに戻る	**ク**	だんだん弱く	**ケ**	元気に速く
コ	だんだん遅く				

（組み合わせ）

1　Aア　Bウ　Cオ　Dク　2　Aイ　Bエ　Cキ　Dカ
3　Aイ　Bコ　Cオ　Dカ　4　Aケ　Bエ　Cキ　Dア
5　Aケ　Bコ　Cク　Dウ

次の楽譜から長三和音（メジャーコード）を抽出した正しい組み合わせを一つ選びなさい。

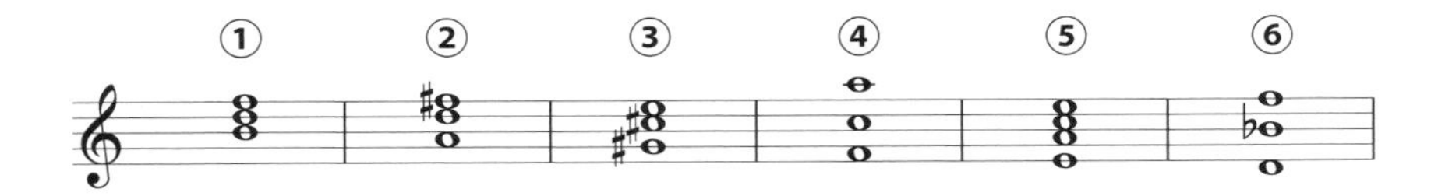

（組み合わせ）

1　①　③　④　2　①　⑤　⑥　3　②　③　⑤
4　②　④　⑥　5　③　④　⑥

次の曲を５歳児クラスで歌ってみたところ最高音が歌いにくそうであった。そこで短３度下げて歌うことにした。その場合、下記のコードはどのように変えたらよいか。正しい組み合わせを一つ選びなさい。

（組み合わせ）

1	F：C	B♭：E♭	C7：G7	2	F：C	B♭：F	C7：G7
3	F：D	B♭：G	C7：A7	4	F：D	B♭：F	C7：A7
5	F：A	B♭：D	C7：E7				

次のリズムは、ある曲の歌い始めの部分である。それは次のうちのどれか、一つ選びなさい。

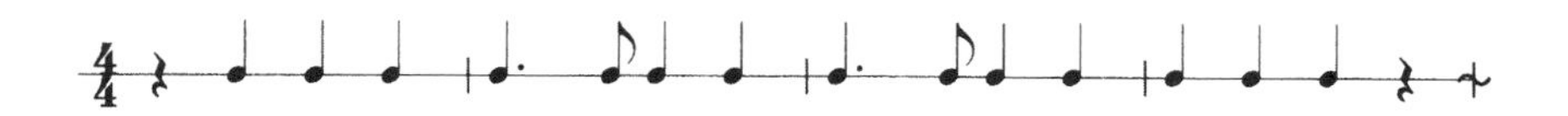

1　冬げしき（文部省唱歌）
2　うみ（文部省唱歌、作詞：林柳波　作曲：井上武士）
3　茶つみ（文部省唱歌）
4　とんび（作詞：葛原しげる　作曲：梁田 貞）
5　まきばの朝（文部省唱歌、作曲：船橋栄吉）

次の文のうち、適切な記述を一つ選びなさい。

1　「ソーラン節」は、千葉県発祥の民謡である。
2　ケーナは、南アジア発祥の民族楽器である。
3　「夕やけ小やけ」の作詞者は、北原白秋である。
4　「おつかいありさん」は、４分の２拍子である。
5　ピアノの楽譜で変ホ長調の調号は、フラットが二つである。

解説▶別冊 p.168 ▶▶▶

次の文は、「保育所保育指針」第２章「保育の内容」２「１歳以上３歳未満児の保育に関わるねらい及び内容」（２）「ねらい及び内容」オ「表現」の一部である。（ A ）～（ C ）にあてはまる語句の正しい組み合わせを一つ選びなさい。

・ 生活の中で様々な音、形、色、（ A ）、動き、味、（ B ）などに気付いたり、感じたりして楽しむ。
・ 保育士等からの話や、生活や遊びの中での（ C ）を通して、イメージを豊かにする。

（組み合わせ）

	A	B	C
1	感触	温度	経験
2	感触	香り	経験
3	手触り	香り	出来事
4	感触	温度	出来事
5	手触り	温度	経験

次のA～Dは、「積み木遊び」の発達に関わる特徴的な行動を示している。これらについて早く現れる順に並べた場合の最も適切な組み合わせを一つ選びなさい。

A 一つの積み木を見立てて車として遊んだり、象徴的に意味付けしたりする。
B 積み木をもてあそんだり、積み木同士をぶつけたりして音などを楽しんでいる。
C 積み木を組み合わせて、家などを作るようになる。
D 見通しや構想を持って友達と協同しながら、町などを作るようになる。

（組み合わせ）

1	A→B→C→D	2	B→A→C→D	3	C→B→D→A
4	C→D→A→B	5	D→C→A→B		

問9 **次の文のうち、保育で一般的に用いられる合成繊維製のテープ紐の性質や使用上の留意点に関する記述として、適切なものを○、不適切なものを×とした場合の正しい組み合わせを一つ選びなさい。**

A 水に溶けやすい性質である。

B 薄くて強度と幅の広さがあるため、新聞紙や雑誌等をくくる際に使うことができる。

C ポリエチレン（PE）製のものは屋外で使用しても、すぐに土の中で分解されるので放置しておいてもよい。

D 長手方向に簡単に裂くことができ、踊りや応援などで用いる「ポンポン」をつくることができる。

（組み合わせ）

1	A○	B○	C×	D×	2	A×	B○	C○	D×
3	A×	B○	C×	D○	4	A×	B×	C○	D×
5	A×	B×	C×	D○					

問10 **宮沢賢治著『銀河鉄道の夜』では、色の世界が豊かに表現されている。次の一節を読んで、【設問】に答えなさい。**

「そのきれいな水は、ガラスよりも水素よりもすきとおって、ときどき眼の加減か、ちらちら紫いろのこまかな波をたてたり、虹のようにぎらっと光ったりしながら、声もなくどんどん流れて行き、野原にはあっちにもこっちにも、燐光の三角標が、うつくしく立っていたのです。遠いものは小さく、近いものは大きく、遠いものは橙や黄いろではっきりし、近いものは青白く少しかすんで、或いは三角形、或いは四辺形、あるいは電（いなずま）や鎖の形、さまざまにな

解説▶別冊 p.169 ▶▶▶

らんで、野原いっぱい光っているのでした。ジョバンニは、まるでどきどきして、頭をやけに振りました。するとほんとうに、そのきれいな野原中の青や橙や、いろいろかがやく三角標も、てんでに息をつくように、ちらちらゆれたり顫(ふる)えたりしました。」

【設問】

次のうち、文中に出てくる色名や色にかかわる現象の説明として、適切なものを○、不適切なものを×とした場合の正しい組み合わせを一つ選びなさい。

A　「紫」は、赤と青の混色でできる色である。
B　「虹」は、空気中にある無数の水滴によって太陽光線が分光されてできる。
C　「青」は、緑と黄の混色でできる色である。
D　「黄」は、色の三原色の一つであるが光の三原色の一つではない。

（組み合わせ）

1	**A**○	**B**○	**C**○	**D**○	**2**	**A**○	**B**○	**C**×	**D**○
3	**A**○	**B**×	**C**×	**D**×	**4**	**A**×	**B**○	**C**×	**D**○
5	**A**×	**B**×	**C**○	**D**×					

次の【事例】を読んで、【設問】に答えなさい。

【事例】

G保育所のT所長と新任のK保育士が、子どもがつけて遊ぶことができるお面づくりについて話をしています。

K保育士：子どもたちには今、流行りのキャラクターがとても人気なので、そのお面をつくろうと考えています。先生はどう思われますか。
T所長　：キャラクターは、子どもたちの（　**A**　）として人気があるかもしれないですね。

K保育士：お面をつくれば、子どもたちはなりきって夢中になって遊ぶ気がします。
T所長　：そうですね。子どもたちにとっては、友達との（　**B**　）遊びなど既存のイメージを共有した遊びを通して（　**C**　）意識が育つ側面はあるかもしれませんが、その反面、キャラクターを知らない子たちにも同じように楽しめる工夫をしたいですね。
K保育士：今、流行っているからといっても、制作する際にはその良さや子どもたちに与える様々な影響を考えないといけないですね。

【設問】
（　**A**　）～（　**C**　）にあてはまる語句の正しい組み合わせを一つ選びなさい。

（組み合わせ）

	A	B	C
1	憧れ	ごっこ	問題
2	情報	感触	仲間
3	情報	感触	安全
4	情報	ごっこ	問題
5	憧れ	ごっこ	仲間

M保育所では、切り紙で七夕祭りの飾りを作ろうと準備している。紙を折って、ハサミで切り込みを入れ、図1のような形状の飾りを作る場合、切り込みの入れ方として、図2の1～5のうち、正しいものを一つ選びなさい。

解説▶別冊 p.170 ▶▶▶

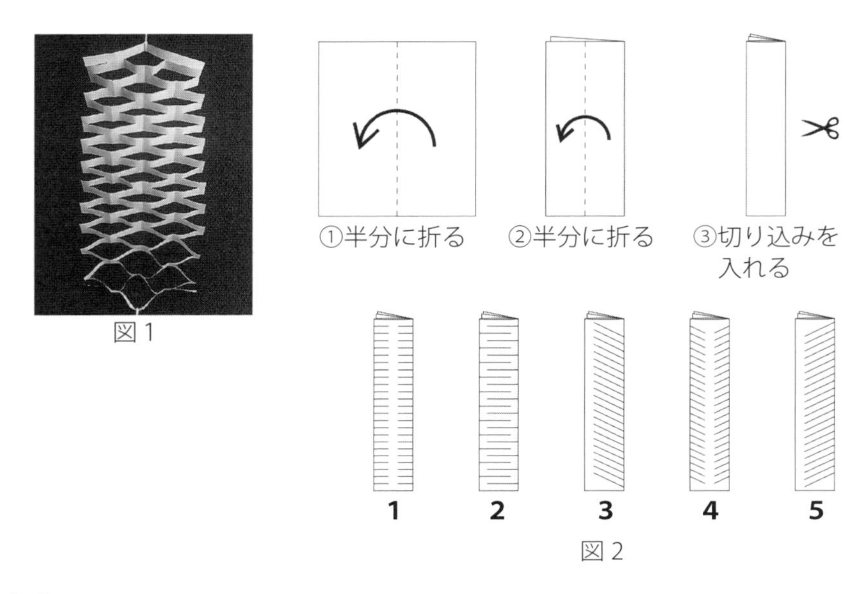

図1

図2

問13 **次の文は、「保育所保育指針」第２章「保育の内容」３「３歳以上児の保育に関するねらい及び内容」（２）「ねらい及び内容」エ「言葉」の一部である。（　A　）～（　C　）にあてはまる語句の正しい組み合わせを一つ選びなさい。**

経験したことや考えたことなどを（　A　）言葉で表現し、相手の話す言葉を（　B　）意欲や態度を育て、言葉に対する（　C　）や言葉で表現する力を養う。

（組み合わせ）

	A	B	C
1	自分なりの	わかろうとする	感覚
2	正確な	わかろうとする	理解
3	自分なりの	聞こうとする	感覚
4	自分なりの	わかろうとする	理解
5	正確な	聞こうとする	理解

問 14　次の【事例】を読んで、【設問】に答えなさい。

【事例】

U保育所は、地域の子育て支援センターとして、一時保育や園庭開放を実施している保育所である。U保育所に勤務するS保育士は、勤務６年目になる保育士であり、地域の子育て支援の役割や新任保育士の指導なども担当するようになってきている。そこでS保育士は、保育士の責務と倫理について振り返ることとした。

【設問】

次のS保育士の行動のうち、保育士の責務と倫理に照らして、適切なものを○、不適切なものを×とした場合の正しい組み合わせを一つ選びなさい。

A　近隣の公民館で子育てサークルを定期的に開催している民生委員の方から依頼を受け、遊びの指導を行った。

B　保護者会で「子どもに野菜などを栽培する機会をもたせたい」という要望があったが、現在の園内には野菜を栽培するスペースがなかった。そこで地域の社会福祉協議会に相談したところ、近隣の農園で野菜の栽培を行っている老人会を紹介してもらい、子どもたちと一緒に栽培に参加した。

C　保育所からの帰宅途中、新任のＪ保育士と同じ路線バスに乗り合わせた。Ｊ保育士は、保護者対応に悩んでいるようであり、その保護者のことについて相談をしてきたが、「ここでは話を聞けないので、明日保育所で相談する時間をつくります」と伝えて、バスの車内では話を聞かなかった。

（組み合わせ）

1	A○	B○	C○
2	A○	B○	C×
3	A○	B×	C○
4	A×	B×	C○
5	A×	B×	C×

解説▶別冊 p.170 ▶▶▶

次の【事例】を読んで、【設問】に答えなさい。

【事例】

実習生Mさんは、保育所の５歳児クラスで実習をしている。５歳児クラスの担当保育士と相談をして、実習の後半に、Mさんが主になってレストランごっこの活動を担うことになった。そこでMさんは、「友達とレストランごっこを楽しむ」と「日常生活の中で、文字などで伝える楽しさを味わう」というねらいをもって、レストランごっこの指導計画を立てることにした。

【設問】

次の文のうち、実習生Mさんが実習の指導計画の「実習生の活動」に記載した内容として、適切な記述を○、不適切な記述を×とした場合の正しい組み合わせを一つ選びなさい。

A　レストランやみんなで食事を楽しむ様子が描かれた絵本を読む。

B　「レストランには何があるかな？」とレストランごっこのイメージが膨らむような言葉掛けをする。

C　友達と相談しながら、メニュー表にメニューの名前が書けるように、スペースや画材を準備する。

D　Mさんが判読できない文字を書いている子どもには、「まちがっているよ」と伝え、正しい書き方に直させる。

（組み合わせ）

1	A○	B○	C○	D×
2	A○	B○	C×	D×
3	A○	B×	C○	D×
4	A×	B○	C×	D○
5	A×	B×	C×	D○

次の文のうち、「保育所保育指針」第１章「総則」３「保育の計画及び評価」（３）「指導計画の展開」の留意事項の一部として、誤ったものを一つ選びなさい。

1 施設長、保育士など、全職員による適切な役割分担と協力体制を整えること。

2 子どもが行う具体的な活動は、生活の中で様々に変化することに留意して、子どもが望ましい方向に向かって自ら活動を展開できるよう必要な援助を行うこと。

3 子どもの主体的な活動を促すためには、保育士等が多様な関わりをもつことが重要であることを踏まえ、子どもの情緒の安定や発達に必要な豊かな体験が得られるよう援助すること。

4 保育士等は、子どもの実態や子どもを取り巻く状況の変化などに即して保育の過程を記録するとともに、これらを踏まえ、指導計画に基づく保育の内容の見直しを行い、改善を図ること。

5 保育課程に基づき、子どもの生活や発達を見通した短期的な指導計画と、それに関連しながら、より具体的な子どもの日々の生活に即した長期的な指導計画を作成して保育が適切に展開されるようにすること。

次の文は、「保育所保育指針」第２章「保育の内容」３「３歳以上児の保育に関するねらい及び内容」（１）「基本的事項」の一部である。（ A ）～（ C ）にあてはまる語句の正しい組み合わせを一つ選びなさい。

この時期においては、運動機能の発達により、基本的な動作が一通りできるようになるとともに、基本的な生活習慣もほぼ自立できるようになる。理解する語彙数が急激に増加し、知的興味や関心も高まってくる。仲間と遊び、仲間の中の一人という自覚が生じ、（ A ）遊びや（ B ）活動も見られるようになる。これらの発達の特徴を踏まえて、この時期の保育においては、（ C ）と集団としての活動の充実が図られるようにしなければならない。

解説▶別冊 p.171 ▶▶▶

（組み合わせ）

	A	B	C
1	集団的な	一斉	個の支援
2	集団的な	協同的な	個の成長
3	ごっこ	協同的な	個の支援
4	集団的な	一斉	個の成長
5	ごっこ	一斉	個の支援

次の【事例】を読んで、【設問】に答えなさい。

【事例】

大学生のＰさんは、保育実習指導Ｉの授業で、保育所実習における観察の方法や記録の取り方、実習の振り返りをどのように行うかについて学び、その要点をノートに整理した。

【設問】

次の文のうち、保育所実習の観察、記録、振り返りの要点として、適切な記述を○、不適切な記述を×とした場合の正しい組み合わせを一つ選びなさい。

A 子どもや保育士の言動だけでなく、遊具や設備も含めて観察する。

B 保育士の子どもへの関わり方や援助の方法、言葉づかいだけでなく、保育士同士の連携も含めて観察する。

C 観察したことを客観的に記録するために、自分の思いや考えたことは書かない。

D 担当保育士からの助言・感想を聞いて、自分のできなかったことや反省すべきことに限定して振り返る。

（組み合わせ）

1	A○	B○	C○	D×	2	A○	B○	C×	D×
3	A○	B×	C○	D×	4	A×	B○	C×	D○
5	A×	B×	C×	D○					

次の【事例】を読んで、【設問】に答えなさい。

【事例】

Hさん（女性）は、児童養護施設で実習をしている。実習後半となり、子どもたちとも打ち解けてきたという印象をもっていたある日のことであった。中学２年生の女子児童から、「職員はみんな仕事で世話してるだけだし。私のことなんて真剣に考えてくれてないんだよ」と言われた。Hさんは突然の出来事のなかでどうしてよいかわからず何も答えることができなかった。

【設問】

次のうち、Hさんの対応として、適切なものを○、不適切なものを×とした場合の正しい組み合わせを一つ選びなさい。

A その日の実習記録にその出来事を記載し、実習指導者から助言を受ける。
B 「そんなこと言うものではない」と女子児童を批難する。
C なぜそのような言葉を発したのかについて考察する。

（組み合わせ）

1	A○	B○	C○	2	A○	B×	C○	3	A×	B○	C×
4	A×	B×	C○	5	A×	B×	C×				

解説▶別冊 p.171 ～ 172 ▶▶▶

問20　次の【事例】を読んで、【設問】に答えなさい。

【事例】

X児童養護施設に入所しているZ君（高校3年生、男児）は、高校卒業後は就職を希望している。しかし、W保育士が就職に関する話をしようとすると「今度にして」「今日はそういう気分じゃない」と言われ、W保育士と話す時間をとろうとしなかった。ある日、「テレビ見たいから後で」というZ君と個室で向き合い「少し就職について話をしたいのだけど」と伝えたところ、Z君は、「自分は働いたことがないし、人と付き合うのも苦手だから就職が不安」と言った。

【設問】

次のうち、W保育士の対応として、適切なものを○、不適切なものを×とした場合の正しい組み合わせを一つ選びなさい。

A　Z君に、職場体験プログラムに参加してみながら今後の就職に向けて一緒に考えていくことを提案する。

B　Z君に「自分の問題なのだから、自分で考えて決めて、決まったら教えてね」と伝える。

C　就職についての話には触れないようにする。

D　Z君が進学を選択できるような支援に切り替える。

（組み合わせ）

1	A○	B○	C○	D×
2	A○	B○	C×	D×
3	A○	B×	C×	D×
4	A×	B○	C○	D○
5	A×	B×	C○	D○

問3　次の文は、社会的認知の発達に関する記述である。（　A　）～（　D　）にあてはまる用語を【語群】から選択した場合の最も適切な組み合わせを一つ選びなさい。

人は行動の背後に心の状態があると想像する。例えば、物に手を伸ばしている人を見ると、その人は物を取ろうとしていると解釈する。そのような人の心に関する日常的で常識的な知識をハイダー（Heider, F.）は（　**A**　）と呼んだ。他人の心の働きを理解し、それに基づいて他人の行動を予測することができるかどうかについて、心理学の領域では（　**B**　）の問題として研究されてきた。（　**B**　）は（　**C**　）と呼ばれる次に示すような方法で評価される。

【状況説明】

Sちゃんは、母親に頼まれ、チョコレートを緑の棚にしまいました。Sちゃんが遊びに行っている間、母親はお菓子作りのためにチョコレートを取り出し、それを緑の棚ではなく青の棚にしまいました。母親が部屋を出た後にSちゃんが帰ってきて、しまっておいたチョコレートを食べようとしました。

【質問】

Sちゃんはチョコレートを見つけるためにどこを探すでしょうか。

このような場所置き換え型の問題は単一の人物の（　**D**　）を問うものであり、４歳以降徐々に理解が進む。

【語群】

ア	人間心理学	**イ**	思考	**ウ**	コミック会話
エ	信念	**オ**	コミュニケーション	**カ**	誤信念課題
キ	心の理論	**ク**	素朴心理学		

解説▶別冊 p.173 ▶▶▶

（組み合わせ）

1	Aア	Bオ	Cウ	Dイ	2	Aア	Bキ	Cカ	Dエ
3	Aク	Bオ	Cウ	Dイ	4	Aク	Bオ	Cカ	Dイ
5	Aク	Bキ	Cカ	Dエ					

次のうち、A～Dの子どもの行動の基盤となる発達に関する用語を【語群】から選択した場合の最も適切な組み合わせを一つ選びなさい。

A おもちゃを取られて泣いている他児に近づき、自分が手に持っているおもちゃを差し出す。

B 初めて見る物が目の前にあるときに、それを触ってよいかわからないので保育士の表情を見る。

C 「今、ここにある物」を「今、ここにない物」に見立てて遊ぶ。

D 乳児期初期に、他者の顔の動きを無意識に模倣する。

【語群】

ア	向社会的行動	イ	自己調整	ウ	象徴機能
エ	社会的参照	オ	安全基地	カ	共同注意
キ	共鳴動作	ク	延滞模倣		

（組み合わせ）

1	Aア	Bエ	Cウ	Dキ	2	Aア	Bオ	Cエ	Dク
3	Aイ	Bエ	Cカ	Dク	4	Aイ	Bオ	Cウ	Dキ
5	Aイ	Bカ	Cエ	Dキ					

次のうち、ピアジェ（Piaget, J.）の考え方に関する記述として、適切なものを○、不適切なものを×とした場合の正しい組み合わせを一つ選びなさい。

A 子どもの道徳性は、大人に依存する人間関係の中で、既存の道徳を受容する他律的道徳から、仲間との対等な関係の中で、ルールを作り出す自律的道徳へと発達する。

B 子どもの道徳判断は、８～９歳頃を境に、行為の結果による判断から行為の動機による判断へと移行する。

C 子どもが世界を認識していく過程には、量的に異なる４つの段階がある。

D 子どもの認知発達において、具体的操作期では記号や数字といった抽象的な事柄についての論理的な思考が可能になっていく。

（組み合わせ）

1	A○	B○	C○	D×
2	A○	B○	C×	D×
3	A○	B×	C○	D○
4	A×	B×	C○	D○
5	A×	B×	C×	D○

次のうち、ヴィゴツキー（Vygotsky, L.S.）が指摘した事柄に関する記述として、適切なものを○、不適切なものを×とした場合の正しい組み合わせを一つ選びなさい。

A 子どもは環境の中に埋め込まれている情報を見出しながら行動を起こしており、環境は子どもが関わるものにとどまらず、環境が子どもに働きかけている。

B 子どもの発達には、他者の援助がなくても独力で達成できる水準と、他者の援助があれば達成できる水準の２つがあり、他者との関わり合いの中で発達は促されていく。

C 子どものひとりごとは、他者に向かうコミュニケーションのための言葉が、自分に向かう思考のための言葉となっていく過程で現れる。

D 子どもの概念は、日常の生活経験を通して自然に獲得する生活概念と、

解説▶別冊 p.174 ▶▶▶

主に学校で教育される科学的概念が相互に関連をもちながら発達していく。

（組み合わせ）

1	**A○**	**B○**	**C○**	**D○**	**2**	**A○**	**B×**	**C○**	**D×**
3	**A○**	**B×**	**C×**	**D×**	**4**	**A×**	**B○**	**C○**	**D○**
5	**A×**	**B×**	**C×**	**D○**					

次の文は、保育所での子どもの遊びについての観察記録である。パーテン（Parten, M.B.）の遊びの社会的参加の分類に基づいて、A～Dに関する用語を【語群】から選択した場合の最も適切な組み合わせを一つ選びなさい。

A　３歳児３人がそれぞれ粘土を使って遊んでいたが、そのうちの一人がウサギの耳を作り始めると、それを見ていた他の２人も、真似をしてそれぞれ粘土で動物の耳を作り始めた。

B　５歳児数人が大型積み木で四角い枠を作り、温泉の看板を立てて、他の子どもたちに入場券を配って回った。すると、入場券をもらった子どもたちが、お客さんとして次々に温泉に入りに来た。

C　４歳児５人がテーブルの上に製作したカップケーキを並べて、お店屋さんごっこをしようとしていた。そのうちの一人は人形を椅子に座らせてお誕生日会を開こうとしているようであったが、他の４人にはイメージが共有されていなかった。

D　５歳児のＳ君がお誕生日会でクラスの友達にプレゼントするために、段ボールで黙々とケーキを製作していた。

【語群】

ア	見立て遊び	**イ**	一人遊び	**ウ**	構成遊び
エ	平行遊び	**オ**	協同遊び	**カ**	連合遊び

（組み合わせ）

1	Aア	Bオ	Cエ	Dイ	2	Aイ	Bエ	Cカ	Dウ
3	Aエ	Bウ	Cオ	Dカ	4	Aエ	Bオ	Cカ	Dイ
5	Aカ	Bア	Cウ	Dエ					

次の【事例】を読んで、下線部（a）～（e）に関する用語を【語群】から選択した場合の最も適切な組み合わせを一つ選びなさい。

【事例】

・1歳半を過ぎたYちゃんは、（a）目にした物を自分の知っている言葉で表そうとして、例えば、「ワンワン」をイヌだけでなく、あらゆる四つ足の動物に使っている。また、物には名前があることを理解して、（b）「これは？」とさかんに指さしをして尋ねるようになり、保育士との言葉を使ったやりとりを通して、（c）Yちゃんの語彙は急激に増加していった。

・4歳のG君は、友達のH君のお父さんの職業が“カメラマン”であると聞いて、（d）「“○○マン”はヒーロー」という自分のもつ枠組みで捉えて「それって強い？」と尋ねた。そこで、保育士がカメラマンはヒーローではなく、職業であることを説明すると、G君は（e）保育士から聞いた情報に合うように、既存の枠組みを修正して、「ヒーローではなくても“○○マン”ということがある」という枠組みを再構成した。

【語群】

ア	置き換え	イ	同化	ウ	語彙爆発（vocabulary spurt）
エ	一語文期	オ	調節	カ	語の過小般用／語彙縮小（over-restriction）
キ	同一視	ク	命名期	ケ	語の過大般用／語彙拡張（over-extension）

解説▶別冊 p.175 ▶▶▶

（組み合わせ）

1	aウ	bエ	cケ	dイ	eア	2	aウ	bク	cケ	dイ	eオ
3	aカ	bエ	cウ	dキ	eア	4	aケ	bエ	cウ	dキ	eア
5	aケ	bク	cウ	dイ	eオ						

次のうち、自己の発達に関する記述として、適切なものを○、不適切なものを×とした場合の正しい組み合わせを一つ選びなさい。

A 自己の中でも、自分の姿や名前、性格など周りの人が捉えることができる様々な特徴が含まれる側面を主体的自己という。

B 鏡映像の自己認知ができる子どもは1歳半頃から急激に増え、2歳頃ではかなりの子どもが可能になる。

C ルイス（Lewis, M.）によれば、1歳半頃になると誇りや恥などの感情がみられるようになり、それらの感情が生じるには、客体的自己意識が獲得されている必要がある。

D 学童期の初め頃になると、社会的比較が可能になるため、自己について肯定的な側面だけでなく否定的な側面の評価も可能になる。

（組み合わせ）

1	A○	B○	C×	D×	2	A○	B×	C○	D○
3	A○	B×	C○	D×	4	A×	B○	C×	D×
5	A×	B×	C×	D○					

次の文は、動機づけに関する記述である。（ A ）～（ D ）にあてはまる用語の最も適切な組み合わせを一つ選びなさい。

ある行動を引き起こし、その行動を持続させ、結果として一定の方向に導く心理的過程を動機づけと呼ぶ。動機づけの中でも、「ご褒美に欲しい物を買ってもらえるから」「先生に褒めてもらえるから」など他の欲求を満たすための手段としてある行動を生じさせることを（ A ）、「興味があるから」「面白いから」など行動自体を目的としてある行動を生じさせることを（　B　）という。（　B　）に基づく行動に対して外的な報酬を与えることによって、（　B　）が低下することを（　C　）という。これは、「他者にコントロールされて行動している」「報酬のために行動している」と認識するようになり、（　D　）が損なわれるためである。

（組み合わせ）

	A	B	C	D
1	内発的動機づけ	外発的動機づけ	エンハンシング効果	安定性
2	内発的動機づけ	外発的動機づけ	アンダーマイニング現象	安定性
3	外発的動機づけ	内発的動機づけ	エンハンシング効果	安定性
4	外発的動機づけ	内発的動機づけ	エンハンシング効果	自律性
5	外発的動機づけ	内発的動機づけ	アンダーマイニング現象	自律性

次のうち、中年期に関する記述として、適切なものを○、不適切なものを×とした場合の正しい組み合わせを一つ選びなさい。

A　女性は閉経を迎えてエストロゲンの分泌が低下することにより、更年期障害と呼ばれる諸症状が現れやすい。

B　エリクソン（Erikson, E.H.）は、中年期の心理・社会的危機を「親密性　対　孤独」としている。

C　子どもの自立に伴い親役割の喪失が生じることで「空の巣症候群」が生じ、何をしてよいかわからなくなって無気力になったり、抑うつ状態になったりする場合がある。

D　自分とは何者であるのかに悩み、様々なものに取り組んで、初めてアイデンティティを模索する。

解説▶別冊 p.175 ～ 176 ▶▶▶

（組み合わせ）

1	A○	B○	C○	D○	2	A○	B○	C○	D×
3	A○	B×	C○	D×	4	A×	B○	C×	D×
5	A×	B×	C×	D○					

次の文は、家族を理解する視点についての記述である。（　A　）〜（　C　）にあてはまる用語の最も適切な組み合わせを一つ選びなさい。

家族を理解する視点の一つに（　A　）がある。（　A　）とは、家族の誕生から家族がなくなるまでの過程をたどる理論であり、そこには発達段階と発達課題がある。家族を理解するためのもう一つの理論として（　B　）がある。家族はそれを構成する個人がいなければ成り立たないと同時に、社会との関わりをもたない家族も存在しない。このように、（　B　）では、多層的に積み重なって家族は存在し、互いに影響し合うという視点に立つ。一方、家族を多世代にわたって把握する方法として、三世代程度の家族の関係を図で表したものが（　C　）である。（　C　）からは、視覚的に家族の歴史を知ることで、家族に関する情報を得ることができる。

（組み合わせ）

	A	B	C
1	家族ライフプロセス論	家族バランス論	エコマップ
2	家族ライフプロセス論	家族システム論	ジェノグラム
3	家族ライフサイクル論	家族バランス論	エコマップ
4	家族ライフサイクル論	家族システム論	ジェノグラム
5	家族ライフサイクル論	家族バランス論	ジェノグラム

次のうち、親になることに関する記述として、適切なものを○、不適切なものを×とした場合の正しい組み合わせを一つ選びなさい。

A　親準備教育には、親になる直前の妊婦を対象としたものや、小中高生など若い世代を対象としたものがある。

B 胎動が感じられるようになると、母親は子どもの身体を具体的にイメージしたり、子どもの心の状態やパーソナリティについて様々な想像をめぐらしたりするなど、妊娠期から子どもとの相互作用に向けて心の準備を整えていく。

C 「令和２年版少子化社会対策白書」（内閣府）によれば、夫婦が実際にもつ予定の子どもの数が、理想的な子どもの数を下回る理由としては、「自分の仕事に差し支えるから」が最も多い。

D 親子間の葛藤は、子どもの依存欲求と、親が子に向ける要求や期待が合致しなくなったときに生じるため、親は子どもへの期待や関わりを子どもの実情に合うように変える必要がある。

（組み合わせ）

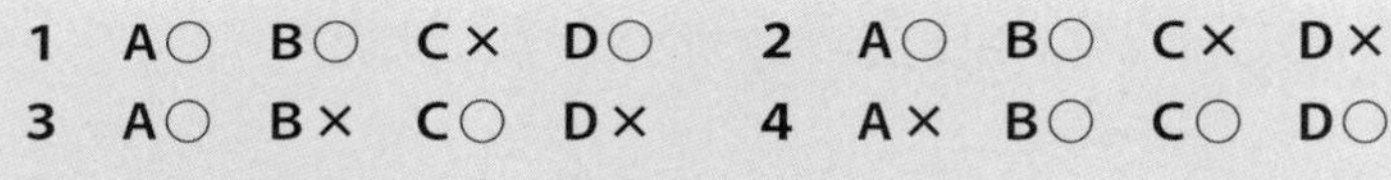

1 A○ B○ C× D○　**2** A○ B○ C× D×
3 A○ B× C○ D×　**4** A× B○ C○ D○

5 A× B× C○ D○

問 14 次の【事例】を読んで、【設問】に答えなさい。

【事例】

Rちゃん（４歳、女児）は、昨年から保育所に通っている。日常の動きや運動機能は、特に気になることはないが、「マンマ／ママ／ワンワン／バイバイ」という単語の表出、および「（リン）ゴ」など語の一部の表出はあるものの、年齢に比べて言葉の表出に顕著な遅れがみられた。発音には不明瞭さがあり、「バイバイ」が「アイアイ」と聞こえることがある。簡単な指示は理解しており、「ご飯だよ」「お出かけするよ」などの声かけには応じるが、保育士の言うことがわからないことがあるようだと指摘された。Rちゃんは、園庭では年齢の低いクラスの児と砂場で遊んでいることが多い。担当保育士から促され、母親は地域の保健センターに相談に行くことになった。

解説▶別冊 p.176 ～ 177 ▶▶▶

【設問】

次のうち、担当保育士がRちゃんの発達支援に向けて留意しておくべきこととして、適切な記述を○、不適切な記述を×とした場合の正しい組み合わせを一つ選びなさい。

A 簡単な指示は理解できても、保育士の指示が理解できないことがあるという背景には、決まった習慣として使われる範囲を超えて、言葉の意味や状況を理解する力に問題がある可能性に留意する。

B 園庭では、年齢の低いクラスの児と遊んでいる姿があることから、引っ込み思案である可能性に留意する。

C 発音の不明瞭さがあること、「(リン) ゴ」など、語の一部しか発語できないものもあるという背景には、聴覚に問題がある可能性に留意する。

D 限られた単語の表出しか認められず、保育士の指示も理解できないことがあるという背景には、知的発達に遅れがある可能性に留意する。

(組み合わせ)

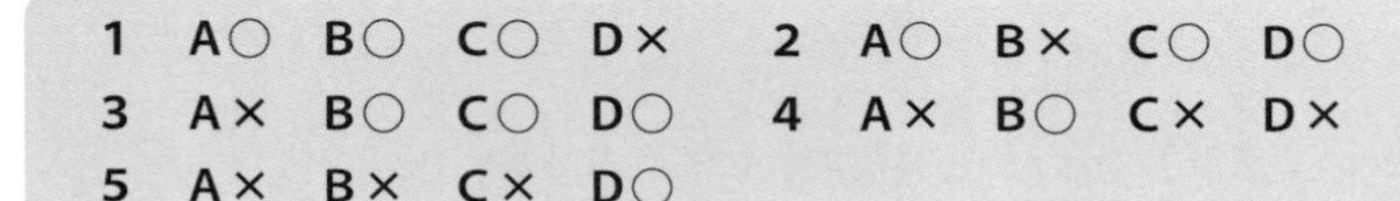

1	A○	B○	C○	D×	**2**	A○	B×	C○	D○
3	A×	B○	C○	D○	**4**	A×	B○	C×	D×
5	A×	B×	C×	D○					

次のうち、仲間関係の発達に関する記述として、適切なものを○、不適切なものを×とした場合の正しい組み合わせを一つ選びなさい。

A 他者の期待に応える行動は同調と呼ばれ、学童期中期頃には同調の対象が親から仲間へと移行するが、学童期の終わり頃になると自律できるようになる。

B 気に入らない他児を仲間はずれにする、悪いうわさ話を流すなど仲間関係を操作することによって相手を傷つける攻撃は関係性攻撃と呼ばれる。

C チャムグループでは、同じ持ち物を持つなど「互いが同じであること」を確認し合う行動がよくみられる。

D ピアグループは同性の同年齢集団であり、異なった考えをもつ者がいることも認め、互いの意見をぶつけ合うことができるような関係であるという特徴がある。

（組み合わせ）

1	A○	B○	C×	D×	2	A○	B×	C×	D○
3	A×	B○	C○	D○	4	A×	B○	C○	D×
5	A×	B×	C×	D○					

次のうち、観察法に関する記述として、適切なものを○、不適切なものを×とした場合の正しい組み合わせを一つ選びなさい。

A 観察したい行動の目録を作成し、その行動が生起すればチェックするやり方を時間見本法という。

B 観察する時間や回数を決めて、その間に生起する行動を観察することを行動目録法という。

C 観察対象となる人に、観察者が関わりながら観察することを関与観察、あるいは参加観察という。

D 検証したい特定の環境条件を操作し、対象とする行動が生じるような環境を設定し、その中で生起する行動を観察することを実験観察法という。

（組み合わせ）

1	A○	B○	C○	D○	2	A○	B○	C×	D×
3	A○	B×	C○	D×	4	A×	B○	C×	D○
5	A×	B×	C○	D○					

次のうち、発達検査・知能検査に関する記述として、適切なものを○、不適切なものを×とした場合の正しい組み合わせを一つ選びなさい。

A 子どもの発達状態を理解するためには、発達検査や知能検査を実施すれば十分である。

解説▶別冊 p.177 ～ 178 ▶▶▶

B　「新版K式発達検査 2020」は0歳児から成人までの測定が可能であり、「姿勢・運動領域」「認知・適応領域」「言語・社会領域」の3領域で構成されている。

C　ウェクスラー式の知能検査では、知的水準が同年齢集団の中でどのあたりに位置するかを表す偏差知能指数が用いられている。

D　発達検査の中には、知能検査のように検査用具を用いて実際に子どもに実施する形式のものと、保護者などがつける質問紙形式のものがある。

（組み合わせ）

1	A○	B○	C○	D×	**2**	A○	B×	C○	D×
3	A×	B○	C○	D○	**4**	A×	B○	C×	D○
5	A×	B×	C×	D×					

問18

次の【図】は、「男女共同参画白書令和2年版」（内閣府）における「夫は外で働き、妻は家庭を守るべきである」という考え方に関する意識の変化を示している。以下の【設問】に答えなさい。

【図】

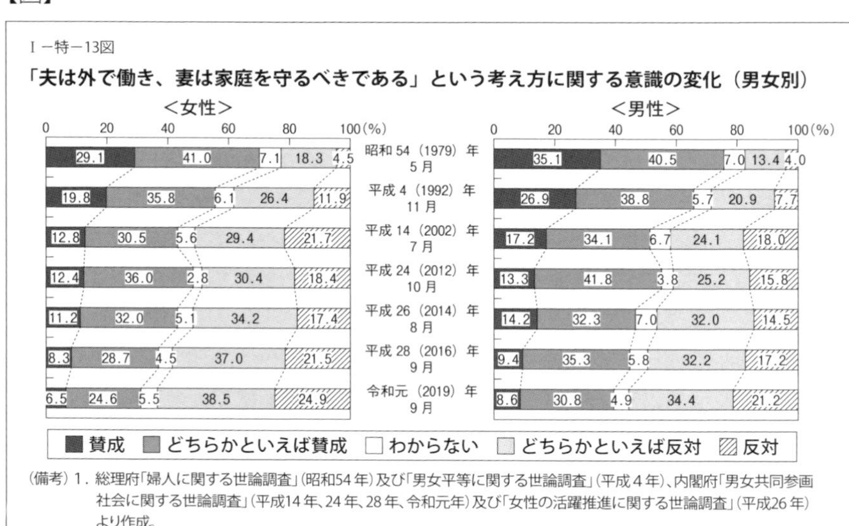

（備考）1．総理府「婦人に関する世論調査」（昭和54年）及び「男女平等に関する世論調査」（平成4年）、内閣府「男女共同参画社会に関する世論調査」（平成14年、24年、28年、令和元年）及び「女性の活躍推進に関する世論調査」（平成26年）より作成。
2．平成26年以前の調査は20歳以上の者が対象。平成28年及び令和元年の調査は、18歳以上の者が対象。

【設問】

次のうち、【図】を説明する文として適切なものを○、不適切なものを×とした場合の正しい組み合わせを一つ選びなさい。

ここでは、「夫は外で働き、妻は家庭を守るべきである」という考え方を性役割分担意識という。性役割分担意識に賛成する者とは「賛成」および「どちらかといえば賛成」を合わせた者とし、反対する者とは「反対」および「どちらかといえば反対」を合わせた者とする。

A 経年推移をみると、性役割分担意識に反対する者の割合は、男女ともに長期的に増加傾向にある。

B どの調査年であっても、性役割分担意識に賛成する者の割合は、女性が男性を上回っている。

C 平成 26 年調査以降、男女ともに性役割分担意識に反対する者の割合が賛成する者の割合を上回っている。

(組み合わせ)

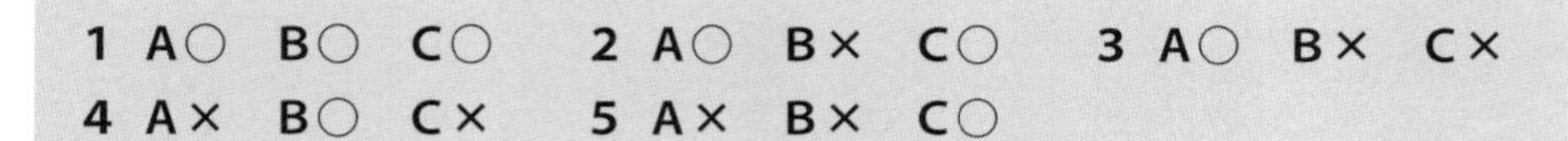

1 A○ B○ C○ **2** A○ B× C○ **3** A○ B× C×
4 A× B○ C× **5** A× B× C○

問 19 **次の文は、児童虐待に関する記述である。(a)〜(d)の下線部分が適切なものを○、不適切なものを×とした場合の正しい組み合わせを一つ選びなさい。**

児童相談所での児童虐待相談対応件数は毎年、一貫して増え続け、近年、何人ものかけがえのない子どもの命が虐待によって失われる事件が発生している。「児童虐待の防止等に関する法律」では、(**a**) 早期発見の努力義務と通告義務がある。また児童虐待は、(**b**) 身体的虐待、性的虐待、ネグレクト、心理的虐待、経済的虐待の 5 つに分類される。(**c**)「令和 2 年度福祉行政報告例」(厚生労働省)によれば、児童相談所での虐待相談の種別で、最も多いのがネグレクトである。これらが単独で発生する場合もあれば、幾つかが複

解説▶別冊 p.178 ▶▶▶

雑に絡まり合って起こる場合もある。虐待を受けた子どもの年齢構成をみると、（**d**）小学校入学前の子どもが、小学生、中学生、高校生に比べて、最も多い。

（組み合わせ）

1	**a**○	**b**○	**c**○	**d**×	**2**	**a**○	**b**×	**c**×	**d**○
3	**a**○	**b**×	**c**×	**d**×	**4**	**a**×	**b**○	**c**○	**d**○
5	**a**×	**b**○	**c**×	**d**○					

次のうち、心理的環境要因が主な原因と考えられるものとして、適切なものを○、不適切なものを×とした場合の正しい組み合わせを一つ選びなさい。

A　反応性アタッチメント（愛着）障害
B　心的外傷後ストレス障害
C　自閉スペクトラム症
D　知的能力障害

（組み合わせ）

1	**A**○	**B**○	**C**×	**D**×	**2**	**A**○	**B**×	**C**○	**D**○
3	**A**○	**B**×	**C**×	**D**×	**4**	**A**×	**B**○	**C**○	**D**×
5	**A**×	**B**○	**C**×	**D**○					

2022年・後期　保育原理

問1　**次のうち、「保育所保育指針」第１章「総則」１「保育所保育に関する基本原則」（５）「保育所の社会的責任」に関する記述として、適切なものを○、不適切なものを×とした場合の正しい組み合わせを一つ選びなさい。**

A　子どもの人権に十分配慮するとともに、子ども一人一人の人格を尊重して保育を行う。

B　入所する子ども等の個人情報を適切に取り扱うとともに、保護者の苦情などに対し、その解決を図るよう努める。

C　子どもの生活リズムを大切にし、健康、安全で情緒の安定した生活ができる環境や、自己を十分に発揮できる環境を整える。

D　地域社会との交流や連携を図り、保護者や地域社会に、保育の内容を適切に説明する。

（組み合わせ）

1　A○　B○　C○　D×　　2　A○　B○　C×　D○
3　A○　B×　C×　D○　　4　A×　B○　C○　D×

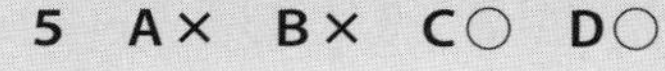

5　A×　B×　C○　D○

問2　**次のうち、保育所保育における養護と教育に関する記述として、適切なものを○、不適切なものを×とした場合の正しい組み合わせを一つ選びなさい。**

A　保育所における保育全体を通じて、養護に関するねらい及び内容を踏まえた保育が展開されなければならない。

B　保育における養護とは、子どもの生命の保持及び情緒の安定を図るために保育士等が保護者と行う援助である。

C　保育における教育とは、子どもが健やかに成長し、集団的活動がより豊

解説▶別冊 p.178 ～ 179 ▶▶▶

かに展開されるための発達の指導である。

D 「保育所保育指針」第２章「保育の内容」では、主に教育に関わる側面からの視点が示されているが、実際の保育においては、養護と教育が一体となって展開されることに留意する必要がある。

（組み合わせ）

1	**A**○	**B**○	**C**×	**D**○	**2**	**A**○	**B**○	**C**×	**D**×
3	**A**○	**B**×	**C**×	**D**○	**4**	**A**×	**B**○	**C**○	**D**×
5	**A**×	**B**×	**C**○	**D**○					

次の文は、「保育所保育指針」第１章「総則」（１）「全体的な計画の作成」の一部である。（　A　）～（　D　）にあてはまる語句を【語群】から選択した場合の正しい組み合わせを一つ選びなさい。

・　全体的な計画は、子どもや家庭の状況、地域の実態、（　**A**　）時間などを考慮し、子どもの育ちに関する（　**B**　）的見通しをもって適切に作成されなければならない。

・　全体的な計画は、保育所保育の（　**C**　）像を包括的に示すものとし、これに基づく（　**D**　）計画、保健計画、食育計画等を通じて、各保育所が創意工夫して保育できるよう、作成されなければならない。

【語群】

ア	就労	**イ**	保育	**ウ**	在園	**エ**	全体
オ	長期	**カ**	理想	**キ**	指導		

（組み合わせ）

1	**Aア**	**Bオ**	**Cカ**	**Dイ**	**2**	**Aイ**	**Bエ**	**Cカ**	**Dキ**
3	**Aイ**	**Bオ**	**Cエ**	**Dキ**	**4**	**Aウ**	**Bエ**	**Cカ**	**Dイ**
5	**Aウ**	**Bオ**	**Cエ**	**Dキ**					

「保育所保育指針」第１章の３「保育の計画及び評価」では、「３歳未満児については、一人一人の子どもの生育歴、心身の発達、活動の実態等に即して、個別的な計画を作成すること」とされている。その背景として、適切な記述を○、不適切な記述を×とした場合の正しい組み合わせを一つ選びなさい。

A 特に心身の発育や発達が顕著な時期であると同時に、個人差が大きい時期でもあるため。
B 一日の生活全体の連続性を踏まえて家庭との連携が求められるため。
C 心身の諸機能が未熟であり、感染症対策からも１対１対応に近い少人数で保育することで、保護者の理解が得やすいため。
D 緩やかな担当制の中で、特定の保育士等が子どもとゆったりとした関わりをもちながら、情緒的な絆を深められるようにするため。

（組み合わせ）

1	**A○**	**B○**	**C○**	**D×**	**2**	**A○**	**B○**	**C×**	**D○**
3	**A○**	**B×**	**C×**	**D○**	**4**	**A×**	**B○**	**C○**	**D×**
5	**A×**	**B×**	**C×**	**D○**					

次のうち、乳児保育の内容の取扱いに関する記述として、「保育所保育指針」に照らし、適切な記述を○、不適切な記述を×とした場合の正しい組み合わせを一つ選びなさい。

A 心と体の健康は、相互に密接な関連があるものであることを踏まえ、温かい触れ合いの中で、心と体の発達を促すこと。
B 和やかな雰囲気の中で食べる喜びや楽しさを味わい、進んで食べようとする気持ちが育つようにすることが大切であり、食物アレルギーのある子どもへの対応については、嘱託医等の指示や協力の下に適切に対応すること。
C 保育士等との信頼関係に支えられて生活を確立していくことが人と関わる基盤となることを考慮して、子どもの多様な感情を受け止め、温かく

解説▶別冊 p.180 ▶▶▶

受容的・応答的に関わり、一人一人に応じた適切な援助を行うようにすること。

D　自分が大切にしている物だけではなく、友達の物も大切にする気持ちをもつようにすること。

E　子どもの発語はその都度保育士が言い直し、正しい言葉をくり返すことで、言葉が獲得されていくようにすること。

（組み合わせ）

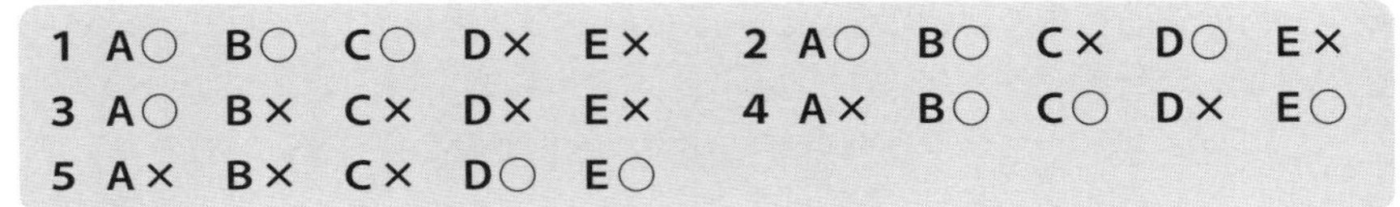

1	A○	B○	C○	D×	E×
2	A○	B○	C×	D○	E×
3	A○	B×	C×	D×	E×
4	A×	B○	C○	D×	E○
5	A×	B×	C×	D○	E○

乳児保育に関わるねらい及び内容に関して、「保育所保育指針」第2章「保育の内容」に照らし、【Ⅰ群】の視点と、【Ⅱ群】のねらいを結びつけた場合の正しい組み合わせを一つ選びなさい。

【Ⅰ群】

A　健やかに伸び伸びと育つ

B　身近な人と気持ちが通じ合う

C　身近なものと関わり感性が育つ

【Ⅱ群】

ア　安心できる関係の下で、身近な人と共に過ごす喜びを感じる。

イ　食事、睡眠等の生活リズムの感覚が芽生える。

ウ　いろいろなものの美しさなどに対する豊かな感性をもつ。

エ　身体の諸感覚による認識が豊かになり、表情や手足、体の動き等で表現する。

（組み合わせ）

1	Aア	Bウ	Cエ	2	Aア	Bエ	Cウ	3	Aイ	Bア	Cウ
4	Aイ	Bア	Cエ	5	Aエ	Bウ	Cイ				

次の【事例】を読んで、【設問】に答えなさい。

【事例】

　R保育所の1歳児クラスのS君（1歳2か月）は、好き嫌いをほとんどせずに離乳食をよく食べています。この頃は自分で食べたい気持ちが強いようで、担当のG保育士は、S君が食べ物を手づかみで食べながらテーブルや床にたくさんこぼしてしまうことが気になっています。また、S君の前にご飯、おかず、汁ものなどすべてを並べてしまうとS君は好きなものから手を付け、最後にご飯だけを食べることもあります。G保育士がスプーンでご飯やおかずを順番にS君の口に運ぼうとすると、たいていはG保育士の援助を嫌がって差し出されたスプーンを手で払ったり、怒って泣き出すこともあります。

【設問】

　次のうち、G保育士のS君への対応として、適切なものを○、不適切なものを×とした場合の正しい組み合わせを一つ選びなさい。

A　今はS君の思いや気持ちを満足させることが重要であり、応答的に言葉をかけながら手づかみ食べを見守っていく。

B　好きなものから食べる習慣がつくと偏食につながる可能性があるので、バランスよく食べるために、保育士が順番に食器を並べて、しばらく管理する。

C　S君がこぼした際には「こぼれちゃったね。次はお口に入るかな」など励ます言葉をかけ、楽しく食事をすることを心がける。

D　S君が保育士の援助を嫌がっても、構わずにそのまま食べさせる。

解説▶別冊 p.180 〜 181 ▶▶▶

（組み合わせ）

1	A○	B○	C○	D×	2	A○	B×	C○	D×
3	A○	B×	C×	D○	4	A×	B○	C×	D○
5	A×	B×	C○	D×					

問8 **次のうち、「保育所保育指針」第２章「保育の内容」３「３歳以上児の保育に関するねらい及び内容」ウ「環境」に関する記述として、適切なものを○、不適切なものを×とした場合の正しい組み合わせを一つ選びなさい。**

A 日常生活の中で活用するため、数量の計算や図形の区別をする。
B 日常生活の中で活用するため、楽しんで文字の読み書きができる。
C 自然に触れて生活し、その大きさ、美しさ、不思議さなどに気付く。
D 身近な物を大切にする。

（組み合わせ）

1	A○	B○	C×	D×	2	A○	B×	C×	D×
3	A×	B○	C○	D×	4	A×	B×	C○	D○
5	A×	B×	C×	D○					

問9 **次のうち、保育所における保育士の子どもへの対応として、適切なものを○、不適切なものを×とした場合の正しい組み合わせを一つ選びなさい。**

A 午睡の時間に横になっているが眠らずに話をしている４歳児の２人に対して、布団を離して敷きなおし、静かにさせる。
B 前日と同じ汚れた服を着てきたことを気にしている５歳児に、保育所が用意した清潔な服に着替えることを提案する。
C 「どんなクリスマスプレゼントをもらったかクラスのみんなにお話しして」と問いかけ、５歳児クラスの子どもたち全員に発表してもらう。

D　保護者が書類の提出期限に間に合わないことが多いので、４歳児に「いつも忘れるから先生が困っている、と言っておいてね」と、子どもから保護者に伝えてもらうように言う。

E　降園の支度をなかなかしない３歳児に、「早くしないとオニがくるよ」と怖がらせて保育士の思いどおりに動かそうとする。

（組み合わせ）

1	A○	B○	C×	D○	E×	2	A○	B×	C○	D×	E×
3	A○	B×	C×	D×	E○	4	A×	B○	C×	D×	E×
5	A×	B×	C×	D×	E○						

問 10　次の【事例】を読んで、【設問】に答えなさい。

【事例】

軽度な発達の遅れがあるＴちゃん（４歳、女児）は、３歳の頃から絵本を見たり積み木で遊ぶなど、一人で静かに過ごすことが多く、クラスの活動では楽しそうな様子があまり見られなかった。４歳児クラスになると、Ｐちゃんが Ｔちゃんのことを気にし、なにかと世話をするようになった。しばらくしてＰちゃんが「〜して」「〜してはだめ」とＴちゃんに指示することが多くなり、Ｔちゃんの表情がくもる場面も見られるようになった。ある日、クラスの友達が砂場で遊んでいるところに、Ｐちゃんに連れられたＴちゃんも来て、一緒に遊び始めた。しばらくすると、「いや」とＴちゃんにしてはめずらしい大きな声が聞こえ、砂場から一人離れる姿が見られた。担当保育士がＰちゃんに「どうしたの？」と聞くと、「Ｔちゃんが私の言うことを聞いてくれない」と不満そうに話し始めた。

【設問】

担当保育士の今後の対応として、「保育所保育指針」第１章「総則」に照らし、適切なものを○、不適切なものを×とした場合の正しい組み合わせを一つ選びなさい。

解説▶別冊 p.181 〜 182 ▶▶▶

A　Ｔちゃんのこれまでの発達過程をよりよく理解するために、保護者からＴちゃんの家庭での生活や遊びの様子を聞き取る。

B　Ｔちゃんのことをどのように感じているかをＰちゃんに聞き、ＴちゃんのAの気持ちや思いにＰちゃんが気付けるように援助する。

C　ＰちゃんはＴちゃんにとってかけがえのない存在であり、ＴちゃんからＰちゃんに謝るように言い聞かせる。

D　Ｔちゃんから思いや願いを聞き取り、状況に応じてＴちゃんとクラスの友達との関わりを仲立ちする。

（組み合わせ）

1	**A**○	**B**○	**C**○	**D**×
2	**A**○	**B**○	**C**×	**D**○
3	**A**○	**B**×	**C**×	**D**×
4	**A**×	**B**×	**C**○	**D**○
5	**A**×	**B**×	**C**×	**D**○

次の文は、保育所の５歳児クラスの子どもの姿と保育士の対応である。保育士の対応として、「保育所保育指針」第１章「総則」、第２章「保育の内容」に照らし、適切な記述を○、不適切な記述を×とした場合の正しい組み合わせを一つ選びなさい。

A　片づけや支度など、行動が素早くなり、見通しをもって生活できるようになってきています。給食を食べる際には、食べ終える時間を決めて、必ず時間内に食べるように伝えています。

B　当番は保育士と一緒にカレンダーを見ながら、日付や曜日を確認します。カレンダーの見方がわかっていない子どもは、家で練習するように保護者にお願いしています。

C　グループで給食を食べるようになり、箸を用意するなど給食の準備を協力して取り組んでいます。グループの名前も子どもたちが相談して決められるように見守ります。

D　午睡後に、ザリガニの世話をします。初めはこわかったザリガニにも親しみをもってきました。エサを食べる様子なども、よく見ています。子どもたちと話し合って、当番で世話をすることにしています。

E 帰りの会では、みんなでその日の活動を振り返ります。友達の話を聞いたり、自分の思ったことを相手にわかるように話すことを大切にしています。

（組み合わせ）

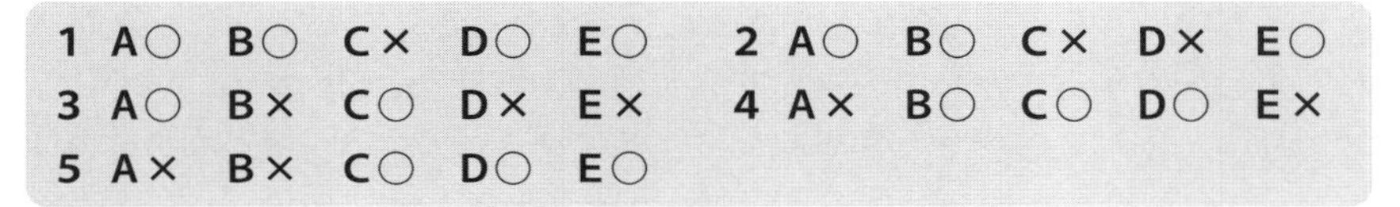

1	A○	B○	C×	D○	E○
2	A○	B○	C×	D×	E○
3	A○	B×	C○	D×	E×
4	A×	B○	C○	D○	E×
5	A×	B×	C○	D○	E○

次の文は、「保育所保育指針」第４章「子育て支援」１「保育所における子育て支援に関する基本的事項」の一部である。（　A　）～（　D　）にあてはまる語句の正しい組み合わせを一つ選びなさい。

・　保護者に対する子育て支援を行う際には、各地域や家庭の実態等を踏まえるとともに、保護者の（　A　）を受け止め、相互の（　B　）を基本に、保護者の自己決定を尊重すること。

・　保育及び子育てに関する知識や技術など、保育士等の（　C　）や、子どもが常に存在する環境など、保育所の特性を生かし、保護者が子どもの成長に気付き子育ての（　D　）を感じられるように努めること。

（組み合わせ）

	A	B	C	D
1	気持ち	関わり	経験	責任
2	気持ち	信頼関係	専門性	喜び
3	気持ち	信頼関係	経験	喜び
4	生活	関わり	経験	責任
5	生活	信頼関係	専門性	責任

解説▶別冊 p.182 ～ 183 ▶▶▶

次の文は、「保育所保育指針」第２章「保育の内容」の４「保育の実施に関して留意すべき事項」（３）「家庭及び地域社会との連携」の一部である。（　A　）～（　D　）にあてはまる語句の正しい組み合わせを一つ選びなさい。

子どもの（　A　）を踏まえ、家庭及び地域社会と連携して保育が展開されるよう配慮すること。その際、家庭や地域の機関及び団体の協力を得て、地域の（　B　）、高齢者や異年齢の子ども等を含む人材、行事、施設等の地域の（　C　）を積極的に活用し、豊かな生活体験をはじめ（　D　）の充実が図られるよう配慮すること。

（組み合わせ）

	A	B	C	D
1	生活の連続性	自然	資源	保育内容
2	発達していく姿	環境	資源	集団活動
3	発達していく姿	自然	文化財	集団活動
4	生活の連続性	環境	文化財	保育内容
5	発達していく姿	環境	文化財	保育内容

次のうち、「子ども・子育て支援新制度」に関する記述として、適切なものの組み合わせを一つ選びなさい。

A　認定こども園、幼稚園、保育所を通じた共通の給付として施設型給付が創設された。

B　認定こども園について、認可・指導監督の一本化、「学校教育法」及び「少年法」の施設としての法的位置づけがなされた。

C　地域型保育として、家庭的保育、小規模保育、企業主導型保育、居宅訪問型保育が創設された。

D　従業員が働きながら子育てしやすいように環境を整えて、就労の継続、女性の活躍等を推進する企業を支援する仕事・子育て両立支援事業が創設された。

（組み合わせ）

1 AB	2 AC	3 AD	4 BC	5 CD

次の（　A　）・（　B　）にあてはまる数字の正しい組み合わせを一つ選びなさい。

- 保育所は保育を必要とする乳児・幼児を日々保護者の下から通わせて保育を行うことを目的とする施設で、利用定員が（　A　）人以上である。
- 保育所における保育時間は、１日につき８時間が原則となっているが、フルタイムで働く保護者を想定した利用可能な保育標準時間は最長（　B　）時間である。

（組み合わせ）

	A	B
1	10	11
2	10	13
3	15	11
4	20	11
5	20	13

次のＡ～Ｊのうち、「保育所保育指針」第１章「総則」の（2）「幼児期の終わりまでに育ってほしい姿」の一部として、不適切なものの組み合わせを一つ選びなさい。

A　健康な心と体
B　自立心
C　協同性
D　道徳性・規範意識の芽生え
E　探求心
F　思考力の芽生え
G　自然との関わり・生命尊重
H　数量や図形、標識や文字などへの関心・感覚

解説▶別冊 p.183 ～ 184 ▶▶▶

I　芸術に対する感覚　　　　　**J**　豊かな感性と表現

（組み合わせ）

1　**AD**　**2**　**BC**　**3**　**EI**　**4**　**FG**　**5**　**HJ**

問17　**次のうち、保育所の歴史に関する記述として、適切なものを○、不適切なものを×とした場合の正しい組み合わせを一つ選びなさい。**

A　第二次世界大戦以前は、託児所などの保育施設は基本的に貧困対策事業だった。

B　1947（昭和22）年に「児童福祉法」が成立するまで、保育所は国の制度として規定されていなかった。

C　1997（平成９）年の「児童福祉法」改正で、保育所の利用については市区町村が措置決定していたものが、市区町村と利用者との契約に変わった。

D　2015（平成27）年の「子ども・子育て支援法」施行までは、両親が就労している場合しか保育所を利用できなかった。

（組み合わせ）

1　**A○**　**B○**　**C○**　**D×**　　**2**　**A○**　**B○**　**C×**　**D○**
3　**A○**　**B×**　**C○**　**D×**　　**4**　**A×**　**B○**　**C×**　**D○**
5　**A×**　**B×**　**C×**　**D○**

問18　**次のうち、適切な記述を○、不適切な記述を×とした場合の正しい組み合わせを一つ選びなさい。**

A　コメニウス（Comenius, J.A.）は、『大教授学』や『世界図絵』等を著した。『世界図絵』は最初の絵入り教科書といわれ、その後の絵本や教科書に影響を与えた。

B　オーエン（Owen, R.）は、ドイツに「性格形成学院」を開設し、子どもの保護と教育を行った。

C　フレーベル（Fröbel, F.W.）は、教育の目的実現の基盤は乳幼児の健康であると考え、1908 年、５歳以下の幼児を対象とする診療所を開設した。

D　デューイ（Dewey, J.）は、1907 年「子どもの家」の指導の任に就き、独自に開発した障害児の教育方法を幼児に適用した。

（組み合わせ）

1	A○	B○	C○	D×	2	A○	B×	C○	D○
3	A○	B×	C×	D×	4	A×	B○	C×	D×
5	A×	B×	C○	D○					

問 19　次の【Ⅰ群】の事項と、【Ⅱ群】の記述を結びつけた場合の正しい組み合わせを一つ選びなさい。

【Ⅰ群】

A　ヘッドスタート　　B　レッジョ・エミリア・アプローチ

C　モンテッソーリ・メソッド

【Ⅱ群】

ア　1998 年にイギリスにおいて発足した、経済的・社会的支援を必要とする地域への早期介入の補償保育・教育プログラム

イ　子ども自身が、深く集中し継続するように考案された「日常生活の訓練」「感覚訓練」「読み書きと算数」等の教具を選択して活動し、教師は仲介者に徹する教育法

ウ　保育方法の特徴は、プロジェクトと呼ばれるテーマ発展型の保育であり、教師、親、行政関係者、教育学の専門家等が支え合って子どもの活動を援助するイタリア北部にある都市における実践

エ　1965 年にアメリカで開始された、教育機会に恵まれない子どもを対象とした大がかりな就学前準備教育

解説▶別冊 p.184 ～ 185 ▶▶▶

（組み合わせ）

1 Aア　Bイ　Cウ　　2 Aウ　Bア　Cイ　　3 Aウ　Bエ　Cア
4 Aエ　Bア　Cウ　　5 Aエ　Bウ　Cイ

次の表は、認定こども園数の推移を示したものである。この表を説明した記述として、誤ったものを一つ選びなさい。

認定こども園数の推移（各年４月１日時点）

年度	認定こども園数	（類型別の内訳）			
		幼保連携型	幼稚園型	保育所型	地方裁量型
平成24年度	909	486	272	121	30
平成25年度	1,099	595	316	155	33
平成26年度	1,360	720	411	189	40
平成27年度	2,836	1,930	525	328	53
平成28年度	4,001	2,785	682	474	60
平成29年度	5,081	3,618	807	592	64
平成30年度	6,160	4,409	966	720	65
平成31年度	7,208	5,137	1,104	897	70
令和2年度	8,016	5,688	1,200	1,053	75
令和3年度	8,585	6,093	1,246	1,164	82

出典：内閣府「認定こども園に関する状況について（令和３年４月１日現在）」（令和３年10月11日発表）

1　令和３年度の認定こども園数は、平成24年度と比べて９倍以上に増えている。

2　認定こども園数は、平成24年度以降、幼保連携型、幼稚園型、保育所型、地方裁量型のすべてにおいて前年度と比べて多くなっている。

3　認定こども園の類型別の数は、すべての年度において、幼保連携型、幼稚園型、保育所型、地方裁量型の順に多い。

4　前年度と比較して、認定こども園数の増加数が最も多かったのは、令和３年度である。

5 令和３年度の認定こども園数は、幼保連携型が最も多く、保育所型の５倍以上になっている。

2022年・後期　子ども家庭福祉

問1 **次の文は、「児童の権利に関する条約」第９条の一部である。（　A　）・（　B　）にあてはまる語句の正しい組み合わせを一つ選びなさい。**

1 締約国は、児童がその父母の意思に反してその父母から分離されないことを確保する。ただし、権限のある当局が司法の審査に従うことを条件として適用のある法律及び手続に従いその分離が児童の（　A　）のために必要であると決定する場合は、この限りでない。
2 すべての関係当事者は、１の規定に基づくいかなる手続においても、その手続に参加しかつ（　B　）を述べる機会を有する。

（組み合わせ）

	A	B
1	幸福	自己の意見
2	最善の利益	自己の意見
3	発達	父母の意見
4	幸福	父母の意見
5	最善の利益	父母の意見

問2 **次のA～Eは、日本の子ども家庭福祉に関する事項である。これらを年代の古い順に並べた場合の正しい組み合わせを一つ選びなさい。**

A 「児童福祉法」の制定
B 「新しい社会的養育ビジョン」の公表

解説▶別冊 p.186 ▶▶▶

C　「児童の権利に関する条約」の批准
D　「児童憲章」の制定
E　「日本国憲法」の制定

（組み合わせ）

1	**A→E→D→B→C**	**2**	**B→E→D→A→C**
3	**C→E→A→D→B**	**4**	**E→A→D→C→B**
5	**E→D→C→A→B**		

次のうち、少子社会の現状に関する記述として、適切な記述を○、不適切な記述を×とした場合の正しい組み合わせを一つ選びなさい。

A　日本の合計特殊出生率は2005（平成17）年に0.98になった。
B　2000（平成12）年にはすでに「雇用者の共働き世帯」の数が「男性雇用者と無業の妻から成る世帯」の数を上回っていた。
C　2017（平成29）年に発表された「日本の将来推計人口（平成29年推計）」（国立社会保障・人口問題研究所）によると、現在の少子化の傾向が続けば、2065年には1年間に生まれる子どもの数が現在の4分の1程度になる。
D　2015（平成27）年の男性の50歳時の未婚割合（50歳時点で一度も結婚したことのない人の割合）は、4分の1程度である。

（組み合わせ）

1	**A○**	**B○**	**C○**	**D×**	**2**	**A○**	**B×**	**C○**	**D○**
3	**A○**	**B×**	**C×**	**D○**	**4**	**A×**	**B○**	**C×**	**D○**
5	**A×**	**B○**	**C×**	**D×**					

次の文は、「児童憲章」の前文の一部である。（　A　）～（　C　）にあてはまる語句を【語群】から選択した場合の正しい組み合わせを一つ選びなさい。

児童は、（　A　）として尊ばれる。
児童は、（　B　）の一員として重んぜられる。
児童は、よい（　C　）のなかで育てられる。

【語群】

ア　人	イ　家族	ウ　社会	エ　国民
オ　環境	カ　子ども	キ　人間	ク　人類

（組み合わせ）

1　Aア　Bウ　Cオ	2　Aア　Bエ　Cウ	3　Aエ　Bク　Cウ
4　Aカ　Bウ　Cオ	5　Aキ　Bイ　Cオ	

次の文は、「児童の権利に関する条約」第31条1項の一部である。（　A　）～（　C　）にあてはまる語句の正しい組み合わせを一つ選びなさい。

第31条
　締約国は、（　A　）及び余暇についての児童の権利並びに児童がその年齢に適した遊び及び（　B　）の活動を行い並びに文化的な生活及び（　C　）に自由に参加する権利を認める。

（組み合わせ）

	A	B	C
1	休息	レクリエーション	集会
2	休息	レクリエーション	芸術
3	休息	表現	集会
4	運動	表現	芸術
5	運動	レクリエーション	集会

解説▶別冊 p.187 ～ 188 ▶▶▶

次のうち、「児童福祉法」に記載されている事項として、不適切なものを一つ選びなさい。

1 児童福祉司の任用資格
2 保育士試験の実施に関する事務
3 保健所の業務
4 「新生児」の定義
5 病児保育事業の実施

次の【Ⅰ群】の地域子ども・子育て支援の事業名と、【Ⅱ群】の事業の概要を結びつけた場合の正しい組み合わせを一つ選びなさい。

【Ⅰ群】
A 利用者支援事業
B 子育て短期支援事業
C 地域子育て支援拠点事業
D 一時預かり事業

【Ⅱ群】
ア 乳幼児及びその保護者が相互の交流を行う場所を開設し、子育てについての相談、情報の提供、助言その他の援助を行う事業
イ 家庭において保育を受けることが一時的に困難となった乳幼児について、主として昼間において、認定こども園、幼稚園、保育所、地域子育て支援拠点その他の場所で一時的に預かり、必要な保護を行う事業
ウ 保護者の疾病等の理由により家庭において養育を受けることが一時的に困難となった児童について、児童養護施設等に入所させ、必要な保護を行う事業
エ 子ども、またはその保護者の身近な場所で、教育・保育施設や地域の子育て支援事業等の情報提供及び必要に応じて相談・助言等を行うとともに、関係機関との連絡調整等を実施する事業

出典：『子ども・子育て支援新制度ハンドブック』（2015（平成27）年7月改訂版）
内閣府・文部科学省・厚生労働省

（組み合わせ）

1	Aア	Bイ	Cエ	Dウ	2	Aア	Bウ	Cエ	Dイ
3	Aウ	Bエ	Cア	Dイ	4	Aエ	Bイ	Cア	Dウ
5	Aエ	Bウ	Cア	Dイ					

次のうち、児童委員・主任児童委員に関する記述として、適切な記述を○、不適切な記述を×とした場合の正しい組み合わせを一つ選びなさい。

A 市町村長は、児童委員の研修を実施しなければならない。

B 児童委員は、その職務に関し、市町村長の指揮監督を受ける。

C 都道府県知事は、児童委員のうちから、主任児童委員を指名する。

D 主任児童委員は、児童の福祉に関する機関と児童委員との連絡調整を行うとともに、児童委員の活動に対する援助及び協力を行う。

（組み合わせ）

1	A○	B○	C○	D×	2	A○	B○	C×	D×
3	A○	B×	C○	D○	4	A×	B○	C○	D○
5	A×	B×	C×	D○					

次のうち、令和元年6月19日に成立した「児童虐待防止対策の強化を図るための児童福祉法等の一部を改正する法律」（令和元年法律第46号）に関する記述として、不適切な記述を一つ選びなさい。

1 児童福祉審議会において児童に意見聴取する場合、その児童の状況・環境等に配慮することとされた。

2 都道府県（児童相談所）の業務として、児童の安全確保が明文化された。

3 学校、教育委員会、児童福祉施設等の職員は、正当な理由なく、その職務上知り得た児童に関する秘密を漏らさぬよう努めなければならないこととされた。

解説▶別冊 p.188 ～ 189 ▶▶▶

4 都道府県は、一時保護等の介入的対応を行う職員と保護者支援を行う職員を分ける等の措置を講ずることとされた。

5 要保護児童対策地域協議会から情報提供等の求めがあった関係機関等は、これに応ずるよう努めなければならないこととされた。

次のうち、「児童養護施設入所児童等調査の概要（平成30年2月1日現在）」（2020（令和2）年1月　厚生労働省）に関する記述として、適切な記述を○、不適切な記述を×とした場合の正しい組み合わせを一つ選びなさい。

A 0歳で委託された児童の委託先は、里親より乳児院が多い。

B 児童養護施設に委託された児童の在所平均期間は、10年を超える。

C 児童養護施設の「児童の委託（入所）経路」で最も多いのは、「家庭から」である。

D 児童養護施設の「委託（入所）時の保護者の状況」では、「両親又は一人親あり」の割合が90%を超える。

（組み合わせ）

1	A○	B○	C×	D×
2	A○	B×	C○	D○
3	A○	B×	C×	D○
4	A×	B○	C○	D○
5	A×	B×	C○	D×

次の【Ⅰ群】の児童福祉施設名と、【Ⅱ群】の概要を結びつけた場合の正しい組み合わせを一つ選びなさい。（◆B）

【Ⅰ群】

A 児童家庭支援センター

B 福祉型児童発達支援センター

C 母子生活支援施設

【Ⅱ群】

ア　配偶者のない女子又はこれに準ずる事情にある女子及びその者の監護すべき児童を入所させて、これらの者を保護するとともに、これらの者の自立の促進のためにその生活を支援し、あわせて退所した者について相談その他の援助を行う。

イ　日常生活における基本的動作の指導、独立自活に必要な知識技能の付与又は集団生活への適応のための訓練及び治療を行う。

ウ　日常生活における基本的動作の指導、独立自活に必要な知識技能の付与又は集団生活への適応のための訓練を行う。

エ　地域の児童の福祉に関する各般の問題につき、児童に関する家庭その他からの相談のうち、専門的な知識及び技術を必要とするものに応じ、必要な助言を行う。

（組み合わせ）

1 Aア　Bウ　Cイ　　2 Aイ　Bア　Cエ　　3 Aイ　Bウ　Cア
4 Aエ　Bア　Cイ　　5 Aエ　Bウ　Cア

問12　次の文は、「少子化社会対策大綱」（令和２年５月29日閣議決定）の一部である。（　A　）～（　E　）にあてはまる語句の正しい組み合わせを一つ選びなさい。

一人でも多くの若い世代の結婚や出産の希望をかなえる「希望出生率（　A　）」の実現に向け、令和の時代にふさわしい（　B　）し、国民が結婚、妊娠・出産、子育てに希望を見出せるとともに、男女が互いの生き方を（　C　）しつつ、（　D　）な選択により、希望する時期に結婚でき、かつ、希望するタイミングで希望する数の子供を持てる社会をつくることを、少子化対策における基本的な目標とする。

このため、若い世代が将来に展望を持てるような雇用環境の整備、結婚支援、男女共に仕事と子育てを両立できる環境の整備、地域・社会による子育て支援、

解説▶別冊 p.190 ▶▶▶

（　E　）の負担軽減など、「希望出生率（　A　）」の実現を阻む隘路の打破に取り組む。

（組み合わせ）

	A	B	C	D	E
1	1.57	雇用を創出	尊重	積極的	ひとり親世帯
2	1.57	環境を整備	共同	総合的	多子世帯
3	1.8	雇用を創出	共同	総合的	ひとり親世帯
4	1.8	環境を整備	尊重	主体的	多子世帯
5	1.8	環境を整備	共同	主体的	ひとり親世帯

次のうち、児童館に関する記述として、適切な記述を○、不適切な記述を×とした場合の正しい組み合わせを一つ選びなさい。

A　児童館は「児童福祉法」第40条に規定された児童厚生施設の1つで、児童に健全な遊びを与えて、その健康を増進し、又は情操をゆたかにすることを目的とする児童福祉施設である。

B　「児童館数（公営・民営別）の推移」（厚生労働省）をみると、児童館は昭和40年代から50年代にかけて急激に増加したものの、その後は緩やかとなり、ここ数年はほぼ横ばいで推移していることが確認できる。

C　児童館には、児童の遊びを指導する者を置かなければならない。

D　2018（平成30）年10月に改正された「児童館ガイドライン」（厚生労働省）には、児童福祉法改正及び児童の権利に関する条約の精神にのっとり、子どもの意見の尊重、子どもの最善の利益の優先等について示されている。

E　児童館の館長は、保育士、児童指導員、社会福祉士のうち、いずれかの資格を有するものでなければならない。

（組み合わせ）

1 A○ B○ C○ D○ E×　2 A○ B○ C× D× E×
3 A○ B× C○ D○ E×　4 A× B○ C○ D× E○
5 A× B× C× D○ E○

次のうち、子ども虐待に関する記述として、適切な記述を○、不適切な記述を×とした場合の正しい組み合わせを一つ選びなさい。

A 「令和２年度福祉行政報告例の概況」（2021（令和３）年　厚生労働省）によると、全国の児童相談所における児童虐待に関する相談対応件数は、平成 28 年度より一貫して増加してきた。

B 「令和３年版子供・若者白書」（2021（令和３）年　内閣府）によると、児童が同居する家庭における配偶者などに対する暴力がある事案（面前ＤＶ）について警察からの通告が増加している。

C 「令和２年度福祉行政報告例の概況」（2021（令和３）年　厚生労働省）によると、令和２年度の全国の児童相談所の児童虐待相談における主な虐待者別構成割合では、実父による虐待が最も高かった。

（組み合わせ）

1 A○ B○ C○　2 A○ B○ C×　3 A○ B× C○
4 A× B○ C○　5 A× B× C×

次の図は、障害児通所支援等事業の種類別にみた事業所数である。（　A　）・（　B　）にあてはまる事業名の正しい組み合わせを一つ選びなさい。

解説▶別冊 p.191 ～ 192 ▶▶▶

【図】 障害児通所支援等事業所数

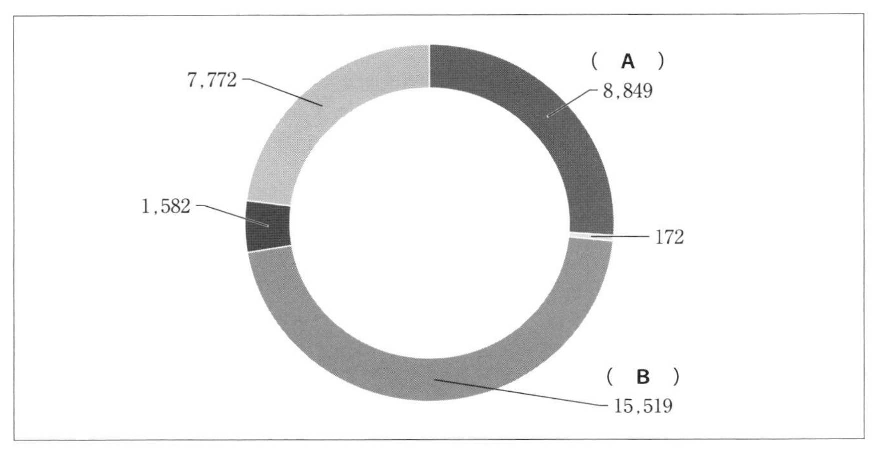

出典：「令和２年社会福祉施設等調査の概況」（2021（令和３）年　厚生労働省）

（組み合わせ）

	A	B
1	児童発達支援事業	居宅訪問型児童発達支援事業
2	児童発達支援事業	放課後等デイサービス事業
3	児童発達支援事業	障害児相談支援事業
4	保育所等訪問支援事業	放課後等デイサービス事業
5	保育所等訪問支援事業	障害児相談支援事業

次のうち、「令和３年版 犯罪白書」（2021（令和３）年　法務省）において、令和２年の少年による刑法犯で、検挙人数が最も多かった罪名を一つ選びなさい。

1　傷害　　2　窃盗　　3　器物損壊　　4　詐欺　　5　恐喝

問 17 **次のうち、「日本語指導が必要な児童生徒の受入状況等に関する調査結果の概要（速報）」（2022（令和４）年　文部科学省）における、令和３年度の外国籍の児童生徒に関する記述として、適切な記述を○、不適切な記述を×とした場合の正しい組み合わせを一つ選びなさい。**

A　日本語指導が必要な外国籍の児童生徒数は、2014（平成 26）年度以降増加傾向にある。

B　日本語指導が必要な外国籍の児童生徒の在籍数が最も多いのは中学校である。

C　日本語指導が必要な外国籍の児童生徒は、ポルトガル語や中国語を言語とする者が多い。

（組み合わせ）

1	**A○**	**B○**	**C○**	**2**	**A○**	**B○**	**C×**	**3**	**A○**	**B×**	**C○**
4	**A×**	**B○**	**C○**	**5**	**A×**	**B×**	**C×**				

問 18 **次のうち、日本と諸外国における子どもや家庭の統計に関する記述として、適切な記述を○、不適切な記述を×とした場合の正しい組み合わせを一つ選びなさい。**

A　「令和２年版 少子化社会対策白書」（2020（令和２）年　内閣府）によると、６歳未満の子供を持つ夫婦の家事・育児関連時間（１日当たり・国際比較）で、日本の妻の１日当たりの家事・育児平均時間が、記載国※の中で最も長かった。

B　「令和２年版 少子化社会対策白書」（2020（令和２）年　内閣府）によると、６歳未満の子供を持つ夫婦の家事・育児関連時間（１日当たり・国際比較）で、日本の夫の１日当たりの家事・育児平均時間が、記載国※の中で最も短かった。

C　「令和３年版 男女共同参画白書」（2021（令和３）年　内閣府）によると、

解説▶別冊 p.192 ～ 193 ▶▶▶

OECD 諸国の女性（15 〜 64 歳）の就業率（2019（令和元）年）で、日本はOECD 平均より高いことが示されている。

※記載のある7か国　日本、アメリカ、イギリス、フランス、ドイツ、スウェーデン、ノルウェー

（組み合わせ）

1	**A○**	**B○**	**C○**	**2**	**A○**	**B○**	**C×**	**3**	**A○**	**B×**	**C×**
4	**A×**	**B○**	**C○**	**5**	**A×**	**B×**	**C×**				

問 19・問 20　次の【事例】を読んで、【設問】に答えなさい。

【事例】

X保育所に通うZ君（5歳・男児）は、両親が1年前に離婚し、母親と2人で暮らしている。Z君は給食の時間、自分の分の給食を食べ終わると、まだ食べている最中の隣の子の分の給食に手を出して食べてしまうという行為をクラス担当のY保育士が見かけた。Y保育士はその場でZ君に隣の子の給食に手を出さないように注意をし、その日は治まったものの、後日同様の行為を繰り返した。給食終了後に2人きりでZ君に「なぜ隣の子の給食を食べようとするの？」とY保育士が聞いたところ、「お母さんが仕事で疲れていて、たまに夕ご飯を作ってもらえないことがある」と答えた。

【設問】

問 19　次のうち、Y保育士の対応に関する記述として、適切なものの組み合わせを一つ選びなさい。

A　Z君が隣の子の給食に手を出さないように保育室の隅で食べさせた。

B　Z君の母親を保育所に呼び出し、夕食をちゃんと作るように強く指導した。

C　Ｚ君から聞いた家庭での様子を保育所長に報告した。
D　送り迎えの時に、Ｚ君の母親から家庭での食事の様子について話を聞いた。
E　Ｚ君の母親の許可を得ずに、他の園児の保護者にＺ君の状況を説明し、夕食を作ってあげるよう頼んだ。

（組み合わせ）

1　AC　**2**　BC　**3**　BE　**4**　CD　**5**　DE

次のうち、Ｙ保育士がＺ君の母親に利用を勧める社会資源として最も適切なものを一つ選びなさい。

1　地域の子ども食堂の利用
2　放課後児童クラブの利用
3　乳児院への入所
4　児童発達支援センターへの通所
5　養育里親への委託

2022年・後期　社会福祉

次のうち、戦前の社会事業と、それに関わりのある人名の組み合わせとして、適切なものを○、不適切なものを×とした場合の正しい組み合わせを一つ選びなさい。

解説▶別冊 p.193 ～ 195

	＜戦前の社会事業＞		＜人名＞
A	非行少年を対象とした「家庭学校」	――	留岡幸助
B	知的障害児を対象とした「滝乃川学園」	――	石井十次
C	孤児などを対象とした「岡山孤児院」	――	石井亮一
D	民生委員・児童委員制度の前身とされる「方面委員制度」	――	小河滋次郎

（組み合わせ）

1	A○	B○	C○	D○	2	A○	B○	C×	D×
3	A○	B×	C×	D○	4	A×	B○	C○	D○
5	A×	B×	C○	D×					

次のうち、「日本国憲法」の記述として、適切な記述を○、不適切な記述を×とした場合の正しい組み合わせを一つ選びなさい。

A 第11条では、国民はすべての基本的人権の享有を妨げられないとされる。基本的人権は、侵すことのできない永久の権利として、現在および将来の国民に与えられるとされる。

B 第12条では、この憲法が国民に保障する自由および権利は、国民の不断の努力によって保持しなければならない。また、これを濫用してはならず、常に公共の福祉のために利用する責任を負うとされる。

C 第13条では、すべての国民は、個人として尊重され、生命、自由および幸福追求に対する国民の権利については、公共の福祉に反しない限り、立法その他国政の上で、最大の尊重を必要とされる。

D 第25条では、すべての国民に健康で文化的な最低限度の生活を営む権利を認め、それを実現するために、国は、社会福祉、社会保障および公衆衛生の向上および増進に努めなければならないとされる。

（組み合わせ）

1	A○	B○	C○	D○	2	A○	B○	C×	D○
3	A○	B×	C×	D○	4	A×	B○	C○	D×
5	A×	B×	C○	D×					

次のうち、1950（昭和25）年に発表された「社会保障制度に関する勧告」（通称「50年勧告」）で位置づけられる社会保険、公的（国家）扶助、公衆衛生及び医療、社会福祉と現在の主な制度の組み合わせとして、適切なものを一つ選びなさい。

1 社会保険 ―――― 感染症予防
2 公的（国家）扶助 ―――― 生活保護
3 公衆衛生及び医療 ―――― 医療保険
4 社会福祉 ―――― 予防接種
5 社会福祉 ―――― 介護保険

次のうち、社会福祉の理念に関する記述として、適切な記述を○、不適切な記述を×とした場合の正しい組み合わせを一つ選びなさい。

A 権利擁護とは、当事者が持っている権利を擁護し、虐待や差別等から当事者を守ることである。
B エンパワメントとは、当事者自身が力を得て、自らの力で問題を解決していけるように側面的に支援することを意味している。
C ソーシャル・インクルージョンとは、国民に対して最低限度の生活を保障すること（最低生活保障）である。
D ノーマライゼーションとは、障害の有無にかかわらず、だれもが地域で普通に暮らせる社会を目指す理念である。

解説▶別冊 p.195～196 ▶▶▶

（組み合わせ）

1	A○	B○	C○	D×	2	A○	B○	C×	D○
3	A×	B○	C○	D○	4	A×	B×	C○	D○
5	A×	B×	C×	D×					

次のうち、子ども家庭支援の目的に関する記述として、適切な記述を○、不適切な記述を×とした場合の正しい組み合わせを一つ選びなさい。

A 保護者が子どもの育ちの阻害要因になっている場合であっても、親子関係を支援する目的から、決して介入してはならない。

B 保護者への相談・援助活動は、社会福祉援助技術におけるバイステックの７原則等を理解し、応用していく姿勢が求められる。

C 家庭支援、子育て支援とは、地域の子育て拠点や相談支援体制の整備のことであり、出産を含む医療保険制度や、各種手当制度などは含まれない。

D 子育て家庭は地域の中で生活していることから、親子、家庭と地域社会との関係を構築するという視点が重要となる。

（組み合わせ）

1	A○	B○	C×	D×	2	A○	B×	C○	D×
3	A×	B○	C×	D○	4	A×	B×	C○	D○
5	A×	B×	C×	D○					

次のA～Dは、児童福祉に関連する法令である。これらを制定順に並べた場合の正しい組み合わせを一つ選びなさい。

A 「就学前の子どもに関する教育、保育等の総合的な提供の推進に関する法律」

B 「子ども・子育て支援法」

C 「児童虐待の防止等に関する法律」

D 「次世代育成支援対策推進法」

（組み合わせ）

1	B→C→A→D	2	C→D→A→B	3	C→D→B→A
4	D→C→A→B	5	D→C→B→A		

次のうち、児童相談所が受け付ける相談として、適切な記述を○、不適切な記述を×とした場合の正しい組み合わせを一つ選びなさい。

A 児童の障害に関する相談
B 児童の保健に関する相談
C 不登校に関する相談
D 里親希望に関する相談

（組み合わせ）

	A	B	C	D
1	○	○	○	○
2	○	○	○	×
3	○	×	○	○
4	○	×	○	×
5	×	×	×	○

次のうち、「社会福祉法」第２条に基づく、児童福祉施設の第一種社会福祉事業と第二種社会福祉事業の組み合わせとして、適切なものを○、不適切なものを×とした場合の正しい組み合わせを一つ選びなさい。

A 助産施設 ―――――――― 第一種社会福祉事業
B 母子生活支援施設 ―――― 第一種社会福祉事業
C 保育所 ――――――――― 第二種社会福祉事業
D 児童家庭支援センター ―― 第二種社会福祉事業

解説▶別冊 p.196 ～ 198

（組み合わせ）

1	A○	B○	C○	D○	2	A○	B○	C×	D○
3	A○	B×	C○	D×	4	A×	B○	C○	D○
5	A×	B×	C×	D○					

次のうち、社会福祉施設に関する記述として、適切な記述を○、不適切な記述を×とした場合の正しい組み合わせを一つ選びなさい。

A 授産施設は、「生活保護法」に基づく保護施設である。

B 児童厚生施設の一つに児童遊園が規定されている。

C 母子・父子福祉センターおよび母子・父子休養ホームは、「児童福祉法」に基づく児童福祉施設である。

（組み合わせ）

1	A○	B○	C×	2	A○	B×	C○	3	A×	B○	C×
4	A×	B×	C○	5	A×	B×	C×				

次のうち、保育士の業務等に関する記述として、適切な記述を○、不適切な記述を×とした場合の正しい組み合わせを一つ選びなさい。

A 保育士が児童への虐待を発見した場合は、児童相談所等への通報を匿名で行うことができる。

B 家庭支援専門相談員は、保育士資格がなくてもその職に就くことができる。

C 保育士となる資格を有する者は、資格取得後１年以内に保育士登録申請手続きをしなければ、その効力を失う。

（組み合わせ）

1 A○ B○ C○　2 A○ B○ C×　3 A○ B× C○
4 A× B○ C○　5 A× B× C○

次のうち、相談援助の展開過程の中の「ケースの発見」に関する記述として、最も不適切な記述を一つ選びなさい。

1 ケースの発見の契機は、直接の来談、電話での受付、メールによる相談、訪問相談等、様々である。
2 利用者の能力や態度が相談援助の展開過程を左右することはある。
3 接近困難な利用者が地域にいる場合、援助者は利用者の来訪を待つ姿勢が必要である。
4 地域の関係機関等と日頃から連携を強め、ケースの早期発見に努めることは必要である。
5 利用者と援助者との好ましい信頼関係を構築することは重要なテーマである。

次のうち、相談援助の展開過程の説明として、適切な記述を○、不適切な記述を×とした場合の正しい組み合わせを一つ選びなさい。

A インテークとは、支援者が利用者と信頼関係を構築する過程であり、主訴の提示、支援者の所属する機関や施設の説明、契約等を行う。
B アセスメントでは、利用者の状況や利用者の抱える困難の原因や背景を明らかにし、問題解決に向けての状況を理解するために、必要な情報を収集し、それを整理し、分析を行う。
C プランニングでは、アセスメントに基づき、問題解決に向けての目標を設定し、実際の支援をどのように行うかなど、具体的な支援内容を計画する。
D モニタリングとは、支援計画やそれに基づく支援の最終的な評価を行う段階である。

解説▶別冊 p.198 ～ 200 ▶▶▶

（組み合わせ）

1	A○	B○	C○	D×	2	A○	B○	C×	D○
3	A○	B○	C×	D×	4	A×	B×	C○	D○
5	A×	B×	C○	D×					

問13 **次のうち、相談援助の専門性とその進め方に関する記述として、適切な記述を○、不適切な記述を×とした場合の正しい組み合わせを一つ選びなさい。**

A 相談援助において、自己決定は最も重要な原則の一つである。

B 相談援助は、密室の相談室でのみ行われるものをいう。

C 相談援助は、相談援助者のペースによって進められなければならない。

（組み合わせ）

1	A○	B○	C○	2	A○	B○	C×	3	A○	B×	C×
4	A×	B○	C○	5	A×	B×	C○				

問14 **次のうち、相談援助の方法･技術とその説明として、適切な記述を○、不適切な記述を×とした場合の正しい組み合わせを一つ選びなさい。**

A チームアプローチとは、専門職でチームを形成し目標に向かって、チームの強みを意識し、意図的に活用して支援することをいう。

B 社会福祉調査法は、社会福祉に関する実態（福祉ニーズや問題の把握）、社会福祉サービスや政策の評価、個別ケースにおける支援の効果測定などを目的とする調査の総称である。

C ソーシャルアクションとは、支援の必要な状況であるにもかかわらず、それを認識していない、あるいは支援につながっていない利用者に対して、ソーシャルワーカーから援助につなげるためのはたらきかけを行うことである。

（組み合わせ）

1	A○	B○	C○	2	A○	B○	C×	3	A○	B×	C○
4	A×	B○	C○	5	A×	B×	C×				

次のうち、ソーシャルワークの方法・技術に関する組み合わせとして、適切なものを○、不適切なものを×とした場合の正しい組み合わせを一つ選びなさい。

A　ケアマネジメント ―――― 調整機能
B　ネットワーキング ―――― 相互連携
C　ソーシャルアドミニストレーション ―― 組織運営管理
D　スーパービジョン ―――― 社会資源の活用

（組み合わせ）

1	A○	B○	C○	D○	2	A○	B○	C○	D×
3	A○	B○	C×	D○	4	A○	B×	C○	D○
5	A×	B×	C×	D×					

次のうち、「社会福祉法」で定めている福祉サービスの情報提供等に関する記述として、適切な記述を○、不適切な記述を×とした場合の正しい組み合わせを一つ選びなさい。

A　社会福祉事業の経営者に対して、福祉サービスの利用者が、適切かつ円滑に福祉サービスを利用することができるように、その経営する社会福祉事業に関する情報の提供を行うよう努めなければならないと定めている。

B　国と地方公共団体に対して、福祉サービスを利用しようとする者が必要な情報を容易に得られるように、必要な措置を講ずるよう努めなければ

解説▶別冊 p.200 ～ 201 ▶▶▶

ならないと定めている。

C　利用者から実際に福祉サービスの利用契約の申込みがあった場合、社会福祉事業の経営者は、利用者に対して、福祉サービスを利用する事項について説明するように努めなければならないと定めている。

D　社会福祉事業の経営者は、利用契約が成立した際に、利用者に対して、定められた事項を記載した書面を交付しなければならないと定めている。

（組み合わせ）

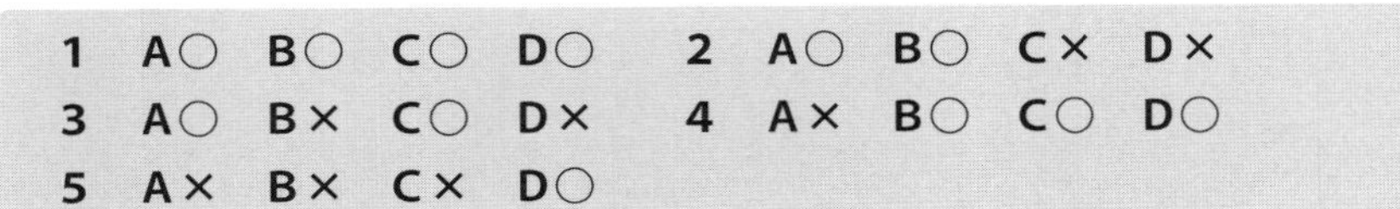

1	A○	B○	C○	D○	2	A○	B○	C×	D×
3	A○	B×	C○	D×	4	A×	B○	C○	D○
5	A×	B×	C×	D○					

次のうち、成年後見制度に関する記述として、適切な記述を○、不適切な記述を×とした場合の正しい組み合わせを一つ選びなさい。

A　成年後見制度の国の所管は、総務省である。

B　成年後見制度は、認知症、知的障害、精神障害等により、判断能力が不十分な人の判断能力を補い、本人の保護と権利擁護を図るための法律上の制度である。

C　法定後見制度および任意後見制度は、それぞれ「民法」に基づいている。

D　法定後見制度に関する申し立てをすることができる者は、本人、配偶者、４親等内の親族のみである。

（組み合わせ）

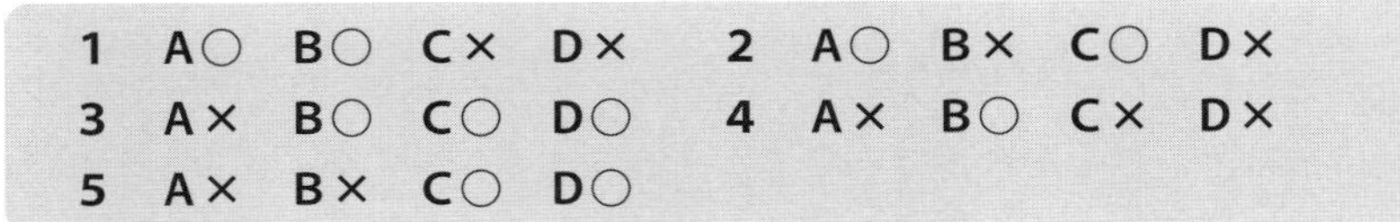

1	A○	B○	C×	D×	2	A○	B×	C○	D×
3	A×	B○	C○	D○	4	A×	B○	C×	D×
5	A×	B×	C○	D○					

次のＡ～Ｄは、障害者に関する施策である。これらを年代の古い順に並べた場合の正しい組み合わせを一つ選びなさい。

A 「障害者の日常生活及び社会生活を総合的に支援するための法律」の成立（障害者自立支援法の改正）
B 「障害者プラン～ノーマライゼーション7か年戦略～」の策定
C 「障害者基本法」の成立（心身障害者対策基本法の改正）
D 「障害者虐待の防止、障害者の養護者に対する支援等に関する法律」の成立

（組み合わせ）

1 A→C→D→B	2 B→A→D→C	3 C→A→D→B
4 C→B→D→A	5 D→B→C→A	

次のうち、社会福祉協議会に関する記述として、適切なものを○、不適切なものを×とした場合の正しい組み合わせを一つ選びなさい。

A 社会福祉協議会は、「社会福祉法」に基づく地域福祉の推進を図ることを目的とする民間組織であるため、介護保険事業等の収益事業を行うことはできないとされている。
B 社会福祉協議会は、市区町村、都道府県・指定都市、全国の各段階に組織されている。
C 社会福祉協議会は、その活動に要する財源のすべてが国および都道府県の補助金によって賄われている。
D 社会福祉協議会は、地域の人々が住み慣れたまちで安心して生活することのできる「福祉のまちづくり」の実現を目指した様々な活動を行っている。

解説▶別冊 p.202 ～ 203 ▶▶▶

（組み合わせ）

1	**A○**	**B○**	**C×**	**D×**	**2**	**A○**	**B×**	**C○**	**D×**
3	**A○**	**B×**	**C×**	**D○**	**4**	**A×**	**B○**	**C×**	**D○**
5	**A×**	**B×**	**C○**	**D○**					

次の文は、「社会福祉法」第４条（地域福祉の推進）の一部である。（　A　）～（　D　）にあてはまる語句の正しい組み合わせを一つ選びなさい。

地域住民等は、地域福祉の推進に当たつては、福祉サービスを必要とする地域住民及びその世帯が抱える福祉、介護、介護予防（中略）、（　A　）、住まい、（　B　）に関する課題、福祉サービスを必要とする地域住民の地域社会からの（　C　）その他の福祉サービスを必要とする地域住民が日常生活を営み、あらゆる分野の活動に参加する機会が確保される上での各般の課題（中略）を把握し、（　D　）の解決に資する支援を行う関係機関（中略）との連携等によりその解決を図るよう特に留意するものとする。

（組み合わせ）

	A	B	C	D
1	生活困窮	就労及び教育	疎外	生活福祉課題
2	保健医療	余暇及び健康	疎遠	利用援助課題
3	社会活動	雇用及び学習	疎遠	地域生活課題
4	保健医療	就労及び教育	孤立	地域生活課題
5	社会活動	雇用及び学習	孤立	生活福祉課題

2022年・後期　教育原理

次の文は、「学校教育法」の一部である。(　A　)・(　B　)にあてはまる語句の正しい組み合わせを一つ選びなさい。

(　A　)、小学校、中学校、義務教育学校、高等学校及び中等教育学校においては、次項各号のいずれかに該当する幼児、児童及び生徒その他教育上特別の支援を必要とする幼児、児童及び生徒に対し、文部科学大臣の定めるところにより、障害による学習上又は生活上の(　B　)を克服するための教育を行うものとする。

(組み合わせ)

	A	B
1	幼保連携型認定こども園	困難
2	幼稚園	課題
3	幼稚園	困難
4	幼稚園	苦手な事柄
5	保育所	困難

次の文は、以下の１～５のどの条文か、正しいものを一つ選びなさい。

全て国民は、児童が良好な環境において生まれ、かつ、社会のあらゆる分野において、児童の年齢及び発達の程度に応じて、その意見が尊重され、その最善の利益が優先して考慮され、心身ともに健やかに育成されるよう努めなければならない。

1　日本国憲法　**2**　社会福祉法　**3**　学校教育法
4　児童の権利に関する条約　**5**　児童福祉法

解説▶別冊 p.203 ～ 204 ▶▶▶

次の【説明】と、【著書の一部】にあてはまる人物と著書の組み合わせとして、正しいものを一つ選びなさい。

【説明】

性善説の立場をとり、本来子ども一人一人のなかにある固有の価値を認め、それを伸ばしていこうとする考えであった。子どもはおとなに無理に教えられなくとも、自ら学び、成長していく力をもっているとした。

【著書の一部】

万物をつくる者の手をはなれるときすべてはよいものであるが、人間の手にうつるとすべてが悪くなる

1 エレン・ケイ（Key, E.）――――『児童の世紀』
2 デューイ（Dewey, J.）――――『経験と教育』
3 フレーベル（Fröbel, F.W.）――――『人間の教育』
4 ルソー（Rousseau, J.-J.）――――『エミール』
5 ペスタロッチ（Pestalozzi, J.H.）――『リーンハルトとゲルトルート』

次の文にあてはまる人物として、正しいものを一つ選びなさい。

学習とは行動の変容であると考える立場に立って、行動の変容をいかにして効率化できるかを考えた。学習を効率的に行わせるには、正の強化要因を与えるか、負の強化要因を除けばよいとした。学習者が反応（解答）した際に、正しかったかどうかについてフィードバックがあるように、ティーチング・マシーンを考案した。問題は綿密にプログラム化されており、プログラム学習といわれる。

1 ライン（Rein, W.）
2 ブルーナー（Bruner, J.S.）
3 スキナー（Skinner, B.F.）
4 ピアジェ（Piaget, J.）
5 ヴィゴツキー（Vygotsky, L.S.）

次のうち、「幼保連携型認定こども園教育・保育要領」第1章「総則」第3「幼保連携型認定こども園として特に配慮すべき事項」の一部として、適切なものを○、不適切なものを×とした場合の正しい組み合わせを一つ選びなさい。

A 園児の一日の生活の連続性及びリズムの多様性に配慮するとともに、保護者の生活形態を反映した園児の在園時間の長短、入園時期や登園日数の違いを踏まえ、園児一人一人の状況に応じ、教育及び保育の内容やその展開について工夫をすること。

B 満3歳未満の園児については睡眠時間等の個人差に配慮するとともに、満3歳以上の園児については集中して遊ぶ場と家庭的な雰囲気の中でくつろぐ場との適切な調和等の工夫をすること。

C 満3歳以上の園児については、特に長期的な休業中、園児が過ごす家庭や園などの生活の場が異なることを踏まえ、それぞれの多様な生活経験が長期的な休業などの終了後等の園生活に生かされるよう工夫をすること。

（組み合わせ）

1 A○ B○ C○　**2** A○ B○ C×　**3** A○ B× C○
4 A× B○ C○　**5** A× B× C○

次の文は、「幼稚園教育要領」第1章「総則」の一部である。（　　）にあてはまる語句として、正しいものを一つ選びなさい。

教育課程の実施に必要な人的又は物的な体制を確保するとともにその改善を図っていくことなどを通して、教育課程に基づき組織的かつ計画的に各幼稚園の教育活動の質の向上を図っていくこと（以下「（　　　　）」という。）に努めるものとする。

1 潜在的カリキュラム
2 経験カリキュラム

解説▶別冊 p.204 ～ 205 ▶▶▶

3　アプローチ・カリキュラム
4　カリキュラム・マネジメント
5　カリキュラム・デザイン

次の【Ⅰ群】の記述と、【Ⅱ群】の語句の組み合わせとして、正しいものを一つ選びなさい。

【Ⅰ群】
A　1950年代半ばに親たちが始めた活動が発祥で、子どもたちは朝集合場所の幼稚園に集まり、そこでその日の計画を話し合い、必要なものをかばんに入れて支度をし、1日野外で過ごす。
B　子どもの「今、ここにある生活」を重視し、実践者、研究者、マオリ（先住民）の人々の意見を集めてつくられたカリキュラムである。「学びの物語（Learning Stories）」と呼ばれる個々の子どもの記録が大切にされている。

【Ⅱ群】
ア　レッジョ・エミリア・アプローチ
イ　テ・ファリキ
ウ　森の幼稚園
エ　モンテッソーリ・メソッド

（組み合わせ）

1　**Aア**　**Bイ**　　**2**　**Aア**　**Bエ**　　**3**　**Aウ**　**Bイ**
4　**Aウ**　**Bエ**　　**5**　**Aエ**　**Bイ**

次のうち、「OECD生徒の学習到達度調査2018年調査（PISA2018）のポイント」（令和元年12月3日　文部科学省・国立教育政策研究所）における日本の結果として、<u>不適切な記述</u>を一つ選びなさい。

1　数学的リテラシー及び科学的リテラシーは、引き続き世界トップレベルである。

2　読解力は、OECD 平均より高得点のグループに位置するが、前回より平均得点・順位が統計的に有意に低下した。

3　読解力の問題で、日本の生徒の正答率が比較的低かった問題には、テキストから情報を探し出す問題や、テキストの質と信ぴょう性を評価する問題などがあった。

4　生徒質問調査から、日本の生徒は「読書は、大好きな趣味の一つだ」と答える生徒の割合が OECD 平均より高いなど、読書を肯定的にとらえる傾向がある。

5　社会経済文化的背景の水準が低い生徒群で、習熟度レベルの高い生徒の割合が他の OECD 加盟国よりも顕著に多かった。

問9　**次の文は、「教育基本法」の一部である。（　A　）・（　B　）にあてはまる語句の正しい組み合わせを一つ選びなさい。**

第三条　国民一人一人が、自己の人格を磨き、豊かな人生を送ることができるよう、（　A　）にわたって、あらゆる機会に、（　B　）において学習することができ、その成果を適切に生かすことのできる社会の実現が図られなければならない。

（組み合わせ）

	A	B
1	その生涯	あらゆる場所
2	その生涯	学校
3	その生涯	家庭やすべての社会教育施設
4	就学期全期	あらゆる場所
5	就学期全期	学校

解説▶別冊 p.205 ～ 206 ▶▶▶

次のうち、「人権教育の指導方法等の在り方について［第三次とりまとめ］」（平成20年3月　文部科学省）の一部として、誤った記述を一つ選びなさい。

1　人権教育を進める際には、教育内容や方法の在り方とともに、教育・学習の場そのものの在り方がきわめて大きな意味を持つ。このことは、教育一般についてもいえるが、とりわけ人権教育では、これが行われる場における人間関係や全体としての雰囲気などが、重要な基盤をなすのである。

2　「いじめ」を許さない態度を身に付けるためには、「いじめはよくない」という知的理解のみをすれば十分である。

3　児童生徒の人権感覚の育成には、体系的に整備された正規の教育課程と並び、いわゆる「隠れたカリキュラム」が重要であるとの指摘がある。

4　一人一人の児童生徒がその発達段階に応じ、人権の意義・内容や重要性について理解し、［自分の大切さとともに他の人の大切さを認めること］ができるようになり、それが様々な場面や状況下での具体的な態度や行動に現れるとともに、人権が尊重される社会づくりに向けた行動につながるようにすることが、人権教育の目標である。

5　学校においては、的確な児童生徒理解の下、学校生活全体において人権が尊重されるような環境づくりを進めていく必要がある。そのために、教職員においては、例えば、児童生徒の意見をきちんと受けとめて聞く、明るく丁寧な言葉で声かけを行うことなどは当然であるほか、個々の児童生徒の大切さを改めて強く自覚し、一人の人間として接していかなければならない。

2022年・後期　社会的養護

次のうち、「新しい社会的養育ビジョン」（平成29年　新たな社会的養育の在り方に関する検討会）における社会的養護の考え方に関する記述として、適切なものを○、不適切なものを×とした場合の正しい組み合わせを一つ選びなさい。

A　社会的養護とは、「サービスの開始と終了に行政機関が関与し、子どもに確実に支援を届けるサービス形態」と定義づけられている。

B　社会的養護には、在宅指導措置（児童福祉法第27条第1項第2号）が含まれる。

C　新たな社会的養育という考え方では、そのすべての局面において、子ども・家族の参加と支援者との協働を原則とする。

D　保護者と分離した子どもの代替養育は、長期間にわたって養育することを原則とする。

（組み合わせ）

1	A○	B○	C○	D×	2	A○	B○	C×	D×
3	A○	B×	C○	D×	4	A×	B○	C×	D○
5	A×	B×	C○	D○					

次の文は、「里親及びファミリーホーム養育指針」（平成24年3月　厚生労働省）の一部である。（　A　）～（　C　）にあてはまる語句を【語群】から選択した場合の正しい組み合わせを一つ選びなさい。

・　子どもを（　A　）として尊重する。子どもが自分の気持ちや意見を素直に表明することを保障するなど、常に子どもの（　B　）に配慮した養育・支援を行う。

（中略）

・　子どもに対しては、（　A　）であることや守られる権利について、（　C　）

解説▶別冊 p.207 ▶▶▶

などを活用し、子どもに応じて、正しく理解できるよう随時わかりやすく説明する。

【語群】

ア	権利の主体	**イ**	権利の客体	**ウ**	最低限の生活保障
エ	最善の利益	**オ**	権利ノート	**カ**	第三者評価

（組み合わせ）

1	**Aア**	**Bウ**	**Cオ**	**2**	**Aア**	**Bエ**	**Cオ**	**3**	**Aア**	**Bエ**	**Cカ**
4	**Aイ**	**Bウ**	**Cオ**	**5**	**Aイ**	**Bエ**	**Cカ**				

次のうち、「児童養護施設入所児童等調査の概要（平成30年2月1日現在）」（厚生労働省）における母子生活支援施設入所世帯（母親）の状況に関する記述として、適切なものを一つ選びなさい。

1 入所理由は「経済的理由による」が最も多い。
2 在所期間は「10年以上」が最も多い。
3 母子世帯になった理由は、「未婚の母」が最も多い。
4 平均所得金額（不明を除く）はおおよそ「166万円」である。
5 母の従業上の地位は、「常用勤労者」が最も多い。

次のうち、家庭支援専門相談員の配置が義務づけられていない児童福祉施設を一つ選びなさい。

1 児童養護施設
2 児童自立支援施設
3 乳児院
4 母子生活支援施設
5 児童心理治療施設

次のうち、児童相談所の一時保護に関する記述として、適切なものを○、不適切なものを×とした場合の正しい組み合わせを一つ選びなさい。

A 児童養護施設や里親に委託一時保護することができる。
B 一時保護所における一時保護期間は、上限が２週間と定められている。
C 一時保護所には、近隣の小学校及び中学校の分教室が設置されている。
D 児童の保護者の同意なしに一時保護することはできない。

（組み合わせ）

1	**A○**	**B○**	**C×**	**D×**	**2**	**A○**	**B×**	**C×**	**D×**
3	**A×**	**B○**	**C×**	**D○**	**4**	**A×**	**B×**	**C○**	**D○**
5	**A×**	**B×**	**C○**	**D×**					

次のうち、児童養護施設における自立支援計画の策定に関する記述として、適切なものを○、不適切なものを×とした場合の正しい組み合わせを一つ選びなさい。

A 被虐待児の入所の増加に伴い、虐待を理由に入所している児童に限定し策定の対象とする。
B 児童の問題行動や短所の指摘を目的に策定する。
C 児童は未成年のため、保護者の意向を優先して策定する。
D 児童相談所など関係機関と連携を図りながら定期的に再評価を行う。

（組み合わせ）

1	**A○**	**B○**	**C×**	**D×**	**2**	**A○**	**B×**	**C○**	**D×**
3	**A○**	**B×**	**C×**	**D○**	**4**	**A×**	**B○**	**C○**	**D×**
5	**A×**	**B×**	**C×**	**D○**					

解説▶別冊 p.208 ～ 209 ▶▶▶

次のうち、「児童養護施設運営指針」(平成24年3月　厚生労働省)に基づく心理的ケアに関する記述として、適切な記述を○、不適切な記述を×とした場合の正しい組み合わせを一つ選びなさい。

A 心理的ケアが必要な子どもは、自立支援計画に基づき、その解決に向けた心理支援プログラムを策定する。

B 心理的ケアを行うことが養育のいとなみの主眼であり、保育士がこれを単独で行うことで子どもとの関係形成を深める。

C 心理的ケアが必要な子どもの担当職員は、児童相談所が主催する研修を受けなければならない。

(組み合わせ)

1 A○　B○　C×　　2 A○　B×　C○　　3 A○　B×　C×
4 A×　B○　C○　　5 A×　B×　C×

次のうち、児童養護施設における子どもの養育・支援の記録に関する記述として、適切なものの組み合わせを一つ選びなさい。

A 記録は、職員の主観的な視点を中心に記録する。

B 措置解除後の記録を残す必要はなく、入所から退所までの期間を記すこととなっている。

C 養育・支援の実施状況を、家族及び関係機関とのやりとり等を含めて適切に記録する。

D 異動や退職等による担当職員の交替時に、養育を引き継いでいくための資料となる。

(組み合わせ)

1 AB　　2 AC　　3 AD　　4 BD　　5 CD

問9 次の【事例】を読んで、【設問】に答えなさい。

【事例】

Xちゃん（3歳、女児）は、父からの母に対する身体的暴力を理由に、母と共に母子生活支援施設に入所することとなった。暴力被害の可能性が引き続きあることから、父には施設に入所していることや居住場所を伝えていない。母は離婚の意向を示している。また、母は緊急で逃げ出してきたため、経済的に困窮している。さらに暴力の影響により働ける状況にはなく、うつ病と診断され、心療内科に通っている。

【設問】

次のうち、適切なものを一つ選びなさい。

1 母が働いていないため、保育所の利用はできず、Xちゃんは母子生活支援施設内で保育を受ける必要がある。

2 母子生活支援施設入所中は生活保護費の受給ができないため、母子生活支援施設がXちゃん母子の生活に必要な費用を支出する。

3 暴力の被害にあう可能性があるため、裁判所から父に対して接近禁止命令などの保護命令を出してもらうように職員に協力してもらい手続きをすることができる。

4 Xちゃんにとって実の両親と暮らすことは最善の利益になることから、母子生活支援施設の職員は父母の関係改善を支援方針とする必要がある。

5 母子生活支援施設の入所期間は法律で2年以内と定められていることから、2年間で母子で自立した生活ができるように施設は支援する必要がある。

問10 次の【事例】を読んで、【設問】に答えなさい。

【事例】

Yくん（4歳、男児）は、食事が与えられないなどのネグレクトを理由に

解説▶別冊 p.209～210 ▶▶▶

児童養護施設に入所して半年になる。両親共に養育拒否の意向を示し、また他に養育できる親族等がいないため、児童相談所は児童養護施設に入所後に措置変更し、養育里親に委託をするとの方針を立てた。里親委託に対して、両親は同意している。その後、委託候補の夫婦が決まり、夫婦とＹくんの交流が始まった。Ｙくんには施設の担当職員が里親について事前に丁寧に説明をした後、週末に園内で顔合わせをして、公園に出かけるという交流を行った。交流後にＹくんは、「とても楽しかった」「おばちゃんのお家に遊びに行ってみたい」と前向きな反応を示した一方、「お母さんに会いたい」と実親を思い出し泣き出す場面が見られた。

【設問】

　次のうち、「里親委託ガイドライン」（平成 30 年３月　厚生労働省）に照らした際、適切なものを○、不適切なものを×とした場合の正しい組み合わせを一つ選びなさい。

A　両親共に養育拒否の意向を示しているが、子どもは実親の元で暮らすことが最優先されるため、里親委託を方針としたのは不適切である。
B　里親候補であることを伝えることは、委託がうまくいかなかった場合にダメージとなる可能性があるため、Ｙくんには里親委託が検討されていることは伏せて交流すべきである。
C　「お母さんに会いたい」というＹくんの意向を尊重し、方針を変更し、実親との家族再統合に切り替える。
D　担当保育士はＹくんの気持ちに寄り添いつつ、里親との交流を継続した。

（組み合わせ）

1	**A○**	**B○**	**C○**	**D○**	**2**	**A○**	**B○**	**C×**	**D×**
3	**A○**	**B×**	**C○**	**D○**	**4**	**A×**	**B○**	**C○**	**D×**
5	**A×**	**B×**	**C×**	**D○**					

2022年・後期　子どもの保健

次のうち、母子保健に関して人口動態統計に用いられている指標の記述として、適切なものを○、不適切なものを×とした場合の正しい組み合わせを一つ選びなさい。

A　人口千人に対する出生数の割合を出生率という。
B　周産期死亡とは、妊娠満22週以後の死産と生後4週未満の新生児死亡を合わせたものをいう。
C　乳児死亡は生後1年未満の死亡をいい、乳児死亡率は出生千対で表す。
D　合計特殊出生率とは、15歳から49歳までの女性の年齢別出生率を合計したものである。

（組み合わせ）

1	A○	B○	C○	D○	**2**	A○	B○	C○	D×
3	A○	B○	C×	D○	**4**	A○	B×	C○	D○
5	A×	B○	C○	D○					

次のうち、乳幼児の体調不良時において、保護者に連絡するだけでなく医療機関への緊急搬送が必要な場合として、適切な組み合わせを一つ選びなさい。

A　7月の炎天下の中、散歩中に真っ赤な顔をして気持ち悪そうにしていたので声をかけたが、意識がもうろうとして返事をしなかった。
B　3歳児に39度の発熱がみられぐったりして横になっている。
C　午前中の保育が終わりお昼ご飯にしようとしたとき、急に目を上転させけいれんが起きた。数分後にけいれんは収まっているようにも見えたが、呼びかけても意識が戻らない。
D　登園時は元気だったが、次第に顔色が悪くなり嘔吐が2回あった。その後は顔色が戻り落ち着いている。

解説▶別冊 p.210 ▶▶▶

E　昨日の保育時から咳が出ていたが、本日は咳がひどくなり、発熱はないが咳込んで嘔吐した。

（組み合わせ）

1 AB　　2 AC　　3 BC　　4 CD　　5 DE

次のうち、「保育所における感染症対策ガイドライン（2018年改訂版　2021年一部改訂）」（厚生労働省）に記載されている保育室の衛生管理に関する記述として、適切なものを○、不適切なものを×とした場合の正しい組み合わせを一つ選びなさい。

A　ドアノブや手すり等は、清潔な布でから拭きする。
B　嘔吐物や排泄物の処理等は、塩素系消毒薬を用いる。
C　季節を問わず、同じ室温や湿度に保ち、換気を行う。
D　加湿器使用時には、水を毎日交換する。

（組み合わせ）

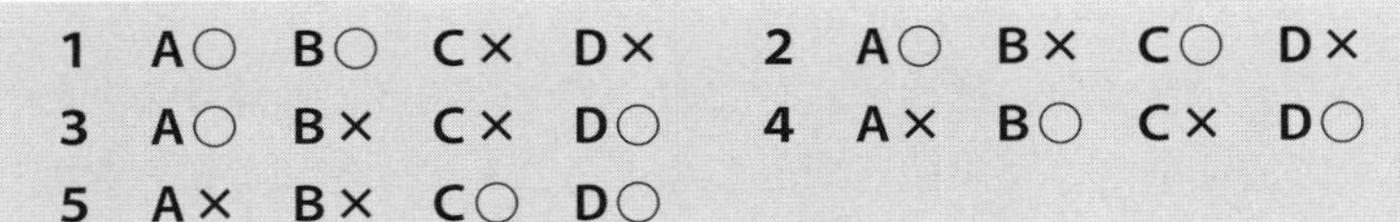

1	A○	B○	C×	D×
2	A○	B×	C○	D×
3	A○	B×	C×	D○
4	A×	B○	C×	D○
5	A×	B×	C○	D○

次のうち、子どものけいれんに関する記述として、適切なものを○、不適切なものを×とした場合の正しい組み合わせを一つ選びなさい。

A　発熱時に起こることがある。
B　意識を確かめるために体をゆする。
C　唾液等を誤嚥しないように仰向きにする。
D　発作の様子と継続時間を記録する。

（組み合わせ）

1	A○ B○ C× D×	2	A○ B× C○ D×
3	A○ B× C× D○	4	A× B○ C○ D×
5	A× B× C○ D○		

問5 次のうち、救急蘇生法に関する記述として、適切な記述を一つ選びなさい。（★2）

1 市民が行う救急蘇生法では、救命は期待できない。

2 一時救命処置とは、心肺蘇生（CPR）、AEDを用いた電気ショック、気道異物除去の3つをいう。

3 救命の効果を高めるために迅速につなげたい救命の連鎖の4つの輪とは、「心停止の予防―早期認識と通報―ファーストエイド―救急隊による心肺蘇生」である。

4 倒れている人のそばに誰もいない場合は、まず誰かを探しにいき、119番通報を行ってもらう。

5 倒れている人を見つけたら、触らずに観察し、呼びかけに応答するかどうかを見て、意識状態の反応を確認する。

問6 次のうち、「保育所におけるアレルギー対応ガイドライン（2019年改訂版）」（厚生労働省）における記述として、適切なものを○、不適切なものを×とした場合の正しい組み合わせを一つ選びなさい。

A 医師の診断指示に基づき、保護者と連携し、適切に対応する。

B アトピー性皮膚炎の子どもの爪が長く伸びたままである場合、短く切ることを保護者に勧める。

C 食物アレルギー児それぞれのニーズに細かく応えるため、食物除去は様々な除去法に対応する。

D アレルギー疾患を有する子どもの対応法に関しては、個人情報の保護を優先し職員間での共有は控える。

解説▶別冊 p.211 ～ 212 ▶▶▶

（組み合わせ）

1	A○	B○	C×	D×	2	A○	B×	C○	D×
3	A○	B×	C×	D○	4	A×	B○	C×	D○
5	A×	B×	C○	D○					

次のうち、乳幼児の感染症についての記述として、適切な記述を○、不適切な記述を×とした場合の正しい組み合わせを一つ選びなさい。

A 川崎病は、ヒトパルボウイルスによっておこる感染症である。

B 乳児では、結核に感染すると粟粒結核などの重篤な病気になりやすい。

C MRSA感染症とは、ペニシリン製剤が無効であるブドウ球菌によっておこる感染症である。

D 百日咳に罹患すると、特有の連続性、発作性の咳（スタッカート）がみられ、夜間に特にひどい。

E 突発性発疹は、インフルエンザ菌によっておこる感染症である。

（組み合わせ）

1	A○	B○	C×	D○	E×	2	A○	B○	C×	D×	E○
3	A×	B○	C○	D○	E×	4	A×	B○	C○	D×	E○
5	A×	B×	C○	D○	E○						

次のうち、虐待事例への援助に関する記述として、適切なものを一つ選びなさい。

1 虐待事例への援助をする際、保護者の意に反する介入をしてはならない。

2 プライバシーを守るためには、虐待を発見した保育所のみで対応しなければならない。

3 施設入所となったケースでは、保護者のかかえる課題を解決するための家族支援が重要となる。

4 施設入所後は、子どもの家庭復帰を積極的に進めていけるよう援助する。

5　在宅での援助を継続する場合、子どものプライバシーを守ることを優先し、関係機関等による連携をしない。

問9　**次の文は、睡眠に関する記述である。適切な記述を○、不適切な記述を×とした場合の正しい組み合わせを一つ選びなさい。**

A　新生児は授乳リズムに応じて睡眠覚醒を繰り返しているが、月齢とともに次第に昼夜の区別が可能になる。
B　乳児は浅い眠りの時に夜泣きしやすい。
C　成長ホルモンは、入眠時、ノンレム睡眠の最も深い時に比較的多く分泌される。
D　睡眠リズムの調節と免疫機能の向上作用をもつメラトニンは、日中に比較的多く分泌される。
E　自閉症や情緒障害などで生体リズムが乱れることがあるが、特に睡眠リズムを改善させる必要はない。

（組み合わせ）

	A	B	C	D	E
1	A○	B○	C○	D×	E×
2	A○	B○	C×	D○	E○
3	A○	B×	C○	D×	E×
4	A×	B×	C○	D○	E○
5	A×	B×	C×	D○	E×

問10　**次の文は、保育所での食中毒予防に関する記述である。（　A　）～（　C　）にあてはまる語句の正しい組み合わせを一つ選びなさい。**

食中毒は、その原因となる細菌やウイルスが（　A　）に付着し、体内へ侵入することによって発生します。食中毒を防ぐためには、細菌の場合は、細菌を（　A　）に「付けない」、（　A　）に付着した細菌を（　B　）、（　A　）や調理器具に付着した細菌を（　C　）という３つのことが原則となります。

解説▶別冊 p.212 ～ 214 ▶▶▶

（組み合わせ）

	A	B	C
1	手指	「閉じ込める」	「やっつける」
2	食べ物	「増やさない」	「やっつける」
3	食べ物	「閉じ込める」	「水で洗い流す」
4	手指	「増やさない」	「水で洗い流す」
5	手指	「閉じ込める」	「水で洗い流す」

次の【事例】を読んで、【設問】に答えなさい。

【事例】

Ｚ保育所に通うＭ君（２歳、男児）の保護者から、「昨夜から熱が出て耳が痛いというので、今朝受診したところ、おたふくかぜと診断された」と電話があった。Ｍ君は昨日元気に登園していた。

【設問】

次のうち、Ｚ保育所の対応として、適切な記述を○、不適切な記述を×とした場合の正しい組み合わせを一つ選びなさい。

A　学校等欠席者・感染症情報システムを活用し感染症流行状況を確認する。

B　他児の流行性耳下腺炎の罹患状況、予防接種状況を確認する。

C　潜伏期間は 10 日前後であるため、その期間は他児たちの健康観察を入念に行う。

D　他児の保護者に注意喚起し、１歳以上からの任意予防接種を受けるよう促す。

E　Ｍ君の保護者には、耳下腺の腫脹がわかった今日から少なくとも５日間は登園できないことを伝える。

（組み合わせ）

1	A○	B○	C○	D○	E○	2	A○	B○	C○	D×	E○
3	A○	B○	C×	D○	E○	4	A○	B×	C○	D○	E×
5	A×	B○	C○	D○	E×						

問 12 **次のうち、「保育所における感染症対策ガイドライン（2018 年改訂版　2021 年一部改訂）」（厚生労働省）における感染症対策の実施体制で、医療関係者の役割に関する記述として、不適切なものを一つ選びなさい。**

1 「児童福祉施設の設備及び運営に関する基準」（昭和 23 年厚生省令第 63 号）第 33 条第 1 項では、保育所には嘱託医を置かなければならないこととされている。

2 保育所は、嘱託医に対し、日頃の保育所での感染症対策の取り組みについて情報提供し、また、嘱託医との間で感染症の発生やその対策について情報交換し、助言を得る。

3 保育所全体の保健的対応や健康管理については、嘱託医の役割ではない。

4 嘱託医は、年２回以上、子どもの健康診断を行う。

5 保育所は、嘱託医の勤務状況等に配慮し、保育所において作成された記録を活用して的確かつ簡潔に嘱託医に情報提供する。

問 13 **次のうち、「保育所保育指針」第１章「総則」（２）「養護に関わるねらい及び内容」のア「生命の保持」に関する記述として、適切なものを○、不適切なものを×とした場合の正しい組み合わせを一つ選びなさい。**

A 子どもの生命を守り、子どもが快適に、そして健康で安全に過ごすことができるようにする。

B 子どもの生理的欲求が十分に満たされ、健康増進が積極的に図られるようにする。

C 一人一人の子どもの健康状態や発育及び発達状態を把握する。

解説▶別冊 p.214 ～ 215 ▶▶▶

D 子どもの生活や発達過程等にふさわしい生活リズムをつくるために、保育所での生活に合わせ、家庭での生活リズムを変えてもらうことが大切である。

（組み合わせ）

1	**A○**	**B○**	**C○**	**D○**	**2**	**A○**	**B○**	**C○**	**D×**
3	**A○**	**B×**	**C○**	**D×**	**4**	**A×**	**B○**	**C×**	**D×**
5	**A×**	**B×**	**C○**	**D○**					

問 14 **次のうち、精神運動機能発達に関して、ほぼ半数の子どもができるようになる時期についての記述として適切なものを○、不適切なものを×とした場合の正しい組み合わせを一つ選びなさい。**

A 生後2か月頃には首がしっかりすわる。
B 生後3～4か月頃には両手を合わせて遊ぶことができる。
C 生後6～7か月頃には一人座りができる。
D 生後9～10か月頃には親指を使って小さなものをつかむ。
E 生後12か月頃には一人で安定した歩きをする。

（組み合わせ）

1	**A○**	**B○**	**C○**	**D×**	**E×**	**2**	**A○**	**B○**	**C×**	**D×**	**E○**
3	**A×**	**B○**	**C○**	**D○**	**E×**	**4**	**A×**	**B○**	**C×**	**D○**	**E○**
5	**A×**	**B×**	**C○**	**D○**	**E○**						

問 15 **次のうち、保健計画に関する記述として、適切なものを○、不適切なものを×とした場合の正しい組み合わせを一つ選びなさい。**

A 「保育所保育指針」では、保健計画の策定が義務付けられている。
B 保健計画の様式は決められており、目標、保健活動内容、留意点、評価等が含まれる。

C 保育所全体の保健計画を作成し、全職員がそのねらいや内容を理解する。
D 保健計画には、安全管理や安全教育は含まれない。
E 保健計画の評価には、客観的に確認できるよう健康診断に関する法令などを活用する。

（組み合わせ）

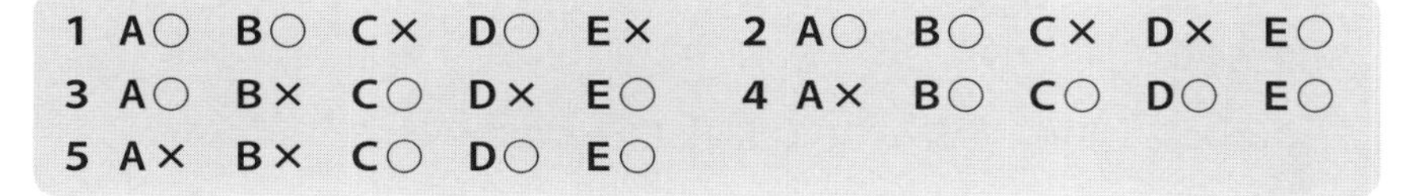

1	A○	B○	C×	D○	E×
2	A○	B○	C×	D×	E○
3	A○	B×	C○	D×	E○
4	A×	B○	C○	D○	E○
5	A×	B×	C○	D○	E○

次の【事例】を読んで、【設問】に答えなさい。

【事例】
Kちゃん（4歳、女児）が、母親と一緒に保育所に登園してきました。「おはよう」と保育士が声をかけましたが、母親のそばから離れようとせず、いつもの様子と少し違います。確認のために熱を測ったら、腋窩温で37.3℃でした。Kちゃんの平熱は36.5℃です。

【設問】
次のうち、保育士の対応として、適切なものを○、不適切なものを×とした場合の正しい組み合わせを一つ選びなさい。

A 母親に昨日の帰宅から今朝までの様子を聞き、連絡帳を確認した。
B 子どもがぐずっていないので、登園時の全身状態の観察は行わなくてよいこととした。
C 現段階では発熱の状態とは言えないので、保育を行うこととした。
D 母親から解熱剤を預かり、38℃以上に発熱したら飲ませることを母親と確認した。
E 保育を開始する前に緊急時の連絡先を保護者に確認するが、保護者側の事情で連絡を受けにくい状況が起こる場合は保護者から保育所に連絡を

解説▶別冊 p.215 ～ 216 ▶▶▶

いれるよう依頼した。

（組み合わせ）

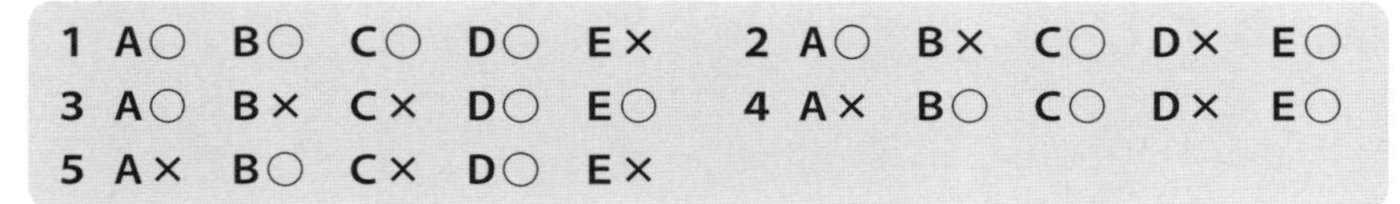

	A	B	C	D	E
1	○	○	○	○	×
2	○	×	○	×	○
3	○	×	×	○	○
4	×	○	○	×	○
5	×	○	×	○	×

次の【事例】を読んで、【設問】に答えなさい。

【事例】

２歳、男児。

某月某日鼻汁、咳嗽など「かぜ」のような症状が出はじめた。その後、次第に咳が強くなってきた。約３週間たってから、咳がはげしくなり、連続的に咳込み、そのあと息を吸うときにヒューという音が出た。咳の発作は夜間に強く、咳込みに伴い嘔吐もみられた。

【設問】

次のうち、この子どもの症状に最もあてはまる疾患を一つ選びなさい。

1　気管支炎　　**2**　「かぜ」症候群　　**3**　マイコプラズマ肺炎
4　肺結核　　**5**　百日咳

次のうち、「教育・保育施設等における事故防止及び事故発生時の対応のためのガイドライン【事故防止のための取組み】～施設・事業者向け～」（平成 28 年３月　厚生労働省）に関する記述として、適切なものを○、不適切なものを×とした場合の正しい組み合わせを一つ選びなさい。

A　窒息を防ぐため、やわらかい布団に寝かせる。
B　事故の記録は、鉛筆を用い紙に手書きで記録する。

C　プール活動において、監視者は監視に専念する。
D　食事介助の際には、食べ物を飲み込んだことを確認しながら与える。

（組み合わせ）

1	A○	B○	C×	D×	**2**	A○	B×	C×	D○
3	A×	B○	C○	D×	**4**	A×	B○	C×	D○
5	A×	B×	C○	D○					

次のうち、「教育・保育施設等における事故防止及び事故発生時の対応のためのガイドライン【事故防止のための取組み】～施設・事業者向け～」（平成28年3月　厚生労働省）に記載されている年齢別の危険対応に関して、不適切な記述を一つ選びなさい。

1　【0歳児】オムツの取り替えなどで、子どもを寝かせたままにしてそばを離れない。
2　【1歳児】保育者が見守っている時を除き、椅子の上に立ち上がることのないようにする。
3　【2歳児】階段を上り下りする時は、子どもの下側を歩くか、手を繋ぐ。
4　【3歳児】おもちゃの取り合いなどの機会をとらえて安全な遊び方を指導する。
5　【4歳児】ハサミなど正しい使い方を指導し、使用したらすぐに片付ける。

次のうち、医療的ケア児に関する記述として、適切なものを○、不適切なものを×とした場合の正しい組み合わせを一つ選びなさい。

A　医療的ケア児とは、日常生活や社会生活を営むために、恒常的に喀痰吸引や経管栄養などの医療的ケアが必要な児童のことをいう。
B　医療的ケア児には、歩ける児から寝たきりの重症心身障害児まで含まれる。
C　保育所等では、登録認定を受けた保育士等が、医師の指示のもとに特定の医療的ケアを実施することができる。

解説▶別冊 p.216～218 ▶▶▶

D　医療的ケア児を保育所で預かる場合は、看護師または研修を受けた保育士を配置しなければならない。

E　医療的ケア児を保育所で預かる場合は、安全を考慮しできるだけ別室保育をすることが望ましいとされている。

（組み合わせ）

1	A○	B○	C○	D○	E×	2	A○	B○	C×	D×	E○
3	A○	B×	C×	D○	E○	4	A×	B○	C○	D○	E×
5	A×	B×	C○	D○	E×						

2022年・後期　子どもの食と栄養

次のうち、「令和元年国民健康・栄養調査結果の概要」（厚生労働省）に関する記述として、適切な記述を○、不適切な記述を×とした場合の正しい組み合わせを一つ選びなさい。

A　食習慣改善の意思について、「関心はあるが改善するつもりはない」と回答した者の割合が、男女ともに最も高かった。

B　健康食品を摂取している目的について、20歳代女性で「たんぱく質の補充」と回答した者の割合が最も高かった。

C　食塩摂取量の平均値は、男女とも60歳代で最も高かった。

D　野菜摂取量の平均値は、男女ともに20～40歳代で少なく、60歳以上で多かった。

（組み合わせ）

1	A○	B○	C○	D○	2	A○	B×	C○	D○
3	A×	B○	C×	D○	4	A×	B○	C×	D×
5	A×	B×	C○	D×					

次のうち、「食生活指針」（平成 28 年　文部科学省・厚生労働省・農林水産省）の「食生活指針の実践」の一部として、誤ったものを一つ選びなさい。

1 おいしい食事を、味わいながらゆっくりよく噛んで食べましょう。
2 家族の団らんや人との交流を大切に、また、食事づくりに参加しましょう。
3 地域や家庭で受け継がれてきた料理や作法を伝えていきましょう。
4 「和食」をはじめとした日本の食文化を大切にして、日々の食生活に活かしましょう。
5 牛乳・乳製品、緑黄色野菜、豆類、小魚などで、糖質・脂質を十分にとりましょう。

次のうち、「平成 27 年度乳幼児栄養調査結果」（厚生労働省）に関する記述として、「現在子どもの食事について困っていること」（回答者：２～３歳未満児の保護者）の回答の割合が、最も高かったものを一つ選びなさい。

1 遊び食べをする
2 早食い、よくかまない
3 小食
4 食べること（食べもの）に関心がない
5 偏食する

解説▶別冊 p.218 ～ 219 ▶▶▶

次の文は、たんぱく質に関する記述である。適切なものを一つ選びなさい。

1 炭素（C)、酸素（O)、水素（H）のみで構成されている。
2 アミノ酸からなり、そのアミノ酸は100種類以上存在する。
3 食品の必須アミノ酸含有量のうち、最も高い必須アミノ酸を第一制限アミノ酸という。
4 糖質や脂質が不足した場合にエネルギーとして利用される。
5 精白米のアミノ酸スコアは100である。

次の【Ⅰ群】のビタミンと、【Ⅱ群】の内容を結びつけた場合の正しい組み合わせを一つ選びなさい。

【Ⅰ群】

A ビタミンA　**B** ビタミンB_1　**C** ビタミンD　**D** 葉酸

【Ⅱ群】

ア 糖質代謝に関与し、欠乏症は脚気である。
イ 粘膜を正常に保ち、免疫力を維持する。欠乏症は夜盲症である。
ウ カルシウムの吸収を促進させ、骨形成を促進する。
エ 十分量を受胎の前後に摂取すると、胎児の神経管閉鎖障害のリスクを低減できる。

（組み合わせ）

1	**Aア**	**Bイ**	**Cウ**	**Dエ**	**2**	**Aア**	**Bイ**	**Cエ**	**Dウ**
3	**Aイ**	**Bア**	**Cウ**	**Dエ**	**4**	**Aイ**	**Bア**	**Cエ**	**Dウ**
5	**Aウ**	**Bア**	**Cイ**	**Dエ**					

次のうち、食品の表示に関する記述として、適切なものを○、不適切なものを×とした場合の正しい組み合わせを一つ選びなさい。

A 特定保健用食品（トクホ）は、表示されている効果や安全性については都道府県が審査を行い、食品ごとに消費者庁長官が許可している。

B 「食品表示法」において、表示が義務付けられている栄養成分は、熱量、たんぱく質、脂質、炭水化物、食物繊維、ナトリウム（食塩相当量で表示）である。

C 栄養機能食品は、既に科学的根拠が確認された栄養成分を一定の基準量を含む食品であれば、特に届出などをしなくても、国が定めた表現によって当該栄養成分の機能を表示することができる。

D 機能性表示食品は、事業者の責任において、科学的根拠に基づいた機能性を表示した食品であり、消費者庁長官による個別審査を受けたものではない。

（組み合わせ）

1 A○ B○ C× D×
2 A○ B× C○ D×
3 A○ B× C× D○
4 A× B○ C× D×
5 A× B× C○ D○

次の【Ⅰ群】の調理方法と、【Ⅱ群】の調理用語を結びつけた場合の正しい組み合わせを一つ選びなさい。

【Ⅰ群】

A 油で揚げてある材料に、熱湯をかけたりして表面の油をとる。
B 湯を入れた大きい鍋に、材料を入れた小さい鍋を入れて加熱する。
C 材料に湯をかけた後、冷水にとり、皮をむく。
D 材料を熱湯に入れて加熱し、すぐに取り出す。

解説▶別冊 p.219 ～ 220 ▶▶▶

【Ⅱ群】
ア　湯むき　　イ　湯せん　　ウ　油抜き　　エ　湯通し

（組み合わせ）

1　Aア　Bイ　Cウ　Dエ　　2　Aイ　Bア　Cエ　Dウ
3　Aウ　Bイ　Cア　Dエ　　4　Aウ　Bエ　Cア　Dイ
5　Aウ　Bエ　Cイ　Dア

次の文は、母乳栄養に関する記述である。適切なものの組み合わせを一つ選びなさい。

A　出産後、エストロゲンが急激に分泌されるため、乳汁の生成と分泌が始まる。

B　WHO（世界保健機関）とUNICEF（国連児童基金）は、共同で「母乳育児を成功させるための10か条」を発表している。

C　「平成27年度乳幼児栄養調査結果」（厚生労働省）（回答者：0～2歳児の保護者）によると、生後3か月の栄養方法は、母乳栄養と混合栄養を合わせると、約6割であった。

D　冷凍母乳等を取り扱う場合には、母乳を介して感染する感染症もあるため、保管容器には名前を明記して、他の子どもに誤って飲ませることがないように十分注意する。

（組み合わせ）

1　AB　　2　AD　　3　BC　　4　BD　　5　CD

次のうち、保育所における調乳に関する記述として、適切なものを○、不適切なものを×とした場合の正しい組み合わせを一つ選びなさい。

A 調乳室は清潔に保ち、調乳時には清潔なエプロン等を着用する。
B 乳児用調製粉乳は、50℃以上のお湯で調乳するとよい。
C 調乳後、２時間以内に使用しなかった乳児用調製粉乳は廃棄する。
D 乳児用調製粉乳は、使用開始日を記入し、衛生的に保管する。

（組み合わせ）

1	A○	B○	C×	D×	2	A○	B×	C○	D○
3	A×	B○	C○	D×	4	A×	B○	C×	D○
5	A×	B×	C○	D○					

次のうち、「楽しく食べる子どもに～保育所における食育に関する指針～」（平成 16 年　厚生労働省）の１歳３か月～２歳未満児の食育の内容の一部として、正しいものを○、誤ったものを×とした場合の正しい組み合わせを一つ選びなさい。

A よく遊び、よく眠り、食事を楽しむ。
B いろいろな食べものに関心を持ち、手づかみ、または、スプーン、フォークなどを使って自分から意欲的に食べようとする。
C うがい、手洗いなど、身の回りを清潔にし、食生活に必要な活動を自分でする。
D 楽しい雰囲気の中で、一緒に食べる人に関心を持つ。

（組み合わせ）

1	A○	B○	C○	D○	2	A○	B○	C×	D○
3	A×	B○	C×	D○	4	A×	B○	C×	D×
5	A×	B×	C○	D×					

解説▶別冊 p.220 ～ 221 ▶▶▶

問11 次のうち、小学校6年生と中学校3年生を対象に実施した「平成31年度（令和元年度）全国学力・学習状況調査」（文部科学省）に関する記述として、適切なものの組み合わせを一つ選びなさい。

A 毎日朝食を食べる子どもほど、学力調査の平均正答率が高い傾向であった。

B 「毎日、同じくらいの時刻に寝ていますか」という質問に対し、「あまりしていない」及び「全くしていない」と回答した中学生の割合は約２割であった。

C 「毎日、同じくらいの時刻に寝ていますか」という質問に対し、「あまりしていない」及び「全くしていない」と回答した小学生の割合は約４割であった。

D 「朝食を毎日食べていますか」という質問に対し、「あまりしていない」及び「全くしていない」と回答した中学生の割合は約２割であった。

（組み合わせ）

1 AB　**2** AC　**3** AD　**4** BC　**5** BD

問12 次の文は、「学校給食実施基準の一部改正について」（令和３年　文部科学省）に示されている学校給食の食事内容の充実の一部である。正しいものを○、誤ったものを×とした場合の正しい組み合わせを一つ選びなさい。

A 献立作成は、各教科等の食に関する指導とは別に、栄養教諭、学校栄養職員が行う食に関する指導に合わせること。

B 学校給食を通して、日常又は将来の食事作りにつなげることができるよう、献立名や食品名が明確な献立作成に努めること。

C 食物アレルギー等のある児童生徒に対しては、学校医が責任を持ち、個々の児童生徒の状況に応じた対応に努めること。

D 地域の食文化等を学ぶ中で、世界の多様な食文化等の理解も深めることができるよう配慮すること。

（組み合わせ）

1	A○	B○	C○	D×	2	A○	B○	C×	D○
3	A○	B×	C○	D×	4	A×	B○	C×	D○
5	A×	B×	C○	D○					

問 13 **次のうち、「日本人の食事摂取基準（2020 年版）」（厚生労働省）において、授乳婦に付加量の設定がある栄養素として、不適切なものを一つ選びなさい。**

1 カルシウム　　2 たんぱく質　　3 鉄
4 葉酸　　5 ビタミンA

問 14 **次のうち、「第４次食育推進基本計画」（令和３年　農林水産省）に関する記述として、適切なものの組み合わせを一つ選びなさい。**

A 食育推進基本計画は、「食育基本法」に基づき、食育の推進に関する基本的な方針や目標について定めている。
B 第４次食育推進基本計画は、４つの重点事項を柱に、SDGs の考え方を踏まえ、食育を総合的かつ計画的に推進する。
C 第４次食育推進基本計画は、令和３～５年度までの計画である。
D 第４次食育推進基本計画の重点事項の中には、「新たな日常」やデジタル化に対応した食育の推進がある。

（組み合わせ）

1 AB　2 AC　3 AD　4 BC　5 BD

解説▶別冊 p.221 ～ 222 ▶▶▶

次の文は、五節句と行事食に関する記述である。適切なものを○、不適切なものを×とした場合の正しい組み合わせを一つ選びなさい。

A 人日（じんじつ）の節句は、七草の節句ともいい、くず、ききょう、ふじばかま、おみなえし、なでしこ、はぎ、おばなの七草を入れた粥（かゆ）を食べる。

B 上巳（じょうし／じょうみ）の節句は、桃の節句ともいい、女児の成長を祝い、桃の花、白酒、ひなあられ、菱餅などをひな壇にそなえる。

C 端午（たんご）の節句は、男児の成長を祝い、ちまき、柏餅などを食べる。

D 重陽（ちょうよう）の節句は、かぼちゃ、小豆粥（あずきがゆ）などを食べる。

（組み合わせ）

1	**A○**	**B○**	**C×**	**D×**	**2**	**A○**	**B×**	**C×**	**D○**
3	**A×**	**B○**	**C○**	**D○**	**4**	**A×**	**B○**	**C○**	**D×**
5	**A×**	**B×**	**C○**	**D○**					

次の文は、「保育所保育指針」第３章「健康及び安全」の２「食育の推進」の一部である。（　A　）～（　C　）にあてはまる語句の正しい組み合わせを一つ選びなさい。

子どもが自らの感覚や体験を通して、（　A　）としての食材や食の循環・環境への意識、調理する人への（　B　）が育つように、子どもと調理員等との関わりや、調理室など食に関わる（　C　）に配慮すること。

（組み合わせ）

	A	B	C
1	生きた教材	興味や関心	体験学習
2	自然の恵み	職業の理解	衛生面
3	豊かな資源	感謝の気持ち	衛生面
4	生きる力	職業の理解	保育環境
5	自然の恵み	感謝の気持ち	保育環境

問 17 **次のうち、食中毒の原因菌とその主な原因食品の組み合わせとして、最も適切なものを一つ選びなさい。**

	<原因菌>		<原因食品>
1	サルモネラ菌	——	はちみつ
2	ノロウィルス	——	卵焼き
3	腸管出血性大腸菌	——	缶詰
4	ボツリヌス菌	——	鮭の塩焼き
5	ウェルシュ菌	——	カレーなどの大量加熱調理品

問 18 **次のうち、「保育所における食事の提供ガイドライン」（平成 24 年厚生労働省）第 4 章における食事の提供の「評価のポイント」の記述として、適切な記述を○、不適切な記述を×とした場合の正しい組み合わせを一つ選びなさい。**

A 食事をする場所は衛生的に管理されている。
B 食に関わる人（調理員、栄養士）が、子どもの食事の状況をみている。
C 地域の保護者の不安解消や相談に対応できる体制が整っている。
D 小学校と連携し、子どもの食育の連続性に配慮している。
E 「食育の計画」は、調理室内のみで共有されている。

（組み合わせ）

	A	B	C	D	E
1	○	○	○	○	○
2	○	○	○	○	×
3	○	○	○	×	×
4	×	○	×	○	○
5	×	×	○	○	○

問 19 **次の文は、食物アレルギーのある子どもの食に関する記述である。適切なものを○、不適切なものを×とした場合の正しい組み合わせを一つ選びなさい。**

解説▶別冊 p.222 ～ 223 ▶▶▶

A　食物アレルギーのアレルゲンは、ほとんどが食品中に含まれるたんぱく質である。

B　食物アレルギーに関与する主な抗体は、免疫グロブリンA（IgA）である。

C　乳幼児の食物アレルギーの原因食物として最も多いのは、エビ、カニなどの甲殻類である。

D　保育所では、乳幼児が食事の自己管理ができないために、除去食品の誤食が発生する可能性があり、保育士は注意が必要である。

（組み合わせ）

1	**A○**	**B○**	**C○**	**D×**	**2**	**A○**	**B×**	**C○**	**D○**
3	**A○**	**B×**	**C×**	**D○**	**4**	**A×**	**B○**	**C×**	**D○**
5	**A×**	**B×**	**C○**	**D×**					

次の文は、嚥下が困難な子どもの食事に関する記述である。適切なものを○、不適切なものを×とした場合の正しい組み合わせを一つ選びなさい。

A　誤嚥しやすい飲食物には、水、味噌汁などがある。

B　酸味の強い食品は、むせやすく誤嚥しやすい。

C　摂食機能に合わせて、食物の形態（硬さ、大きさなど）を配慮することが必要である。

D　スプーンの幅は、口の幅より大きなものの方がよい。

（組み合わせ）

1	**A○**	**B○**	**C○**	**D×**	**2**	**A○**	**B○**	**C×**	**D○**
3	**A○**	**B×**	**C○**	**D×**	**4**	**A×**	**B○**	**C×**	**D○**
5	**A×**	**B×**	**C○**	**D○**					

2022年・後期　保育実習理論

次の曲の伴奏部分として、A～Dにあてはまるものの正しい組み合わせを一つ選びなさい。

（組み合わせ）

1	Aア	Bイ	Cウ	Dエ	2	Aイ	Bア	Cイ	Dウ
3	Aイ	Bエ	Cエ	Dア	4	Aウ	Bア	Cエ	Dイ
5	Aウ	Bエ	Cア	Dア					

次のA～Dの音楽用語の意味を【語群】から選んだ場合の正しい組み合わせを一つ選びなさい。

A　decresc.　　B　*sf*　　C　8va alta　　D　accelerando

解説▶別冊 p.224 ▶▶▶

【語群】

ア	だんだん弱く	**イ**	だんだんゆっくり	**ウ**	静かに
エ	自由に	**オ**	８度低く	**カ**	今までより速く
キ	特に強く	**ク**	８度高く	**ケ**	だんだん速く
コ	とても強く				

（組み合わせ）

1　**Aア　Bウ　Cク　Dオ**　　**2**　**Aア　Bキ　Cク　Dケ**
3　**Aイ　Bキ　Cエ　Dカ**　　**4**　**Aイ　Bコ　Cカ　Dエ**
5　**Aウ　Bコ　Cオ　Dケ**

次の楽譜から属七の和音（ドミナントセブンス）を抽出した正しい組み合わせを一つ選びなさい。

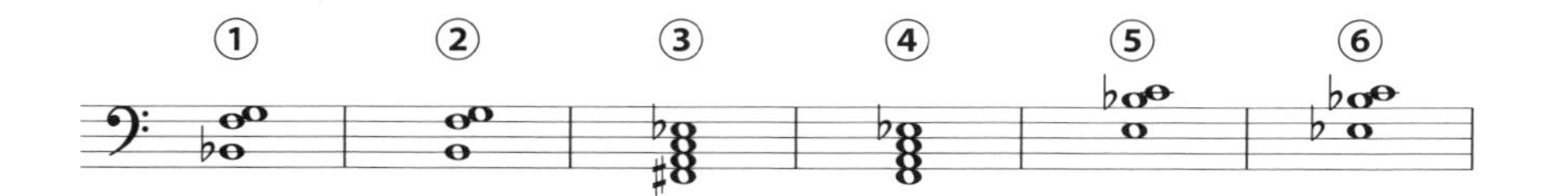

（組み合わせ）

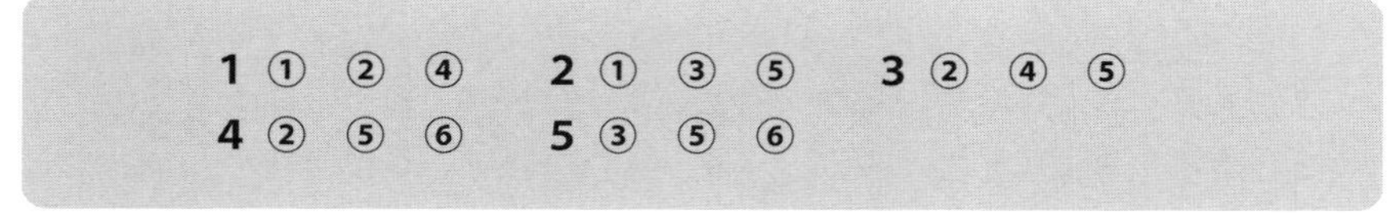
1 ①　②　④　　**2** ①　③　⑤　　**3** ②　④　⑤
4 ②　⑤　⑥　　**5** ③　⑤　⑥

次の曲を４歳児クラスで歌ってみたところ、最高音が歌いにくそうであった。そこで完全５度下げて歌うことにした。その場合、**A**、**B**、**C**の音は、伴盤の①～⑳のどこを弾くか、正しい組み合わせを一つ選びなさい。

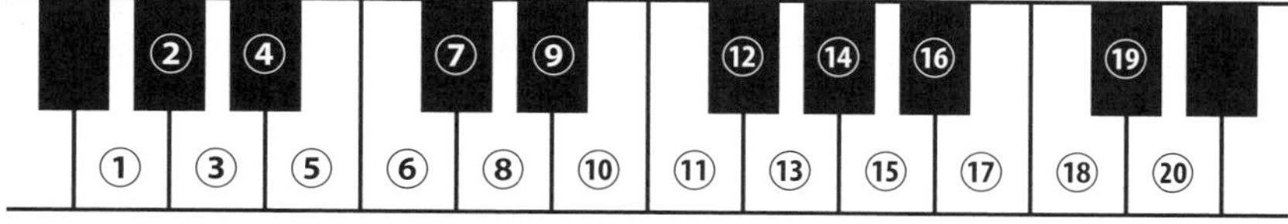

（組み合わせ）

1	**A⑫**	**B⑰**	**C⑪**	**2**	**A⑫**	**B⑮**	**C⑩**	**3**	**A⑧**	**B⑬**	**C⑦**
4	**A⑩**	**B⑬**	**C⑧**	**5**	**A⑩**	**B⑮**	**C⑨**				

問5 **次のリズムは、ある曲の歌い始めの部分である。それは次のうちのどれか、一つ選びなさい。**

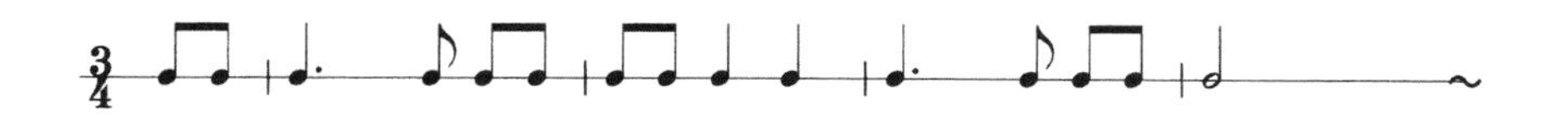

1　スキーの歌（文部省唱歌　作詞：林柳波　作曲：橋本国彦）
2　浜千鳥（作詞：鹿島鳴秋　作曲：弘田龍太郎）
3　ほたるの光（日本語詞：稲垣千頴　スコットランド民謡）
4　おぼろ月夜（文部省唱歌　作詞：高野辰之　作曲：岡野貞一）
5　たきび（作詞：巽聖歌　作曲：渡辺茂）

問6 **次の文のうち、適切な記述を一つ選びなさい。**

1　唱歌「桃太郎」の作曲者は、山田耕筰である。
2　サンバは、アフリカの民族音楽である。

解説▶別冊 p.225 ～ 226 ▶▶▶

3　２音でできている「わらべうた」は、上の音で終わることが多い。
4　ワルツは、２拍子の踊りの音楽である。
5　二長調の階名「ソ」は、音名「ト」である。

次の文は、「保育所保育指針」第２章「保育の内容」２「１歳以上３歳未満児の保育に関わるねらい及び内容」のオ「表現」の（ウ）「内容の取扱い」の一部である。（　A　）～（　C　）にあてはまる語句の正しい組み合わせを一つ選びなさい。

・　身近な自然や身の回りの（　A　）に関わる中で、（　B　）や心が動く経験が得られるよう、諸感覚を働かせることを楽しむ遊びや（　C　）を用意するなど保育の環境を整えること。

（組み合わせ）

	A	B	C
1	玩具	創造性	素材
2	事物	発見	素材
3	事物	創造性	素材
4	玩具	発見	教材
5	事物	創造性	教材

次の【事例】を読んで、【設問】に答えなさい。

【事例】

主任のＭ保育士と新任のＲ保育士は、２歳児Ｇちゃんが床で描画する様子を見ながら話をしています。

Ｒ保育士：手にクレヨンを持って、手首はあまり動かさずに、（　A　）全体を動かして線描をしていますね。
Ｍ保育士：弓なりに描く（　B　）線や上下に描く縦線が特徴的ですね。この時期の発達過程の特徴的な描き方として（　C　）がきとも言いますが、他の言い方をする場合もあります。

R保育士：（　D　）ですね。クレヨンを握り持ったり、指の間にはさんだりして、色々な描き方をしていますね。それぞれの子が、どのように描いているか、これからじっくり見守っていきたいと思います。

【設問】

（　A　）～（　D　）にあてはまる語句の正しい組み合わせを一つ選びなさい。

（組み合わせ）

	A	B	C	D
1	指	輪郭	ひとふで	スクリブル
2	腕	弧	ひとふで	フィンガー・ペインティング
3	腕	弧	なぐり	スクリブル
4	腕	輪郭	なぐり	フィンガー・ペインティング
5	指	輪郭	なぐり	スクリブル

次の牛乳パックを材料とした手作りの紙の製作方法の一例に関する記述として（　A　）～（　D　）にあてはまる語句を【語群】から選択した場合の正しい組み合わせを一つ選びなさい。

① 牛乳パックを2、3日、水に漬け、パックを柔らかくすると同時に、表面の防水のコーティング（シート）を剥がす。

② 牛乳パックを取りだして細かくちぎり、（　A　）と一緒にミキサーにかけてドロドロにする。

③ ドロドロを、水の入った広めの容器の中に入れてよく混ぜ、巻きすの上に置いた（　B　）に流し入れてすく。

④ これを平らな板の上に置き、（　B　）をはずし、巻きすごと裏返す。

⑤ 水気をしぼり、巻きすをはずす。（　C　）で水気をきって、その上から（　D　）を当てて乾燥させる。

解説▶別冊 p.226 ▶▶▶

【語群】

ア	水	**イ**	小麦粉	**ウ**	ボウル	**エ**	すき型枠
オ	タオル	**カ**	ガスバーナー	**キ**	アイロン	**ク**	金網

（組み合わせ）

1	**Aア**	**Bウ**	**Cオ**	**Dキ**	**2**	**Aア**	**Bウ**	**Cカ**	**Dク**
3	**Aア**	**Bエ**	**Cオ**	**Dキ**	**4**	**Aイ**	**Bエ**	**Cオ**	**Dク**
5	**Aイ**	**Bエ**	**Cカ**	**Dキ**					

次の文は、色彩に関する記述である。（　A　）～（　D　）にあてはまる語句の正しい組み合わせを一つ選びなさい。

赤み、青み、緑みなどの色みのことを（　**A**　）といい、これは（　**B**　）が持っている性質の一つである。

（　**A**　）環とは、図のように色を環状に配置したもので、色みが自然な階調で循環するように表されている。

（　**C**　）とは、（　**A**　）環で180°離れた位置にある色同士のことである。絵の具の（　**C**　）同士を混ぜると、黒、灰色などに近い色になる。

図において、赤の（　**C**　）は、（　**D**　）である。

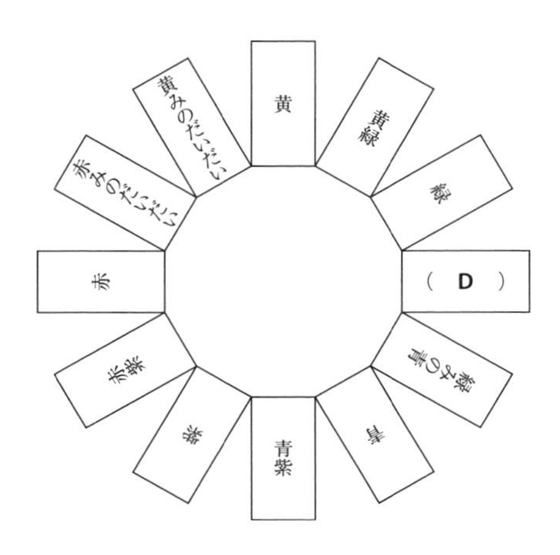

（組み合わせ）

	A	B	C	D
1	彩度	有彩色	補色	空色
2	純色	無彩色	純色	空色
3	色相	純色	混色	空色
4	彩度	無彩色	純色	青緑
5	色相	有彩色	補色	青緑

次の【事例】を読んで、【設問】に答えなさい。

【事例】

４歳児クラス担当のＬ保育士は、友達同士の対話が豊かになってきた様子を見て、子どもの手にちょうどよい大きさの封筒を使用すれば、人形を作り、人形劇遊びができるのではないかと考えた。ある日、朝の挨拶の際に、手作りの封筒人形が保育士役を演じる様子を見せたところ、子ども達は関心を持ち、人形をつくってみたいと言った。

【設問】

次のうち、保育士の今後の対応として、「保育所保育指針」と照らし合わせて適切ではないものを一つ選びなさい。

1 様々な色に気付くよう、多色のペンやシールを用意した。

2 人形を使って演じる際に、生活や遊びの中で触れた出来事の中で、感動したことを伝え合う楽しさを味わう機会にしたいと考え、自分の人形をつくることを提案した。

3 「かいたりつくったりすること」を楽しめるよう、描く用具や切る用具、貼る材料や用具を設定した。

4 人形劇を体験させるために、保育士が誕生会での上演と演じるお話を決め、繰り返しセリフの練習を行った。

5 自分のイメージを動きで表現したり、演じて遊んだりするなどの楽しさ

解説▶別冊 p.227 ▶▶▶

が味わえるよう、保育室内に舞台となる環境を設定した。

次の【事例】を読んで、【設問】に答えなさい。

【事例】

保育士が5歳児達と手作りのすごろくで遊ぼうとしています。保育士は、いくつかの展開図を描いてサイコロを作ろうとしましたが、一つだけサイコロにならないものがありました。

【設問】

次の図**1**～**5**の中からサイコロを作ることができない展開図を一つ選びなさい。※のりしろは、この場合考慮しない。

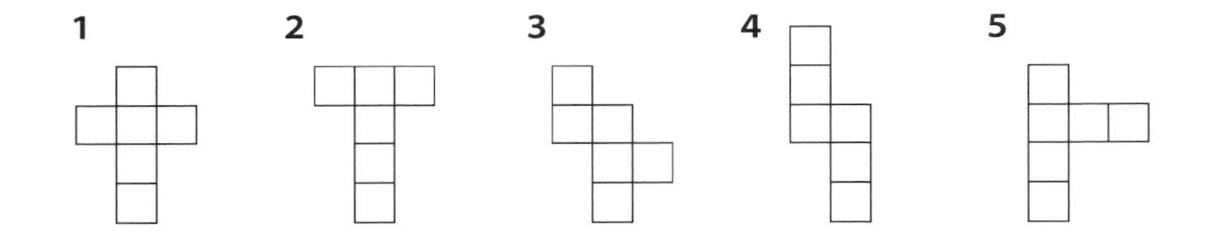

次の文は、「保育所保育指針」第2章「保育の内容」1「乳児保育に関わるねらい及び内容」の(2)「ねらい及び内容」の一部である。(A)～(C)にあてはまる語句の正しい組み合わせを一つ選びなさい。

玩具などは、音質、形、色、大きさなど子どもの発達状態に応じて適切なものを選び、その時々の子どもの興味や関心を踏まえるなど、遊びを通して(A)の発達が促されるものとなるように工夫すること。なお、安全な環境の下で、子どもが(B)を満たして(C)遊べるよう、身の回りのものについては、常に十分な点検を行うこと。

（組み合わせ）

	A	B	C
1	感性	学習意欲	自由に
2	感性	探索意欲	系統的に
3	感覚	学習意欲	自由に
4	感覚	探索意欲	自由に
5	感覚	学習意欲	系統的に

問14 **次の文のうち、「保育所保育指針」第２章「保育の内容」３「３歳以上児の保育に関するねらい及び内容」（２）「ねらい及び内容」のエ「言葉」の一部として、正しいものを○、誤ったものを×とした場合の正しい組み合わせを一つ選びなさい。**

A いろいろな体験を通じてイメージや言葉を豊かにする。
B 絵本や紙芝居を楽しみ、簡単な言葉を繰り返したり、模倣をしたりして遊ぶ。
C 親しみをもって日常の挨拶をする。
D 生活の中で必要な言葉が分かり、使う。

（組み合わせ）

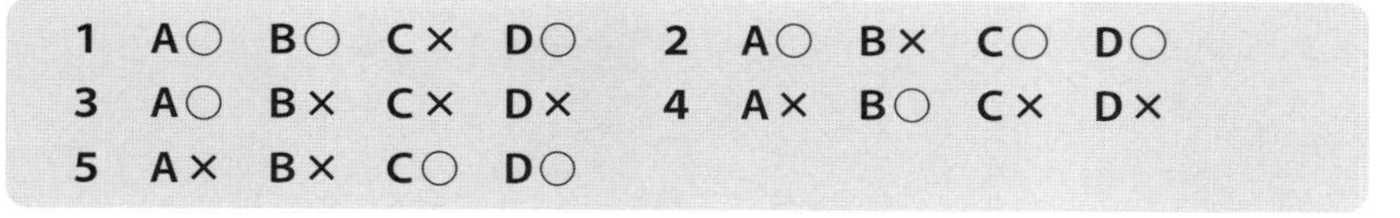

1	A○	B○	C×	D○	2	A○	B×	C○	D○
3	A○	B×	C×	D×	4	A×	B○	C×	D×
5	A×	B×	C○	D○					

問15 **次の【事例】を読んで、【設問】に答えなさい。**

【事例】

大学生のＱさんは、保育実習のオリエンテーションに行った際に、保育所の実習指導者と話をして、実習の後半に、指導計画を立案し実践することに

解説▶別冊 p.227 ～ 228 ▶▶▶

なった。そこで、保育所における指導計画を立案する際の留意点を整理することにした。

【設問】
　次の文のうち、保育所における指導計画を立案する際の留意点として、適切な記述を○、不適切な記述を×とした場合の正しい組み合わせを一つ選びなさい。

A　現在の子どもの育ちや内面の状態を理解する。
B　子どもの発達過程を見通す。
C　養護と教育の視点から子どもの体験する内容を具体的に設定する。
D　園行事のねらいと内容を設定した上で、それに子どもの活動や生活の流れを合わせる。

（組み合わせ）

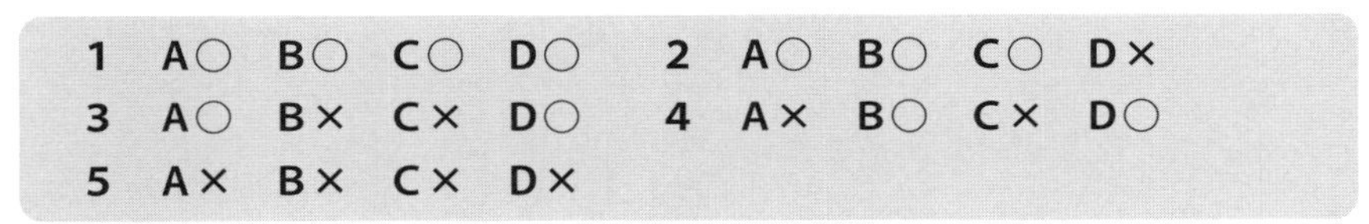

1	A○	B○	C○	D○
2	A○	B○	C○	D×
3	A○	B×	C×	D○
4	A×	B○	C×	D○
5	A×	B×	C×	D×

次の【事例】を読んで、【設問】に答えなさい。

【事例】
　Ｐ保育所のＳ保育士は、２歳児クラスを担当する勤務２年目になる若手の保育士である。勤務初年度は同じクラスを担当するベテラン保育士が保護者の対応を主に行っていた。Ｓ保育士は、２年目となり、少しずつ保護者への対応を担うようになってきた。しかし、保育所の方針に頻繁に苦情を訴えてくる保護者や子どもへのしつけや言葉がけが乱暴に感じられる保護者もおり、Ｓ保育士は、現在保護者対応について悩みを抱えている。

【設問】

次のＰ保育所やＳ保育士の行動のうち、守秘義務の観点から適切なものを○、不適切なものを×とした場合の正しい組み合わせを一つ選びなさい。

A Ｓ保育士は、対応が難しい保護者からの相談内容にどう対応してよいかわからずイライラしてしまい、気持ちを落ち着かせるために自分の母親にその内容を話す。

B 保護者からの相談が、子どもへの不適切なしつけを疑うような内容だった時、Ｓ保育士はその内容を施設長に話す。

C Ｐ保育所は、第三者評価の際に、保護者からの相談内容や対応方法を記録していた日誌を、評価者に見せる。

（組み合わせ）

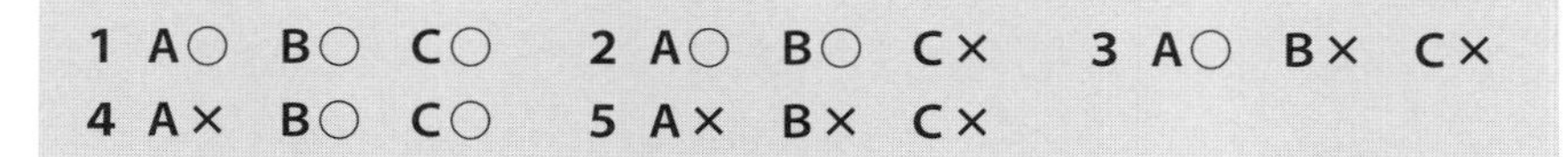

1	**A○**	**B○**	**C○**	**2**	**A○**	**B○**	**C×**	**3**	**A○**	**B×**	**C×**
4	**A×**	**B○**	**C○**	**5**	**A×**	**B×**	**C×**				

問 17 **次の文のうち、クラスの子どもたちに絵本の読み聞かせをする際の留意点として、適切な記述を○、不適切な記述を×とした場合の正しい組み合わせを一つ選びなさい。**

A 絵本を読む時の読み手の背景は、子どもが絵本に集中できるようにシンプルな背景がよい。

B 絵本は、表紙や裏表紙にも物語が含まれることがあることを理解しておく。

C 子どもが絵本の世界を楽しめるように、保育士は絵本のストーリーや展開をよく理解しておく。

D 絵本を読み終えたら、子どもが絵本の内容を正確に記憶できているかが重要であるため、直ちに質問して確認する。

解説▶別冊 p.228 ～ 229 ▶▶▶

（組み合わせ）

1　A○　B○　C○　D○　　2　A○　B○　C○　D×
3　A○　B×　C×　D×　　4　A×　B○　C×　D○
5　A×　B×　C×　D○

次の文は、「保育所保育指針」第２章「保育の内容」３「３歳以上児の保育に関するねらい及び内容」の（1）「基本的事項」の一部である。（　A　）～（　C　）にあてはまる語句の正しい組み合わせを一つ選びなさい。

この時期においては、運動機能の発達により、基本的な動作が一通りできるようになるとともに、基本的な生活習慣もほぼ自立できるようになる。理解する語彙数が急激に増加し、知的興味や関心も高まってくる。仲間と遊び、仲間の中の一人という自覚が生じ、（　A　）遊びや（　B　）活動も見られるようになる。これらの発達の特徴を踏まえて、この時期の保育においては、（　C　）と集団としての活動の充実が図られるようにしなければならない。

（組み合わせ）

	A	B	C
1	集団的な	一斉	個の支援
2	集団的な	協同的な	個の成長
3	ごっこ	協同的な	個の支援
4	集団的な	一斉	個の成長
5	ごっこ	一斉	個の支援

次の【事例】を読んで、【設問】に答えなさい。

【事例】

児童養護施設で実習中のＹさんは、配属先の施設に入所している高校生の

Z君（18歳、男児）が、担当のH保育士に「生きていても仕方がない」「将来特にやりたいことなんかない」と自暴自棄に話していたのを耳にした。Z君は家族や親族からの支援は期待できないと職員から情報を得ている。実習指導者からZ君の自立支援について考えてみるよう指導を受けた。

【設問】

次のうち、Z君の自立に向けて検討した結果として、適切なものを○、不適切なものを×とした場合の正しい組み合わせを一つ選びなさい。

A　「そんな甘い考えでは自立できない」と自覚を促す。
B　「退所後も自立できるまで責任もって面倒みるよ」と個人的な支援を約束する。
C　進路選択に必要な資料等を提供し、十分に話し合う。
D　本人の意向をふまえ措置延長の必要性について検討する。

（組み合わせ）

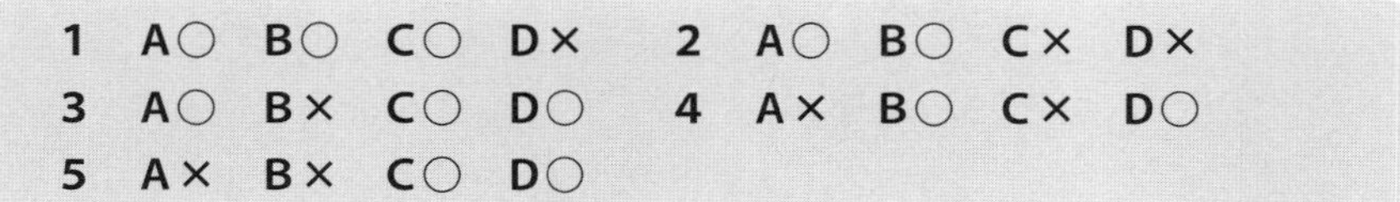

1	**A○**	**B○**	**C○**	**D×**	**2**	**A○**	**B○**	**C×**	**D×**
3	**A○**	**B×**	**C○**	**D○**	**4**	**A×**	**B○**	**C×**	**D○**
5	**A×**	**B×**	**C○**	**D○**					

次の【事例】を読んで、【設問】に答えなさい。

【事例】

新任職員のGさん（男性）は、大学を卒業して、児童養護施設に勤めた。着任して３か月が経ったころ、K君（中学２年生）から馬鹿にされる発言を繰り返されるようになった。困惑しつつもGさんは、K君に馬鹿にするのをやめるように話すが、K君は全く気に留めない。それどころか言動がエスカレートしてしまった。Gさんは馬鹿にされることにとても腹が立ってきたが、その感情をどう処理してよいのか、わからない状態であった。

解説▶別冊 p.229 ▶▶▶

【設問】

次のうち、施設管理者等が取るべきGさんへの対応として、最も不適切なものを一つ選びなさい。

1 施設長、基幹的職員などにいつでも相談できる体制を確立する。
2 Gさんの成長を図るためにひとりで問題を解決させる。
3 スーパービジョンを実施する。
4 K君に関するアセスメントを共有する。
5 アンガーマネジメント等の研修を受けることを提案する。

筆記試験解答用紙

コピーしてお使いください。

■保育の心理学

問題番号	解答番号				
問 1	①	②	③	④	⑤
問 2	①	②	③	④	⑤
問 3	①	②	③	④	⑤
問 4	①	②	③	④	⑤
問 5	①	②	③	④	⑤
問 6	①	②	③	④	⑤
問 7	①	②	③	④	⑤
問 8	①	②	③	④	⑤
問 9	①	②	③	④	⑤
問 10	①	②	③	④	⑤
問 11	①	②	③	④	⑤
問 12	①	②	③	④	⑤
問 13	①	②	③	④	⑤
問 14	①	②	③	④	⑤
問 15	①	②	③	④	⑤
問 16	①	②	③	④	⑤
問 17	①	②	③	④	⑤
問 18	①	②	③	④	⑤
問 19	①	②	③	④	⑤
問 20	①	②	③	④	⑤

配点は各問 5 点

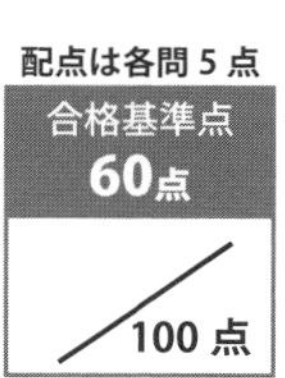

■子ども家庭福祉

問題番号	解答番号				
問 1	①	②	③	④	⑤
問 2	①	②	③	④	⑤
問 3	①	②	③	④	⑤
問 4	①	②	③	④	⑤
問 5	①	②	③	④	⑤
問 6	①	②	③	④	⑤
問 7	①	②	③	④	⑤
問 8	①	②	③	④	⑤
問 9	①	②	③	④	⑤
問 10	①	②	③	④	⑤
問 11	①	②	③	④	⑤
問 12	①	②	③	④	⑤
問 13	①	②	③	④	⑤
問 14	①	②	③	④	⑤
問 15	①	②	③	④	⑤
問 16	①	②	③	④	⑤
問 17	①	②	③	④	⑤
問 18	①	②	③	④	⑤
問 19	①	②	③	④	⑤
問 20	①	②	③	④	⑤

配点は各問 5 点

■保育原理

問題番号	解答番号				
問 1	①	②	③	④	⑤
問 2	①	②	③	④	⑤
問 3	①	②	③	④	⑤
問 4	①	②	③	④	⑤
問 5	①	②	③	④	⑤
問 6	①	②	③	④	⑤
問 7	①	②	③	④	⑤
問 8	①	②	③	④	⑤
問 9	①	②	③	④	⑤
問 10	①	②	③	④	⑤
問 11	①	②	③	④	⑤
問 12	①	②	③	④	⑤
問 13	①	②	③	④	⑤
問 14	①	②	③	④	⑤
問 15	①	②	③	④	⑤
問 16	①	②	③	④	⑤
問 17	①	②	③	④	⑤
問 18	①	②	③	④	⑤
問 19	①	②	③	④	⑤
問 20	①	②	③	④	⑤

配点は各問 5 点

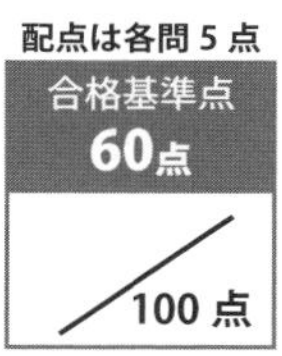

■社会福祉

問題番号	解答番号				
問 1	①	②	③	④	⑤
問 2	①	②	③	④	⑤
問 3	①	②	③	④	⑤
問 4	①	②	③	④	⑤
問 5	①	②	③	④	⑤
問 6	①	②	③	④	⑤
問 7	①	②	③	④	⑤
問 8	①	②	③	④	⑤
問 9	①	②	③	④	⑤
問 10	①	②	③	④	⑤
問 11	①	②	③	④	⑤
問 12	①	②	③	④	⑤
問 13	①	②	③	④	⑤
問 14	①	②	③	④	⑤
問 15	①	②	③	④	⑤
問 16	①	②	③	④	⑤
問 17	①	②	③	④	⑤
問 18	①	②	③	④	⑤
問 19	①	②	③	④	⑤
問 20	①	②	③	④	⑤

配点は各問 5 点

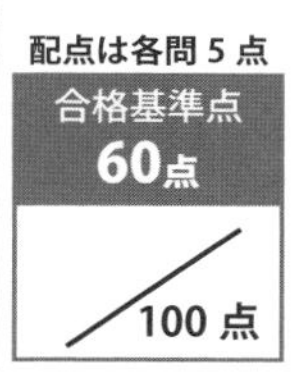

配点は 1 問 5 点　合格基準は各年の問題の最初のページをご覧ください。

筆記試験解答用紙

コピーしてお使いください。

■教育原理

問題番号	解答番号				
問 1	①	②	③	④	⑤
問 2	①	②	③	④	⑤
問 3	①	②	③	④	⑤
問 4	①	②	③	④	⑤
問 5	①	②	③	④	⑤
問 6	①	②	③	④	⑤
問 7	①	②	③	④	⑤
問 8	①	②	③	④	⑤
問 9	①	②	③	④	⑤
問 10	①	②	③	④	⑤

配点は各問 5 点

合格基準点 30点

／50 点

■社会的養護

問題番号	解答番号				
問 1	①	②	③	④	⑤
問 2	①	②	③	④	⑤
問 3	①	②	③	④	⑤
問 4	①	②	③	④	⑤
問 5	①	②	③	④	⑤
問 6	①	②	③	④	⑤
問 7	①	②	③	④	⑤
問 8	①	②	③	④	⑤
問 9	①	②	③	④	⑤
問 10	①	②	③	④	⑤

配点は各問 5 点

合格基準点 30点

／50 点

■子どもの食と栄養

問題番号	解答番号				
問 1	①	②	③	④	⑤
問 2	①	②	③	④	⑤
問 3	①	②	③	④	⑤
問 4	①	②	③	④	⑤
問 5	①	②	③	④	⑤
問 6	①	②	③	④	⑤
問 7	①	②	③	④	⑤
問 8	①	②	③	④	⑤
問 9	①	②	③	④	⑤
問 10	①	②	③	④	⑤
問 11	①	②	③	④	⑤
問 12	①	②	③	④	⑤
問 13	①	②	③	④	⑤
問 14	①	②	③	④	⑤
問 15	①	②	③	④	⑤
問 16	①	②	③	④	⑤
問 17	①	②	③	④	⑤
問 18	①	②	③	④	⑤
問 19	①	②	③	④	⑤
問 20	①	②	③	④	⑤

配点は各問 5 点

合格基準点 60点

／100 点

■子どもの保健

問題番号	解答番号				
問 1	①	②	③	④	⑤
問 2	①	②	③	④	⑤
問 3	①	②	③	④	⑤
問 4	①	②	③	④	⑤
問 5	①	②	③	④	⑤
問 6	①	②	③	④	⑤
問 7	①	②	③	④	⑤
問 8	①	②	③	④	⑤
問 9	①	②	③	④	⑤
問 10	①	②	③	④	⑤
問 11	①	②	③	④	⑤
問 12	①	②	③	④	⑤
問 13	①	②	③	④	⑤
問 14	①	②	③	④	⑤
問 15	①	②	③	④	⑤
問 16	①	②	③	④	⑤
問 17	①	②	③	④	⑤
問 18	①	②	③	④	⑤
問 19	①	②	③	④	⑤
問 20	①	②	③	④	⑤

配点は各問 5 点

合格基準点 60点

／100 点

■保育実習理論

問題番号	解答番号				
問 1	①	②	③	④	⑤
問 2	①	②	③	④	⑤
問 3	①	②	③	④	⑤
問 4	①	②	③	④	⑤
問 5	①	②	③	④	⑤
問 6	①	②	③	④	⑤
問 7	①	②	③	④	⑤
問 8	①	②	③	④	⑤
問 9	①	②	③	④	⑤
問 10	①	②	③	④	⑤
問 11	①	②	③	④	⑤
問 12	①	②	③	④	⑤
問 13	①	②	③	④	⑤
問 14	①	②	③	④	⑤
問 15	①	②	③	④	⑤
問 16	①	②	③	④	⑤
問 17	①	②	③	④	⑤
問 18	①	②	③	④	⑤
問 19	①	②	③	④	⑤
問 20	①	②	③	④	⑤

配点は各問 5 点

合格基準点 60点

／100 点

配点は 1 問 5 点　合格基準は各年の問題の最初のページをご覧ください。

■ 監修：近喰　晴子
和田実学園学事顧問、東京教育専門学校副校長、目白幼稚園長。前秋草学園短期大学学長。日名子太郎に師事し、保育学に関する研究を重ねる。保育内容、保育者論、実習関係等のテキストを執筆。

■ 執筆代表（担当科目）

保育の心理学
長島　万里子
洗足こども短期大学准教授

保育原理
大道　香織
広島大学大学院博士課程後期

子ども家庭福祉
高野　亜紀子
東北福祉大学准教授

社会福祉
上村　裕樹
東北福祉大学准教授

教育原理
末松　加奈
東京家政学院大学助教

社会的養護
細川　梢
福島学院大学准教授

子どもの保健
向笠　京子
昭和女子大学准教授

子どもの食と栄養
山岡　恭子
元専門学校家政学講師

保育実習理論（音楽表現）
谷上　公子
洗足こども短期大学非常勤講師

保育実習理論（造形表現）
宮城　正作
長野県立大学准教授

保育実習理論（保育所保育指針等）
藤澤　麻里
彰栄保育福祉専門学校専任講師

■ 編著：コンデックス情報研究所
1990年6月設立。法律・福祉・技術・教育分野において、書籍の企画・執筆・編集、大学及び通信教育機関との共同教材開発を行っている研究者・実務家・編集者のグループ。

■ 企画編集　成美堂出版編集部

本書の正誤情報や、本書編集時点から 2025 年に行われる後期試験の出題法令基準日までに施行される法改正情報等は、下記アドレスでご確認ください。
http://www.s-henshu.info/hokm2407/

上記掲載以外の箇所で正誤についてお気づきの場合は、**書名・発行日・質問事項（該当ページ・行数・問題番号**などと**誤りだと思う理由）・氏名・連絡先**を明記のうえ、お問い合わせください。
・web からのお問い合わせ：上記アドレス内【正誤情報】へ
・郵便または FAX でのお問い合わせ：下記住所または FAX 番号へ
※電話でのお問い合わせはお受けできません。

［宛先］ コンデックス情報研究所
「1 回で受かる！保育士過去問題集 '25 年版」係
住　　所：〒 359-0042 所沢市並木 3-1-9
FAX 番号：04-2995-4362 （10:00 ～ 17:00 土日祝日を除く）

※本書の正誤以外に関するご質問にはお答えいたしかねます。また、受験指導などは行っておりません。
※ご質問の受付期限は、2025 年の各筆記試験日の 10 日前必着といたします。
※回答日時の指定はできません。また、ご質問の内容によっては回答まで 10 日前後お時間をいただく場合があります。
あらかじめご了承ください。

1回で受かる! 保育士過去問題集 '25年版

2024年 9月30日発行

監　修　近喰晴子（こんじきはるこ）
編　著　コンデックス情報研究所（じょうほうけんきゅうしょ）
発行者　深見公子
発行所　成美堂出版
〒162-8445　東京都新宿区新小川町1-7
電話(03)5206-8151　FAX(03)5206-8159
印　刷　壮光舎印刷株式会社

ISBN978-4-415-23887-6
落丁·乱丁などの不良本はお取り替えします
定価はカバーに表示してあります

'25年版

1回で受かる！
保育士過去問題集

別冊

解答・解説編

※矢印 の方向に引くと
解答・解説が取り外せます。

成美堂出版

CONTENTS

〈記　号〉

本書の解説では、以下の記号を用いています。

◆：法改正等により、現在では設問の内容が問題として成立しなくなった場合には、このマーク以下に改正内容を説明しています。

★：試験実施機関から問題の不備があったために全員正解という扱いがされた問題では、正解番号に代えて「全員正解」とし、このマーク以下に説明をしています。

事：事例問題であることを示します。

指：「保育所保育指針」に関する問題であることを示します。

〈略　語〉

本書の解説では、以下の略語を使用している場合があります。

児童虐待防止法：児童虐待の防止等に関する法律
児童福祉施設設備運営基準：児童福祉施設の設備及び運営に関する基準
障害者総合支援法：障害者の日常生活及び社会生活を総合的に支援するための法律

2024年前期

保育の心理学

問1 アタッチメント 正解4

A ボウルビィ
B 自動的
C 沈静化
D 行動制御システム

アタッチメント理論は、**ボウルビィ**が提唱した。不安や恐れといった危機的状況に接する際に、特定のほかの個体への近接（くっつくこと）を通して、主観的な安全の感覚を回復、維持しようとする行動傾向のことである。このアタッチメント行動は**自動的**・無意識的に働くとされ、安全・安心感を得ると**沈静化**され、再び子どもは対象から離れる。ヒトの遺伝子には、生き残りの確率を高めるためにアタッチメントという**行動制御システム**（行動傾向）が組み込まれているといわれている。

問2 音声知覚の発達 正解3

A ○ 生後間もない乳児は音の最小単位である音素を処理していない。母語とそれ以外の言語を聞き分けられるのは、音の高低やテンポなどの**言語特有のリズムパターン**を学習しているからだと考えられている。

B × **聴覚は生まれる前からすでに発達しているが**、視覚は生後6か月で視力0.1、8か月ごろにほぼ見えてくるという研究結果がある。目と脳が発達し、人の顔の区別がつくようになり、その頃に人見知りが始まる。

C × 乳児の音の好み（聴覚的選好）を調べた結果、**高い音域の声**のほうが、低い音域よりも反応することが明らかになっている。

D ○ 生得的な反応を誘発する刺激を連続して経験するとき、その反応が減弱していく現象を**馴化**（じゅんか）という。

問3 心の理論の発達 正解4

A × **誤信念課題**は、子どもが心の理論を獲得しているかどうかを判定するための課題である。一般に誤信念課題は、4歳～5歳頃になると正解できるようになる。

B ○ 自閉スペクトラム症の場合、心の理論の獲得が**遅れることが多い**。

C ○ **共同注意**は、他者の注意の所在を理解し、その対象に対する他者の態度を共有したり、自分の注意の所在を他者に理解させ、その対象に対する自分の態度を他者に共有してもらったりする行動である。だいたい**生後9か月頃**から出現するといわれている。

D ○ 心の理論を獲得した子どもは、自分以外の他人の気持ちを推測することができるため、**相手の行動を理解したり予測したりする**ことも可能である。

問題◀本冊 p.14～15

問4　社会情動的発達　正解 4

A－イ：ダブルタッチ　触れている感覚と触れられている感覚が同時にすることを**ダブルタッチ**という。

B－ウ：共鳴動作　乳児が他者に示された表情と同じ表情をすることを**共鳴動作**という。

C－キ：自己主張　子どもが大人と同じようなことをやりたがったり、大人に対してことごとく「イヤ」と言って頑として譲らなかったりするのは、**自己主張**の行動である。

D－ク：ルイス　アメリカの心理学者**ルイス**は、情動は、運動機能や認知能力、自己の発達と関連しながら分化していく、という考え方を提唱した。

【語群】**ア**の**ダブルバインド**は、相反するメッセージが同時に送られることで、受け取る側が混乱してしまう状態のことである。

エの**トマセロ**は、言語獲得の理論で著名な心理学者である。社会語用論的アプローチと呼ばれ、社会的・コミュニケーション的な側面の果たす役割の重視を特徴としている。

オの**延滞模倣**は、観察した行動を時間が経過したあとで再生することである。

カの**自己中心性**は、幼児の精神構造の特徴の一つで、自己を中心に据えた視点から外界に働きかけるため、視点を変えたり視点と視点の関係をとらえたりすることができない。

問5　乳幼児の運動発達　正解 3

A　○　**二足歩行**ができるようになる1歳過ぎから子どもの行動範囲は広がり、操作的技能を獲得する。

B　×　乳児の運動機能の発達は、頭部から尾部へ、**身体の中枢部から末梢部**へ、粗大運動（全身の運動）から微細運動（細かい動き）へという方向性がある。

C　○　**4～5歳頃**になると、運動パターンの主要な構成要素が身につく。

D　×　運動遊びを好む幼児の運動能力の水準は高いというのは正しいが、幼児期の子どもの体力・運動能力テストによる測定は全く不可能というのは誤りである。幼児期の子どもの体力テスト、運動能力テストも存在し、**測定することができる**。

問6　乳幼児期の学び　正解 5

A－エ：発達の最近接領域　他者の援助がなくても独力で遂行できる現在の発達水準と、大人や友だちの援助があればできる水準の間を、**発達の最近接領域**という。

B－ウ：レスポンデント条件づけ　条件反射のメカニズムによって行動の変化を説明する理論を、**レスポンデント条件づけ**と呼ぶ。

C－オ：モデリング　経験をしていなくても他者の行動を観察するだけで学習者の行動が変化することを、**モデリング**という。

D－ク：構成主義　子どもを自らの知識を構築していく能動的な存在と考え、学びの中心に子どもを置くことを、「子ども中心」の**構成主義**、または児童中心主義という。

【語群】**ア**の**オペラント条件づけ**は、自発的な行動に何らかの刺激を伴わせることにより、その行動の起こりやすさや反応強度を変化させることをいう。道具的条件づけともいう。

イの**内的作業領域**とは、アタッチメント（愛着）対象との間で交わされた過去の相互作用経験、ならびにその時その場で起こっている相互作用に基づいて作られるものである。

カの**機能主義**は、ある事象を、それ以外の事象、もしくはより上位の社会全体に対して何らかの形で貢献するか否かという視点から捉えることである。

キの**認知的徒弟制**とは、親方（熟達者）と弟子（学習者）の間で古くから行われてきた徒弟制の職業技術訓練に着目し、その学習プロセスを理論化したものである。

問7	事 数量に関する認知	正解3

1 ○ 「いち、に、さん、よん、ご……じゅう」と自分が積んだ積み木を数えていく姿から、**計数**（数を数えること）ができていることがわかる。

2 ○ 「四角い積み木」、「三角の積み木」という発語から、**形の認識**ができていることがわかる。

3 × 事例の中で子どもたちは、**計算**を行っていない。

4 ○ 「四角い積み木の上に三角の積み木を置いたらお家みたいだね」という発語から、**上下という空間に関する感覚**があることがわかる。

5 ○ 「Mちゃんのお家の右側に道を作って、左側に他のお家を作ろう」という発語から、**左右という空間に関する感覚**があることがわかる。

問8	幼児の問題解決	正解2

A ○ 幼児は、自分の作りたいものがある際、保育士や友だちの作り方を見て参考にしたり、自分で材料を工夫したりして、**試行錯誤**をする。

B ○ **問題解決**においては、目標達成のための手段や方法を考え、実行することが重要となる。

C × 幼児が問題解決をしようとしているとき、保育士は常に解決策を提示するのではなく、**子どもが自分で解決することを信じて見守る**ことも重要である。

D × 遊びにおける問題解決場面は、幼児の思考力が促される機会となり得るが、**言語的な情報によってのみ思考が進むわけではない**。視覚や、ときに触覚からの情報も頼りになることが考えられる。

問9	学童期の発達	正解4

A × 学童期は善悪の判断が、単なる行為の結果ではなく、**行為の意図を重視する**判断へと移行する時期である。

B × 学童期、同性、同年齢のメンバーで構成され、強い閉鎖性や排他性をもち、大人からの干渉を極力避けようとするのは**ギャンググループ**である。ピアグループは青年期以降の友人関係である。互いに価値観や理想・将来の生き方などを語り合う関係であり、男女

問題◀本冊 p.15 ～ 20 ◀◀◀

が混合であることも、年齢に幅があることもある。

C ○ 学童期においては、物の見た目や様子が変わっても、数や量などは変わらないと理解・認識する**保存概念**を獲得する。

D ○ アメリカの心理学者**エリクソン**は、人間の発達段階を心理社会的危機という形で示した。**「勤勉性対劣等感」**は、**学童期**の心理社会的危機である。

問 10 青年期 正解 1

A－オ：一時的
B－ア：アイデンティティ拡散
C－エ：マーシア
D－イ：早期完了

多くの青年が**一時的**に経験する自分の存在意義や社会的役割を見失う自己喪失の状態を**アイデンティティ拡散**という。**マーシア**は、アイデンティティ・ステイタスを「アイデンティティ拡散」「モラトリアム」「早期完了」「アイデンティティ達成」の4つに分類した。このうち危機（アイデンティティ達成に向けての葛藤）を経験することなく、何かに積極的関与（アイデンティティ達成のための努力）をしている状態を、**早期完了**と呼んだ。

【語群】ウの**ホリングワース**は、青年期になり、それまでの両親への依存から離脱し、一人前の人間としての自我を確立しようとする心の動きのことを心理的離乳と定義した。

カの**アイデンティティ達成**とは、危機を経験し、それを通じて自分で選択した人生のあり方に対して積極的に関与をしている状態を指す。

クの**モラトリアム**は、経済用語のモラトリアム（支払い猶予期間）からきている言葉で、心理的・社会的な責任の猶予期間のことをいう。

問 11 高齢期 正解 3

1 × フレイルとは、老化の過程で生じる自立機能や健康を失いやすい状態で、要支援や**要介護に移行する危険性が高い**時期である。

2 × 機能を使わないことによる衰えは身体面だけでなく、**心理面でもみられる**。

3 ○ 老化により様々な機能が衰えても、労力や時間を特定の目標に絞ることで、望む方向への機能を高めることができる。このことをバルテスらは「**補償を伴う選択的最適化**」といった。

4 × いわゆる「頭の回転の速さ」や「地頭の良さ」などその人本来の頭の良さである**流動性知能**よりも、それまでの人生経験などから形成される**結晶性知能**の方が、老化による衰退は**緩やかである**。

5 × **コンボイ・モデル**とは、高齢者の周りの人的資源のネットワークをコンボイ（軍艦）に例え、その関係を同心円で示したものである。同心円の中心は高齢者自身を示し、同心円の**内側ほど身近で頼りにできる重要な他者**を、**外側ほど社会的な役割による人物**を示す。

問 12 トマスの気質理論 正解 5

アメリカの心理学者トマスとチェス（Chess, S.）は、子どもの気質には個人差があることを提唱した。

A　×　トマスらは、乳幼児期（生後5年まで）と青年期（18歳～24歳まで）の子どもや青年を対象とした9年間の**縦断的研究**を行った。縦断的研究とは、特定の個人や共通の特徴を有する小集団に対して、継続的な追跡調査を行い、同じ参加者から繰り返しデータを収集する研究のことである。なお、**横断的研究**は、ある一時点において多数の参加者からデータを収集するものである。

B　×　トマスらの気質の分類によると、扱いやすい子が**40%**、扱いにくい子が10%、順応が遅い（出だし / 立ち上がりが遅い）子が15%、平均的な子が35%であった。

C　×　扱いにくい子の養育者の養育態度は、受容的ではなく**統制的なかかわり**となり、母子関係に悪い相互作用が成立する傾向がみられた。

D　○　トマスらは、気質の種類として**9つの特徴カテゴリ**（活動水準、周期性、接近－回避、順応性、敏感性、反応の強さ、機嫌、散漫性、持続性と注意）を見いだし、「扱いやすい子」「扱いにくい子」「順応が遅い（出だし / 立ち上がりが遅い子」）の**3つのタイプ**に分類した。さらにそれにあてはまらないタイプを「平均的な子」として捉えた。

問13　産後うつ病　正解3

産後うつ病は、分娩後の数週間、あるいは数か月間、極度の悲しみを感じたり、ふだん行っていた活動への興味を喪失したりする状態をいう。

A　○　母子相互作用の重要な時期である産後に、産後うつ病などのメンタルヘルス上の問題があると、子どもの発達に**影響が及ぶことがある**。

B　×　産後うつ病は、出産後の女性の**自殺の原因や乳児虐待につながる**。

C　×　産後うつ病の原因は、はっきり解明されていないが、出産後急激なホルモンの変化も関係していると考えられている。産後うつ病は、**数週間から数か月に及ぶ**。産後3日以内にみられる悲しさやみじめさなどの感情が、1～2週間程度で自然に消失する状態は、**マタニティーブルーズ**と呼ばれる。

D　○　イギリスの精神科医コックス（Cox, J.）らによって作成された**EPDS（エジンバラ産後うつ病質問票）**は、産後うつ病のスクリーニングに用いられる。10項目で構成される自己記入式質問紙で、所要時間は5分程度である。

問14　ソーシャルサポート　正解1

a－ア：ストレッサー　ストレスを引き起こす出来事や刺激のことを、**ストレッサー**という。

b－イ：情緒的サポート　励ましや愛情など感情への働きかけは、**情緒的サポート**という。

c－カ：情報的サポート　問題解決のための助言は、**情報的サポート**が適切である。

d－ク：緩衝効果　当事者の精神的・身体的健康に良い影響を与える効果のことを**緩衝効果**という。

【語群】ウの**評価的サポート**とは、当事者の行動が、良いか悪いか、社会的に好ましいか好ましくないかなどの適切な評価を与えるサポートである。

問題◀本冊 p.20～23 ◀◀◀

オの**コーピング**とは、ストレスに対処するための具体的な行動のことである。

キの**道具的サポート**とは、問題を解決するために必要な資源を提供したり、その人が資源を手に入れることができるような情報を与えたりするような働きかけのことである。

問15 家族や家庭 正解4

A × **アロマザリング**とは、母親以外の人が子育てに積極的に関わることをいう。アロ（allo）は「ほかの」「異なる」の意味の接頭辞である。

B ○ **ファミリー・アイデンティティ**は、家族を成立させる意識のことで、誰を「家族」と感じるかは個々人が決める。同一家庭においても、それぞれでファミリー・アイデンティティは異なることがある。

C ○ 家族のライフサイクルにも、**発達段階と発達課題がある**と考えられている。

D × **ジェノグラム**は、世代関係図、家族関係図と呼ばれ、時間的経過のなかで、家族関係を図式化し、**利用者と家族の関係を明らかにしようとする**ものである。社会資源の関係性は図示されない。

問16 家族心理学と家族システム理論 正解2

A ○ **家族心理学**では、家族を一つのまとまりをもつシステムとして捉えて研究対象とする。

B × 家族心理学では、家族を1つのシステムとみなし、その中にアイデンティティ**夫婦・親子・きょうだい**といったサブシステムが存在すると考える。

C ○ 家族療法では、子どもの問題行動を家族全体のものと考え、家族の関係性を**アセスメント**（調査、評価）する。

D ○ IP（アイデンティファイド・ペイシェント：Identified Patient）とは、周りや本人が患者と認めている人を指す。家族療法では、IP個人が原因で問題が起きているのではなく、家族が影響し合う関係性の中で問題が起きていると考える。

問17 人と環境 正解5

1 × **生態学的システム論**は、個人と、その個人を取り巻く環境との相互作用を通じて、人間は発達していくという考えを示した理論である。ブロンフェンブレンナー（Bronfenbrenner, U.）が、人を取り巻く環境をマイクロシステム、メゾシステム、エクソシステム、マクロシステムの4種類に分類して説明した。

2 × **発生的認識論**は、ピアジェ（Piaget, J.）の規定によれば「科学的認識をその歴史や社会発生に基づいて、そしてとりわけ認識の基盤になっている諸観念、諸操作の心理的起源に基づいて説明しようとするもの」である。

3 × **正統的周辺参加論**はウェンガー（Wenger, E）とレイヴ（Lave, J.）が提唱したもので、「社会的な実践共同体への参加の度合いを増すこと」が学習であると捉える考え方である。

4 × **社会的学習理論**は、バンデューラ（Bandura, A.）が提唱したもので、「自分が直接体験した事柄ではなくても、他者の体験を観察・模倣すること（＝モデリング）で学習できること」を説いた。

5 ○ 記述は、ギブソン（Gibson, E.J.）の**アフォーダンス理論**である。情報は環境に存在し、人や動物はそこから意味や価値を見いだす。

問18 「神経発達症群／神経発達障害群」 正解2

1、3～5 ○ 「神経発達症群／神経発達障害群」は、DSM-5（「精神疾患の診断・統計マニュアル」）で採用された用語で、**知的発達症（知的能力障害）**、**自閉スペクトラム症**、注意欠如多動症、コミュニケーション症群、**限局性学習症**、**チック症群**、発達性協調運動症、常同運動症が含まれる。

2 × **選択性緘黙**（かんもく）は、言語能力は正常であるのに、選択された特定の場面（園や学校など）や人に対して、話すことができないという状態であり、場面緘黙症ともいう。DSM-5において「神経発達症群／神経発達障害群」には**含まれない**。

問19 子育て家庭 正解5

a－オ：ライフサイクル　おおよそ決まった規則的な一生の推移を**ライフサイクル**という。

b－カ：ライフイベント　就学や就労、結婚や出産という、個人にとって重要な事柄を**ライフイベント**という。

c－ウ：多重役割　仕事における職業役割と、子育てなど家族役割など、複数の役割を担うことを**多重役割**という。

d－ク：ポジティブ・スピルオーバー　一方の役割が上手くいけば、他方の役割が上手くいく現象のことを、**ポジティブ・スピルオーバー**という。

【語群】**ア**の**ライフストーリー**とは、個人が自分の人生を想起して述べている語りである。

イの**ライフステージ**とは、年齢にともなって変化する生活段階のことをいう。

エの**ワーク・ライフ・バランス**とは、仕事と生活のバランスがとれた状態のこと、あるいはその調整を図ることをいう。

問20 巡回相談 正解2

巡回相談とは、地域の子育て支援施設に相談員が訪問し、保育についての助言などの支援を行うものである。

A ○ **アウトリーチ型支援**とは、医療や福祉の支援が必要であるにもかかわらず支援が行き届いていない人に対し、専門職や、行政機関、福祉などのチームが積極的に働きかけ、訪問などの手段で支援を届けることである。巡回相談は、アウトリーチ型支援として重要である。

B ○ 巡回相談では、よりよい支援のあり方について話し合う**コンサルテーション**が行われる。

C × 支援対象を直接支援するのは、**コンサルティ**である。**コンサルタント**は、コンサルティを支援することにより、支援対象を間接支援する。

D ○ **知識の提供、精神的支え、新しい視点の提示、ネットワーキングの促進**など、様々な助言・相談が行われる。

保育原理

問1　㊟「保育所保育指針」　正解5

A　×　「保育所保育指針」は第1章「**総則**」、第2章「**保育の内容**」、第3章「**健康及び安全**」、第4章「**子育て支援**」、第5章「**職員の資質向上**」の全5章から構成されている。「食育の推進」は、第3章「健康及び安全」の2に位置づけられている。なお、2017（平成29）年の改定で新たに第3章4に「災害への備え」が加わった。

B　×　「職員の研修等」は、第5章「**職員の資質向上**」の3に位置づけられ、第1章**「総則」の中にはない**。また「保育所保育指針」、「幼稚園教育要領」、「幼保連携型認定こども園教育・保育要領」は、幼児教育の指針としての整合性は図られているが、「幼稚園教育要領」と「幼保連携型認定こども園教育・保育要領」の中に**「職員の資質向上」の章はない**。

C　○　記述のとおりである。同指針第2章「保育の内容」4「保育の実施に関して留意すべき事項」に、(3)「**家庭及び地域社会との連携**」に関することが記載されている。

D　○　第4章「子育て支援」3「地域の保護者等に対する子育て支援」に記載がある。「子育て支援」においては、保育及び子育てに関する知識や技術など、保育士等の専門性を活かすなど、**保護者が子どもの成長に気付き子育ての喜びを感じられる**ような支援が必要である。

問2　㊟「保育の目標」　正解4

A－カ：養護
B－イ：人権
C－ウ：生命、自然及び社会の事象
D－エ：生活
E－オ：感性や表現力

「保育所保育指針」第1章「総則」1「保育所保育に関する基本原則」(2)「**保育の目標**」からの出題である。子どもが生涯にわたる人間形成にとって極めて重要な時期に、その生活時間の大半を過ごす場が保育所である。「保育の目標」には、その保育所での養護と教育についての重要な内容が記されており、よく内容を理解しておくことが必要である。

問3　㊟3歳以上児の戸外での活動　正解2

A　○　「保育所保育指針」第2章「保育の内容」3「3歳以上児の保育に関するねらい及び内容」(2)「ねらい及び内容」ア「健康」(イ)「内容」③に「**進んで戸外で遊ぶ**」と記されている。記述の文章は、同箇所についての「保育所保育指針解説」p.194の文章である。3歳以上児の戸外での活動では、**関心を戸外での活動に向けられるようにしたり、楽しさや気持ちよさを感じられるようにしたりする**。

B　○　同じく指針の同箇所についての「保育所保育指針解説」p.194の文章である。園庭だけでなく、**地域の公園や広場**など様々な社会資源を活用することは重要である。

C × 記述の文章は、同（ウ）「内容の取扱い」③についての「保育所保育指針解説」p.204 の文章である。**室内と戸外が子どもの中でつながる可能性**に留意する。「環境を常に分けて」というのは誤りである。

D ○ 同じく同（ウ）「内容の取扱い」③についての「保育所保育指針解説」p.205 の文章である。**園庭の使い方や遊具の配置の仕方を必要に応じて見直し**、適切な環境構成ができるような配慮が必要である。

問4	(指)「保育の実施に関して留意すべき事項」	正解 1

A ○ 「保育所保育指針」第2章「保育の内容」4「保育の実施に関して留意すべき事項」(1)「保育全般に関わる配慮事項」アの記述であり、子どもの心身の発達及び活動の実態などの**個人差を踏まえて**、子どもの気持ちを受け止め援助を行うことが重要である。2023（令和5）年後期の本試験問題でも出題されている箇所である。

B ○ 同ウの記述である。子どもが**試行錯誤を通して自分の力を発揮できるように見守る**ことが大切である。

C ○ 同オの記述である。子どもの**国籍や文化の違いを認め、互いに尊重する心を育てる**ように保育をする。

D ○ 同エの記述である。子どもの入所時の保育に当たっては、できるだけ**個別的に**、安心感が持てるように対応する。個別対応については、事例問題などでもよく出題されるため、どのような状況でどう対応するのがよいかなどを理解しておく。

E × 同(2)「小学校との連携」アの一部であるが、後半部分の「保育所においては、小学校のカリキュラムに適応するため」が誤りである。正しくは「保育所においては（中略）、**幼児期にふさわしい生活を通じて、創造的な思考や主体的な生活態度などの基礎を培うようにすること**」が正しい。

問5	(指)「1歳以上3歳未満児の保育に関わるねらい及び内容」	正解 5

「保育所保育指針」第2章「保育の内容」2「1歳以上3歳未満児の保育に関わるねらい及び内容」(3)「**保育の実施に関わる配慮事項**」ウから、以下のとおりとなる。

A 自我
B 情緒
C 自発

なお、1歳以上3歳未満児と、3歳以上児の「保育に関わるねらい及び内容」においては、「健康」「人間関係」「環境」「言葉」「表現」の5領域がある。それぞれの発達や特徴を踏まえておく必要がある。

問6	子ども・子育て支援新制度	正解 5

1 × 新制度は2015（平成27）年に施行されているが、後半部分が誤りである。子ども・子育て関連3法とは、「**子ども・子育て支援法**」、「**認定こども園法の一部改正**」、「**子ども・子育て支援法及び認定こども園法の一部改正法の施行に伴う関係法律の整備等に関する法律**」である。「児童福祉法」は、1947（昭和22）年に戦後、困窮する子どもの保護、救済等子どもの健全な育成を図るために制定された。「こど

問題◀本冊 p.27～31

も基本法」は、2022（令和4）年に成立し2023（令和5）年に施行された。「日本国憲法」及び「児童の権利に関する条約」の精神にのっとり、全てのこどもが、将来にわたって幸福な生活を送ることができる社会の実現を目指し、こども政策を総合的に推進することを目的としている。

2 × 新制度の趣旨は、**保護者が子育てについての第一義的責任を有する**という基本的認識が正しく、地域ではない。

3 × 新制度では、**市町村**が、地方版子ども・子育て会議の意見を聴きながら、地域型保育基本計画を策定し、実施する。都道府県ではない。

4 × 新制度では、教育・保育を利用する子どもについて3つの認定区分が設けられており、1号認定は教育標準時間認定で**満3歳以上**（幼稚園、認定こども園）、2号認定は3～5歳児保育認定（保育所、認定こども園、地域型保育）で、3号認定は0～2歳児保育認定（保育所、認定こども園、地域型保育）である。

5 ○ 新制度では、**地域の実情**に応じた子ども・子育て支援が図られている。

問7 事 5歳児クラスの水遊び　正解4

A × 水鉄砲が足りなかったとしてもどうしたら良いかと考えることも大切である。「保育所保育指針」第2章「保育の内容」3「3歳以上児の保育に関するねらい及び内容」（2）「ねらい及び内容」イ「人間関係」（イ）「内容」⑫には**共同の遊具や用具を大切にし、皆で使う**ことが記されている。

B × 保育者が厳密にルールを設定するのは適切とはいえない。同指針第1章「総則」1「保育所保育に関する基本原則」（3）「保育の方法」アにおいて子どもが安心感と信頼感をもって活動できるよう、**子どもの主体としての思いや願いを受け止める**ことが記されている。

C ○ 子どもたち同士で互いに代わったり、共有して使ったりして遊ぶことができており、適切である。

D ○ 同指針第2章「保育の内容」3「3歳以上児の保育に関するねらい及び内容」（2）「ねらい及び内容」エ「言葉」（ウ）「内容の取扱い」②には、子どもが**自分の思いを言葉で伝える**ことや、**言葉による伝え合いができる**ようにすることが記されている。

E × 同イ「人間関係」（ウ）「内容の取扱い」①に**子どもの行動を見守りながら適切な援助を行う**ようにすることが記されており、水がかかると嫌そうな子どもに対して声をかけるのは必要な援助である。

問8 保育所、幼稚園及び認定こども園　正解5

A × それぞれの3歳以上児の教育に関わる側面のねらい及び内容においては、**整合性が図られている**。

B × 「児童福祉法」第39条の保育所の目的は、「保育に欠ける」ではなく「**保育を必要とする**」乳幼児に保育を行うこととなっている。

C × 同法第18条の18において「市町村」ではなく「**都道府県**」に登録をすることが記されている。

D ○ 「児童福祉施設の設備及び運営に関する基準」（昭和23年厚生省令第63

号）第33条において、記述のように規定されていた。しかし2024（令和6）年の改正により、1948（昭和23）年から76年振りに、配置基準の見直しが行われた。そのため、満3歳以上満4歳未満の幼児については、おおむね**15人**につき1人以上、満4歳以上の幼児については、おおむね**25人**につき1人以上と変更されている。

E ○ 同基準（昭和23年厚生省令第63号）第32条では、乳児または満2歳未満の幼児を入所させる保育所には、**乳児室**または**ほふく室**、**医務室**、**調理室**及び**便所**を設けることとされており正しい。現行の同基準も同様である。

問9 指「職員の資質向上」 正解3

「保育所保育指針」第5章「職員の資質向上」の1「職員の資質向上に関する基本的事項」と4「研修の実施体制等」からの出題である。職員の資質・専門性の向上については、**キャリアパス**の明確化を見すえた研修機会の充実など、よく理解をしておく必要がある。

a × キャリアアップではなく、**キャリアパス**である。キャリアパスとは、キャリアを積み重ねていくために必要な過程や道筋のことで、キャリアアップのために必要なスキルや経験、工程を明確化する。

b ○ 記述のとおりである。

c ○ 外部研修に参加する職員は、**専門性の向上**を図ることが重要である。

d × 知識及び判断力ではなく、**知識及び技能**である。

問10 事 1歳児クラスに進級したばかりの子ども 正解3

A × 家庭でいい聞かせるように伝えるのではなく、子どもの気持ちや様子を汲み取り、**子どもの気持ちに寄り添った対応**が求められる。「保育所保育指針」第1章「総則」2「養護に関する基本的事項」(2)「養護に関するねらい及び内容」イ「情緒の安定」(イ)「内容」①において「一人一人の子どもの置かれている状態や発達過程などを的確に把握し、子どもの欲求を適切に満たしながら」とある。

B ○ 母親の**心配な気持ちを受け止め**、ていねいにMちゃんの**具体的な姿を伝える**ことは適切である。同指針第4章「子育て支援」2「保育所を利用している保護者に対する子育て支援」(1)「保護者との相互理解」アに、「子どもの日々の様子の伝達や収集、保育所保育の意図の説明などを通じて、保護者との相互理解を図るよう努めること」とある。

C ○ 子どもの不安定な表出を受け止め、**今後の育ちの見通しを伝える**のは適切である。同指針第2章「保育の内容」2「1歳以上3歳未満児の保育に関わるねらい及び内容」(2)「ねらい及び内容」イ「人間関係」には、「他の人々と親しみ、支え合って生活するために、自立心を育て、人と関わる力を養う」とある。

D ○ 母親の**気持ちを受け止め、共感する**対応は適切である。同指針第4章「子育て支援」1「保育所における子育て支援に関する基本的事項」(1)「保育所の特性を生かした子育て支援」アには、「保護者の気持ちを受け止め、相互の信頼

問題◀本冊 p.31 ～ 34

関係を基本に」とある。

問 11　海外における保育の思想家　正解 1

A　○　**ルソー**は『エミール』を著し、「消極教育」として子どもの内発的な力を重視する考えを説いた。

B　○　**ペスタロッチ**は、幼児教育における母親の役割と母性愛の重要性を説いた。また、子どもの日常生活の経験に結びついた教育が必要であるとして、直観教授を提唱した。

C　×　**フレーベル**は、ドイツの思想家で、世界初の幼稚園（Kindergarten）を創設し、幼児教育の教材・遊具として恩物（ガーベ：Gabe）を考案した。

なお、民俗音楽をもとにした音楽教育をしたのは、**ダルクローズ**（Dalcroze, E. J.）である。スイスの音楽教育家で、リトミックを考案し、子どもの人格形成の基礎づくりとした。

問 12　保育の歴史　正解 3

A　×　1876（明治 9）年に日本で初めての幼稚園、東京女子師範学校附属幼稚園が創設された。保姆（ほぼ）資格は、その後の**1926（大正 15）年**、「幼稚園令」発布のあとに規定された。

B　○　**赤沢鍾美（あつとみ）**は、1890（明治 23）年に日本で最初の託児所、新潟静修学校を創設した。

C　○　**野口幽香（ゆか）と森島峰**は 1900（明治 33）年、貧しい子どもたちのために二葉幼稚園を創設した。後継者である徳永恕（ゆき）は「二葉の大黒柱」とも呼ばれた。

D　×　1947（昭和 22）年に制定されたのは、「**児童福祉法**」である。このときに託児所は保育所に転換された。

問 13　（指）「幼児期の終わりまでに育ってほしい姿」　正解 3

1、2、4、5　×

3　○

「保育所保育指針」第 1 章「総則」4「幼児教育を行う施設として共有すべき事項」(2)「**幼児期の終わりまでに育ってほしい姿**」からの出題である。

この育ってほしい姿は、保育活動全体をとおして資質・能力が育まれている子どもの小学校就学時の具体的な姿であり、**到達すべき目標として定められているわけではない**。具体的な姿には、ア「健康な心と体」、イ「自立心」、ウ「協同性」、エ「道徳性・規範意識の芽生え」、オ「社会生活との関わり」、カ「思考力の芽生え」、キ「自然との関わり・生命尊重」、ク「数量や図形、標識や文字などへの関心・感覚」、ケ「言葉による伝え合い」、コ「豊かな感性と表現」の 10 の姿がある。

問 14　（指）保育の計画　正解 3

A　×　長期・短期の指導計画や保健計画・食育計画は、保育所の**全体的な計画に基づいて作成される**（「保育所保育指針」第 1 章「総則」3「保育の計画及び評価」(1)「全体的な計画の作成」ウ）。

B　○　適切である（同イ）。全体的な計画は、**長期的見通し**をもって作成される必要がある。

C　×　異年齢で構成される組やグループでの保育においては、集団で一律に指導計画を作成するのは不適切である。

一人一人の子どもの生活や経験、発達過程などを把握し、適切な援助や環境構成ができるよう配慮する（同（2）「指導計画の作成」イ（ウ））。

D ○ 3歳未満児については、**個別的な計画**を作成する（同（ア））。

問15 指「乳児保育に関わるねらい及び内容」 正解2

A 聴覚
B はう
C 特定の大人
D 応答的
E 絆

記述は、「保育所保育指針」第2章「保育の内容」1「乳児保育に関わるねらい及び内容」(1)「基本的事項」アの文章である。「基本的事項」は「1歳以上3歳未満児の保育」、「3歳以上児の保育」でもそれぞれ記載されており、**発達の特徴**を理解する上で重要であり、よく確認しておく。

問16 指「小学校との連携」 正解4

A－カ：資質・能力
B－ウ：小学校教育
C－オ：研究
D－キ：接続

記述は、「保育所保育指針」第2章「保育の内容」4「保育の実施に関して留意すべき事項」(2)「小学校との連携」イの文章である。保育所保育が、小学校以降の生活や学習の基盤の育成につながることに配慮し、**小学校教育との円滑な接続**を図るよう努める。

問17 発達障害 正解2

1 × 「発達障害者支援法」において発達障害とは、「自閉症、アスペルガー症候群**その他の広汎性発達障害**、学習障害、注意欠陥多動性障害その他これに類する脳機能の障害であって**その症状が通常低年齢において発現するもの**として政令で定めるものをいう」と定められている（第2条）。

2 ○ 記述は、同法第6条である。

3 × 発達上の課題が見られる場合には、市町村や関係機関と連携・協力を図り、保護者に対する**個別の支援を行うよう努める**。

4 × 発達障害の子どもが自分の感情をコントロールできなくなり、パニック状態になった場合は、大勢で協力して止めるなどの**無理に止めようとする行為は避ける**。怒ったり叱ったりせず、子どものペースに合わせて対応する。

5 × 学習障害と注意欠陥多動性障害は、**重複することが多い**。さらに自閉スペクトラム症などを併発することもある。

問18 指「指導計画の作成」 正解2

A ○ 「保育所保育指針」第1章「総則」3「保育の計画及び評価」(2)「指導計画の作成」キにおいて、障害のある子どもの保育については、一人一人の子どもの発達過程や障害の状態を把握し、障害など特別な配慮を必要とする子どもの保育を**指導計画に位置づける**ことが求められている。

問題◀本冊 p.35 ～ 39

B ○ 記述は、同キについての「保育所保育指針解説」p.56 ～ 57 の文章である。**職員相互の連携の下、組織的かつ計画的に保育を展開する**よう留意する。

C × 個別の指導計画を作成する際には、クラス等の指導計画と**関連づけて作成する**(「保育所保育指針解説」p.57)。

D × **1 週間から 2 週間程度を目安に**少しずつ達成していけるよう細やかに設定する(同)。

E ○ 子ども同士が**落ち着いた雰囲気の中で育ち合える**ようにする(同)。

問 19	㊢「不適切な養育等が疑われる家庭への支援」	正解 1

A ○ 「保育所保育指針」第 4 章「子育て支援」2「保育所を利用している保護者に対する子育て支援」(3)「**不適切な養育等が疑われる家庭への支援**」アの記述である。

B ○ 同イの記述である。

C × 同イに「虐待が疑われる場合には、**速やかに市町村又は児童相談所に通告し**、適切な対応を図る」とある。

D × 保育所は**組織的対応**を図り、虐待に関する事実関係は**できるだけ細かく具体的に記録しておく**(「保育所保育指針解説」p.355)。

問 20	日本における保育の現状	正解 3

年齢区分別の**保育所等利用児童数**および**待機児童数**の出題である。例年、日本の保育の現状に関する出題があるが、落ち着いて数値を読めば解ける問題である。

1 ○ 利用児童数は、3 歳未満児(0 ～ 2 歳)1,100,925 人よりも **3 歳以上児 1,628,974 人の方が 528,049 人多い**。

2 ○ 待機児童数は、3 歳未満児(0 ～ 2 歳)が 2,576 人のうち、**1･2 歳児 2,272 人で 3 歳以上児と比べても最も多い**。

3 × 待機児童数は、3 歳未満児(0 ～ 2 歳)は 2,576 人(87.5 %)で、**9 割まで達していない**。

4 ○ 利用児童数の割合は、3 歳未満児(0 ～ 2 歳)1,100,925 人(40.3%)で、**4 割を超えている**。

5 ○ 待機児童数は、3 歳以上児が 368 人で、**3 歳未満児(0 ～ 2 歳)2,576 人よりも少ない**。

子ども家庭福祉

問1	「児童福祉法」	正解2

A　○　「児童福祉法」第4条第1項第1号において、**乳児**は**満1歳に満たない者**とされている。なお、同法において児童とは満18歳に満たない者であり、乳児、幼児、少年に分けられている。

B　○　同第2号において、幼児とは、**満1歳**から、**小学校就学の始期**に達するまでの者とされている。なお、乳児、幼児の定義は「母子保健法」（第6条）においても同様である。

C　×　「児童福祉法」第4条第1項第3号において、少年は、小学校就学の始期から、**満18歳**に達するまでの者とされている。なお、「少年法」（第2条）では、少年は20歳に満たない者をいう。

D　×　「児童福祉法」第5条において、妊産婦とは、妊娠中または**出産後1年以内**の女子とされている。なお、妊産婦の定義は、「母子保健法」（第6条）においても同様である。

問2	児童の権利の歴史的変遷	正解2

選択肢の事項を年代の古い順に並べると、以下により「**A→C→E→B→D**」となる。

A　**児童の権利に関するジュネーブ宣言**は、第一次世界大戦により多くの子どもが犠牲になったことを受け、世界で最初の児童の権利に関する宣言として、**1924（大正13）年**に国際連盟で採択された。

B　**国際児童年**は、児童の権利に関する宣言が1959（昭和34）年に国連総会で採択されてから20年が経過したことを機に、この宣言の条約化に向け、各国がさらに児童の権利保障への取り組みを強化することを意図し、**1979（昭和54）年**の国連総会で宣言された。

C　**世界人権宣言**は、第二次世界大戦における人権侵害への反省などをふまえ、**1948（昭和23）年**の国連総会で採択された。世界人権宣言では、子どもを含めすべての人間が生まれながらに基本的人権を持っているということが示された。

D　**児童の権利に関する条約**は、児童の権利に関する宣言（1959〔昭和34〕年）を条約化し、子どもの受動的権利だけでなく能動的権利をも明確に示すものとして、**1989（平成元）年**の国連総会において採択された。

E　**児童の権利に関する宣言**は、子ども固有の人権宣言として、**1959（昭和34）年**の国連総会で採択された。子どもの最善の利益を保障することを強調するとともに、子どもの保護者に加え、政府等も子どもの権利を守る努力をすることが示された。

問3	放課後児童健全育成事業	正解3

1　○　放課後児童健全育成事業者には**自己評価**と、その結果の**公表**についての努力義務がある（「放課後児童健全育成事業の設備及び運営に関する基準」の第5条第4項、及び「放課後児童クラブ運営指針」第7章3.（3）「運営内容

問題◀本冊 p.40 ～ 43

の評価と改善」)。

2 ○ 「放課後児童健全育成事業の設備及び運営に関する基準」の第16条、**秘密保持**等に関する規定である。なお、第16条第2項では、職員であった者に対する守秘義務が規定されている。

3 × 同基準第10条第3項において、放課後児童支援員は、保育士資格を有する者の他、**社会福祉士**の資格を有する者、**教員免許状**を有する者等があげられている。

4 ○ 登録児童数及び支援の単位数は、**年々増加傾向**にある。なお、2023(令和5)年においても同様である。

5 ○ 放課後児童クラブを利用できなかった児童数(待機児童数)は、前年より**1,764人増**の15,180人であった。なお、2023(令和5)年は1,096人増の16,276人であった。

問4	児童福祉の重要人物	正解4

A × **トーマス・ジョン・バーナード**は、イギリスで孤児院である**バーナードホーム**を設立した人物である。小舎制を取り入れ、日本の石井十次にも大きな影響を与えた。**ハル・ハウス**は、1889(明治22)年に**ジェーン・アダムズ**がアメリカのシカゴに創設したセツルメントである。

B ○ **石井十次**は、バーナードホームの影響を受け、1887(明治20)年に**岡山孤児院**を設立し、生涯孤児の救済に尽力した。

C × **留岡幸助**は、1899(明治32)年に東京巣鴨に感化院である**家庭学校**を設立し、感化教育に尽力した。**池上感化院**は、1883(明治16)年に**池上雪枝**が大阪で設立した日本で最初の感化院である。

D ○ **エレン・ケイ**は、子どもを大人とは異なる独自の存在として、子どもの権利が保障されることを著書『**児童の世紀**』の中で述べ、20世紀は子どもが幸せに育つことができる世紀にすべきであることを提唱した。

問5	「児童買春・児童ポルノ禁止法」	正解1

A 搾取
B 国際的
C 心身

「児童買春、児童ポルノに係る行為等の規制及び処罰並びに児童の保護等に関する法律」(「児童買春・児童ポルノ禁止法」)は、児童に対する**性的搾取**や**性的虐待**が、児童の権利を著しく侵害することの重大性に鑑み、児童買春、児童ポルノに係る行為を規制し、処罰すること等を定めた法律で、1999(平成11)年に施行された。

近年、インターネットを介した児童ポルノ被害に遭う児童数の増加や、国際社会からの強い要請を受け、2014(平成26)年に改正され、児童ポルノの定義の明確化、一般禁止規定の新設などが図られた。

問6	子ども家庭福祉の専門職	正解1

A ○ **家庭相談員**は、都道府県または市町村が設置する福祉事務所の**家庭児童相談室**に配置され、不登校や非行等の問題を抱える児童やその保護者への相談指導等を行う。

B ○ **母子・父子自立支援員**は、「母子

及び父子並びに寡婦福祉法」第８条に規定され、主に福祉事務所に配置される職員である。都道府県知事や市長、福祉事務所を管理する町村長は、社会的信望があり、かつ、職務を行うに必要な熱意と識見を持っている者の中から、母子・父子自立支援員を委嘱することとなっている。

C　×　**児童委員**は、民生委員を兼務し、担当する区域の児童及び妊産婦の保護、保健その他福祉に関し、サービス利用に必要な情報の提供、その他の援助及び指導等を行う。児童委員は、児童または妊産婦に関し、必要な事項につき、児童相談所長または市町村長にその状況を通知しなければならないが、**児童相談所に配置される職員ではない**。

D　○　**児童福祉司**は、児童相談所に設置され、児童の保護その他児童の福祉に関する相談に応じ、専門的技術に基づき必要な指導を行う。児童福祉司は、**精神保健福祉士**や**公認心理師**のほか、医師や社会福祉士からも任用される。

問７　「児童虐待防止法」　正解３

A　**親権**
B　**人格**
C　**体罰**

「児童虐待の防止等に関する法律」（「児童虐待防止法」）は、児童虐待防止対策の強化を図るため、児童の権利擁護、児童相談所の体制強化及び関係機関間の連携強化等の措置を講ずるため、2019（令和元）年に改正された。この改正の際に、親権者が児童のしつけに際して**体罰を加えてはならない**ことが規定された。なお、しつけに際しての体罰の禁止は、児童福祉施設の長等についても同様とされている。

問８　若者のための支援　正解３

A　×　**地域若者サポートステーション**では、いわゆるニートなどの若者や、働くことに悩みを抱えている**15～49歳**までの者に対し、その特性に応じた相談や職業生活における自立支援を行う。

B　○　**ヤングケアラー**は、支援が必要であっても表面化しにくい側面がある。福祉、介護、医療、教育等の様々な分野が連携し、アウトリーチによりヤングケアラーを早期に発見することが重要である。

C　○　**ひきこもり地域支援センター**には、ひきこもり支援コーディネーターが配置される。なお、ひきこもり支援の核となる①相談支援、②居場所づくり、③地域のネットワークづくり等を一体的に実施するためのひきこもり支援ステーション事業が、2022（令和４）年度から実施されている。

D　○　**社会的養護自立支援事業**の実施に当たっては、支援コーディネーター（管理者）、生活相談支援員及び就労相談支援員を配置する。支援コーディネーター（管理者）は、社会福祉士または精神保健福祉士の資格を有する者、児童福祉事業または社会福祉事業に通算５年以上従事した者等のいずれかに該当する者とされている。

問９　「児童養護施設入所児童等調査の概要」　正解５

A　×　児童養護施設に入所している児

問題◀本冊 p.43～46

童の入所時の年齢で最も多いのは、**2歳**（5,260人）である。次いで3歳（3,524人）、4歳（2,253人）、6歳（1,948人）の順となっている。なお、2023（令和5）年2月1日現在の調査概要でもこの順位に変動はない。

B ✕ 入所（措置）児童数が最も多いのは児童養護施設（27,026人）であるが、次に多いのは**里親**（5,382人）である。次いで、母子生活支援施設（5,307人）、乳児院（3,023人）となっている。なお、2023（令和5）年2月1日現在の調査概要でも、この順位に変動はない。

C ○ **児童心理治療施設**は、被虐待経験がある児童の入所割合が最も高く78.1％で、次いで児童養護施設（65.6%）、児童自立支援施設（64.5%）、母子生活支援施設（57.7％）となっている。なお、2023（令和5）年2月1日現在の調査概要では、児童心理治療施設の割合が最も高く（83.5%）、次いで児童自立支援施設（73.0%）、児童養護施設（71.7％）、母子生活支援施設（65.2%）となっている。

D ✕ 乳児院においても**実父母有（52.8%）の割合の方が実母のみ（41.9%）より高い**。なお、児童養護施設（26.3%）、児童心理治療施設（21.8%）、児童自立支援施設（24.1％）、自立援助ホーム（23.0％）、乳児院の中で、乳児院が最も実父母有の割合が高い。なお、この傾向は2023（令和5）年2月1日現在の調査概要でも同様である。

問10	**「児童館ガイドライン」**	**正解2**

A 遊び

B 調整

C 心理と状況

「**児童館ガイドライン**」の第3章「児童館の機能・役割」の2「子どもの安定した日常の生活の支援」からの抜粋である。第3章では、このほか、子どもと子育て家庭が抱える可能性のある課題への早期発見と対応、子育ての交流の場を提供し、地域における子育て支援を実施すること、子どもの育ちに関する組織や人とのネットワークを推進することなどが記載されている。

問11	**「令和3年度雇用均等基本調査」**	**正解5**

A ✕ 2021（令和3）年度の女性の育児休業取得率は、2020（令和2）年度（81.6％）より上昇しているものの、85.1％であり、**90%は超えていない**。なお、「令和4年度雇用均等調査」では、80.2%に下がっている。

B ✕ 男性の育児休業取得期間は、「**5日〜2週間未満**」が最も高く（26.5%）、次いで「5日未満」（25.0％）、「1か月〜3か月未満」（24.5％）となっており、「12か月〜18か月未満」は0.9%である。女性の場合は、「12か月〜18か月未満」が最も高く（34.0%）、次いで「10か月〜12か月未満」（30.0％）となっている。

C ✕ 2021（令和3）年度の女性の有期契約労働者の育児休業取得率は、**68.6%**である。なお、令和4年度の調査結果では、65.5%となっている。

D ○ 実際に復職した女性の割合は**93.1％**で、前回調査（平成30年度89.5％）より上昇している。男性についても、復職した者の割合は97.5%（平成30年度95.0%）で、男女ともに復職者は90%を超えている。

問12　産後ケア事業　正解3

A ○　産後ケア事業においては、**市町村**が地域の団体等に事業を**委託できる**。これらの事業の実施においては、妊産婦や乳幼児等が安心して健康な生活ができるよう、一貫性・整合性のある支援が期待されている。

B ×　里帰り出産等の場合など、**住民票のない産婦**でも支援を受けることができる。

C ×　産後ケア事業の実施担当者は、**助産師**、**保健師**、**看護師**である。特に出産後4か月頃までの時期は、原則、助産師を中心とした実施体制での対応とされている。その上で、必要に応じて①心理に関しての知識を有する者、②育児等に関する知識を有する者（保育士、管理栄養士等）、③本事業に関する研修を受講し、事業の趣旨・内容を理解した関係者をおくことができる。

D ○　短期入所（ショートステイ）型、通所（デイサービス）型、居宅訪問（アウトリーチ）型、いずれの事業においても、**母親の身体的・心理的ケア**のほか、**適切な授乳が実施できるためのケア、育児に関する具体的な指導・相談**を行う。また、通所（デイサービス）型では、個人の相談、ケアに加え、仲間づくりを目的とした相談等も実施可能である。

問13　放課後等デイサービス事業　正解5

A ×　**放課後等デイサービス事業**は、学校（幼稚園及び大学を除く）に就学している**障害児**が、授業の終了後または休業日に児童発達支援センター等に通い、生活能力の向上のために必要な支援や、社会との交流の促進その他の便宜を受ける。「児童福祉法」第6条の2の2に規定された事業である。

B ×　「令和3年社会福祉施設等調査の概況」（厚生労働省）によると、2021（令和3）年の放課後等デイサービス事業所数は17,372事業、2020（令和2）年は15,519事業で、1,853事業**増加している**。なお、2022（令和4）年は19,408事業で、2021（令和3）年よりさらに2,036事業増加している。

C ○　主として重症心身障害児を通わせる指定放課後等デイサービス事業所では、嘱託医、看護職員、児童指導員または保育士、**機能訓練担当職員**、児童発達支援管理責任者を1名以上置くこととされている。

D ○　**学校と連携を図る**ために、学校で作成される教育支援計画等を把握しておくとともに、学校から提供された情報を理解し、本人の状態や支援方法、留意点等を把握しておく必要がある。

問14　事 養育機能が低下している家庭への対応　正解4

A ×　児童虐待は、保護者がその監護する児童に対し行う身体的虐待等を指すため、兄がN君をつねる行為は**児童虐待には該当しない**。しかし、兄に対し

問題◀本冊 p.47～49

てN君の腕をつねる行為はいけないことだと諭すとともに、そのような行為に至ってしまった理由、気持ちについての話を聴くことは重要である。

B × **A**の解説のとおり、**虐待には該当しない**。なお、保育士が虐待（と思われる）行為を発見した際は、直接保育所から児童相談所へ通告を行う。

C ○ 養育の担い手であった祖母が入院し、食事もままならない生活を送っているうえに、兄がN君の世話を担うことになったことで、兄の精神的負担、不安感、ストレスが大きいことが想定される。きょうだいがおかれている状況、**兄の気持ちを理解しようとする**ことは適切である。

D ○ 夕飯を食べないで寝てしまうこともあるという状況から、今後、ネグレクトが進む可能性が考えられる。そのため、**保育所長**へ相談をし、保育所として今後の対応を協議すること、そのうえで、**要保護児童対策地域協議会担当者**へ連絡をすることは適切である。

E × 兄がN君の腕をつねってしまった**原因や気持ちを考慮せずに**、ただ父親に指導を求めても、根本的な解決につながらない。また、父親だけで養育困難な状況にあることを把握していながら、**家族の問題を家族だけで解決するよう指示する**のは、適切に保育所の子育て支援機能を果たしているとはいえない。

問15 虐待による死亡事例 正解 4

A × 「心中以外の虐待死」は、例数で47例、人数で49人であるのに対し、「心中による虐待死」は、例数が19例、人数が28人となっており、**「心中による虐待死」の方が少ない**。この傾向は、第19次報告（令和5年9月）においても同様である。

B ○ 「心中以外の虐待死」（47例・49人）では、主たる加害者が「**実母**」であったのが28例・29人で、全体の59.2％を占めている。その他、「実父」が4例・4人（8.2％）、「実母と実父」が2例・2人（4.1％）となっている。第19次報告（50例50人）でも「実母」の割合が最も高い（40.0％）。

C × 「心中以外の虐待死」の子どもの年齢で最も多いのは「**0歳**」である（31例・32人〔65.3％〕）。加えて、0歳のうち「月齢0か月児」が15例・16人で50.0％を占めている。第19次報告でも、「0歳」の割合が最も高く（48.0％）、うち、「月齢0か月児」は25.0％であった。

D ○ 「心中による虐待死」（19例・28人）の加害の動機は、「**保護者自身の精神疾患、精神不安**」が7例・11人（39.3％）で、次いで「育児不安や育児負担感」（5例・9人〔32.1％〕）、「夫婦間のトラブルなど家庭の不和」（4例・6人〔21.4％〕）となっている。なお、第19次報告においても、「保護者自身の精神疾患、精神不安」が最も多い。

問16 保育所等の施設・事業数 正解 1

A 特定地域型保育事業
B 幼保連携型認定こども園
C 幼稚園型認定こども園等

特定地域型保育事業（家庭的保育事業、

小規模保育事業、事業所内保育事業、居宅訪問型保育事業）は、保育所に次いで多い。

なお、令和５年４月１日の取りまとめでは、保育所が23,806か所、特定地域型保育事業が7,512か所、幼保連携型認定こども園が6,794か所、幼稚園型認定こども園等が1,477か所となっている（保育所のみ減）。また、令和５年４月１日のとりまとめによると、保育所等利用定員は、前年より約0.7万人増の305万人であるのに対し、保育所等を利用する児童の数は、前年より約1.3万人減の272万人となっており、待機児童数も前年比264人減の2,680人となっている。

問 17	「保育所保育指針」	正解 2

A　○　「保育所保育指針解説」p.342の文章である。

B　○　「保育所保育指針」第４章「子育て支援」1「保育所における子育て支援に関する基本的事項」(1)「保育所の特性を生かした子育て支援」のアに、「保護者に対する子育て支援を行う際には、各地域や家庭の実態等を踏まえるとともに、保護者の**気持ち**を受け止め、相互の信頼関係を基本に、保護者の**自己決定**を尊重すること」と明記されている。

C　×　指導的態度ではなく、子どもの育ちを**家庭と連携して支援する**こと、保護者が子どもの成長に気付き**子育ての喜びを感じられる**ように努めること、**保護者との相互理解を図る**ことが求められる。

D　○　同（2）「子育て支援に関して留意すべき事項」イに「子どもの利益に反しない限りにおいて、保護者や子どもの**プライバシーを保護し、知り得た事柄の秘密を保持する**」ことが明記されている。

このほか、「子育て支援」の章では、子どもに障害や発達上の課題が見られる場合、外国籍家庭など特別の配慮が必要な場合、保護者に育児不安等が見られる場合は、保護者に対する個別の支援を行うよう努めることが記載されている。

問 18	「全国ひとり親世帯等調査結果報告」	正解 3

A　○　母子世帯になった理由は、「死別」が5.3％、離婚などの「**生別**」が**93.5%**となっており、前回調査（2016〔平成28〕年度）とこの傾向は変わらない。なお、父子世帯に関しても、父子世帯になった理由は、「死別」(21.3%)より「生別」(77.2%)の方が多い。

B　×　調査時点の父子世帯の父の88.1％が就業している点は適切であるが、「**正規の職員・従業員**」が**69.9%**、「**パート・アルバイト等**」が**4.9%**となっている。なお、母子世帯の母でみると、86.3％が就業しており、「正規の職員・従業員」が48.8％、「パート・アルバイト等」が38.8％となっている。

C　○　父子世帯の場合、**末子の平均年齢**は母子世帯より2.6歳高い**7.2歳**となっている。末子の年齢階級別にみると、母子世帯では0～2歳が37.4％、3～5歳が20.6％と高く、父子世帯では、3～5歳が21.9％、ついで6～8歳が18.1％で高くなっている。

D　×　母子世帯の母自身の2020（令和2）年の**平均年間収入**は**272万円**、母自身の**平均年間就労収入**は**236万円**となっている。父子世帯の父自身の場合、平均年間収入は518万円、平均年間就労収入は496万円となっている。

E ○ 母子世帯の母がひとり親世帯になってからの**年数が短い**方が、養育費の取り決めをしている割合が高い。養育費の「取り決めをしている」割合は、母子世帯になってから「0～2年未満」が58.1％で最も高く、「2～4年未満」が53.3％、「4年以降」が44.3％となっている。父子世帯でも、「0～2年未満」が42.2％で最も高く、「2～4年未満」が38.3％、「4年以降」が22.3％となっている。

問19 養育支援訪問事業 正解5

1 ○ **養育支援訪問事業**では、**若年の養育者**や**妊婦**、妊婦健康診査を未受診の者、望まない妊娠等で妊娠期から継続的な支援が特に必要な家庭を対象としている。

2 ○ 施設の退所等により**アフターケア**を必要とする児童やその家庭等には、生活面に配慮したきめ細やかな支援が必要となる。同事業では、中期的な支援を念頭に、関係機関と連携しながら一定の目標・期限を設定し、指導・助言等の支援を行う。

3 ○ **出産後間もない時期**の養育者や、**精神的に不安定**で特に支援が必要な養育者に対しては、3か月間など短期・集中的な支援を、児童福祉や母子保健等複数の観点から行う。

4 ○ **出産後間もない時期**（おおむね1年程度）で、育児ストレス、産後うつ状態、育児ノイローゼ等で子育てに強い不安感、孤立感を抱える家庭も対象としている。

5 × 障害児に対する療育・栄養指導は対象としていない。

問20 事 子育て支援 正解2

1 × 1歳6か月児健診を担当した保健師が「様子を見ましょう」と言っているにもかかわらず、発達障害の可能性を伝えたり、療育手帳の取得を勧めるのは、**時期尚早**であり、かえってMさんを混乱させることになりかねない。

2 ○ Mさんは自ら保健師にK君の発達の遅れについて相談しており、K君に障害があるかもしれないという不安を抱えている。さらに、「様子を見ましょう」と言われたことで、K君に対しこのまま何もしないで大丈夫なのか、戸惑いや将来への不安をさらに感じている。まずは、**Mさんの話を十分に傾聴し気持ちを受容する**ことが必要である。

3 × 他の子どもとのかかわりを苦手としているK君を無理に集団の中へ連れていくことは、K君の**意思を無視した行動**であり、K君にとって最善の利益を考慮したかかわりとはいえない。また、かえってK君を不安定な状態に招きかねないため、不適切である。

4 × 不安を打ち明けてくれたMさんの話をさえぎり、さらに「発達に関することは分からない」と突き放すことは、**Mさんを失望させる**とともに、「誰にも私の不安を理解してもらえない」という**孤独感を与えかねない**。さらに、保育士の**専門性に対する信頼を失う**結果にもつながる可能性があるため、不適切である。

5 × N保育士自身もK君の普段の様子を気にかけ、保健師も様子を見ることを勧めている状況であり、「発達の遅れの心配はない」とは言い切れない。Mさんを励ましたり、安心させたいためであっても、**根拠が十分でない軽はずみな発言をすることは、適切ではない。**

社会福祉

問1	「社会福祉法」	正解 1

A ○ 「社会福祉法」第1条に、「この法律は、社会福祉を目的とする事業の全分野における**共通的基本事項**を定め、社会福祉（以下、「地域福祉」という。）を目的とする他の法律と相まつて、福祉サービスの利用者の利益の保護及び地域における社会福祉の推進を図るとともに、**社会福祉事業**の公明かつ適正な実施の確保及び社会福祉を目的とする事業の健全な発達を図り、もつて**社会福祉**の増進に資することを目的とする」と定められている。

B ○ 同法第3条に、「**福祉サービス**は、個人の尊厳の保持を旨とし、その内容は、福祉サービスの利用者が心身ともに健やかに育成され、又はその有する能力に応じ自立した日常生活を営むことができるように支援するものとして、良質かつ適切なものでなければならない」と定められている。

C ○ 同法第4条第2項に、「**地域住民**、社会福祉を目的とする事業を経営する者及び社会福祉に関する活動を行う者（以下「地域住民等」という。）は、相互に協力し、福祉サービスを必要とする地域住民が地域社会を構成する一員として日常生活を営み、社会、経済、文化その他あらゆる分野の活動に**参加**する機会が確保されるように、地域福祉の推進に努めなければならない」と定められている。

問題◀本冊 p.53 ～ 54 ◀◀◀

D ○ 同法では、福祉サービス提供に関して、**情報の提供**や**福祉サービスの利用の援助**、**運営適正化委員会等**について定められている（同法第75～第87条）。

問2 社会福祉の歴史 正解5

1 ○ 1942年、イギリスで「社会保険と関連サービス」（通称「**ベヴァリッジ報告**」）が示され、社会保険を中心に社会保障制度を構築することとした。

2 ○ 「日本国憲法」第25条（生存権）は、**社会福祉や社会保障制度は国の責務である**と定め、日本の社会福祉に関する法制度の発展に寄与した。

3 ○ 社会福祉は、近代社会の発展の中で成立したが、それ以前の**相互扶助**や**宗教的な慈善事業**も、生活に困窮する人の救済するための仕組みとして重要な役割を担ってきた。

4 ○ イギリスの**COS**（慈善組織協会）の創設は、慈善の濫救（らんきゅう）、漏救（ろうきゅう）を防ぎ、効率的に慈善を行う意図があった。COSはその後アメリカに渡り、発展した。

5 × **ブース**（Booth, C.J.）らによる貧困調査では、貧困の原因は「労働」や「環境」といった**社会経済的原因**が圧倒的に多いことを明らかとした。

問3 「児童福祉法」 正解1

A ○ 記述は、「児童福祉法」第2条の内容である。すべての国民は、**児童の最善の利益**が優先して考慮されるよう努めなければならない。

B ○ 同法第3条の2の内容である。**国及び地方公共団体**は、児童が家庭において心身ともに健やかに養育されるよう、**児童の保護者を支援**しなければならない。

C × 児童を心身ともに健やかに育成することについての第一義的責任は保護者にあるが（同法第2条第2号）、**国や地方公共団体も責任を負う**（同第3号）。

D ○ 同法第18条の4の内容である。保育士は、**登録**を受け、**保育士の名称**を用いて、専門的知識及び技術をもって、保育に関する指導を行うことを業とする。

問4 地域福祉 正解1

A ○ **町内会**や**自治会**は、地域福祉活動において住民主体となる組織としての連携を図る。

B ○ **民生委員**は、高齢者や障害者、児童、母子世帯などの要援護者の調査や実態把握、相談支援、行事への参加協力、地域福祉活動など、幅広い活動を行う。

C ○ **ボランティア・コーディネーター**は、ボランティア活動を支援し、ボランティア活動をする人と、ボランティアを必要とする人や組織、地域をつなぐ役割を担う。

D ○ **社会福祉専門職**は、その専門的な知識と技術、そしてそれに基づく冷静な判断を持って、社会福祉に関わる諸課題の解決に向けて取り組む役割を担う。

問5 「令和4年版 厚生労働白書」 正解2

A ○ 「令和4年版　厚生労働白書」第

2部第4章第2節に記されている**社会福祉法人**についての記述である。なお同白書では、その公益性・非営利性の徹底などの観点から実施された2017(平成29)年施行の社会福祉法人制度改革について言及している。

B ○ 同白書第2部第4章第3節-1に記されている**生活困窮者自立支援制度**についての記述である。

C × 介護保険制度開始当時の2000(平成12)年度は約3.6兆円だった介護費用は、2020(令和2)年度には11.1兆円となっており、**約3.1倍**となった(同白書第2部第7章第4節-1)。なお、2021(令和3)年度は11.3兆円となっている(「令和5年版 厚生労働白書」より)。

D ○ 「令和4年版 厚生労働白書」第2部第4章第1節-4に記されている**成年後見制度**についての記述である。

問6 福祉機関の業務内容 正解1

A ○ **市町村の福祉事務所**は、生活困窮者や児童・家庭、**知的障害者**への援護を行っている。

B ○ **児童相談所**は、児童に関する様々な問題に応じており、**児童福祉施設への入所措置**も業務の一つである。

C × **身体障害者更生相談所**は、入所措置を行う施設ではなく、身体障害者やその家族に対し、専門的な知識と技術を必要とする**相談・指導業務**や医学的、心理学的、職能的な**判定業務**、補装具の処方や適合判定を行う機関である。身体障害者福祉法に基づき、身体障害者の更生援護の利便を促進する役割を担う。

D ○ **精神保健福祉センター**は、地域住民の精神的健康のための様々な活動を行っており、**精神保健及び精神障害者の福祉に関する知識の普及**も業務の一つである。

問7 社会保険制度 正解1

A〜D ○

社会保険制度は、国民が病気やけが、出産、死亡、老齢、障害、失業などの生活の困難をもたらすいろいろな事故に遭遇した場合に一定の給付を行い、その生活の安定を図ることを目的とする。国民皆保険制度であり、5保険とも呼ばれ、**医療保険、年金保険、介護保険、雇用保険、労災保険**がある。

問8 高齢化社会対策 正解2

選択肢の事項を年代の古い順に並べると、以下により「**A→D→B→C**」となる。

A 「老人福祉法」は、**1963(昭和38)年**に制定された。

B 「介護保険法」は、**1997(平成9)年**に制定された。

C 「高齢者虐待の防止、高齢者の養護者に対する支援等に関する法律」は、**2005(平成17)年**に制定された。

D 「高齢社会対策基本法」は、**1995(平成7)年**に制定された。

問9 アセスメント 正解3

ソーシャルワークにおける**アセスメント**とは、情報収集を行いながら、問題分析を行うことである。

1 ○ アセスメントでは、利用者自身の状況のほかに、利用者を取り巻く**環境**や**社会資源**に関する情報も重要となる。

2 ○ アセスメントでは、利用者の家族関係を表した**ジェノグラム**や、関係者・関係機関などとの関係性を表した**エコマップ**などが活用される。

3 × アセスメントでは、利用者の持っている**ストレングス**（長所・強み）に注目することが必要である。

4 ○ アセスメントでは、利用者の抱える複数の問題に**優先順位**をつけることが重要である。

5 ○ アセスメントは、利用者の状況を継続的に把握するモニタリング等を通して、**何度も繰り返し行われる**ことがある。

ソーシャルワークにおいて大切なことは、援助者が中心となって支援を行うことではなく、クライアントが中心、主体となって自らの問題の解決に向けて援助者から支援を受けながら問題解決へと進んでいくことである。クライアントを信頼し、そのストレングスに注目することは、援助者として忘れてはならない必須の視点である。

問10 相談援助の原理・原則 正解 1

A ○ ソーシャルワークの原理においては、すべての人間を、出自、人種、性別、年齢、身体的精神的状況、宗教的文化的背景、社会的地位、経済状況等の違いにかかわらず、**かけがえのない存在として尊重する**。

B ○ ソーシャルワークの原理においては、差別、貧困、抑圧、排除、暴力、環境破壊などのない、**自由**、**平等**、**共生**に基づく**社会正義**の実現をめざす。

C ○ ソーシャルワークの原理においては、個人、家族、集団、地域社会に存在する**多様性**を認識し、それらを**尊重**する社会の実現をめざす。

D ○ **バイステックの7原則**は、個別化の原則、意図的な感情表出の原則、統制された情緒的関与の原則、受容の原則、非審判的態度の原則、自己決定の原則、秘密保持の原則である。クライエントと援助者の信頼関係構築のための倫理と行動の原理が示されている。

問11 エバリュエーション 正解 4

A × **エバリュエーション**とは、サービス提供が終わった段階や区切りごとに行う評価であり、事後評価を表すものである。**事前評価**は、アセスメントと呼ばれる。

B × エバリュエーションは、サービス提供後の結果を、目標や計画と照らし合わせて判断することである。信頼関係の構築は、**相談援助を行う際**に、まず必要とされるものである。

C × 援助・支援のためのプログラムを作成することは、**プランニング**である。

D ○ エバリュエーションでは、実施した支援が**適切であったか**、あるいは支援の**効果があったか**どうかを、事後評価として評価する。

問12 相談援助の過程 正解 1

A ○ **アウトリーチ**とは、支援の必要な人に必要なサービスと情報を届けることである。自分から助けを求めることが何らかの事情で難しい場合の援助において有効である。

B ○ **アセスメント**とは、利用者の情報を収集し、分析する事前評価であり、利用者のニーズを評価したり、利用者のストレングスなどを評価したりする。

C ○ **プランニング**とは、援助計画を作成することである。その作成においては、アセスメントに基づき、問題解決に向けての目標を設定し、具体的な支援内容を計画する。

D ○ **モニタリング**とは、援助が問題なく本来の目的に沿って行われているか確認をするものであり、支援計画実施後の事後評価において不可欠な経過観察である。

問13 第三者評価 正解 5

第三者評価は、社会的養護関係施設（児童養護施設、乳児院、児童心理治療施設、児童自立支援施設、母子生活支援施設）について、3年に一度の受審が義務づけられている。

A × 保育所は、第三者評価を受審することが保育の質を高めるうえで望ましいとされるが、**義務づけられてはいない**。

B ○ 児童養護施設は、社会的養護関係施設のため、3年に一度の受審が**義務づけられている**。

C × 乳児院は、社会的養護関係施設のため、3年に一度の受審が**義務づけられている**。

D × 福祉サービス第三者評価の所轄庁は、**厚生労働省**である。

問14 成年後見制度 正解 2

A ○ **成年後見制度**は、認知症や知的障害、精神障害などにより判断能力が不十分な人の財産管理や身上監護のための制度である。それまでの「禁治産・準禁治産制度」にかわり、2000（平成12）年4月から新たに施行された。

B × 成年後見制度の国の所轄庁は、**厚生労働省・法務省**である。

C × 成年後見制度を利用する際に申し立てができるのは、**本人と配偶者、4親等以内の親族、成年後見人等、任意後見人、任意後見受任者、成年後見監督人等、市区町村長、検察官**である。

D ○ 「成年後見人、保佐人、補助人」は、**家庭裁判所**が、本人にとって最も適切だと思われる者を選任する。

問15 福祉サービス利用援助事業 正解 5

A × 実施主体は、**都道府県社会福祉協議会**または**指定都市社会福祉協議会**である。

B × 支援内容は主に、福祉サービスの利用援助、**日常的金銭管理**、書類などの預かりサービスなどである。

C × 生活保護受給世帯も**利用可能**であり、この場合に支援員が派遣される際の費用は免除される。

D ○ 利用料は、実施主体が定めるものであるため、**実施主体により異なる**。

問題◀本冊 p.59 ～ 62

問 16	苦情解決	正解 4

A ○ 「社会福祉法」第 82 条では、社会福祉事業の経営者による苦情の解決として、「社会福祉事業の経営者は、常に、その提供する福祉サービスについて、利用者等からの**苦情の適切な解決に努めなければならない**」と定めている。

B × 福祉サービスに関する苦情の申し出は、まずは事業者との話し合いで解決することが望まれるが、難しい場合や相談が叶わない場合は、福祉サービス利用に関する**都道府県運営適正化委員会**へ相談することができる。

C ○ 「保育所保育指針」第 1 章「総則」1「保育所保育に関する基本原則」(5)「保育所の社会的責任」ウでは、「入所する子ども等の個人情報を適切に取り扱うとともに、**保護者の苦情などに対し、その解決を図るよう努めなければならない**」と定めている。

D × 「社会福祉法」に第三者委員の設置についての規定はなく、**義務づけられてはいない**。

問 17	「令和 4 年版男女共同参画白書」	正解 3

A ○ なお、令和 6 年版の同白書でも共働き世帯数は増加しており、2023（R5）年時点で共働き世帯は専業主婦世帯数の 3 倍となっている。

B × 近年、男性の育児休業取得率は上昇しており、2020（令和 2）年度の民間企業の男性の育児休業取得率は**12.65%** である。なお、2022（令和 4）年度は 17.13%と増加を続けている。

C ○ 2020（令和 2）年においてフルタイム労働者の男性の賃金を 100 とすると、女性の賃金は **77.5** であり、OECD 諸国の平均 88.4 を下回っていた。なお、2022（令和 4）年度は 78.7 とわずかに改善されたが、依然 OECD 諸国の平均 88.4 を下回っている。

D × 「男女共同参画社会基本法」第 14 条では、**市町村男女共同参画計画策定**の努力義務を定めており、2021（令和 3）年における市区町村全体の策定率は **84.1%** と、50.0%を超えている。なお、2023（令和 5）年の策定率は、89.3%である。

問 18	市町村社会福祉協議会	正解 5

A × ボランティアセンターは、地区や職場、学校でボランティアに関する様々な取組みを行う組織であり、市区町村単位で社会福祉協議会と連携して設置される場合が多い。設置が**義務づけられてはいない**。

B ○ 「社会福祉法」第 109 条に、社会福祉を目的とする事業の企画及び実施、活動への住民参加のための援助、社会福祉を目的とする事業に関する**調査、普及、宣伝、連絡、調整及び助成**、社会福祉を目的とする事業の健全な発達を図るために必要な事業を実施すると示されている。

C × 市町村社会福祉協議会は、地域福祉を推進する中核的な団体として、地域生活課題の解決に取り組み、誰もが安心できる社会づくりに取り組んでいる。**生活困窮者に対する相談援助**も行っている。

D ○ 「社会福祉法」109条において、社会福祉を目的とする事業の企画や実施を通して**地域福祉の推進を図る**こととされている。

問19 共同募金 正解4

A × 共同募金は、「**社会福祉法**」に基づき、地域福祉の推進のために活用される。

B ○ 毎年12月に実施される「歳末たすけあい運動」のうち、「寄付者からの寄付金や品物」は、**共同募金の一環として行われている。**

C ○ 共同募金は、**地域福祉の推進**を図るために行われている(同法第112条)。

D ○ 同法第115条において、共同募金による寄附金の公正な配分を行うために、共同募金会に**配分委員会**が置かれることが定められている。

問20 「こども基本法」 正解5

「**こども基本法**」は、こども施策を社会全体で総合的かつ強力に推進していくための基本法として、2022（令和4）年に制定された。第3条には、同法の**基本理念**が示されている。

A **差別** 「こども基本法」第3条第1項第1号の記述である。

B **参画** 同第3号の記述である。

C **意見** 同第4号の記述である。

教育原理

問1 「教育基本法」 正解4

「**教育基本法**」は、「日本国憲法」の理念のもとに1947（昭和22）年に制定（2006〔平成18〕年に全部改正）された、わが国の教育についての基本を定めた法律である。

A × 記述の「学問の自由は、これを保障する」は、「**日本国憲法**」第23条の条文である。

B ○ 記述は「**教育基本法**」第1条「教育の目的」の条文である。教育は、民主的な国家及び社会に必要な資質を備えた人間の育成を目的としている。

C × 記述は「**学校教育法**」第1章「総則」第3条の条文である。学校を設置する場合は、各学校の設置基準に則って設置する必要がある。幼稚園に関しては、幼稚園設置基準（1956〔昭和31〕年公布）に詳細が定められている。

問2 「児童憲章」 正解5

A **愛情**

B **環境**

「児童憲章」は、「日本国憲法」の精神に従い、1951（昭和26）年に制定された。児童の基本的人権を尊重し、児童の幸福をはかるために定められた道徳的規範である。記述は、同憲章第2条であり、**家庭環境**が保障されることが示されている。

問題◀本冊 p.63 ～ 66

問3	教育制度	正解4

文部科学省は、毎年、主要国の教育制度について「諸外国の教育統計」として資料にまとめている。

1　×　オーストラリアの就学前教育は、主に0～5歳児を対象としたデイケア（保育所）、3～5歳児を対象としたプリスクールや5歳児対象の準備教育がある。それ以外にプレイグループと呼ばれる少人数保育や、ファミリーデイケアという家庭的保育がある。

2　×　フィンランドには、デイケア（保育）として0～6歳児を対象としたデイケアセンター、家庭的保育が主なものとしてある。また、6歳児を対象とした1年間の就学前プログラムがある。

3　×　フランスには、2～5歳を主対象とした幼稚園（école maternelle）や、小学校付設の幼児学級・幼児部がある。また、保育サービスとして0～3歳児を対象とする保育所（crèche）、家庭的保育やベビーシッターなどがある。

4　○　イギリスには、義務教育である5年間の中等教育課程を修了した生徒が、上級学校へ進学するために2年間学ぶ**シックスフォーム**（Sixth Form）と呼ばれる教育課程がある。なお、イギリスの就学前教育は、デイナーサリー（保育所）や、ナーサリースクール（図の保育学校）のほかに、満3歳からのナーサリークラスや、就学1年前からのレセプションクラス（いずれも初等学校付設）がある。

5　×　アメリカは州によって教育制度が異なる。就学前教育は3～5歳児を対象に保育学校や幼稚園で行われている。

問4	海外の教育思想家	正解1

モンテッソーリは20世紀前半に活躍したイタリアの医師であり、障害児の教育に尽力した。彼女はモンテッソーリ教育と呼ばれる独自の教育法を開発し、1907年にその教育を行う施設として「子どもの家」を設立した。設問の著書『**幼児の秘密**』は、モンテッソーリ晩年の著書である。

1　○　フレーベルは19世紀ドイツの教育者であり、ブランケンブルクに世界初の幼稚園を創設した。記述の文章の中の「区別して整頓した立方体や直方体の中に、馬や砦や汽車を見る」から、フレーベルの恩物を用いた活動であることがわかる。

2　×　ルソーは、18世紀フランスの思想家であり、「子どもの発見者」とも言われている。

3　×　ペスタロッチは、18世紀から19世紀初頭に活躍したスイスの教育者である。スイスのノイホーフに貧民学校を設立したことで知られている。

4　×　アリエスは、20世紀フランスの歴史家である。著書『〈子供〉の誕生』で近代的な子ども観の誕生を示した。

5　×　デューイは、19世紀後半から20世紀にかけて活躍したアメリカの哲学者である。シカゴ大学に実験学校を設立した。

問5	日本の教育思想家	正解2

1　×　荻生徂徠（おぎゅうそらい）は江戸中期の儒学者であり、柳沢吉保に仕えた。江戸に蘐園塾（けんえんじゅく）

を開いた。

2 ○ **貝原益軒**は、江戸前期から中期にかけての儒学者、博物学者である。晩年に養生法を示した指導書である『**養生訓**』を著した。記述の後半は、著書『和俗童子訓』に関する内容である。同書では、随年教法を用いた年齢に応じた教育方法を説いた。

3 × **佐藤信淵**は、江戸後期の経世家である。蘭学、儒学、神道を学び、農政について多くの論説を記した。

4 × **伊藤仁斎**は、江戸前期の儒学者であり、京都に家塾の古義堂を開き、たくさんの門弟に古義学を教えた。

5 × **太田道灌**は、室町中期の武将であり1457年に江戸城を築いた。歌人としても知られた人物である。

問6	日本の教育思想家	正解 5

A－エ **世阿弥**は、室町時代の能役者である。能楽の論書「**風姿花伝**」を著し、年齢に応じた稽古の必要性を説いている。

B－ウ **北条実時**は、鎌倉中期の武将である。武芸だけでなく学問にも造詣が深く、収集した書物を集めた**金沢文庫**を創設した。

C－ア **広瀬淡窓**は、江戸後期の儒学者であり、私塾である**咸宜園**を豊後日田（現大分県）に開いた。この私塾では1日の生活や授業を示した「規約」や「職任」という係担当、「月旦評」という成績表があった。

【Ⅱ群】イの『**翁問答**』は、**中江藤樹**が著した問答形式の道徳哲学を教える教訓書である。中江藤樹は江戸前期の儒学者であり、陽明学の祖といわれている。

問7	日本の教育思想家	正解 4

記述の文章は、**倉橋惣三**の『**幼稚園真諦**』の第一編「幼稚園保育法」の一部である。

1 × **澤柳政太郎**は、明治から大正期の教育者である。初等教育の改革に尽力し、成城学園を創設し、新教育運動を推進した。

2 × **羽仁もと子**は、明治期の教育者であり、雑誌『婦人之友』を創刊するなど、婦人解放を啓蒙した。また、新教育運動の流れの中で自由学園を創設し生活教育を推進した。

3 × **城戸幡太郎**は、大正から昭和期の教育学者であり、保育問題研究会を作った。彼の思想は「社会中心主義」と呼ばれており、同時代の倉橋惣三の児童中心主義と対比させて語られることがある。

4 ○ **倉橋惣三**は、大正から昭和期にかけて幼児教育で活躍した人物である。児童中心主義を掲げるとともに、誘導保育を提唱した。記述の文章は、誘導保育について説明したものである。

5 × **小原國芳**は、大正から昭和期の教育者である。1919（大正8）年に成城小学校に赴任し、澤柳政太郎のもとで新教育運動を推進した。その後、1929（昭和4）年に玉川学園を創設した。

問8	カリキュラム	正解 3

1 × **経験カリキュラム**は、子どもの興味関心や実生活から学ぶカリキュラム

問題◀本冊 p.67～70

である。学習意欲を高めやすいものの、必要な知識や技能を網羅しきれない可能性があるという短所がある。

2　×　潜在的カリキュラムは、隠れたカリキュラムとも言われる。日常生活の中で自然と身についた規範やルールのことである。

3　○　教科カリキュラムは、教科ごとに体系的に学ぶ内容が整理されたカリキュラムである。必要な知識や技能を網羅できるものの、子どもの興味が反映されない場合や教科同士の関連性が見落とされがちである。

4　×　合科カリキュラムは、複数の教科を統合して学ぶカリキュラムである。教科カリキュラムの課題でもある教科同士を関連付けて学ぶことが可能となる。

5　×　統合カリキュラムは、教科ごとではなく、学習内容の統合が図られ、全人的な人間形成を目的とするものである。

問９	(指)「幼児期の終わりまでに育ってほしい姿」	正解２

A－ア：地域
B－エ：環境
C－ウ：情報

「**保育所保育指針**」（1965〔昭和 40〕年制定、現指針は 2018〔平成 30〕年施行）は、保育所の保育内容や運営に関する事項について定めたものである。記述の文章は、同指針第１章「総則」４「幼児教育を行う施設として共有すべき事項」（2）「幼児期の終わりまでに育ってほしい姿」オ「**社会生活との関わり**」である。幼児期の終わりまでに育ってほしい姿は全部で 10 あり、いずれも内容を理解しておく必要がある。

問 10	幼保小の協働	正解５

A　つながっている
B　不登校

記述の文章は、2023（令和５）年に中央教育審議会初等中等教育分科会から出された「学びや生活の基盤をつくる幼児教育と小学校教育の接続について～幼保小の協働による架け橋期の教育の充実～」の二「現状と課題、目指す方向性」１「架け橋期の教育の充実」（1）「現状と課題」に関する記述である。**架け橋期**は５歳児から小学校１年生までの２年間を指し、架け橋期の教育を充実させることで、円滑な接続が実現できる。本文書では当該時期の教育の重要性について、子どもにかかわるすべての人に伝えることを目的としている。

社会的養護

問1　継続的支援　正解 2

「児童養護施設運営指針」第Ⅰ部 2.（2）⑤より、**A**～**C**は以下のとおりである。

A　アフターケア
B　特定
C　連携

同指針では、アフターケアまでの**継続した支援**と、特定の養育者による**一貫性のある養育**、各支援機関の**連携**によって、トータルな支援を確保するよう求めている。

問2　親子関係再構築　正解 4

「社会的養護関係施設における親子関係再構築支援ガイドライン」の一部より、**A**～**C**は以下のとおりである。

A　子ども
B　肯定的なつながりを主体的に回復
C　ともに暮らす

同ガイドラインにおける支援の目的は、施設に迎え入れた子どもが**自尊感情**をもって生きていけるようになること、生まれてきてよかったと、自分が生きていることを**肯定できるようになる**ことである。

問3　「新しい社会的養育ビジョン」　正解 1

「新しい社会的養育ビジョン」より、**A**～**C**は以下のとおりとなる。

A　○　社会的養育の対象は**すべての子ども**であり、その中には妊娠中の胎児も含まれている。

B　○　子ども・家族の**参加**を保障し、支援者と**協働**していくことが原則である。そうすることで、家族の能動性を促進し、支援者の情報と認識の幅が広がり、より適切な養育が図られる。

C　×　実父母の死亡などの場合に限られない。2016（平成 28）年の「児童福祉法」改正により、**家庭復帰の可能性のない子ども**について、永続的解決（パーマネンシー保障）として養子縁組を提供することとなった。

D　○　社会的養育の新しいビジョンを実現するために、乳児院等を**多機能化・機能転換**し、地域において新たな役割を担っていくことが期待されている。

問4　児童養護施設における地域支援　正解 1

「児童養護施設運営ハンドブック」第Ⅱ部 6.（3）より**A**～**C**は以下のとおりである。

A　福祉ニーズ
B　市町村
C　ソーシャルワーク

施設には、地域の具体的な**福祉ニーズ**を把握するための取組みや、**市町村**への子育て事業への協力、**ソーシャルワーク**機能の活用が求められている。

問5　家族への支援　正解 1

「児童養護施設運営指針」第Ⅱ部 2.（1）②より、**A**～**C**は以下のとおりである。

A　○　親子の関係作りのための宿泊は、自宅への帰宅だけでなく、**施設内**でも行えるよう整えておく。

B　○　日常の子どもの姿を見る機会や、

問題◀本冊 p.70 ～ 75

家族の**学校行事**への参加は、子どもと家族の関係作りにおいても有効な場面である。

C ○ 一般的な家庭を経験する機会に恵まれない環境にある子どもの場合は、**週末里親**や**ボランティア家庭等**と連携して家庭生活を体験できる場を提供する。

D × 一時帰宅については、子どもの意見も聞きながら、**児童相談所**と協議の上実施する。

問6 里親養育 正解4

「里親及びファミリーホーム養育指針」より、**A～D**は以下のとおりである。

A × 「対象児童」は、新生児期から年齢の高い子どもまで、**すべての子ども**が対象となる。

B ○ 養育者は、児童相談所が作成した**自立支援計画**に基づいて養育を行う。

C × 里親の姓を通称として使用するとは、**義務ではない**。子どもの「姓」、子どもの「名前」は、その子ども固有のものであり、かけがえのないものである。里親の姓を通称として使用する場合は、子どもの利益や意思、実親の意向も含めて個別に検討する。

D ○ 里親やファミリーホームは、**特定の養育者**との**生活基盤の共有**ができることが特徴である。

問7 被措置児童虐待 正解3

「被措置児童等虐待対応ガイドライン」より、**1～5**は以下のとおりである。

1 ○ **被措置児童虐待**とは、施設等への入所措置をされた児童に対して、施設職員等が行う虐待を指す。**地域や外部に開かれた組織体制**を整備することにより、虐待が予防されるだけでなく、質の高い養育の実現にもつながる。

2 ○ **第三者委員**や**第三者評価**を活用しながら、開かれた組織運営を行うことが重要である。

3 × 被害を受けた児童のほかの**当該施設で生活をしている児童等**に対しても、適切で分かりやすい経過説明と、きめ細やかなケアを行う。

4 ○ 自立支援計画には、**子どもの意見や意向等**を反映させる。子どもが理解できていない場合には、さらに分かりやすく繰り返し説明する。

5 ○ 施設等での養育の負担が大きいと感じている職員や経験の浅い職員には、施設内外の経験豊かな者からの**スーパービジョン**を受けられるようにする。

問8 育児救済の歴史 正解2

1 × **博愛社**は、**小橋勝之助**（こばしかつのすけ）が1890（明治23）年に、**兵庫県**に設立した孤児院（現在の児童養護施設）である。

2 ○ **浦上養育院**は、**岩永マキ**が1874（明治7）年、**長崎県**に設立した孤児院（現在の児童養護施設）である。

3 × **家庭学校**は、**留岡幸助**が1899（明治32）年、**東京都**に設立した感化院（現在の児童自立支援施設）である。

4 × **日田養育院**は、**松方正義**が1869（明治2）年、**大分県**に設立した孤児院（現在の児童養護施設）である。

5 × **滝乃川学園**は、**石井亮一**が1891（明治24）年、**東京都**に設立した障害児入所施設である。

問9	事 児童養護施設職員の対応	正解 4

A × 職員らの一貫した関わりは大切であるが、社会的養育を必要とする子どもへの養育の基本は、**肯定的な関わり**が重要となる。

B ○ **自立支援計画**は、子どもや家庭の変化に応じて見直すことも必要である。担当職員だけでなく、家庭支援専門相談員や**心理療法担当職員**、子ども本人の意見を踏まえて再計画を行う。

C × 職員の支援に対する思いを子どもに分かりやすく説明することは大切であるが、子どもの**理解度や思いを確かめながら**話し合う。K君の思いを聞かず、反省を促すのは不適切である。

D ○ 職員と子どもが**個別に関わる時間**を確保することは、子どもが他者への基本的な信頼感を獲得していくために重要な関わりである。

問10	養育のあり方	正解 5

「児童養護施設運営指針」第Ⅰ部5.（3）の一部より、**A**～**C**は以下のとおりである。

A 生きた

B トータル

C 平凡

同（3）には、「養育を担う人の原則」として記述のほかに子どもたちへのかかわり方として「分からないことは無理に分かろうと理論にあてはめて納得してしまうよりも、分からなさを大切にし、**見つめ、かかわり、考え、思いやり、調べ、研究していくことで分かる部分を増やしていく**」よう示されている。

子どもの保健

問1	指「保育の目標」	正解 4

A 健康

B 安全

C 習慣

D 態度

記述は、「保育所保育指針」第1章「総則」(2)「保育の目標」ア(イ)の文章である。「保育の目標」アにおいて、保育所の保育の目標は、**子どもが現在を最も良く生き、望ましい未来をつくり出す力の基礎を培う**こととして、具体的に（イ）で**健康**と**安全**について記している。

問2	母子保健	正解 3

1 × 母子保健の対象は妊産婦だけではなく、**乳児**、**幼児**も含まれる。「母子保健法」第1条に「**母性並びに乳児及び幼児**の健康の保持及び増進を図るため、母子保健に関する原理を明らかにするとともに、母性並びに乳児及び幼児に対する保健指導、健康診査、医療その他の措置を講じ、もつて国民保健の向上に寄与する」とある。

2 × 母子保健に関する様々なサービスや活動に関わる法的根拠は、1965（昭和40）年制定の「**母子保健法**」である。1937（昭和12）年制定の「保健所法」では、健康指導相談の機関として、保健所が設置された。

3 ○ 母子保健施策の成果として、保健指導や健康診査等の母子保健対策によ

問題◀本冊 p.75～79

る**乳児死亡率**（生後1年未満の出生児数千に対する死亡者数の比率）、**新生児死亡率**（生後4週未満の出生児数千に対する死亡者数の比率）の減少があげられる。

4 × 「母子保健法」では、母子保健施策を通じた乳幼児に対する**虐待の発生予防、早期発見**も図られている（同法第5条第2項）。

5 × **妊産婦登録制度**は、**1942（昭和17）年**に創設され、妊娠の早期届出や妊婦の健康管理が図られるようになった。「児童福祉法」は、**1947（昭和22）年**の制定であり、同制度の発端とはいえない。

問3	児童虐待	正解4

1 ○ **産後ケア事業**は、妊娠中から出産後に至る支援を切れ目なく行うもので、児童虐待の防止をねらいの一つとしている。

2 ○ **乳児家庭全戸訪問事業**（こんにちは赤ちゃん事業）は、すべての乳児のいる家庭を訪問し、子育て支援に関する必要な情報提供を行い、支援が必要な家庭に対しては適切なサービスを提供し、地域の中で子どもが健やかに育成できる環境整備を図ることを目的とする。児童虐待の防止をねらいの一つとしている。

3 ○ **要保護児童対策地域協議会**は、要保護児童の適切な保護を図るため、関係機関等により構成され、要保護児童及びその保護者に関する情報の交換や支援内容の協議を行うものである。児童虐待の防止をねらいの一つとしている。

4 × **新生児（マス）スクリーニング検査**は、生後4～6日目くらいの新生児のかかとや足の裏から採血し、検査をする方法で、先天性代謝異常症や内分泌疾患などの病気を早期に発見するためのものである。児童虐待防止とは関係ない。

5 ○ **地域子育て支援拠点事業**は、子育てに関する情報や相談を提供するつどいの広場を設置し、子育てに関する支援活動を行う市町村が実施する事業である。児童虐待の防止をねらいの一つとしている。

問4	身体的発育	正解3

A × 脳内の情報は、軸索の中を電気信号で伝わる。軸索が髄鞘と呼ばれる脂質に富んだ構造物で包まれることを**髄鞘化**といい、情報をより速く、正確に伝えることができるようになる。

B ○ 運動機能の発達には一定の**方向性**があり、連続した現象として**順序性**がある。

C × **副腎皮質ホルモン**は副腎皮質から分泌され、電解質や糖の代謝に関与しており、発育には関係ない。発育を促すホルモンには、**成長ホルモン**があり、ノンレム睡眠（眠りが最も深く夢をみない）時に多く分泌される。また**甲状腺ホルモン**は甲状腺から分泌され、不足すると低身長をきたす。

D ○ 大脳が未熟な新生児の行動は、**原始反射**と呼ばれる運動が大部分を占める。原始反射は、成長とともにみられなくなる。

E ○ 前頭骨と頭頂骨で囲まれた菱形の部分を**大泉門**といい、生後6か月頃から小さくなり始め、2歳頃に閉鎖する。なお、後頭骨と頭頂骨に囲まれた部分を小泉門といい、生後すぐ閉鎖する。

問5 脳の構造と機能 正解1

脳の中枢神経系は、大脳、小脳、脳幹（間脳、中脳、橋（きょう）、延髄）と、脊髄に分けられる。

A ア 前頭葉は大脳の一部で前部にあり、運動に関連する運動野、精神に関連する知覚野に大別される。前頭葉には感情、意欲、思考の機能がある。

B ウ 側頭葉は大脳の一部で脳の両側面にあり、嗅覚や聴覚機能、記憶、感覚性言語中枢を含む。

C イ 延髄は脳の最下部の脳幹にあり、呼吸や循環を制御し、生命の維持に重要な自律神経系の中枢がある。

D エ 小脳は脳の後下部にある中枢神経系の一部で平衡機能、姿勢反射の総合的調整、随意運動の調整など運動系の統合、知覚情報の統合などを行っている。

問6 乳幼児の排尿・排便の自立 正解5

A × 新生児期は尿意（尿がたまったという感覚）を自覚する大脳の発達が未熟であり、腎臓の働きや膀胱の発達も未熟なため、尿が膀胱に貯留すると反射的に排尿する。**1回の排尿量は少なく、回数は15～20回と多い**。

B × 個人差はあるが、大脳の発達により尿意がある程度わかるようになるのは、**1～2歳頃**といわれている。

C ○ 乳児期の排便は、直腸に便が入ってくると誘発されて起こる。個人差はあるが、母乳栄養児では**3～4回/日**、人工栄養児では**1～2回/日**といわれている。

D ○ 個人差はあるが、幼児期には便意を伴うようになり、**4～5歳頃**になると排便が自立する。

問7 乳幼児の健康診査 正解3

1 × 乳幼児健康診査については「母子保健法」第12条に「市町村は、次に掲げる者に対し、**内閣府令**の定めるところにより、健康診査を行わなければならない」と定められている。内閣府令は**政令**であり、法律ではないので、記述の「全て法律に基づき」は適切ではない。なお、市町村は、満1歳6か月を超え満2歳に達しない幼児、満3歳を超え満4歳に達しない幼児に対し、健康診査を行わなければならない。

2 × 2021（令和3）年度の乳幼児健康診査の受診率は1歳6か月児95.2％、3歳児94.6％、4～6歳児は80.5％であり、**80％を超えている**。

3 ○ 乳幼児健康診査は、**疾病の異常や早期発見**のために重要である。健診の内容は、身体発育状況、栄養状態、疾病の有無、精神発達の状態、養育状況などを確認し、必要に応じて**子育て支援対策**を行う。

4 × 「**児童福祉施設の設備及び運営に関する基準**」第12条第1項に定められている。また、「**学校保健安全法**」第13条には、学校において健康診断を毎学年定期に行うことが定められており、

問題◀本冊 p.80～82

保育所も同法に準じて定期健康診断や身体計測を実施する。

5 × 実施後の**評価**を行う。保育所での健診は、園長はじめ職員全体が共通理解のもとに計画的に実施するもので、疾病や異常の早期発見、健康の保持増進を目的とする。健診の前には保健調査を行い、あらかじめ子どもの状態を把握する。健診後は結果を評価し、速やかに保護者に伝え、異常がある場合には速やかに受診を促す。

問8 RSウイルス感染症 正解3

A ○ **RSウイルス感染症**は、RSウイルスが原因で、飛沫感染、接触感染により感染する。生後6か月未満の乳児では**重症な呼吸器症状**を生じ、**入院管理**が必要となることがある。

B × 一度罹患(りかん)しても免疫は得られず、**何度も罹患する可能性がある**。

C × 大人では軽い感冒症状(鼻づまり、鼻炎、咳等)がみられ、**重症化することは少ない**。職員が感染源とならないように体調管理に留意する。

D ○ 流行期は、子どもの呼吸器症状に気をつけ、**0歳児と1歳児以上のクラスは接触しないように離す**など交流を制限する。

なお、同ガイドラインにはその後も改訂・修正が加えられているが「RSウイルス感染症」には影響はない。

問9 感染症 正解3

1 ○ **水痘**(すいとう)は**水痘・帯状疱疹**(ほうしん)**ウイルス**により感染する。発疹は、顔や頭部に出現し、全身へと拡大する。斑点状の赤い紅斑(こうはん)から、水疱(水ぶくれ)、中に膿がたまった膿疱(のうほう)、痂皮(かひ)(かさぶた)の段階をたどる。

2 ○ **インフルエンザ**は**インフルエンザウイルス**により感染する。主に冬に流行し、高熱、全身倦怠感、咳、のどの痛みなどの症状がある。肺炎や気管支炎、脳症などの合併症に注意する。

3 × **咽頭結膜熱**は、**アデノウイルス**により感染し、主に夏期に流行する。咽頭炎、結膜炎、発熱の症状がある。感染経路は飛沫感染、接触感染であり、プール熱とも呼ばれる。

4 ○ **手足口病**は**コクサッキー・ウイルス、エンテロウイルス**により感染する。発熱があり、口の中や手足に小さい米粒のような水疱や発疹ができる。まれに爪の根元にウイルスが侵入し、爪がはがれることがある。

5 ○ **伝染性紅斑**は**ヒトパルボウイルスB19**による感染症で、小児では両頬がりんごのように赤くなり、りんご病とも呼ばれる。風邪症状も伴う。

問10 学校感染症 正解1

A ○ 多くの感染症は、病原体(ウイルスや細菌など)が人から人に感染して発症する。出席停止中は、病原体を多数排出していて、**病気を移しやすい期間**である。感染症の種類に従い、感染力が強い期間を考えて、出席停止期間が算出されている。

B ○ 他人に感染させやすい期間は**出席停止**し、感染症の拡大を防止する。なお、学校感染症は、第一種から第三種まで分類され、特に第二種の感染症は、飛沫感染し、集団生活の中で流行を広げる可能性が高い。

C ○ 感染症罹患後は、**治療や休養の時間を確保し**、体調の回復に努める。

D ○ 「**学校保健安全法施行規則**」第18条に学校において予防すべき感染症の種類、また第19条に出席停止期間が定められている。

問11 保育所における防災 正解 2

A ○ 万が一に備え、水や食料、その他簡易トイレなどの備蓄は一般的に**最低3日分**必要といわれている。

B ○ 保育所での避難及び消火に対する訓練は、消防法で義務づけられ、**少なくとも月1回**は行わなくてはならない。また、消火器等の必要な設備の設置や点検を**定期的**に行うことが定められている。

C ○ 火災防止のためカーテンは**防炎加工**にする。火気使用設備の整備や点検、施設の出入り口は廊下には物を置かない、避難経路を確保するなど定期的に安全点検をすることが重要である。

D × 災害時の保護者への連絡方法は**複数**の連絡方法を決め、保護者と事前に共有しておく。

E × 園児を移動させる**手押し車を避難車として代用してもよい**とされている。状況に合わせ、臨機応変に対応する。火災や地震に備え、ハザードマップや防災マップなど自治体などの情報も活用し、園の特性にあったマニュアルを作成しておく。

問12 保育所等における防災・防犯訓練 正解 3

1 × いざという時に備え、職員は日頃から定期的に防災の研修を行い、迅速に対応できるように子どもや保護者に**事前指導を行う**。園の実態にあった訓練マニュアルを作成し、マニュアルに沿った訓練を行う。

2 × 防災訓練は、あらゆる災害状況を想定して行う必要がある。毎回同じ曜日や時間帯にならないように**曜日や時間帯を変えて**、様々な状況に対処できるようにする。

3 ○ **年間を通して**保育の指導計画の中に位置づけ、緊急対応が必要な場面を想定して実践的な訓練を行う。PDCAサイクルを活用し、次の訓練に活かしていく。

4 × 防災訓練は**保護者の協力**が必要である。災害発生時に保護者へ連絡し、子どもたちの引き渡しが円滑にできるように、日頃から連絡体制を整えておく。

5 × 園内と園外の**不審者対策**として構造の整備、点検、対応策を立て、警察や関係機関と連携し、訓練を計画的に実施する。子どもたちが必要以上に怖がらないよう配慮する。

問13 小児のけいれん 正解 2

A ○ **けいれん**とは、全身または体の一部の筋肉が意思とは関係なく発作的に収縮することをいう。様々なことが原因で起こり、時には**脳炎**などの重大な病気のこともあり注意が必要である。

問題◀本冊 p.82 ~ 85

B　○　けいれんの場合、発作直前の心身の状態、既往歴を確認し、発作時の様子（手足の硬直、意識の有無、顔色、目の動きなど）を観察し、継続時間を記録する。けいれんが治まった後は**医師の診察を受ける**。

C　×　けいれんを起こした時は、意識がないこともあり、スプーンやはしなどは危険なため**口に入れない**。呼吸状態を観察し、嘔吐物による窒息防止のために、顔を横に向ける。

D　×　**熱性けいれん**とは38℃以上の発熱時に子どもに多く見られるけいれんのことをいう。子どもは脳の機能が未発達であるため、発熱時けいれんを起こしやすい。発熱時はクーリングし、解熱剤を使用する。**短時間で消失しない場合もあり**、その場合には救急車を呼ぶ。

E　○　けいれん時は体を**揺すらず**、強い刺激を与えないようにして静かに見守る。**意識の状態を確認し**、意識がないときは、気道を確保する。

問14　事故予防と応急手当　正解1

A　○　感電事故では、電源供給を止め、救護者自身への感電を防ぐため、**ゴム手袋**、長靴など絶縁性の高いもので身を守りながら、子どもの救護にあたる。

B　○　**一次救命処置**とは、呼吸や心臓が停止した場合に行う、心肺蘇生やAEDなどの応急手当てのことである。溺水した子どもが呼吸していなければ、**気道を確保し、心肺蘇生法を行う**。同時に救急車を要請する。

C　×　**肘内障**（ちゅうないしょう）は、肘の輪状靱帯と橈骨頭（とうこつとう）が外れかける、いわゆる亜脱臼（あだっきゅう）を起こしている状態である。子どもは痛がるので手は動かさず、下垂したまま固定し、病院を受診する。

D　×　「熱中症予防のための運動指針」によると、暑さ指数が28～31℃では、**激しい運動は避け、10～20分おきに休憩をとりながら**、水分、塩分を補給することが推奨されている。

問15　事　嘔吐時の対応　正解2

A　○　嘔吐時は嘔吐による口腔内の不快があるため、症状が落ち着き動けるようになったら静かに移動し、**うがいをし、口腔内をきれいにする**。

B　×　嘔吐時の対応として、乳幼児は胃の入り口の筋肉の発達が未熟なため、さらに嘔吐を繰り返す場合がある。嘔吐後すぐは嘔気や誤嚥の可能性があるため、**約1時間後に嘔気がなければ少量ずつゆっくり水分や経口補水液を摂取させる**。

C　○　吐物の誤嚥による窒息を防ぐため、寝かせる場合は吐物が気管に入らないように**体を横向きにして寝かせる**。また、子どもには保育士が付き添い、そばを離れずに様子をみる。

D　×　嘔吐物が付着した床は、ペーパータオルや新聞紙等で取り除く。製品濃度が**約6%の次亜塩素酸ナトリウムを0.1%（1,000ppm）濃度に希釈して**消毒する。なお、嘔吐処理に際しては、用品の一式（使い捨てビニール手袋・マスク・エプロン、新聞紙、雑巾、ビニール袋、消毒液）を準備し、嘔吐物の処理をする。換気をし、処理後はていねいに手洗いをする。

E ×　汚染された子どもの衣服は、**保育所では洗わずに**、二重のビニール袋に密閉して、保護者に消毒方法を伝え、家庭に返却する。

問16  発熱時の対応　正解 1

登園時は、しっかり健康観察を行い、**一人一人の子どもの健康状態を把握する**ことが重要である。また、登園前に家庭で体温測定を行い、連絡帳に体温を記入し、家庭での食事や睡眠などについて保護者から情報を得ることも必要である。

A ○　高熱が認められたため、**速やかに保護者に連絡し、お迎えをお願いする**。また、緊急時は、園医（嘱託医）に連絡し、適切な処置をする。

B ×　発熱時は感染の可能性があり、他児とは離して**別室で保育し**、保育者はそばを離れない。

C ○　他児とは**別室で保育し**、首のつけ根・わきの下・足のつけ根をクーリングし、安静を保ちながら、保護者の迎えを待つ。

D ×　おむつ交換は**別室で行い**、排泄後は便の性状をよく観察し下痢や腹部症状に気をつける。感染予防のため、使い捨てのビニール手袋を装着し、**おむつはビニール袋に入れて捨てる**。

E ×　高熱時は脱水症状に留意し、経口補水液、湯ざまし、お茶等により**水分を補給し、脱水を予防する**。

問17 病児保育　正解 3

A ○　**病児保育事業**は、子どもが病気の際に自宅での保育が困難な場合に、病院・保育所等において、病気の児童を一時的に保育することで、安心して子育てができる環境整備を図るもので、「**児童福祉法**」第6条の3第13項に定められている。

B ×「児童福祉法」の第6条の3第13項において「病児保育事業とは、保育を必要とする**乳児・幼児**又は保護者の労働若しくは疾病その他の事由により家庭において保育を受けることが困難となつた**小学校に就学している児童**であつて、疾病にかかつているものについて、保育所、認定こども園、病院、診療所その他内閣府令で定める施設において、保育を行う事業をいう」としており、**小学生も対象となる**。

C ×　医師及び看護師の配置は**義務づけられていない**。

D ○　体調不良児対応型の病児保育は、保育中の体調不良児について、一時的に預かるほか、保育所入所児に対する保健的な対応や地域の子育て家庭や妊産婦等に対する相談支援を実施するものであり、**主に保育所等で行う**。

問18 アレルギー対応とエピペン®　正解 2

アレルギー反応により意識レベルの低下や血圧低下などを**アナフィラキシーショック**という。アナフィラキシーショック時は死に至る危険もあり、**エピペン® 注射液**を使用して進行を一時緩和する。

問題◀本冊 p.85 ～ 88

A ○ **体重15kg未満**の子どもには「エピペン®」は処方されない。そのため、アナフィラキシーショック時の緊急時の対応についてあらかじめ主治医や園医の先生と相談してマニュアルを作成しておく。

B × 保育所で「エピペン®」を保存する方法は、携帯用ケースに収められた状態で保管し、**15℃～30℃**で保存することが望ましいため、冷蔵庫等の冷所や高温になる環境を避けて保管する。また、子どもの手の届かないところに保管する。

C ○ 「エピペン®」は緊急的な措置のため、使用後は医療機関を受診し、**適切な診断や治療を受ける**必要がある。

D × 子どもや保護者が持参した「エピペン®」を保育所で一時的に預かる場合、保護者との面接時に、緊急時の対応について十分に確認し合い、「**緊急時個別対応票**」を作成する。

問19 食物アレルギー 正解2

A ○ **食物アレルギー**では、特定の食物を食べた後に、皮膚・呼吸器・消化器あるいは全身にアレルギー症状が生じる。そのほとんどの原因は、食物に含まれるタンパク質である。

B × 食物アレルギーを有する幼児の割合は、**年齢が上がるにつれて減少する**。

C ○ 食物アレルギーの症状は皮膚・粘膜、消化器、呼吸器や全身に認められるが、最も多い症状は**皮膚・粘膜症状**である。

D × 食物アレルギーの治療の基本は、**原因となる食物を摂取しない**ことであり、主治医の指示に従う。

問20 血友病 正解4

血友病とは、先天的な血液凝固因子の欠乏に起因する遺伝性疾患であり、血液が固まりにくく、出血がとまりにくい。

A × 血友病の保因者とは、**血友病の原因となるX染色体を持っている女性**のことであり、父親が保因者であるという記述は不適切である。

B ○ 血友病は**小児慢性特定疾病**であり、医療費助成の対象となる。20歳未満までが対象であり、この制度を利用すると、特定疾病療養制度により医療費の支払いが実質無料となる。

C × 幼児期の血友病においては、関節内出血や筋肉内出血など深部出血が多い。しかし運動に伴う活動や遊びをすべて制限するのではなく、**外傷の原因となる危険なものを除去し、安全な環境を整える**。

D × 通常､予防接種は皮下注射であり､**問題はない**が、主治医と相談しながら進める。注射後はもまずに、長めに押さえる。

E ○ 目に見える出血の場合は圧迫止血、冷却、安静を保って**医療機関を受診する**。なお、皮下出血の場合、軽度であれば、局所の圧迫止血で様子を見る。また関節の出血症状があれば、冷却し安静を保ち、医療機関を受診する。

子どもの食と栄養

問1　炭水化物　正解 1

A　糖質
B　食物繊維
C　4
D　グリコーゲン

炭水化物は、ヒトの消化酵素で消化されやすくエネルギーになる**糖質**と、ヒトの消化酵素で消化されにくくエネルギーにならない**食物繊維**に分けられる。糖質は重要なエネルギー源で、1g あたりのエネルギー発生量は **4kcal** である。多糖類の中でもブドウ糖が多数結合した**グリコーゲン**は、普段は、肝臓や筋肉等に蓄えられており、急激な運動を行う際のエネルギー源として、あるいは空腹時の血糖維持に利用される。

問2　ビタミン　正解 5

A　×　ビタミン C は、**鉄**の吸収促進、**コラーゲン**の生成、**抗酸化作用**などに関与する。かんきつ類、いも類、緑黄色野菜に多く含まれている。

B　×　ビタミン B_1 は、**糖質代謝**に補酵素として関与する。豚肉、米・小麦の胚芽、豆類に多く含まれている。

C　○　ビタミン K は、**血液の凝固**のほか、骨の形成に関与する。緑黄色野菜、海藻類、納豆に多く含まれている。

D　○　ビタミン D は、**カルシウムの吸収**を促進するほか、骨の形成に関与する。レバー、肝油、魚介類、きのこ類に多く含まれている。

問3　「日本人の食事摂取基準（2020 年版）」　正解 4

「日本人の食事摂取基準（2020 年版）」では、栄養素の指標を、3 つの目的と結びつけて構成している。

A－ウ　推定平均必要量、**推奨量**は、**摂取不足の回避**のための指標である。また、これらを推定できない場合の代替指標として、目安量がある。

B－ア　目標量は、**生活習慣病の発症予防**のための指標である。

C－イ　耐容上限量は、**過剰摂取による健康障害の回避**のための指標である。

問4　食品の表示　正解 1

1　○
2～5　×

「**食品表示法**」において、**カルシウムの表示は義務づけられていない。**容器包装に入れられた加工食品及び添加物に表示が義務づけられている栄養成分は、**熱量**（エネルギー）、**たんぱく質**、**脂質**、**炭水化物**、**ナトリウム**（食塩相当量）であり、この順に表示される。

問5　調乳方法　正解 2

「**授乳・離乳の支援ガイド**」（2019 年改訂版　厚生労働省）<参考資料 12>「乳児用調整粉乳の安全な調乳、保存及び取扱に関するガイドラインの概要（FAO ／ UNICEF 共同作成）」の「哺乳ビンを用いた粉ミルクの調乳方法」に示されている。

A　○　調乳用の湯は、沸かしてから **30 分以上放置しない**ようにする。

問題◀本冊 p.89 ～ 92

B ○ 調製粉乳の調整用として推奨された水でも、念のため**沸騰させて使用する**。

C × 50℃以上ではなく、**70℃以上**に保った湯が正しい。乳幼児の髄膜炎や腸炎の発生に関与しているとされるサカザキ菌は、70°C以上で死滅することから、感染リスクを減少させるために70°C以上の湯で調乳する。

D ○ **調乳後2時間以内**に使用しなかったミルクは廃棄する。

問6 母乳 正解3

A ○ **初乳**は、分娩後の3〜5日以内に分泌される乳汁であり、黄白色で多少粘りがある。**移行乳**を経て分娩後10日ほどで**成乳**となる。一般に母乳は成乳のことを指し、淡黄色で組成はほぼ一定である。

B × 記述の内容は、成乳についてである。初乳は成乳に比べ、**たんぱく質、ミネラルが多く、乳糖が少ない**。

C × **プロラクチン**の分泌によって、排卵は**抑制**される。そのため、授乳中は妊娠しにくくなる。

D ○ 母乳栄養児は人工栄養児に比べ、生後1年以内の乳幼児突然死症候群（SIDS）の発生頻度が**低い**との報告がある。

問7 「授乳・離乳の支援ガイド」 正解4

「授乳・離乳の支援ガイド」Ⅱ-2「離乳の支援」2「離乳の支援の方法」（1）「**離乳の開始**」より、以下のとおりとなる。

A なめらかにすりつぶした状態

B 首

C 舌で押し出す

D 5〜6か月

問8 幼児の食生活 正解2

A ○ 乳歯は、生後6か月〜8か月に下の中央から生え始め、**2歳半〜3歳頃**に上下で20本が生え揃う。

B × スプーンやフォークの握り方は、上からわしづかみにする**手のひら握り**が1歳前後に見られ、徐々に親指と人差し指が伸びてくるような**指握り**へ、そして**鉛筆握り**へと発達していく。

C ○ でんぷんは、唾液中の**プチアリン**（アミラーゼ）により、麦芽糖（マルトース）に分解される。

D ○ 幼児期の「**発育・発達過程に応じて育てたい“食べる力”**」としては、記述のほかに、「おなかがすくリズムがもてる」「食べたいもの、好きなものが増える」「栽培、収穫、調理を通して、食べ物に触れはじめる」「食べ物や身体のことを話題にする」があげられている。

問9 「学校給食法」 正解5

「**学校給食法**」は、学校給食の普及充実及び学校における食育の推進を図ることを目的としており、第2条に7項目の目標が定められている。

A × 日本の食料自給率の向上は、学校給食法ではなく、「**食育基本法**」第7条に定められている。

B × 体力の向上ではなく、「適切な栄養の摂取による**健康の保持増進**を図る」が正しい。「学校給食法」の第2条第1

号に定められている。

C ○ 同第4号に定められている。

D ○ 同第7号に定められている。

なお、同第2号には「望ましい食習慣を養う」、同第3号には「社交性と協同の精神を養う」、同第5号には「勤労を重んずる態度を養う」、同第6号には「伝統的な食文化の理解」が定められている。

問10 学童期・思春期の肥満とやせ 正解 5

A × 「令和3年度学校保健統計調査」における小学生の肥満傾向児の割合は、男女ともに6歳で**5%を超えており**、高学年がさらに高い。令和4年度の同調査でも、肥満傾向児の割合が男子は8歳以降、女子は11歳以降で1割を超えている。

B × **神経性やせ症**（神経性食欲不振症）は、やせ願望による摂食障害である。発生頻度は思春期の10代が高く、男性に比べ**女性の方がかなり多い**といわれている。

C ○ **小児メタボリックシンドローム**の診断基準（6～15歳）は、すべての項目で**男女とも同じ**である。腹囲については、「小学生75cm/中学生80cm以上」または、「腹囲÷身長＝0.5以上」という基準が設けられている。このどちらかに該当し、さらに脂質、血圧、空腹時血糖のうちの2つ以上に当てはまる場合、小児メタボと診断される。

D ○ 肥満度が**20%以上**の場合を**肥満傾向児**とする。なお、同じ算出式により、肥満度が**マイナス20%以下**の者を**痩身傾向児**としている。

問11 妊娠期の栄養と食生活 正解 3

A ○ 妊娠中は非妊娠時に比べ、**カルシウムの吸収率が上昇する**ため、付加量は設定されていない。

B × 記述の内容は、**妊娠末期・授乳期**の1日分付加量である。妊娠**中期**では、**副菜、主菜、果物の3つの区分**において、＋1（SV: サービング）である。

C ○ 妊娠中の望ましい体重増加量は、妊婦の妊娠前の**体格指数BMIによって異なる**と考えられている。妊婦の妊娠前の体格が「低体重（やせ）（18.5未満）」の場合は12～15kgの増加、「普通体重（18.5以上25.0未満）」の場合は10～13kgの増加、「肥満（1度）（25.0以上30.0未満）」の場合は7～10kgの増加、「肥満（2度以上）（30.0以上）」の場合は個別対応としている。

D × 運動をやり過ぎることはよくないが、極端に**運動不足**であることも、妊娠や出産に悪影響を及ぼす可能性がある。妊娠中に運動を始める場合は、医師や医療機関に相談の上、自身の体調に合わせて無理なく実践することが大切である。

問12 「食育基本法」 正解 3

「**食育基本法**」は、2005（平成17）年に、国民が生涯にわたって**健全な心身**を培い、**豊かな人間性**を育むため、食育を総合的かつ計画的に推進することを目的として創設されたものである。同法前文により、以下のとおりとなる。

A－イ：健全な心と身体

問題◀本冊 p.92～96

B－エ：豊かな人間性

問 13 「第 4 次食育推進基本計画」　正解 3

A　○　「**持続可能**な食を支える食育の推進」は、「第 4 次食育推進基本計画」の 1. 重点事項（2）に掲げられている。

B　×　記述は、「**第 2 次**食育推進基本計画」の重点課題の一つとして掲げられたものである。

C　○　「『新たな日常』やデジタル化に対応した食育の推進」は、第 4 次同計画の重点事項（3）に掲げられている。

D　×　記述は、「**第 3 次**食育推進基本計画」の重点課題の一つとして掲げられたものである。

E　○　「**生涯**を通じた心身の健康を支える食育の推進」は、第 4 次同計画の重点事項（1）に掲げられている。

問 14 ㊖ 食育の推進　正解 1

A　○　食に関わる**保育環境**に配慮することが求められている。「保育所保育指針」第 3 章「健康及び安全」2「食育の推進」（2）「食育の環境の整備等」アに示されている。

B　○　栄養士による**専門性**を生かした対応が図られる。同（1）「保育所の特性を生かした食育」ウに示されている。

C　○　**食育計画**を作成し、その評価及び改善に努める。同（1）「保育所の特性を生かした食育」ウに示されている。

D　×　「生きる力」ではなく「**食を営む力**」が正しい。同（1）「保育所の特性を生かした食育」アに示されている。

問 15 大豆食品　正解 2

大豆はたんぱく質や脂質が非常に多く、またビタミン B 群を多く含んでいる。特に、たんぱく質のアミノ酸組成が肉に近いため、「畑の肉」と呼ばれている。しかし、生では消化が悪く、トリプシン（たんぱく質分解酵素）の作用を阻害する物質が含まれているため、様々な食品に加工されている。

1　○　**しょうゆ**は、大豆を用いた日本の伝統的な発酵調味料である。

2　×　豆苗（とうみょう）は、**エンドウ豆**の若菜で、緑黄色野菜である。

3　○　**きな粉**は、大豆を炒って挽き、粉にしたものである。

4　○　**油揚げ**は、大豆食品である豆腐を薄く切って水切りし、食用油で揚げたものである。

5　○　**豆乳**は、水を吸わせた大豆をすりつぶし、加熱後ろ過しておからを取り除いた乳状の飲料である。

問 16 「家庭でできる食中毒予防の 6 つのポイント」　正解 5

「家庭でできる食中毒予防の 6 つのポイント」では、家庭の食事づくりを①「食品の購入」、②「家庭での保存」、③「下準備」、④「調理」、⑤「食事」、⑥「残った食品」の 6 つの場面に分けて、食中毒予防のための注意ポイントを示している。

1　○　同ポイントの①「食品の購入」に示されている。**消費期限**などを確認して、早めに使いきれるよう量を考えて購入する。

2　○　食中毒予防の三原則は、細菌など

を食べ物に**付けない**（清潔保持）、**増やさない**（迅速・冷却）、**やっつける**（加熱処理）である。

3 ○ 同ポイントの①「食品の購入」に示されている。生の肉や魚には食中毒を起こす菌が付いている場合があり、ほかの食品に付けないためにも、**別のビニール袋**に入れるようにする。

4 ○ 同ポイントの⑥「残った食品」に示されている。残った食品は、清潔な容器に**小分け**して保存する。

5 × 冷蔵庫は**10℃以下**、冷凍庫は－15℃以下に維持する。同ポイントの②「家庭での保存」に示されている。

問 17 食品による子どもの窒息・誤嚥事故 正解 3

A × 豆やナッツ類は、小さく砕いた場合でも気管に入りこんでしまうと、肺炎や気管支炎になるリスクがある。豆やナッツ類は、**5 歳以下の子どもには食べさせない**ようにする。「食品による子どもの窒息・誤嚥（ごえん）事故に注意！」（1）に示されている。

B ○ **姿勢をよくし、食べることに集中させる**。物を口に入れたままで、走ったり、笑ったり、泣いたり、声を出したりすると、誤って吸引し、窒息・誤嚥するリスクがあるので注意する。同資料の（3）に示されている。

C ○ 同資料の（4）に示されている。特に 5 歳以下の子どもが**拾って口に入れないように**注意する。

D ○ **ミニトマトやブドウ等の球状の食品**を丸ごと食べさせると、窒息するリスクがあるので、ひと手間かけて食べやすくする。同資料の（2）に示されている。

問 18 食品ロス・食料自給率 正解 2

A ○ 食べ物を捨てることはもったいないことであり、環境にも悪い影響を与えることから、日本では、**食品ロス削減**の取組を「国民運動」として推進するため、令和元年に「食品ロスの削減の推進に関する法律」が施行された。

B ○ 食品ロスを減らすためには、ほかにも、食べきれる分量を注文して食べ残しを出さないなど、**食べ物を買う店、食べる店**でも食品ロス減を意識することが大切である。

C × 2021（令和 3）年度の供給熱量（カロリー）ベースの総合食料自給率は38%で、**約 40%**である。2022（令和 4）年度も同様である。

D × 2020（令和 2）年度の家庭系食品ロス量 247 万トン、事業系食品ロス量 275 万トンで、**事業系食品ロス量の方が多い**。

問 19 乳児ボツリヌス症 正解 4

1〜3、5 ×

4 ○

乳児ボツリヌス症の原因食品の一つとして、**はちみつ**があげられる。乳児ボツリヌス症は、食品中にボツリヌス毒素が存在して起こる従来のボツリヌス食中毒とは異なり、1 歳未満の乳児が、ボツリヌス菌の芽胞を摂取し、その芽胞が消化管内で発芽、増殖し、産生された毒素により発症するものである。症状としては、便秘、哺乳力の低下、元気の消失、泣き声の変化、首のす

問題◀本冊 p.96 〜 99

わりが悪くなる、などがみられる。

問20	食物アレルギー	正解4

A　×　アレルギー表示が義務づけられている特定原材料は、**卵、乳、小麦、そば、落花生（ピーナッツ）、えび、かに、くるみの8品目**である。なお大豆は、特定原材料に準ずるものとして表示が推奨されている20品目に含まれる。

B　○　卵アレルギーは、**卵白**のアレルゲンが主原因であるため、鶏肉を除去する必要はない。

C　○　基本的には**原因食品以外の摂取を遅らせる必要はない**が、自己判断で対応すると状況が悪化する可能性も考えられるので、必ず医師の指示に基づいて行うようにする。

D　×　アレルギーの原因となる物質を、**アレルゲン**という。なお、**アナフィラキシー**は、アレルゲンなどの侵入により、複数の臓器にわたって全身にアレルギー症状があらわれて生命に危機を与え得る過敏反応のことである。

保育実習理論

問1	楽譜（伴奏）	正解3

本問の曲名は「**たなばたさま**」（詞：権藤花代・林柳波／曲：下総皖一）、調はヘ長調、拍子は4分の2拍子である。伴奏和音は、ヘ長調の主要三和音のうちの二音で出題されている。旋律の音を加えてどの三和音（属七の和音の場合は四和音）に当てはまるか考慮する。また、和声進行（和音の機能）に留意する。

A　**イ**（ファ・ラ、ファ・ラ）　1小節目は旋律の音ドと和音**ファ・ラ**で主和音となる。2小節目は1拍目がファなので、ファ・ラを選択する。

B　**ウ**（ファ・ラ、ミ・シ♭）　7小節目は旋律がファ・ラなので**ファ・ラ**を選択する。8小節目のソは属七の和音ド・ミ・ソ・シ♭に含まれるので、伴奏和音は**ミ・シ♭**となる。

C　**エ**（シ♭・ファ、シ♭・ファ）　12小節目のレと和音**シ♭・ファ**で下属和音となる。

D　**ア**（ド・シ♭、ファ・ラ）　15小節目1拍目はソ、16小節目はファである。ソは属七の和音に含まれるので**ド・シ♭**、曲の最後は主和音ファ・ラ・ドの**ファ・ラ**を選択する。属七→主和音は、終止和音（カデンツ）とよばれる和声進行である。

問2 音楽用語 正解 4

音楽用語（イタリア語）の意味を選択する設問である。

A カ dim.（ディミヌエンド）は、「**だんだん弱く**」。

B オ andante（アンダンテ）は、「**ゆっくり歩くような速さで**」。

C キ D.S.（ダル・セーニョ）は、「**セーニョに戻る**」。

D エ rit.（リタルダンド）は、「**だんだん遅く**」。

なお、**ア**の「**コーダにとぶ**」は To Coda（トゥ　コーダ）、**イ**の「**やさしく**」は dolce（ドルチェ）、**ウ**の「**少し弱く**」は mp（メゾ・ピアノ）、**ク**の「**強く**」は f（フォルテ）、**ケ**の「**音を短く切って**」は staccato（スタッカート）、**コ**の「**中ぐらいの速さで**」は moderato（モデラート）である。

問3 コード（和音）の種類 正解 4

長三和音（メジャーコード）を楽譜から読み解く問題である。転回形は基本形に直し、根音からの音程関係で種類を判別する。

ア × ファ#・ラ・ド#は、ファ#を根音とした**短三和音**の基本形である。コード名は、$F^{\#}$m（エフ#・マイナー）。

イ ○ ラ・レ・ファ#は、レを根音とした**長三和音**の第2転回形である。コード名は、D（ディー・メジャー）。

ウ × ド・ミ・ラは、ラを根音とした**短三和音**の第1転回形である。コード名は、Am（エー・マイナー）。

エ ○ レ・ファ・シ♭は、シ♭を根音とした**長三和音**の第1転回形である。コード名は、$B^{♭}$（ビー♭・メジャー）。

オ × ソ・シ・レ#は、ソを根音とした**増三和音**の基本形である。コード名は、Gaug（ジー・オーグメント）。

カ ○ ソ#・シ・ミは、ミを根音とした**長三和音**の第1転回形である。コード名は、E（イー・メジャー）。

問4 移調 正解 4

1〜3、5 ×

4 ○

コード名から、**短3度下**のコードを判断する問題である。アルファベット大文字で記されている音から短3度下の音を選択する。

1小節目の**F**（ファ・ラ・ド）の短3度下のコードは**D**（レ・ファ・#ラ）、2小節目の**Am**（ラ・ド・ミ）の短3度下のコードは$\mathbf{F^{\#}m}$（ファ#・ラ・ド#）、4小節目の$\mathbf{B^{♭}{}_6}$（シ♭・レ・ソ）の短3度下のコードは$\mathbf{G_6}$（ソ・シ・ミ）である。

なお、本問の曲名は「**あめふりくまのこ**」（詞：鶴見正夫／曲：湯山昭）、調はヘ長調、拍子は4分の2拍子である。

問5 リズム譜 正解 3

1、2、4、5 ×

3 ○

5線で音の高低がわかるメロディ譜ではなく、音の長短のみの情報しかないリズム譜の出題である。拍子は4分の4拍子。

4分音符を「タン」、8分音符を「タ」、付点4分音符を「ターア」、付点2分音符を「ターアーアー」、4分休符を「ウン」

問題◀本冊 p.99 〜 102

とすると、「タンタタタンタン｜タンタタタンタン｜タンタンターアタ｜ターアーアーウン」となり、選択肢**3**の「**春がきた**」があてはまる。

問6　音楽知識　正解 5

1　○　大正時代に**鈴木三重吉**、北原白秋らによって創刊された子ども向け雑誌『**赤い鳥**』は日本の童謡に新しい芸術性をもたらした。

2　○　**マザーグース**の代表的な曲の一つが「ロンドン橋落ちた」である。なお、親から子へと口伝えに歌い継がれた童謡を伝承童謡という。伝承童謡には作者不詳のものが多い。

3　○　**膜鳴楽器**（まくめいがっき）には、大太鼓・小太鼓のほかにティンパニ、ドラム、タンバリンなどがある。

4　○　**ルソー**はフランスの思想家である。なお、「むすんでひらいて」の日本語の作詞者については不明である。

5　×　**移調**は、曲全体を**ほかの調に移す**ことである。曲の途中で調が変化するのは転調である。

問7　(指)「表現」　正解 4

「保育所保育指針」第2章「保育の内容」3「**3歳以上児**の保育に関するねらい及び内容」(2)「ねらい及び内容」オ「表現」(ウ)「内容の取扱い」①により、以下のとおりとなる。

A　環境
B　感動
C　風

問8　描画表現の発達過程　正解 2

A　○　**基底線表現**は地面を表すことが一般的だが、水面を表現するさいにも用いられることがある。

B　○　**頭足人**は、前図式期（3～5歳頃）にみられる人物表現である。頭足人の円形部分は頭だけではなく、胴体もあらわしているという見方がある。

C　×　**発達段階**は、保育者が子どもを支援するさいの指標ではあるが、**子どもが達成すべき目標ではない**。

D　×　幼児の描画発達は、**世界中で共通性がみられる**。たとえば、ローダ・ケロッグ（Rhoda Kellogg）は、30か国から約5,000枚の児童画を収集し、それらの共通性を指摘している。ただし、文化的な影響や環境的な影響が皆無ではないことにも留意すべきである。

問9　　正解 1

保育士試験は12色相環（図A）から出題されることが多いので、12色の順序と関係性をおぼえておくとよい。

A　**赤**　橙色は、**黄色**と**赤色**を混色するとできる。

B　**類似**　黄色と赤色は、**類似色**の関係である。類似色とは、色相環において比較的近い位置（色相環でいえば30度～60度内）にある色のことをいう。

C　**紫**　黄色と紫色は**補色**に近い関係なので、混色すると黒ずむ。色相環において反対側にある色が補色である。

D　**補色**　補色同士を混色すると、理論上は**黒色**になる（実際は暗い灰色になることが多い)。

図 A

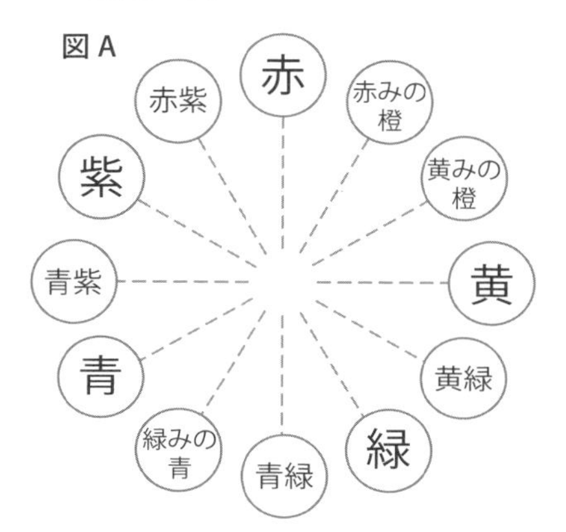

問 10	材料・用具(でんぷん糊)	正解 3

A ○ **でんぷん糊**は、主に**紙同士を接着する**ときに使われる。合成樹脂系の接着剤が開発される以前は、木材の接着にもでんぷん糊が使われていたが、現在ではその用途での使用は減少している。

B × でんぷん糊は、その名のとおり**でんぷん**を接着物質として用いたものである。カゼインは、主に牛乳からとれるたんぱく質の一種で、接着物質として用いられることがある。

C ○ でんぷん糊は、古くから米やとうもろこしなどの**穀物**や、じゃがいもなどが原材料として使われてきた。

D × でんぷん糊は一般的に**水溶性**であり、水と混ぜても硬化することはない。

問 11	事 児童文化財(シアター)	正解 3

1 ーパネルシアター **パネルシアター**とは、木材や段ボールなどを素材としたボードに不織布を張り、Pペーパーと呼ばれる専用の布を切り抜いた人形を用いる人形劇である。

2 ーエプロンシアター **エプロンシアター**とは、演者が着ているエプロンを舞台とした人形劇である。

3 ーポケット エプロンシアターでは、エプロンの**ポケット**にしまっておいた人形や小道具を使用する。

4 ーパペット **パペット**とは、人形劇で使う人形のことを意味し、日本語に訳せば「操り人形」や「指人形」という意味になる。

問 12	イラスト問題	正解 2

図Bは、設問の図2を開いた様子をあらわしている。この図から正しい選択肢は**2**とわかる。

図 B

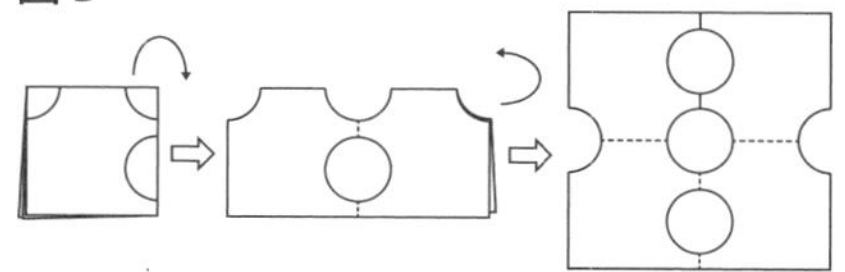

問 13	事 職員の研修	正解 3

A ○ 研修に参加した職員を専門分野の**リーダー**とし、研修で得た知識や技能を保育所内で**共有**し合っていくことは、研修内容の職場への定着や、保育の質の向上の観点からも必要である。

B × カンファレンスの際には、課題を抱えている職員の課題解決のために、**具体的事例**を用いて職員全体で共通理解を図り、十分検討する必要がある。その際、「児童福祉法」第18条の22に保育士の守秘義務について示されているように、業務内で知り得た子どもや保護者に関する情報は、正当な理由なく漏らしてはならない。研修内であげられた具体的事例については、参加した保育士等全員が**守秘義務**を守らなければならない。

C × 「保育所保育指針」第5章「職員の資質向上」4「研修の実施体制等」(3)「研修の実施に関する留意事項」に示されているように、施設長等は、**保育所全体**の保育実践の質及び専門性の向上を図るため、保育の課題やそれぞれの職員の適性等を踏まえ、各職員にバランス良く研修の機会を確保することが重要である。

問14 事 絵本の読み聞かせ 正解1

A ○ 絵本を読むときの**読み手の背景はシンプルにし、子どもが絵本に集中できるように配慮する**必要がある。

B ○ S保育士の近くにT君が座ることで、S保育士は絵本を読みながら、T君の表情を確認し、**様子を見守りながら必要に応じて対応する**ことが可能となる。

C × T君を厳しく注意するのではなく、まずT君の行動の意図を考察することが大切である。絵本の読み聞かせの場または絵本の内容に興味がなかったのか、昼食前で空腹のため気持ちが落ち着かなかったのかなど、様々な要因が考えられる。**T君の気持ちを受容しつつ、T君も絵本を楽しめる機会を模索するとよい**。また、T君が保育室から飛び出していくことが予想できる場合には、事前に他の職員に声をかけておき、飛び出してしまった場合のT君の様子を見守ってもらえるように配慮しておく。

D × 読み聞かせをしているときに、ほかの子どもにT君を追いかけてもらうように頼むのは、その子どもが絵本を楽しむ機会を奪ってしまうことになり不適切である。選択肢**B**の解説と同様に、**ほかの職員にT君の様子を見守ってもらう**ことが必要である。

問15 指「言葉」 正解2

「保育所保育指針解説」第2章「保育の内容」2「**1歳以上3歳未満児**の保育に関わるねらい及び内容」(2)「ねらい及び内容」エ「言葉」より、以下のとおりとなる。

A ○ 同エ(イ)「内容」①の内容として適切である。

B ○ 同エ(イ)「内容」②の内容として適切である。

C × 同章 3「**3歳以上児**の保育に関するねらい及び内容」(2)「ねらい及び内容」エ「言葉」(イ)「内容」⑩の内容である。

D × 同章 3「**3歳以上児**の保育に関するねらい及び内容」(2)「ねらい及び内容」エ「言葉」(イ)「内容」⑤の内容である。

問16　事 災害への備え　正解 4

A　×　専門技術者による定期点検の実施だけでなく、**保育士自身**が、日頃から備品、遊具等の配置、保管を適切に行い、安全環境の整備に努めることが重要である。「保育所保育指針」第3章「健康及び安全」4「災害への備え」(1)「施設・設備等の安全確保」イに示されている。

B　○　同4「災害への備え」に示されているように、**避難する経路には物を置かない**など、いつでも使えるように確保しておく。また、経路に怪我の要因となるような危険がないか、日常的に点検を行う。

C　×　休日保育など通常とは異なる状況での保育のほか、悪天候時や保育所以外での保育など、**多様な場面で災害が発生しうることを想定し**、避難訓練を実施する。

問17　保育所実習　正解 5

実習先で知り得た情報については、**秘密を保持する義務**がある。このことは、実習前後においても同様である。実習生は、情報を口外することがないように十分に留意し実習に取り組むことが重要である。

A　×　日誌を記入する際に、子どもの氏名や家族構成、連絡先などを書くのは不適切である。事例記述の際に子どもの氏名を書く場合は、**イニシャルにする**などの配慮をする。事前に必ず実習指導者に確認し、記述方法の指導を受ける必要がある。

B　×　不特定多数の人が出入りするカフェや、行き帰りの道、公共交通機関内などでは、誰が見聞きしているかわからないため、日誌を見せ合ったり、実習先で知り得た情報を口外することは不適切である。実習日誌は細心の注意を払って扱い、保育所内及び帰宅してから記入する。また、学んだことの**情報交換は保育所内でとどめる**べきである。

C　×　実習に関する内容を**SNSに掲載することは厳禁**である。たとえ施設名を明らかにしていなかったり、特定の友人しか閲覧できない、あるいは一定時間経過すると消えるものであっても、思いもかけない経路で情報が広がることがあり得る。

D　×　実習生は保育所の実習指導者の下で学んでいる立場であり、**実習指導者のいない保育所外で子どもや保護者と積極的に関わることは不適切**である。保育所外で実習先の子どもや保護者と出会ったときには、あいさつ程度にとどめ、もし、保護者から子どもに関する相談等持ちかけられても、実習指導者の下で学んでいる実習生であることをていねいに伝え、話題にすることを控える。

問18　紙芝居実践の留意点　正解 3

A　○　紙芝居は絵を1枚ずつ抜いていくことで次の場面が現れるため、次の場面への期待感を高めるための抜き方の**タイミング**が大切になる。紙芝居に記されている「半分まで抜く」「さっと抜く」「揺らしながら抜く」などの指示に従って工夫する。

問題◀本冊 p.108～111

B × 紙芝居に記されている「演出ノート」を参考にし、**声の大きさ、強弱、トーン**を工夫する。

C × 演じ手は、演じながら子どもの表情をよく見て、**反応を受け止めながら**子どもと共に紙芝居を楽しむことが大切である。

D ○ 紙芝居の絵は、紙芝居舞台に入れて演じるように描かれている。絵の効果を活かすために、**舞台や幕を使って演じる**ことは効果的である。なお、保育の現場では手で持って演じることもあるが、その際には紙芝居が安定するように支えて、一枚一枚抜いていくようにする。

問 19	事 施設実習（児童養護施設）	正解 4

児童養護施設は、保護者のない児童、虐待されている児童その他、環境上養護を要する児童を入所させて、これを養護し、あわせて退所した者に対する相談その他の自立のための援助を行うことを目的とする施設である（「児童福祉法」第 41 条）。

居住型施設で実習を行う際には、実習生が外から生活の場に入ってくることになるため、**戸惑う子どもがいることにも十分考慮し、実習に取り組む**ことが大切である。

A × S ちゃんの気持ちを考えずに対応しており、不適切である。子どもの言動には、子どもなりの理由があることを踏まえて、まずは S ちゃんの**気持ちを考えて理解するように努め、気持ちが落ち着くように対応する**。

B × 条件をつけて S ちゃんのことを好きになるといった発言は、**ありのままの S ちゃんの姿を受け入れていない**ことであり、不適切である。

C ○ S ちゃんの気持ちが落ち着いたら、タイミングを見計らって話しかける、また、S ちゃんが話をしてきたら傾聴するように心がけるなどていねいな対応をし、**適度な距離を持ちながらそばにいる**ことが大切である。

D ○ 今回の事例の S ちゃんの言動は、実習生の M さんとの関係づくりのための「試し行動」と考えられる。まずは、S ちゃんの特性や性格を理解するために、**日ごろから接している職員の助言を得て**、その気持ちを考察していくことが大切である。

問 20	事 施設実習（グループホーム）	正解 4

A × 進学を希望している U さんの**気持ちに沿った対応ではない**ため不適切である。

B ○ U さんの**了解を得て相談内容を Q 実習指導者に伝え**、U さんの進学希望の願いに沿って適切に対応してもらえるように引き継いでいくことが大切である。

C ○ 相談を受けた G さんは、まずは進学したい願いが通じず不安を感じている U さんの**気持ちを受け止め、理解する**ように努めることが大切である。

D × 事情を詳しく把握していないにもかかわらず、「親族も支援してくれないのはひどい」と決めつけており、不適切である。子どもが施設入所に至った経緯は様々で複雑な事情がある。そのため職員は**事情を正確に把握し、十分に理解したうえで適切に関わる**ことが重要になってくる。

2023年後期

保育の心理学

問1 ヒトの発達初期 正解3

A × **馴化**（じゅんか）とは、同じ刺激を繰り返し経験することでその刺激に慣れ、反応が減少することである。記述の「乳児が信頼できる大人の表情を見て自らの行動に適用すること」は、**社会的参照**である。

B ○ ローレンツ（Lorenz. K）は、乳児の身体的特徴として**幼児図式（ベビースキーマ）**があり、愛らしい丸い顔、大きな目などには、養育行動を引き出す効果があるとした。

C ○ ボウルビィ（Bowlby, J.）は、愛着理論において乳幼児期における養育者との関係､特に**アタッチメント（愛着）**が人間の生涯にわたるパーソナリティや社会的適応性などに影響を及ぼすと主張した。

D ○ 乳児が、大人の話しかけに同期して自分の体を動かす現象を、**エントレインメント**と呼ぶ。

問2 発達理論 正解5

A × **ジェンセン**は、**環境閾値説**を唱えた人物である。この説は、遺伝的な特質は環境の影響を受けて発現するが、その発現のしやすさは特性ごとに異なるというものである。**行動主義**の創始者は**ワトソン**である。

B × ワトソンは、心理学の対象を目に見える行動と捉えて、行動主義を唱えた。また、学習により、極端には「どんな人間」にでも教育できるという、つまり「氏よりも育ち」という環境優位説を主張した人物でもある。自分で自分の心の働きを振り返る、**省察**や**内観**をもとにした心理学研究の分野を確立したのは、**ヴント**（Wundt, W.M.）である。

C ○ **バンデューラ**は、**自己効力感**や**社会的学習理論**を提唱した20世紀を代表する心理学者である。

D ○ **ゴールトン**は「**優生学**」という遺伝法則を人類の改良に応用する考え方を提唱した。また、生物学や遺伝学において偏見と先入観にとらわれないように、データや統計的手法を用いることの大切さを主張した人物である。

問3 発達を捉える方法 正解1

A ○ **自然観察法**は、観察対象がありのままに生活や遊びをしている状況で観察を行う。

B ○ **実験的観察法**は、条件や状況を操作・統制して観察を行う。

C × **横断的方法**は、特定の時点での複数の対象者を調べる方法である。記述の、発達変化を捉えるために、同一の対象者を、時をへだてた２つ以上の時点で調査を行う、もしくは特定の社会的単位を長期間にわたって連続的に調

問題◀本冊 p.112～117

査する方法は、**縦断的方法**である。

D ○ インタビューの方法には、主に**構造化面接、非構造化面接、半構造化面接**の３種類がある。記述の、調査したい事柄や目標はあるものの、質問項目は決めず、対象者の自由な語りを引き出すような面接は、非構造化面接である。なお、構造化面接は、面接を行う人物による評価のばらつきを標準化させるために質問項目を事前に準備し、マニュアル通りに質問する面接である。また、半構造化面接は、質問項目は決めるが、設定した質問に対する回答に対して追加で質問をするなどして、より本質に迫るように行う面接である。

問４ 自己の発達 正解３

A ○ **ホフマン**によれば、**１歳以前の乳児は自己と他者を区別することができず**、実際に苦しんでいるのは誰かという認識が欠如しており、他者の苦痛を自己の苦痛であるかのように感じる。そしてそのことを「おおまかで未分化な共感」として捉えた。

B × 自己の様々な特性を他者と比べることを**社会的比較**という。研究によると幼児期にも社会的比較が見られることが明らかにされているが、社会的比較を行うことで自己への評価が下がることが見られるのは**学童期後半**である。

C × 乳児期前半に自分の手を目の前にかざし、その手をじっと見つめるという行動は、**ハンドリガード**である。**ショーイング**は、関わってくれる相手に物をかざして見せる行動である。

D ○ **客体的自己の理解**は、鏡に映った自分の姿を理解できるかという課題を用いて調べることができる。

問５ 移動運動の発達 正解１

「遠城寺式・乳幼児分析的発達検査」は、1960年に発表され、1975年に九州大学小児科改訂版が出版された。乳幼児発達の傾向を全般的にわたって分析し、その子の発達の個性を見出すことができる。対象は０か月から４歳８か月の乳幼児である。運動・社会性・言語の３分野から質問項目を構成し、「移動運動・手の運動・基本的習慣・対人関係・発語・言語理解」の６つの領域で診断する。

選択肢の「移動運動」の項目を発達過程の順に並べると、以下により「**B→D→A→C→E**」となる。

A 足を交互に出して階段をあがるのは、**２歳３～６か月頃**からである。

B 走るのは、**１歳４～６か月頃**からである。

C 片足で２～３秒立つのは、**２歳９か月～３歳頃**からである。

D ボールを前にけるのは、**１歳９か月～２歳頃**からである。

E 幅とび（両足をそろえて前にとぶ）は、**３歳４～８か月頃**からである。

問６ 認知の発達 正解４

A × **延滞模倣**とは、過去の経験を思い出して再現する行為のことを指す。記述の「自分の外部にある物理的対象である物に働きかけ、その結果として生じる感覚を楽しみ、それを再現しようとして繰り返すような行動」は、身の回りのものに触れて感触を楽しむ感触遊びである。

B × 乳児の最初の指差しは、**漠然とした指差し行動**と呼ばれ、驚き・興味・再認を表すものである。8・9か月頃にみられる。

C ○ ヒトは、生後間もない頃は母語にない音を区別できるが、**生後6か月頃**から、次第に母語にない音を区別できなくなるといわれている。

D ○ **脱中心化**とは、「自己中心性を脱し他者の視点を理解できるようになること」である。ピアジェ（Piaget, J.）は、認知発達段階における前操作期（2～7歳頃）から具体的操作期（7～11歳頃）への移行段階で生じるとした。

問7 言語の発達 正解 3

A ある単語を聞いて、頭の中でイメージができるのは、**象徴機能**のためである。

B 「子どもが生得的にもつ能力を引き出すように、**環境からの刺激を養育者が調整する**ことによって、子どもは言葉を獲得する」という考え方は、**ブルーナー**のものである。ピアジェは、言語の獲得を認知発達との関連で捉えた人物である。

C しりとりは、**音韻意識**によって可能となる。音韻意識は、「音の連鎖からなる語を言語学的な音節・拍などの音韻的構成要素に分節化し、それぞれの語音を同定し、音の配列順序を把握し、さらには音の順序を逆にするなどの音韻操作を行うことのできる能力」のことである。普遍文法とは、すべての人間が生まれながらに普遍的な言語機能を備えており、すべての言語は普遍的な文法で説明できるとする理論のことである。

問8 幼児の学びの過程 正解 1

A－ア：古典的条件づけ 一定の条件の刺激を与えることで、ある決まった反応をするようになるという現象である。

B－ウ：正統的周辺参加 集団における周辺的なところから、徐々に中心的なところへの参加度を増していく過程のことである。

C－イ：外発的動機づけ 報酬や評価、罰則や懲罰といった外部からの働きかけによる動機づけである。

D－カ：エピソード記憶 個人が経験した出来事に関する記憶である。

【語群】**エ**の**手続き的記憶**は、同じような経験の繰り返しにより獲得され、いったん形成されると意識的な処理を伴わず自動的に機能し、長期間保存される記憶である。

オの**内発的動機づけ**は、自分自身の内面に沸き起こった興味・関心や意欲といった内部からの働きかけによる動機づけである。

キの**認知的徒弟制**は、弟子が親方から学ぶ過程を理論化した学習方法で、4段階のステップを踏むことで、効果的かつ効率的に知識・技能の修得・継承ができるというものである。

クの**観察学習**は、他者の行動の結果をモデルとして観察および模倣することによって行う学習のことである。

問題◀本冊 p.118～120

問9 発達と教育 正解2

記述は、ヴィゴツキーの発達の最近接領域についての説明である。

A－イ：ヴィゴツキー

B－エ：現時点での発達

C－オ：潜在的な発達

D－カ：発達の最近接領域

ヴィゴツキーは、発達水準には、子どもが自力で課題を解決できる限界である**現時点での発達水準**と、大人の援助や指導によって解決が可能となる**潜在的な発達可能水準**があるとし、この2つの水準の間の領域を**発達の最近接領域**と呼んだ。そしてこの発達の最近接領域に教育的働きかけをすること、またこの領域をつくり出すように配慮することが大切だと主張した。

【語群】**ウ**の**ボウルビィ**は、愛着理論を提唱した人物である。

問10 青年期 正解5

A × **エインズワース**は、愛着の個人差を測定するためのストレンジ・シチュエーション法を考案した人物である。また、発達課題に注目したのはエリクソン（Erikson, E.H.）であるが、エリクソンによると青年期の発達課題は同一性（自我同一性、アイデンティティ）の獲得である。自律性の獲得が課題となるのは、幼児期前期である。

B × 青年期の始まりが、第二次性徴が現れることで特徴づけられることは正しい。しかしこの時期は、ピアジェのいう**具体的操作期**から形式的操作期への移行の時期である。

C ○ **マーシア**のアイデンティティ・ステイタスの考え方によると、早期完了は、自己のアイデンティティについての探求を経験せず、親や他者が選んだアイデンティティを無批判に受け入れた状態である。

D ○ 熟達化とは、ある領域での長期の経験に基づいて、領域に固有でまとまりのある豊かな知識・技能を習得し、有能さを獲得する過程である。ほかの時期と比較して、青年期後期の特徴としてあげられる。

問11 高齢期 正解4

A × **コンボイ（護衛艦）モデル**とは、高齢者を取り巻く様々な人々を護衛艦と捉え、それらの人々によって社会的支援が行われていくことである。コンボイモデルによれば、高齢者の社会生活における人間関係は、一般的には若い頃よりも仕事や趣味での役割が減ったり、離別や死別を経験したりして規模が小さくなっていくが、新たな人々との関係を築いて補充や修正していくことも可能である。

B ○ **バルテス**は、SOC理論（選択的最適化理論）において、高齢者は目標調整・変更を行いながら、今ある身体的・認知的資源を使って状況へ適応し、また新たなものを得ようと挑戦していくとした。

C ○ **エリクソン**は、心理社会的発達理論を提唱し、高齢期は人格を完成させることが発達課題であるとした。そして、これまでの自分の人生に意義と価値を見出すことができることを、「**自我**

の統合」とした。

D ○ **キャッテル**らは、経験と強く関係する結晶性知能は生涯にわたって伸び続けると主張した。一方、新しい情報を獲得し、それをスピーディーに処理・加工・操作する暗記力・計算力・直観力などの流動性知能は、高齢者では低下するとした。

問12 子どもの生活環境を捉える考え方 正解3

1 × **コールバーグ**は、道徳性の発達段階を分類した人物である。

2 × **フェスティンガー**は、認知的不協和を提唱した人物である。

3 ○ 記述は、すべて**ブロンフェンブレンナー**の生態学システム論の考え方である。人間を取り巻く環境を入れ子構造として捉え、子どもを取り巻く生活環境を、家庭、保育所、地域などとした。

4 × **バルテス**は、SOC理論（選択的最適化理論）を提唱した人物である。

5 × **ブルーナー**は、認知心理学を教育に適用し、学習者が能動的にその知識の生成過程をたどることにより知識を発見する発見学習を提唱した人物である。

問13 親になること 正解2

A ○ 親になることによる変化は、ポジティブなものも、ネガティブなものも、**男女（父親・母親）ともにみられる**。

B × エリクソンによれば、成人後期の心理的課題は「**生殖性 対 停滞**」である。「親密性 対 孤立」は、成人初期である。

C、D ○ 養護性（ナーチュランス）は「相手の健全な発達を促進するために用いられる共感性と技能」と定義され、母性より広い概念である。生得的なものではなく、育つものと捉えられている。

問14 子どもの貧困 正解4

A × 人間としての最低限の生存条件を欠くような貧困は、**絶対的貧困**という。**相対的貧困**は、その人の属する国や地域に暮らす人々の生活水準と比較して、大多数よりも貧しい状態のことである。

B ○ 子どもの相対的貧困は、成長・発達や前向きな行動を阻み、**学業達成に影響を及ぼす**など、その生活に様々な影響を及ぼす。

C ○ 「2019年国民生活基礎調査」によれば、「子どものいるひとり親世帯」の**約半数（48.3%）**が相対的貧困の状態にある。なお、「2022年国民生活基礎調査」でも約半数（48.5%）であった。

問15 中年期の危機 正解1

A ○ 様々な時代の変化が、職業人に**ストレス**や**職場不適応**などの危機をもたらしている。

B ○ 「**熟年離婚**」は、長い結婚生活を経た中高年の離婚のことである。

C × 親の、子どもの自立にともなう親役割の喪失感・不安定感は、**空の巣症候群**と呼ばれる。心理的離乳は、ホリングワース（Hollingworth, L.S.）が提唱した概念で、青年期において、それまでの両親への依存から離脱し、一人前の人間としての自我を確立しようとする心の動きのことである。

問題◀本冊 p.121 ～ 125

D　×　中年期に、これまでの生き方を見直し、将来の生き方への模索をすることによって、自分の生活や働き方の修正が行われるプロセスは、「**アイデンティティの再構築**」である。「アイデンティティの拡散」は、人がアイデンティティを構築する上で、一時的に「自分が何者であるかわからなくなってしまった」「自分がばらばらに感じられる」状態に陥ることである。

問16　低出生体重児　正解5

A　×　出生体重が**2,500グラム未満**の児を**低出生体重児**という。その中で、**1,500グラム未満**の児を**極低出生体重児**、**1,000グラム未満**の児を**超低出生体重児**と呼ぶ。

B　×　出産後に母親の胸元で乳児と肌を触れ合わせることは、**カンガルーケア**という。**レスパイトケア**は、高齢者や障がい者の介護をしている介護者（主に家族）が、一時的に息抜きできるよう支援することをいう。

C　○　超低出生体重児の場合、母子の**愛着形成不全**が生じる危険性がある。

D　○　極低出生体重児や超低出生体重児など、低出生体重児の母親は、子育てに**ネガティブ**な気持ちをもって向かうことがある。

問17　子どもの心の健康　正解2

A　○　**選択性緘黙**は、場面緘黙とも呼ばれ、幼少期である2～6歳頃から発症し、数百人に1人の発症率とされている。

B　×　**起立性調節障害**は、自律神経系の異常で循環器系の調節がうまくいかなくなる疾患であり、小学校高学年から中学生に多く見られる。

C　○　**自閉スペクトラム症**については、まだその要因についてすべてが解明されているわけではない。遺伝も関連するといわれている。

D　×　**限局性学習症**は、全体的な知能や視力、聴力が正常で意欲もあるにもかかわらず「読む」「書く」「計算する」といった特定の能力の習得と使用に著しい困難を示す状態のことである。勉強ができない子ども一般をさすものではない。また、読み書きや計算における二つ以上の能力の低さを必ず併発するとは限らない。

問18　児童虐待　正解4

A　×　虐待が疑わしい段階でも、**通告義務がある**。「児童虐待の防止等に関する法律」第6条の通告義務については、2004（平成16）年の改正で「虐待を受けた児童」から「児童虐待を受けたと思われる児童」に改められた。

B　○　**親権者による体罰は禁止されている**。また、都道府県知事または児童相談所長は、児童虐待の再発防止のために、保護者に対して**医学的または心理学的な知見に基づく指導を行うよう努めなければならない**。

C　○　「令和2年度福祉行政報告例」によると、**「実母」が最も多く**（47.4%）、**次いで「実父」が多かった**（41.3%）。なお、「令和3年度福祉行政報告例」でも同様で、「実母」（47.5%）、「実父」（41.5%）であった。

D ○ **マルトリートメント**は、「不適切な養育」を意味し、子どもの健全な発育を妨げる様々な養育態度や環境などのことである。子どもの話を聞かなかったり、子どもの前で夫婦げんかをしたりすることも、マルトリートメントの一例である。

問19	保育場面でみられる幼児の行動	正解2

A－ア：向社会的行動 報酬を期待することなく、自由な意思によって他者や他の集団に恩恵を与えるような、他者の利益を意図した行動である。

B－オ：社会的参照 新しい状況や判断を行う際に、周りの人物の反応や表情を参考にする行動である。

C－ウ：役割取得 周囲から自分に要求される役割を取得し、その役割を果たすことである。ごっこ遊びには、役割取得の力が必要である。

D－ク：帰属意識 特定の組織や集団に属している意識や感覚のことである。

【語群】**イ**の**道徳判断**は、何がよい行い（道徳的）で、何が悪い行い（非道徳的）なのかを判断することである。

エの**安全基地**は、特定の人物（養育者など）が相手（子どもなど）に対して安全感・安心感などを心理的に与える避難所の意味である。

カの**模倣**は、他者の行動と同様・同類の行動をとることである。

キの**対人葛藤**は、人と人との間で生じる対立や確執のことである。

問20	就学に向けた移行期	正解3

「保育所保育指針解説」第2章「保育の内容」4「保育の実施に関して留意すべき事項」(2)「小学校との連携」より、以下のとおりとなる。

A × 小学校教育の先取りをすることではなく、**就学前までの幼児期にふさわしい保育を行う**ことが最も肝心なことである（同解説 p.296）。

B ○ 卒園を迎える年度の子どもが小学校就学に向けて自信や期待を高めて、極端な不安を感じないよう、**就学前の子どもが小学校の活動に参加するなどの交流活動も意義のある活動である**（同解説 p.299）。

C × 保育所児童保育要録は、基礎学力のための資料ではなく、保育所に入所しているすべての子どもについて、保育所から就学先となる小学校へ送付する、**子どもの育ちを支えるための資料である**（同解説 p.300）。

問題◀本冊 p.125 ～ 128 ◀◀◀

保育原理

問1	日本の保育制度	正解3

A ○ 文部省は、戦後まもなく、1948（昭和23）年に「**保育要領**」を刊行した。幼稚園のみならず保育所や家庭にも共通する手引きとして作成された。戦後の日本の保育制度については、2022（令和4）年前期にも出題されている。

B × 文部省と厚生省の共同通知として「**幼稚園と保育所との関係について**」が発出した年は、**1963（昭和38）年**である。現在では、幼稚園は文部科学省が管轄し、保育所はこども家庭庁が管轄している。

C × 現在、保育所は託児を行い、幼稚園は教育を行うというのは誤りである。現行の「保育所保育指針」の教育的機能は、「幼稚園教育要領」、「幼保連携型認定こども園教育・保育要領」との整合性が図られており、**保育内容の基本は共通している**。

D × 「幼保連携型認定こども園」は、国、地方公共団体、学校法人、社会福祉法人のみが設置できる。**株式会社の参入は不可である**。

問2	㊟「保育所保育指針」	正解2

1 ○ 現行の「保育所保育指針」は**厚生労働大臣告示**である。2008（平成20）年の改定により、規範性を有する指針として明確化された。

2 × 「保育所保育指針」は、**1965（昭和40）年**に策定され、1990（平成2）年、1999（平成11）年と2回の改訂を経た後、**2008（平成20）年**の改訂に際して告示化された。

3 ○ 各保育所は、同指針の規定を踏まえ、**それぞれの実情に応じた保育を行う**（「保育所保育指針解説」「序章」2「保育所保育指針の基本的考え方」）。

4 ○ 各保育士は、**同指針を活用し、保育の内容の充実を図る**（同）。

5 ○ **地域型保育事業**及び**認可外保育施設**においても、同指針の内容に準じて保育を行う（「保育所保育指針解説」「序章」1「保育所保育指針とは何か」）。

問3	(指)「乳児保育に関わるねらい及び内容」	正解1

A 信頼
B 受容
C 応答

記述は、「保育所保育指針」第2章「保育の内容」1「乳児保育に関わるねらい及び内容」(2) イ（ウ）「内容の取扱い」の一部である。

2018（平成30）年の改定において、乳児保育の重要性から、乳児・3歳未満児保育の記載の充実が図られた。子どもと保育士等との**信頼関係**を基盤として、子どもの気持ちを尊重し、温かく**受容的・応答的**に関わる。

問4	(指)「保育の内容」	正解1

A ○ 「ねらい」は、**保育を通じて育みたい資質・能力を、子どもの生活する姿から捉えたもの**である。「保育所保育指針」第2章「保育の内容」の冒頭箇

所からの出題である。この部分は頻出箇所であり、「ねらい」「内容」「養護」「教育」について、よく整理して覚えておく必要がある。

B ○ 「内容」は「**ねらい**」を**達成するために示したもの**である。

C ○ 「養護」は、**子どもの生命の保持及び情緒の安定を図るために保育士等が行う援助や関わりのこと**である。

D ○ 「教育」は、**子どもが健やかに成長し、その活動がより豊かに展開されるために 保育士等が行う発達の援助のこと**である。

E × 「保育所保育指針」第２章「保育の内容」の冒頭箇所おいて、「保育においては、**養護と教育が一体となって展開されること**」と示されている。どちらかが優先されることはない。

問５	指 保育士の子どもへの対応	正解４

A × 保育士が子どもをつねる等の罰を与えることは適切ではない。「保育所保育指針」第２章「保育の内容」２「１歳以上３歳未満児の保育に関わるねらい及び内容」(2) イ「人間関係」(ウ)「内容の取扱い」には、「この時期は自己と他者との違いの認識がまだ十分ではないことから、子どもの自我の育ちを見守るとともに、**保育士等が仲立ちとなって、自分の気持ちを相手に伝えることや相手の気持ちに気付くことの大切さなど、友達の気持ちや友達との関わり方を丁寧に伝えていくこと**」とある。

B × 悔しくて涙を流している４歳児の気持ちを否定している言葉であり、適切ではない。**子どもの悔しい気持ちに寄り添ったり共感したり、自信をもって行動できるように適切な援助をする**必要がある。

C × 給食を残したことを理由におかわりをさせないのは、適切ではない。子どもの食事においては、**食生活の実情に配慮しながら、和やかな雰囲気で食べる喜びや楽しさを味わったりするように援助する**。

D ○ 子どもの身の安全を守るための行為であり、適切である。

問６	指「３歳以上児の保育に関するねらい及び内容」	正解４

A 環境
B 好奇心
C 過程

記述は、「保育所保育指針」第２章「保育の内容」３「３歳以上児の保育に関するねらい及び内容」(2)「ねらい及び内容」ウ「環境」(ウ)「内容の取扱い」①の一部である。

３歳以上児になると、遊びの中で**環境**と関わり、「不思議だな」、「面白いな」という興味や**好奇心**を抱く。自分で試してみたり、思っていたこととは違ったりというような試行錯誤をすること等、体験をして自分なりに考えることができるようになる**過程**が大切である。

問７	指「幼児教育を行う施設として共有すべき事項」	正解２

1、3～5 ×
2 ○

心情、意欲、態度が育つ中で、よりよい生活を営もうとする「学びに向かう力、人間性等」を育んでいく（「保育所保育指針」

問題◀本冊 p.129 ～ 132

第１章「総則」４「幼児教育を行う施設として共有すべき事項」(1)「育みたい資質・能力」ア（ウ))。この「心情、意欲、態度」は、非認知能力と呼ばれる心の育ちである。

同指針４「幼児教育を行う施設として共有すべき事項」は、改訂時に新たに加えられた部分で頻出箇所である。

なお、同(2)「幼児期の終わりまでに育ってほしい姿」は、**10の姿**（ア「健康な心と体」、イ「自立心」、ウ「協同性」、エ「道徳性・規範意識の芽生え」、オ「社会生活との関わり」、カ「思考力の芽生え」、キ「自然との関わり・生命尊重」、ク「数量や図形、標識や文字などへの関心・感覚」、ケ「言葉による伝え合い」、コ「豊かな感性と表現」）ともいわれており、小学校以降の教育も見すえられたものである。

問８　指「保育の実施に関して留意すべき事項」　正解３

A　○　「保育所保育指針」第２章「保育の内容」４「保育の実施に関して留意すべき事項」(1)「保育全般に関わる配慮事項」アの記述であり、適切である。子どもの心身の発達及び活動の実態などの**個人差を踏まえて、子どもの気持ちを受け止め**、援助を行うことが重要である。

B　×　同ウの記述の一部であるが、後半部分「見守るだけでなく、子どもに対して、保育士等が先回りして援助を行うこと」が誤りである。「**見守りながら、適切に援助すること**」が正しい。子どもの主体性を重視し、支えていくことが求められる。

C　×　同エの記述の一部であるが、前半部分が誤りである。入所時の保育では、**できるだけ個別的に対応していく必要**がある。

D　○　同カの記載であり、適切である。

問９　指「保育の環境」　正解５

1　○　記述は、「保育所保育指針」第１章「総則」１「保育所保育に関する基本原則」(4)「保育の環境」アについての「保育所保育指針解説」（p.27）の文章である。

2　○　記述は同エについての「保育所保育指針解説」（p.28）の文章である。

3　○　記述は同ウの文章である。

4　○　記述は同イについての「保育所保育指針解説」（p.27）の文章である。

5　×　記述のような記載はない。同エには、「子どもが人と関わる力を育てていくため、**子ども自らが周囲の子どもや大人と関わっていくことができる環境**を整えること」とある。

問10　事 障害のある子どもの保育　正解４

A　×　障害があるから保育所での生活が難しいと伝えるのは適切ではない。「保育所保育指針」第１章「総則」３「保育の計画及び評価」(2)「指導計画の作成」キには、障害のある子どもの保育については、**発達過程や障害の状態を把握し、適切な環境の下で、ほかの子どもとの生活をとおして共に成長できるよう**、指導計画に位置づけることが示されている。

B　○　障害のある子どもの保育において、職員の協力体制は特に重要であり、**この保育所でできる対応に関する情報**

提供を行うことは適切である。

C × 保護者の了解を得ずに、児童発達支援センターに連絡することは適切ではない。子どもの発達支援の連続性や情報を相互に共有することは大切ではあるが、**保護者の同意が前提であり、保護者の了解のもとに行う**必要がある。

D ○ **職員間で情報を共有し、今後の関わりを話し合う**ことは、適切である。また同キにおいては、家庭や関係機関と連携した支援のための計画を個別に作成することが示されている。

問 11	海外における保育の思想家	正解 3

A－イ **オーエン**は、イギリスのスコットランドのニュー・ラナーク村の大工場主となり、1816 年に「性格形成学院」を創設した。その学院内に工場の労働者とその家族のために教育施設「**幼児学校**」を開設した。10 歳以下の子どもの労働を禁止し、子どもに愛情をもって接するなど、子どもの保護と教育に尽力した。

B－ウ **マクミラン**は、イギリスのロンドンのスラム街に、日中共働き家庭の子どもを預かる「**保育学校**」を創設した。医療機関との連携を図り、ケア（養護）と教育を合わせた保育を行った。

【Ⅱ群】**ア**のデューイは、アメリカのシカゴ大学に、学校を生活の場として**実験学校**を創設した。教育を経験の再構成であるとし、著書には『学校と社会』、『民主主義と教育』や『経験と教育』等がある。

エのオーベルランは、フランスにて 1779 年に「**編物学校**」を設立した。託児施設の一つではあったが、単なる保護にとどまらず、年齢に応じた教育に重点をおいていた。

問 12	(指) 一時預かり事業	正解 1

A ○ 記述は、「保育所保育指針」第 4 章「子育て支援」3「地域の保護者等に対する子育て支援」(1)「地域に開かれた子育て支援」イの内容である。一時預かり事業などの活動を行う場合には、**一人一人の子どもの心身の状態や、日常の保育との関連に配慮し**、柔軟に活動を展開することが重要である。

B ○ 同 2「保育所を利用している保護者に対する子育て支援」(2)「保護者の状況に配慮した個別の支援」アにあるように、保護者の状況に配慮するとともに、子どもの福祉が尊重されるよう、**子どもの生活の連続性を考慮する**。

C ○ 子どもの状態に合わせることが重要であるため、子どもに無理のないよう**午睡の時間やくつろぐことのできる場の配慮をする**。

D × 「保育所保育指針解説」第 4 章「子育て支援」3「地域の保護者等に対する子育て支援」(1)「地域に開かれた子育て支援」イにおいて、「**状況に応じて、保育所で行っている活動や行事に参加する**など、日常の保育と関連付けながら、柔軟な保育を行うことが大切である」とある。保育所で行っている活動や行事を避けることは適切ではない。

問 13	(指)「職員の資質向上」	正解 3

A－ア 自己評価
B－オ 組織的

問題◀本冊 p.133 ～ 137

C－カ　保育内容
D－イ　職位
E－コ　技能

記述は、「保育所保育指針」第５章「職員の資質向上」の１「職員の資質向上に関する基本的事項」(2)「**保育の質の向上に向けた組織的な取組**」の文章である。2019（平成31）年前期においても、同様の箇所が出題されている。

なお、保育士や保育所の自己評価においては、同指針第１章「総則」３「保育の計画及び評価」(4)「保育内容等の評価」にも記載があり、自らの実践を振り返り、専門性の向上を図ることなど、よく理解しておく必要がある。

問 14	事 途中入園した子どもの保育	正解 4

A　×　午睡の有無にかかわらず、心地よく過ごすことのできるような配慮が必要である。「保育所保育指針」第１章「総則」３「保育の計画及び評価」(2)「指導計画の作成」オにおいて、睡眠時間は子どもの個人差があり、一律とならないよう配慮するよう示されている。

また同箇所についての「保育所保育指針解説」において、３歳以上児においては午睡を必要としない子どもも混在することについて示されており、午睡を必要としない子どもも伸び伸びと遊ぶことができる充実した環境や体制を整えておくことが求められている。

B　○　「保育所保育指針解説」第２章「保育の内容」２「３歳以上児の保育に関わるねらい及び内容」(2)「ねらい及び内容」ア「健康」（イ）「内容」⑦に、生活の環境が大きく変化したとき、その当初は戸惑いが大きく、**一人一人の子どもの実情に応じたきめ細かな対応**が必要であることの記載がある。９月からの入所でまだ慣れない子どもの状況や様子を配慮して様子を見る対応は、適切である。

C　○　Ｌ君が**リラックスできるように関わる**対応は適切である。同解説第１章「総則」３「保育の計画及び評価」(2)「指導計画の作成」オにおいて、普段は午睡を必要としない子どもであっても、子どもの状態に応じて、午睡をしたり、静かに体を休めたりすることができるように配慮することが記されている。

D　○　上記同箇所において、子ども一人一人の成長に合わせて、その日の体調なども考慮した上で、**保護者とも相談していく**ことが記されている。保護者と連携を取りながら、その子どもにとっての生活リズムが整うよう援助をしていく。

問 15	指「保育の計画及び評価」	正解 5

「保育所保育指針」第１章「総則」３「保育の計画及び評価」より、「全体的な計画の作成」に続く指導計画の作成から評価の過程は、「**D：指導計画の作成→C：指導計画の展開→B：保育内容等の評価→A：評価を踏まえた計画の改善**」の順となる。

指導計画は、全体的な計画に基づいている。具体的な保育が適切に展開されるよう、子どもの生活や発達を見通した長期的な指導計画を作成する。またそれと関連しながら、より具体的な子どもの日々の生活に即した短期的な指導計画も作成しなければならない。

問 16 指「1 歳以上 3 歳未満児の保育に関わるねらい及び内容」 **正解 2**

A ○ 記述は、「保育所保育指針」第 2 章「保育の内容」2「1 歳以上 3 歳未満児の保育に関わるねらい及び内容」(2)「ねらい及び内容」ア「健康」(イ)「内容」②に記されている。なお、食事や午睡について、乳児保育においては「生活のリズムの感覚が芽生える」という記載であるが、1 歳以上 3 歳未満児の保育では「**生活のリズムが形成される**」という記載になっており、それぞれの発達に合わせた記載になっていることに注意する。

B ○ 記述は、同③に記されている。同指針第 2 章「保育の内容」2「1 歳以上 3 歳未満児の保育に関わるねらい及び内容」(1)「基本的事項」においてこの時期の特徴として、**基本的な運動機能の発達**や、排泄の自立のための身体的機能が整うこと、指先の機能の発達等、語彙の増加や自分の意思や欲求の表出についての記載がある。

C × 記述は、同 3「**3 歳以上児**の保育に関するねらい及び内容」(2)「ねらい及び内容」ア「健康」(イ)「内容」⑤の一部である。1 歳以上 3 歳未満児の保育での食事に関しては、ゆったりとした雰囲気の中で食事をする等の記載がある。

D ○ 記述は、同 2「1 歳以上 3 歳未満児の保育に関わるねらい及び内容」(2)「ねらい及び内容」ア「健康」(イ)「内容」⑤に記されている。

E × 記述は、同 3「**3 歳以上児**の保育に関するねらい及び内容」(2)「ねらい及び内容」ア「健康」(イ)「内容」⑧に記されている。3 歳以上児については、1 歳以上 3 歳未満児に比べて、「自分たちで……」、「自ら……」というような記載が多く示されている。

問 17 指「指導計画の作成」 **正解 4**

A－カ：過程
B－イ：環境
C－オ：指導
D－エ：支援
E－キ：個別

記述は、「保育所保育指針」第 1 章「総則」3「保育の計画及び評価」(2)「指導計画の作成」キの文章である。この**障害のある子どもの保育**についての内容は頻出箇所であり、子ども一人一人の発達過程や障害の状態を把握して、家庭や関係機関と連携しながら個別に計画を作成することなど、よく理解をしておく必要がある。

問 18 「児童の権利に関する条約」 **正解 2**

A 生活水準
B 第一義的な
C 物的援助

「**児童の権利に関する条約**」第 27 条からの出題である。「相当な生活水準についてのすべての児童の権利」とは、「人としてふさわしい生活を送るよう保障を受ける権利」を意味する。

子どもの権利に関しての宣言や条約等としては、ほかに「児童の権利に関するジュネーヴ宣言」(1924 年)、「世界人権宣言」(1948 年)、「児童憲章」(1951 年)、「国際人権規約」(1966 年)がある。

問題◀本冊 p.137 ～ 140

また、国内では2023（令和5）年に「日本国憲法」及び「児童の権利に関する条約」の精神にのっとり、こども施策を総合的に推進することを目的として「こども基本法」が施行された。

問19 「児童福祉施設の設備及び運営に関する基準」 正解3

A ○ **調理員**
B × **事務員**
C ○ **保育士**
D ○ **嘱託医**

「児童福祉施設の設備及び運営に関する基準」第33条に、「**保育所には、保育士、嘱託医及び調理員を置かなければならない**」と記されている。

なお、同基準において保育士の数や保育時間、指針についても示されている。保育士の配置基準は、2024（令和6）年の改正により、乳児おおむね3人につき1人以上、満1歳以上満3歳に満たない幼児は、おおむね6人につき1人以上、満3歳以上満4歳に満たない幼児は、おおむね**15人**につき1人以上、満4歳以上の幼児はおおむね**25人**につき1人以上となっている。保育時間は、1日につき8時間で、保育所における保育は、養護及び教育を一体的に行うことをその特性としている。

問20 日本における保育の現状 正解4

「年齢区分別の保育所等利用児童の人数と割合（保育所等利用率）」における出題である。例年、日本の保育の現状に関する表の読み取りの問題が出題される傾向にある。

1 × 全年齢児の保育所等利用児童数は、令和3年が2,742,071人（49.4%）に対して、令和4年は2,729,899人（50.9%）と、**利用率は増えているが児童数は減っている**。

2 × 保育所等利用率は、0歳児は令和3年、令和4年ともに17.5%で**同等**である。1・2歳児は令和3年53.7%から令和4年56.0%で**上がっており**、3歳以上児も令和3年56.0%から令和4年57.5%で**上がっている**。

3 × 令和4年の3歳未満児の保育所利用率は43.4%、同年3歳以上児は57.5%であり、3歳以上児の方が高い。

4 ○ 前年と比べて最も保育所等利用率が増えたのは1・2歳児で、令和3年53.7%から令和4年56.0%に増えている。

5 × 令和4年の保育所等利用率は、全年齢児は50.9%、3歳未満児は43.4%、3歳以上児57.5%であり、**3歳未満児は50%を超えていない**。

子ども家庭福祉

問1 「児童の権利に関する条約」 正解4

A 尊厳
B 自立
C 社会への積極的な参加

「児童の権利に関する条約」は、「児童の権利に関する宣言」(児童権利宣言)(1959〔昭和34〕年)を法的拘束力のあるものとすべく、1989(平成元)年に国連総会で採択された。日本は1994(平成6)年に批准している。設問の第23条は、**障害のある子どもの権利**について規定されており、この文章は第1項の内容である。

問2 日本の児童福祉の歴史 正解3

1 ○ **糸賀一雄**は、戦災孤児や知的障害児の救済のために、1948(昭和23)年に**近江学園**を設立した。

2 ○ **野口幽香**は、貧困層の子どもにも華族の子どもと同じように教育を施したいという思いから、1900(明治33)年に**森島峰**とともに**二葉幼稚園**を創設した。

3 × 1887(明治20)年に**岡山孤児院**を設立したのは、**石井十次**である。**岩永マキ**は、1874(明治7)年に浦上養育院を設立し、孤児の救済に尽力した。

4 ○ **石井亮一**は、1891(明治24)年の濃尾大震災で孤児となった少女たちを救済するために「孤女学院」を開設した。その「孤女学院」に知的障害児がいたことをきっかけに、知的障害児の教育に注力するようになり、「**滝乃川学園**」を設立した。

5 ○ **留岡幸助**は、その後、1914(大正3)年に、「**家庭学校**」の分校として、北海道家庭学校を創設した。なお、感化院は、1933(昭和8)年の少年教護法では「少年教護院」、1947(昭和22)年の児童福祉法で「教護院」に改称された後、1998(平成10)年の児童福祉法改正により、現行の「児童自立支援施設」に名称変更された。

問3 「令和3年度福祉行政報告例の概況」 正解3

A 養護相談
B 障害相談

「令和3年度福祉行政報告例の概況」(2023〔令和5〕年 厚生労働省)によると、2021(令和3)年度中の児童相談所における相談の種類別対応件数が最も多かったのは、**養護相談**(虐待相談、養育困難に関する相談等)で、次いで、**障害相談、育成相談**(不登校相談、しつけ相談等)、非行相談、保健相談の順になっている。なお、この順位は、2017(平成29)年度から大きな変動はない。

問4 「子どもの貧困対策の推進に関する法律」 正解4

A 意見
B 教育
C 地方公共団体

「子どもの貧困対策の推進に関する法律」は、子どもの貧困対策を総合的に推進することを目的に、2013(平成25)年に制定された。子どもの意見の尊重、教育の支

問題◀本冊 p.141 ~ 145

援、国及び地方公共団体の関係機関相互の連携などが重視されている。

なお、同法に基づく「子供の貧困対策に関する大綱」は、2023（令和5）年12月に「こども大綱」に一元化された。

問5 子ども家庭福祉に関する法律 正解5

これらの法律を制定年の古い順に並べると、以下により「**E→D→A→B→C**」となる。

A 「**母子保健法**」は、母性並びに乳児及び幼児の健康の保持及び増進を図るため、**1965（昭和40）年**に制定された。妊娠した者は、すみやかに市町村長に妊娠の届出をしなければならないこと（第15条）、市町村は妊娠の届出をした者に対して母子健康手帳を交付しなければならないこと（第16条第1項）、市町村は必要に応じ、妊産婦または乳幼児に対して健康診査を行うこと（第13条第1項）などが規定されている。

B 「**児童買春、児童ポルノに係る行為等の規制及び処罰並びに児童の保護等に関する法律**」は、児童に対する性的搾取や性的虐待が児童の権利を著しく侵害することの重大さにかんがみ、**1999（平成11）年**に制定された。

C 「**少子化社会対策基本法**」は、急速な少子化の進展にかんがみ、少子化社会において講ぜられる施策の基本理念を明らかにし、少子化に的確に対処するための施策を総合的に推進するため、**2003（平成15）年**に制定された。

D 「**少年法**」は、少年の健全な育成を期し、非行少年の性格の矯正及び環境の調整に関する保護処分を行うとともに、少年の刑事事件について特別の措置を講ずることを目的とし、**1948（昭和23）年**に制定された。

E 「**児童福祉法**」は、第二次世界大戦後の混乱期に、戦災孤児や浮浪児が急増したことを受け、すべての児童の福祉を保障するために**1947（昭和22）年**に制定された。

問6 「男女共同参画白書 令和4年版」 正解2

A 夫婦と子供
B 3世代等
C 単独
D ひとり親と子供

なお、「男女共同参画白書　令和4年版」によると、世帯の家族類型別構成割合について、**「単独」世帯の割合は今後も上昇し続ける反面、「夫婦と子供」の世帯は減少し続けることが推計されている。**1980（昭和55）年から2020（令和2）年にかけて、20歳以上の女性の単独世帯は3.1倍、男性の単独世帯は2.6倍に増加している。

問7 「令和4年版 厚生労働白書」 正解3

A ○ 保育士の登録者数は年々増加の一途をたどり、2020（令和2）年は**167万3千人**となっている。一方、従事者数は、2010（平成22）年以降増加しているものの、2020（令和2）年は**64万5千人**となっている。

B × 保育士資格を有しながら保育所等（社会福祉施設等）で従事していない保育士数は、毎年増加しており、2020（令和2）年は**102万8千人**となっている。

C ○ 保育士として就業した者が退職し

た理由（複数回答）では、「**職場の人間関係**」（33.5％）が最も多く、次いで「給料が安い」（29.2％）、「仕事量が多い」（27.7％）、「労働時間が長い」（24.9％）となっている。

D ○ 保育士として就業を希望しない理由（複数回答）では、「**賃金が希望と合わない**」（47.5％）が最も多く、次いで「他職種への興味」（43.1％）、「責任の重さ・事故への不安」（40.0％）、「自身の健康・体力への不安」（39.1％）となっている。

問 8	児童福祉施設	正解 1

1 ○ **児童自立支援施設**は、不良行為をなし、またはなすおそれのある児童、及び生活指導等を要する児童を入所させる施設で、「児童福祉法」第 44 条に規定されている。児童自立支援専門員、個別対応職員のほか、家庭支援専門相談員、心理療法担当職員等が配置されている。

2 × **児童養護施設**は、保護者のない児童、虐待されている児童、その他環境上養護を要する児童を入所させて養護し、退所した者に対する相談その他の自立のための援助を行う施設である（「児童福祉法」第 41 条）。

3 × **児童厚生施設**は、児童遊園、児童館等、児童に健全な遊びを与えて、その健康を増進し、または情操をゆたかにする施設である（「児童福祉法」第 40 条）。

4 × **児童家庭支援センター**は、地域の児童の福祉に関する各般の問題について、児童に関する家庭その他からの相談のうち、専門的な知識及び技術を必要とするものに応じ、必要な助言を行う施設である（「児童福祉法」第 44 条の 2）。

5 × **児童心理治療施設**は、家庭環境、学校における交友関係その他の環境上の理由により社会生活への適応が困難となった児童を、短期間入所させ、または保護者のもとから通わせて、社会生活に適応するために必要な心理に関する治療及び生活指導を主として行う施設である（「児童福祉法」第 43 条の 2）。

問 9	「令和 3 年（2021）人口動態統計（確定数）の概況」	正解 4

A × 2021（令和 3）年の婚姻件数は 50 万 1,138 組で、2020（令和 2）年より 2 万 4,369 組**減少**した。なお、2023（令和 5）年の婚姻件数は、47 万 4,717 組とさらに減少している。

B ○ 2021（令和 3）年の出生数は 81 万 1,622 人で、2020（令和 2）年（84 万 835 人）より 2 万 9,213 人**減少**し、人口動態調査開始以来最少となった。なお、2023（令和 5）年の出生数は、72 万 7,277 人とさらに減少し、過去最少を更新している。

C × 2021（令和 3）年の離婚件数は 18 万 4384 組で、2020（令和 2）年（19 万 3,253 組）より 8,869 組**減少**している。なお、2022（令和 4）年の離婚件数は、17 万 9,099 組とさらに減少している。

問 10	「新子育て安心プラン」	正解 4

1 ○ 「**新子育て安心プラン**」では、第 2 期市町村子ども・子育て支援事業計画

の積み上げを踏まえ、**保育の受け皿を整備する**とともに、待機児童の解消を目指しながら、女性（25～44歳）の就業率上昇に対応するとしている。

2 ○ 「新子育て安心プラン」における支援のポイントの一つである、「**①地域の特性に応じた支援**」の内容である。保育ニーズが増加している地域への支援、マッチングの促進が必要な地域への支援を推進するとともに、人口減少地域の保育の在り方についても検討を進める。

3 ○ 「新子育て安心プラン」における支援のポイントの一つである、「**②魅力向上を通じた保育士の確保**」の内容である。保育補助者の活躍促進、短時間勤務の保育士の活躍促進などを施策例にあげている。

4 × 選択肢1の解説にあるとおり、男性ではなく、**女性（25～44歳）の就業率上昇に対応する**としている。

5 ○ 「新子育て安心プラン」における支援のポイントの一つである、「**③地域のあらゆる子育て資源の活用**」の内容である。利用者のニーズにきめ細かく対応するため、幼稚園の空きスペースを活用した小規模保育の利用定員の上限を弾力化したり、ベビーシッターの利用料に関する自治体等の助成を非課税所得とすることなどが、施策例にあげられている。

問11 「民法」 正解2

A ○ 「民法」第824条（**財産の管理及び代表**）の内容である。

B ○ 「民法」第820条（**監護及び教育の権利義務**）の内容である。親権があくまでも子どもの利益のために行われることを明確化するため、2011（平成23）年の「民法」改正（2012〔平成24〕年施行）により、「**子の利益のために**」という文言が明記された。

C × 「民法等の一部を改正する法律」が2022（令和4）年に成立し、それまで「民法」第822条に規定されていた**親権者による懲戒権の規定は削除された**。なお、この改正により、同法第821条に、親権を行う者は監護及び教育にあたり、子の人格を尊重するとともに、その年齢・発達の程度に配慮し、かつ、**体罰その他の子の心身の健全な発達に有害な影響を及ぼす言動をしてはならない**ことが新たに規定された。

問12 障害児入所施設 正解2

A ○ **福祉型障害児入所施設**は、「児童福祉法」第42条第1号に規定されている。児童指導員、保育士の他、児童発達支援管理責任者等が配置される。

B ○ **医療型障害児入所施設**は、障害児を入所させ、保護、日常生活の指導、独立自活に必要な知識技能の付与、及び**治療**を行う施設である（「児童福祉法」第42条第2号）。児童指導員、保育士、児童発達支援管理責任者の他、理学療法士または作業療法士等を配置するとされている。

C × 「令和3年社会福祉施設等調査の概況」によると、2021（令和3）年10月1日現在の**福祉型障害児入所施設の在所者数は、6,138人で、医療型障害児入所施設の在所者数（10,489人）**

より少ない。なお、2022（令和4）年の在所者数は、福祉型障害児入所施設が5,964人、医療型障害児入所施設が7,785人である。

問13	外国籍や外国にルーツをもつ家庭の子どもの保育	正解1

A ○　記述は「保育所保育指針解説」（厚生労働省）の第2章「保育の内容」4「保育の実施に関して留意すべき事項」(1)「**保育全般に関わる配慮事項**」オに記載されている内容である。

B ○　記述は「保育所保育指針解説」第4章「子育て支援」2「保育所を利用している保護者に対する子育て支援」(2)「**保護者の状況に配慮した個別の支援**」ウに記載されている内容である。

C ○　Aと同じ出典である。また保育士は、子どもが文化の多様性に気づき、興味や関心を高めていくことができるよう、子ども同士の関わりを見守りながら、適切に援助していくことや、**子どもや家庭の多様性を互いに尊重し合える雰囲気を作り出す努力が求められる**こと等も記載されている。

問14	事 被措置児童等虐待が疑われる児童	正解3

1 ×　ふだん反抗的な態度がみられたとしても、**その先入観で嫌がらせなどの問題行動であると捉えるのは不適切である**。

2 ×　「誰にも言わないでほしい」というRさんの意向を受けとめることは大切だが、X児童指導員から性的な話をされ悩んでいる現状は、**性的虐待が疑われる**。Rさんの安心できる生活を保障するためにも、W保育士の胸の内だけにとどめておくべき話ではない。

3 ○　**被措置児童等虐待**とは、施設等への入所措置をされた児童に対する施設職員等が行う虐待のことをいう。被措置児童等虐待の疑いがある児童を発見した場合、市町村、福祉事務所、児童相談所及び都道府県児童福祉審議会へ通告する義務がある（「児童虐待の防止等に関する法律」第6条第1項、「児童福祉法」第33条の12第1項）。

4 ×　「児童福祉法」第33条の12第4項及び「児童虐待の防止等に関する法律」第6条第3項により、**児童虐待の通告義務は、守秘義務より優先される**。そのため、児童養護施設内で被措置児童等虐待が疑われる児童について外部に話すことは、守秘義務違反にはならない。

5 ×　W保育士から見て信頼できる先輩であったとしても、被措置児童等虐待の疑いがある案件を、ましてRさんが「誰にも言わないで」と前置きして話したにもかかわらず、**当事者であるX児童指導員に確認することは不適切である**。また、安易にX児童指導員に確認することで、RさんがX児童指導員から不当な扱いを受けることにもつながりかねない。

問15	被措置児童等虐待の予防	正解5

選択肢**1**～**4**の取り組み例は、「被措置児童等虐待対応ガイドライン～都道府県・児童相談所設置市向け～」（厚生労働省）に記載されている内容である。

1 ○　職員の業務における**負担感やスト**

レスが被措置児童等への虐待につながることがあるため、適切である。

2 ○ 子どもの意見や気持ちを聴くとともに、子どもが置かれている状況について説明をしながら、今後の生活、支援の方向性等について、**「子どもの権利ノート」を活用しながら説明をする**ことは大切である。

3 ○ **ケアが孤立化・密室化すると、職員の不適切な関わりが顕在化しにくい**ため、複数の職員による体制づくりを行うことが必要である。

4 ○ 被措置児童等からの苦情や意見に対して適切な解決に努めるため、施設の苦情解決体制を整えることに加え、**第三者による評価や定期的な意見聴取の機会を設定する**ことが必要である。

5 × 被措置児童等が問題行動をとる背景には、何らかの事情が考えられる。**措置解除を行って施設や里親の元から引き離すのではなく、その願いや思いに丁寧に対応していく**ことが必要である。

問 16 「児童福祉法」 正解 4

「児童福祉法」では、「第1章第7節」に保育士に関する内容が規定されている。

A × 同法第18条の4において、保育士は児童の保育だけでなく、児童の**保護者に対する保育に関する指導を行う**ことが規定されている。

B ○ 記述は、同法第18条の22の内容である。この**守秘義務**については、保育士でなくなった後も守らなければならない。なお、プライバシーの保護については「全国保育士会倫理綱領」にも規定されている。

C ○ 同法第18条の23に、「**保育士でない者は、保育士又はこれに紛らわしい名称を使用してはならない**」と規定されている。なお、保育士となる資格を有する者が保育士となるには、都道府県に備える保育士登録簿への登録を受けなければならない（同法第18条の18）。

D ○ 記述は、同法第18条の21の内容である。2003（平成15）年の「児童福祉法」改正により、保育士資格が名称独占の国家資格として規定されたことにあわせて、**信用失墜行為の禁止**、守秘義務も課されることとなった。

問 17 「児童発達支援ガイドライン」 正解 1

「児童発達支援ガイドライン」（厚生労働省通知）の第2章「児童発達支援の提供すべき支援」に記載されている内容である。子どもの生活が家庭や地域社会の中で育まれることから、子どもに対する発達支援だけでなく、**子どもの家族に対する支援や地域支援も提供すべき支援に盛り込まれている**。

A ○ **発達支援**は、子どもの発達を5領域にわたって支援するとともに、障害のある子どもが可能な限り、地域の保育、教育等の支援を受けることができるよう、移行支援等を行う。

B ○ **家族支援**は、子育てにおける保護者の不安や心配に寄り添いながら、保護者の思いを尊重し、保護者と子どもの家庭生活が安定するよう、家族支援プログラム（ペアレント・トレーニング）や心理的カウンセリング等を実施する。

C　○　**地域支援**は、障害のある子どもの地域社会への参加・包容（インクルージョン）を推進するため、関係機関と連携を図りながら地域の支援体制を構築していく。

問18	児童扶養手当制度	正解5

A　○　記述は「児童扶養手当法」第1条の内容である。児童扶養手当は、当初、母子世帯への経済的支援を目的に制定されたが（1961〔昭和36〕年）、2010（平成22）年の児童扶養手当法改正により、**父子家庭も支給の対象となった**。

B　○　母子家庭の増加により、児童扶養手当の受給者数も増加していたが、**2012（平成24）年度末を境に減少している**。なお、2022（令和4）年度末現在、児童扶養手当受給者数は、全国で817,967人となっている。

C　×「令和3年度　全国ひとり親世帯等調査結果報告（令和3年11月1日現在）」によると、児童扶養手当を受給しているのは、**母子世帯の母の69.3%、父子世帯の父の46.5%**である。

D　○　ひとり親家庭が経済的に困窮しているケースが多いことにかんがみ、2018（平成30）年の「児童扶養手当法」改正により、支給回数がそれまでの年3回から変更となり、2019（令和元）年11月分から、奇数月に**年6回、各2か月分を受けとる**ことができるようになった。

E　×　**児童扶養手当は、児童手当とあわせて受け取ることができる**。なお、2014（平成26）年の児童扶養手当法改正により、公的年金（国民年金、厚生年金等）を受給している場合でも、年金額が児童扶養手当の額より低い場合は、その差額分の手当を受給することができる。

問19	地域子ども・子育て支援事業	正解4

A　ウ　**利用者支援事業**は、「利用者支援」と「地域連携」を2つの柱とする「基本型」と、「特定型」（いわゆる「保育コンシェルジュ」）、「母子保健型」の3つの事業類型がある。

B　イ　**養育支援訪問事業**は、妊娠期から継続的な支援を特に必要とする家庭（若年の妊婦、望まない妊娠等）や、産後うつ、育児ノイローゼ等により子育てに強い不安や孤立感を抱える家庭等の児童及びその養育者を対象とする。

C　エ　**子育て短期支援事業**には、保護者による児童の養育が一時的に困難になった場合（保護者の疾病、仕事等）、または保護者の身体的・精神的負担を軽減することが必要な場合に、児童を児童養護施設等で一時的に預かる短期入所生活援助（ショートステイ）事業と、保護者が仕事等で平日の夜間または休日に不在となり、家庭で児童を養育することが困難な場合等において、児童を児童養護施設等で保護し、生活指導、食事の提供等を行う夜間養護等（トワイライトステイ）事業がある。

D　ア　**地域子育て支援拠点事業**は、一般型、連携型に加え、利用者支援機能（地域の子育て家庭に対する、子育て支援関連情報の提供、保育等の利用についての相談等）、地域支援機能（親子の育ちを支援する世代間交流等の支援・協

問題◀本冊 p.151 〜 153

力等）を付加した地域機能強化型がある。

E　オ　一時預かり事業は、一般型（保育所等で一時的に預かり必要な保護を行う）、余裕活用型（利用児童数が定員に達していない保育所等で、定員まで一時預かり事業として受け入れる）、幼稚園型（主に認定こども園・幼稚園の1号認定の園児を対象に預かり保育を実施）、訪問型（児童の居宅で一時預かりを実施）に分けられる。

問20	事 不適切な養育が疑われる児童への支援	正解3

A　×　給食袋や体操服が不衛生であったとしても、**Y君の私物を本人の許可なく保育士が廃棄することは不適切である。**

B　○　不適切な養育が疑われる児童への支援においては、K保育士単独ではなく、組織として対応することが必要である。そのため、上司である管理者に報告することに加え、他の職員と情報を共有し、**職員全体でY君の様子を見守ることは適切である。**

C　×　Y君はあまり話したくない様子であったこと、週末はよく家にひとりでいることが多いということから、Y君の意に反して給食袋や体操服が洗濯されていないことが推察される。それにも関わらず、Y君を叱責することは、**Y君を誰にも現状を相談できない状況にますます追い込みかねないため、不適切である。**

D　×　Y君の保護者から現状について話を聞くことは必要だが、保護者が置かれた状況等を考慮しないまま、一方的に厳しく指導をすると、**保護者がかえって心を閉ざしてしまう可能性があるため、不適切である。**信頼関係が崩れることにもつながるため、まずは、受容と共感の姿勢を示しながら、保護者の話を傾聴することが重要である。

社会福祉

問1 社会福祉の概念 正解 3

A ○ 社会福祉における**自立支援**は、個人ができる限り自分の意志や力で生活ができるようにサポートすることである。障害者だけではなく、**高齢者や児童、保護者等においても共通の理念であり、**自分の考えや思い、意志に基づいて、自らの望む生活を送ることができるように、一人の人間として尊重され、その生活が保障される。

B × **人間の幸福追求**に関しては、「日本国憲法」第13条（個人の尊重と公共の福祉）において「すべて国民は、個人として尊重される。生命、自由及び幸福追求に対する国民の権利については、公共の福祉に反しない限り、立法その他の国政の上で、最大の尊重を必要とする」と示されているとおり、**国の責任において保障される。**

C × 同法第25条（生存権）には「すべて国民は、健康で文化的な最低限度の生活を営む権利を有する」と示されている。最低限度の生活に関する基準は、その時代や社会の状況、価値、地域等の様々な事由により変化するため、**「日本国憲法」においては一律の基準を示していない。**

D ○ 相談援助は、問題や課題、悩みを抱えている人から相談を受け、その解決のためのサポートを図るものである。それらの課題は、個別的であり、高齢者や障害者、医療、児童家庭福祉、母子生活支援など、内容も多岐にわたる。そのため相談援助は、福祉サービスを必要とする人と、それらの解決に必要な社会資源（例えば専門機関や専門職）とを**結びつける役割を果たす。**

問2 社会福祉の歴史 正解 1

A ○ 「**ベヴァリッジ報告**」は、1942年にイギリスのベヴァリッジ（Beverige, W.H.）によって示された社会保障制度拡充のための報告書類である。そこでは、**5つの要因**として「窮乏」「疾病」「無知」「不潔」「怠惰」があげられて、国家による社会保険制度を整備することでこれに対抗するとした。

B ○ 「**新救貧法**」は1834年にイギリスで成立した。そこでは劣等処遇の原則において、被救済貧民の生活水準は、**最低層の自立労働者以下の水準でなくてはならないと定められており、働ける者には強制労働が課せられた。**

C ○ 「**恤救規則**（じゅっきゅう）」は1874（明治7）年に、明治政府が生活困窮者の公的救済を目的として定めた、日本で初めての統一的な基準による救貧法である。同規則では、人民相互の情誼（じょうぎ）（家族や親族、近隣による扶養や相互扶助）にて行うことを原則とし、無告の窮民（貧困を訴えるすべさえ持たない困窮者）のみをやむをえずこの規則により救済するものと定められていた。

D × 「**救護法**」は1929（昭和4）年に恤救規則に代わるものとして、様々な理由で生活できない者を救護する法律として発布された。救護の対象は、**65歳以上の老衰者、13歳以下の幼者、**

妊産婦、不具廃疾・疾病・傷痍・その他精神または身体の障害により業務の遂行が著しく困難な者で、扶養義務者からの扶養を受けることが難しい者が対象とされた。

問３ 子育て支援 正解１

A ○ 「保育所保育指針」には、第１章「総則」1「保育所保育に関する基本原則」(1)「保育所の役割」ウにおいて、保育所は、入所する子どもへの保育と、**子どもの保護者に対する支援**、地域の子育て家庭に対する支援等を行う役割を担うとされている。

B ○ 同指針第４章「子育て支援」1「保育所における子育て支援に関する基本的事項」(2)「子育て支援に関して留意すべき事項」イにおいて「**子どもの利益に反しない限りにおいて、保護者や子どものプライバシーを保護し、知り得た事柄の秘密を保持すること**」とある。

C ○ 同２「保育所を利用している保護者に対する子育て支援」(1)「保護者との相互理解」アにおいて「日常の保育に関連した様々な機会を活用し子どもの日々の様子の伝達や収集、保育所保育の意図の説明などを通じて、**保護者との相互理解を図るよう努める**こと」とある。

D ○ **地域子ども・子育て支援事業**は、地域で暮らす子ども及びその保護者の**身近な場所**において行われる。同事業は、市町村が地域の実情に応じて、市町村子ども・子育て支援事業計画に従って実施する事業であり、地域で暮らす子ども・子育て家庭の生活を支援することを目的に実施されるものである。

問４ 保護者支援・子育て支援 正解２

A ○ 子育ての相談は、保護者の悩みや不安、葛藤などを表に示す内容である場合が多く、支援者に話すことをためらう場合もある。しかし、支援を行うにあたって、事実に関わる情報の収集は必要不可欠であり、**支援者は保護者の気持ちを受け止める姿勢を常に持ち、**情報をていねいに聞き出すことが必要となる。また、気持ちを受け止める姿勢については、相談援助の基本となるバイステックの７原則においても「意図的な感情表現の原則」や「受容の原則」、「非審判的態度の原則」として示されている。

B ○ 「保育所保育指針」第４章「子育て支援」２「保育所を利用している保護者に対する子育て支援」(3)「**不適切な養育等が疑われる家庭への支援**」において、子どもの最善の利益を確保するため「市町村や関係機関と連携し、要保護児童対策地域協議会で検討するなど適切な対応を図ること。また、虐待が疑われる場合には、速やかに市町村又は児童相談所に通告し、適切な対応を図ること」とあり、**必要に応じた介入の重要性が示されている。**

C × 同３「地域の保護者等に対する子育て支援」(1)「地域に開かれた子育て支援」および (2)「地域の関係機関等との連携」において、地域の子どもに関わる課題に対して、**地域社会との連携及び協力の体制を築き、支援するこ**

との必要性が示されている。

D　○　子育て環境の整備に関しては、必要とするすべての家庭が利用でき、子どもがより豊かに育っていくための支援ができるように、**制度環境の改善も重要である**。なお、保育や幼児期の学校教育、地域の子育て支援の量の拡充や質の向上を進めるための制度として、「子ども・子育て支援制度」がある。

問5　生活保護制度　正解 1

A　○　「生活保護法」は1950（昭和25）年に制定され、**申請保護の原則、基準及び程度の原則、必要即応の原則、世帯単位の原則**の4つを掲げている。

B　○　同法第3章「保護の種類及び範囲」第11条「種類」において、保護の種類は、**生活扶助、教育扶助、住宅扶助、医療扶助、介護扶助、出産扶助、生業扶助、葬祭扶助**の8つが定められており、これらは要保護者の必要に応じて単独で、あるいは組み合わせて行われる。

C　×　同法に基づく保護施設は、第6章「保護施設」第38条「種類」において、救護施設、更生施設、医療保護施設、**授産施設、宿所提供施設**の**5つ**が示されている。

D　○　令和4年版「厚生労働白書」によると、生活保護制度の被保護者数は、1995（平成7）年の88万2千人を底として増加し、**2015（平成27）年3月**に過去最高の216万4千人を記録して以降、**減少に転じていた**。しかし、その後増加し、2023（令和5）年2月は202.2万人となっている。

問6　社会福祉事業の種別　正解 3

1、2、4、5　○　記述のとおりである。

3　×　授産施設は、**第一種社会福祉事業**である。

第一種社会福祉事業は、利用者の保護の必要性の高い事業を行っており、主に入所サービスの事業が該当となる。そして、利用者保護の観点から経営の安定化が図られることが重要であるため、原則として、国や地方自治体、社会福祉法人が経営主体として認められている。

主な施設としては、選択肢の児童自立支援施設、特別養護老人ホームのほかに、救護施設、更生施設、宿所提供施設、児童養護施設、乳児院、母子生活支援施設、障害児入所施設、養護老人ホーム、軽費老人ホーム、障害者支援施設、婦人保護施設等が該当する。その他、共同募金や生活福祉資金貸付制度も第一種社会福祉事業である。

第二種社会福祉事業は、第一種と比べて**利用者への影響が小さく、公的な規制が少ない**という特徴がある。経営主体の制限はなく、行政や社会福祉法人以外の組織や団体でも運営可能である。

主な施設としては、選択肢の視聴覚障害者情報提供施設、地域活動支援センターのほかに、助産施設や保育所、母子福祉施設、老人デイサービスセンター、老人短期入所施設、福祉ホーム等が該当する。

問7　社会福祉施設の職員　正解 1

A　○　**障害者支援施設**には、**生活支援員**の配置が定められている（「障害者の日常生活及び社会生活を総合的に支援

問題◀本冊 p.156～159

するための法律に基づく障害者支援施設の設備及び運営に関する基準」第11条)。

B ○ **母子生活支援施設**には、**少年を指導する職員**の配置が定められている(「児童福祉施設の設備及び運営に関する基準」第27条)。

C ○ **補装具製作施設**には、**訓練指導員**の配置が定められている(「身体障害者社会参加支援施設の設備及び運営に関する基準」第26条)。

D ○ **養護老人ホーム**には、**生活相談員**の配置が定められている(「養護老人ホームの設備及び運営に関する基準」第12条)。

問8 社会保険 正解4

A × **国民年金**は、「国民年金法」第7条「被保険者の資格」において、日本国内に住所を有する**20歳以上60歳未満の者**が被保険者となる年金制度である。

B ○ **雇用保険**は、**失業等給付**(求職者給付、就職促進給付、教育訓練給付、雇用継続給付)、**育児休業給付**、**雇用保険二事業**(雇用安定事業、能力開発事業)から成り立っている。

C ○ **高額療養費制度**とは、医療費の負担が大きくなった際に、その負担を軽減する仕組みである。同一月(1日から月末まで)にかかった医療費の自己負担額が高額になった場合、一定の金額(自己負担限度額)を超えた分が、あとで払い戻される。

D × **介護保険制度**の被保険者は、65歳以上の**第一号被保険者**と40歳以上64歳以下の医療保険加入者である**第二号被保険者**に分けられる。第三号被保険者はない。

問9 インテーク 正解4

インテークとは、ケアマネジャーや相談支援専門員、社会福祉士などが行う業務であり、利用者の相談に際し、その主訴や要望を丁寧に聞き取るケアマネジメントの**最初の段階**での業務である。

A × 利用者の**非言語的な表現にも注目し**、伝えたいことを聞き取ろうとすることが重要である。

B ○ 本人やその家族が感じている不安や悩み、現状とその課題などを聞き取り、ふさわしい支援を進めるために、利用者との信頼関係を築いていくことが重要であり、**話しやすい雰囲気や環境を整える**必要がある。

C ○ 支援者は、相談者に具体的に**どのような支援ができるのかを伝え**、解決に向けた取り組みを共有していく。

問10 バイステックの7原則 正解1

バイステックの7原則は、援助者と利用者の信頼関係を構築するための理論と行動の原理である。その内容は、①個別化の原則、②意図的な感情表出の原則、③統制された情緒的関与の原則、④受容の原則、⑤非審判的態度の原則、⑥自己決定の原則、⑦秘密保持の原則の7つである。

A ○ **個別化の原則**である。

B ○ **非審判的態度の原則**である。

C ○ **統制された情緒的関与の原則**である。

D ○ **秘密保持の原則**である。

問 11 相談援助の方法・技術等 正解 2

A ○ 記述のとおりである。厚生労働省社会・援護局障害保健福祉部の「相談支援の手引き」第1章「ケアマネジメントの基本」には、**ケアマネジメント**とは、支援を必要とする者が、地域社会での見守りや支援を受けながら、総合的にかつ効率的に継続して生活課題の解決を図るためのプロセスと、それを支えるシステムと示されている。

B × 記述の内容は、**ネットワーキング**についての説明である。ネットワーキングは、社会支援を相互に提供することを可能にする地域社会の構造を作り出していくことであり、人々が希望と尊厳をもって暮らすことができるためのものである。

C × 記述の内容は、**ソーシャルアクション**についての説明である。ソーシャルアクションは、社会行動や社会活動という意味をもち、社会問題解決のための社会参加の促進や、制度の創設、改善、思想の浸透などを目指して行う組織的な活動のことである。

問 12 社会資源 正解 3

A ○ 社会資源とは、利用者等のニーズを充足するために用いられる有形ないしは無形の資源である。**制度や機関、人材、資金、技術、知識等の総称**であり、フォーマルな社会資源（行政によるサービスや公的なサービス）と、インフォーマルな社会資源（家族や親戚、友人、知人、近隣の人、ボランティアなど）がある。

B × 家族、親戚、知人、近隣住民、ボランティアは、**インフォーマルな社会資源**である。

C × 行政や社会福祉法人によって提供されるサービスは、**フォーマルな社会資源**である。

問 13 第三者評価事業 正解 5

A × **第三者評価事業**は、社会福祉法人等の事業者の提供するサービスの質を、事業者や利用者以外の公正で中立的な第三者機関が、専門的かつ客観的な立場から評価する事業である。サービス結果や経営の良い点、改善点などを発見し、組織全体の質の向上へとつながる役割を担うものであり、**事業者の優劣をつけたり、ランクづけを行うものではない**。

B × 福祉サービスの第三者評価事業の普及促進は、**全国社会福祉協議会**の第三者事業においての普及・啓発が定められている。また「福祉サービス第三者評価事業に関する指針」（2004〔平成16〕年5月）においては、各都道府県に一つ設置される**都道府県推進組織**の業務において、情報公開及び普及・啓発に関する業務を行うこととされている。

C ○ 福祉サービスの第三者評価事業を行う評価機関は、都道府県推進組織における**第三者評価機関認証委員会**の認証を受け、適切に業務遂行にあたる。また、同委員会には、都道府県推進組織への定期的な事業報告と、都道府県推進組織への協力が定められている。

問題◀本冊 p.159 ～ 162

D × 全国社会福祉協議会が実施する。同協議会は、福祉サービス第三者評価事業の推進及び都道府県における福祉サービス第三者評価事業の推進組織に対する支援を行う観点から、**各種ガイドラインの策定・更新**、評価調査者養成研修等モデルカリキュラムの作成・更新、福祉サービス第三者評価事業の普及・啓発、その他福祉サービス第三者評価事業の推進に関することを業務として行うことが定められている。

問14 成年後見制度 正解5

A × 成年後見制度は、2000（平成12）年4月から施行された制度であり、法定後見制度と任意後見制度の2つがある。法定後見制度の根拠法は「**民法**」であり、第7条等において定められている。任意後見制度の根拠法は、「**任意後見契約に関する法律**」であり、第1条において定められている。なお、2016（平成28）年に「成年後見制度の利用の促進に関する法律」が施行され、成年後見制度の利用が促進されている。

B × 任意後見契約は、**本人の判断能力が十分なうちに**、自分の判断能力が低下した場合に備えて、自分に代わって財産管理等の仕事をしてくれる人（任意後見人）をあらかじめ定め、財産管理等の代理権を与えて仕事（法律行為）をしてもらうことを委任する契約である。

C ○ 法定後見制度は、認知症や知的障害、精神障害等を理由に**本人の判断能力が不十分な場合に**、財産管理や契約、遺産分割の協議等において、不利益を生じることがないように、家庭裁判所によって選任された成年後見人等（成年後見人、保佐人、補助人）が、本人を法律的に支援する制度である。

問15 福祉サービス利用援助事業 正解4

A × 地域福祉権利擁護事業は、1999（平成11）年10月から開始され、**2007（平成19）年度**から日常生活自立支援事業に名称が変更された。同事業は、認知症、知的障害、精神障害等を理由に判断能力が不十分な者が、地域において自立した生活を送ることができるように、利用者との契約に基づいて、福祉サービスの利用援助等を行うことにより、その者の権利擁護に資することを目的とする。

B × 日常生活自立支援事業は、認知症高齢者、**知的障害者**、精神障害者のうち、判断能力が不十分な者に対して、利用者との契約に基づいて利用援助等を行う。

C ○ 日常生活自立支援事業は、全国的なネットワークを有する都道府県社会福祉協議会を実施主体とした、**国庫補助事業**として実施されている。

D × 日常生活自立支援事業の実施主体は、**都道府県社会福祉協議会**または**指定都市社会福祉協議会**である。ただし、一部の業務に関して、市区町村社会福祉協議会等に委託することが可能である。

問16 苦情解決 正解3

A ○ 福祉サービスの苦情解決に関わる**運営適正化委員会**は、「運営適正化委員会における福祉サービスに関する苦情解決事業実施要項」(2000〔平成12〕年6月厚生労働省社会・援護局長通知)において、福祉サービス利用援助事業の適正な運営を確保するため、都道府県社会福祉協議会に設置することが示されている。

B ○ 苦情解決体制として、「社会福祉事業の経営者による福祉サービスに関する苦情解決の仕組みの指針について」(2000〔平成12〕年6月厚生労働省)2「苦情解決体制」において、**苦情解決責任者、苦情受付担当者、第三者委員**を設置し、苦情解決の仕組みを設けることが示されている。

C × 市町村社会福祉協議会ではなく、**都道府県社会福祉協議会**に設置された「運営適正化委員会」が、苦情解決のためのあっせんや改善指導を行う。

D ○ 記述のとおりである。運営適正化委員会の委員は、「運営適正化委員会等の設置要項」(2000〔平成12〕年6月厚生労働省)に基づき、**人格が高潔で、社会福祉に関する識見をもち、社会福祉あるいは法律、医療に関する学識経験をもつ者**で構成される。

問17 子ども・子育て支援施策 正解2

これらの施策を年代の古い順に並べると、以下により「**C→A→D→B**」となる。

A 「次世代育成支援対策推進法」が制定されたのは、2005(平成17)年である。

B 第3次「少子化社会対策大綱」が制定されたのは、2015(平成27)年である。

C 「重点的に推進すべき少子化対策の具体的実施計画について」(新エンゼルプラン)が制定されたのは、2003(平成15)年である。

D 「子ども・子育てビジョン」が制定されたのは、2010(平成22)年である。

問18 「社会福祉法」 正解5

A－イ:共生
B－オ:孤立
C－カ:地域生活

「社会福祉法」第4条「地域福祉の推進」第1項では「地域福祉の推進は、地域住民が相互に人格と個性を尊重し合いながら、参加し、**共生**する地域社会の実現を目指して行われなければならない」と定められている。

また同法第3項では「地域住民等は、地域福祉の推進に当たっては、福祉サービスを必要とする地域住民及びその世帯が抱える福祉、介護、介護予防、保健医療、住まい、就労及び教育に関する課題、福祉サービスを必要とする地域住民の地域社会からの**孤立**その他の福祉サービスを必要とする地域住民が日常生活を営み、あらゆる分野の活動に参加する機会が確保される上での各般の課題を把握し、**地域生活課題**の解決に資する支援を行う関係機関との連携等によりその解決を図るよう特に留意するものとする」と定められている。

問題◀本冊 p.163～165

問19	「国民生活基礎調査の概況」	正解1

A ○　児童のいる世帯のうち、核家族世帯は886万7千世帯で、児童のいる世帯の**82.6%**を占めている。なお、2022（令和4）年の児童のいる世帯のうちの核家族世帯は、837万4千世帯である。

B ○　全国の世帯総数は5,191万4千世帯、児童のいる世帯は1,073万7千世帯で、全世帯の**20.7%**である。なお、2022（令和4）年の児童のいる世帯は、全世帯の18.7%である。

C ○　平均世帯人員は、**2.37人**である。なお、1953（昭和28）年は5.00人であった。なお、2022（令和4）年の平均世帯人員は、2.25人である。

D ×　65歳以上の者がいる世帯のうち、三世代世帯は240万1千世帯（65歳以上の者のいる世帯の9.3%）と**最も少ない**。なお、2022（令和4）年においても65歳以上の者のいる世帯では、三世代世帯が最も少ない。

問20	地域生活課題	正解2

A ○　2021（令和3）年度の不登校児童生徒数は、小学校で81,498人、中学校で163,442人、小中学校合計で**244,940人**である。その数は、2012（平成24）年度調査の112,689人から、**9年連続で増加している**。なお、2022（令和4）年の小学生・中学生の不登校児同生徒数は299,048人で、過去最多となった。

B ×　ひきこもりの定義は、「ひきこもりの評価・支援に関するガイドライン」（平成22年5月）によると、「様々な要因の結果として、社会的参加（就学、就労、家庭外での交友など）を回避し、原則的には**6か月以上**にわたって概ね家庭にとどまり続けている状態（他者と交わらない形での外出をしていてもよい）を指す現象概念」とされている。

C ○　2021（令和3）年の自殺者数は**21,007人**で、このうち女性の自殺者数は**7,068人**で、令和2年から**2年連続で増加した**。なお、2023（令和5）年の自殺者数は21,837人で、このうち女性の自殺者数は6,975人である。

D ×　**ヤングケアラー**とは、本来大人が担うと想定されている家事や家族の世話などを日常的に行っている子どものことである。具体的には、「障害や病気のある家族に代わり、買い物・料理・掃除・洗濯などの家事をしている」や「家族に代わり、**幼いきょうだいの世話をしている**」などの状態である。その責任の負担や重さにより、学業や友人関係などに影響が出てしまうことがある。

教育原理

問1 「日本国憲法」 正解5

A 権利
B 義務

記述は、「日本国憲法」の教育権に関する条文である。教育を受ける**権利**については、同法第26条第1項に、**義務教育**に関しては、同第2項に規定されている。なお、同第2項では、続いて「義務教育は、これを無償とする」と義務教育の無償をうたっている。

問2 「幼稚園教育要領」 正解4

A－ウ：幼児期の教育
B－イ：幼稚園教育
C－カ：学校教育法

「幼稚園教育要領」（2018〔平成30〕年4月施行）の第1章「総則」第1「**幼児教育の基本**」の内容である。**幼稚園**については、「**学校教育法**」の第22条から第28条に定められている。特に、目的については同法第22条、目標は第23条に記載されている。なお、保育所については「児童福祉法」において定められている。

問3 「幼保連携型認定こども園教育・保育要領」 正解3

A ○ 全体的な計画は、「**幼児期の終わりまでに育ってほしい姿**」を踏まえて作成する。「幼保連携型認定こども園教育・保育要領」第1章「総則」第2「教育及び保育の内容並びに子育ての支援等に関する全体的な計画等」1「教育及び保育の内容並びに子育ての支援等に関する全体的な計画の作成等」(1)「教育及び保育の内容並びに子育ての支援等に関する全体的な計画の役割」の内容である。

B × 同(3)「教育及び保育の内容並びに子育ての支援等に関する全体的な計画の作成上の基本的事項」イより、51週ではなく**39週**である。

C × 同ウより、8時間ではなく**4時間**が標準である。

D ○ 同要領第1章「総則」第2の1(4)「教育及び保育の内容並びに子育ての支援等に関する全体的な計画の実施上の留意事項」の内容である。

E ○ 同(1)「教育及び保育の内容並びに子育ての支援等に関する全体的な計画の役割」の内容である。

「幼保連携型認定こども園教育・保育要領」は、幼保連携型認定こども園の教育課程その他の教育及び保育の内容に関する事項について定めたものである。基本的には幼稚園教育要領及び保育所保育指針との整合性がとられているが、幼保連携型認定こども園として特に配慮すべき事項が第1章「総則」及び第4章「子育て支援」に記載されている。

問4 プロジェクト・メソッド 正解3

1 ○ **キルパトリック**はデューイの経験主義の考え方を受け継ぎ、問題解決学習を理論化し、**プロジェクト・メソッド**として提唱した。

2 ○ プロジェクト・メソッドは学習者が主体（子ども中心）の学習方法であり、

問題◀本冊 p.166～169

特徴として**目標設定、計画立案、実践、評価**という一連の過程を持っている。

3 × プロジェクト・メソッドは、**経験主義の考えを基としており**、系統性を重視した教育方法ではない。

4 ○ キルパトリックは問題解決学習を理論化し、プロジェクトを「**社会的な環境の中で全精神を打ち込んで行われる目的の明確な活動**」と定義した。

5 ○ プロジェクト・メソッドでは、学習者の**自発性、能動性**が重視される。

問5	海外の就学前教育	正解1

1 ○ ラーニング・ストーリー（Learning Stories）は**ニュージーランド**で生まれた学習方法であり、「学びの物語」ともいわれる。子どもの学びを肯定的に捉え、写真を交えながら、学びを継続的に記録していく。

2 × **イタリア**で行われている世界的に知られている保育に、**レッジョ・エミリア・アプローチ**がある。イタリアのレッジョ・エミリア市で始まり、ローリス・マラグッツィの理論的主導により形作られた教育実践である。

3 × **シンガポール**には就学前教育のカリキュラムとして**NEL**（Nurturing Early Learners）がある。美的感覚と創造的表現、世界の発見、言語とリテラシー、運動技能の発達、数・量・形の理解、社会的・情緒的発達の、6つの学習領域がある。

4 × **スウェーデン**では、教育とケアを統合させた**エデュケア**（educare）の理念のもと、遊びを中心とした保育が行われている。

5 × **イギリス**では**乳幼児期基礎段階**（Early Years Foundation Stage，EYFS）という就学前（5歳未満）の子どもを対象とするカリキュラムが定められている。

問6	日本の教育制度	正解4

1 × 「**学事奨励二関スル被仰出書**」は、1872（明治5）年に学制とともに公布され、その趣旨を説明するものであった。「学制序文」や「太政官布告」ともいわれる。

2 × 「**小学校令**」は1886（明治19）年に制定された勅令であり、それまでの教育令を廃し、小学校の設置、運営に関する基本事項を定めたものである。

3 × 「**教育二関スル勅語（教育勅語）**」は1890（明治23）年に明治天皇により下された勅語であり、教育の基本方針を示すものである。

4 ○ 「**教育令**」は1879（明治12）年に、「学制」（1872〔明治5〕年公布）に代わる教育制度を定めるものとして公布された。画一的ではなく地方の実情にあわせられるように、その権限が大幅に地方にゆだねられた。

5 × 「**教育基本法**」は日本の教育の原則を定めた法律であり、1947（昭和22）年に公布・施行された。その後、教育をめぐる状況の大きな変化に対応すべく2006（平成18）年に全部を改正し、公布・施行された。

問7 日本の教育思想家 正解 1

1 ○ **中江藤樹**(なかえとうじゅ)は、近江国(現、滋賀県)に生まれた儒学者である。37歳のときに『王陽明全書』を得たことで陽明学に傾倒し、日本の陽明学の祖といわれるまでになった。

2 × **伊藤仁斎**(いとうじんさい)は、江戸時代前期の儒学者であり、『論語』から原義を求める古義学派の祖といわれる。

3 × **緒方洪庵**(おがたこうあん)は、江戸時代後期の蘭学者、医師であり、大阪に適塾を開いた。天然痘治療への功績から、日本の近代医学の祖といわれている。

4 × **林羅山**(はやしらざん)は、江戸時代初期の儒学者であり、徳川家康、秀忠、家光、家綱に仕えた。上野忍岡(しのぶがおか)に家塾(のちの幕府直轄の教学機関となる昌平黌(しょうへいこう))を建てた。

5 × **貝原益軒**(かいばらえきけん)は江戸時代前期から中期の儒学者であり、筑前国(現、福岡県)に生まれた。筑前国の地誌である『筑前国続風土記』や、養生の指南書である『養生訓』を著した。

問8 潜在的カリキュラム 正解 4

潜在的カリキュラムは、隠れたカリキュラムとも言われ、意図の有無にかかわらず、学校生活の中で子どもが学び取っていくものを指す。また、**ジェンダー・バイアス**とは、男女の役割や性差について、無意識に固定的な観念を持つことである。

A × 「**性別にかかわらず**」とあり、性別による役割を意識させないようにしている。

B ○ **性別により色を分ける**ことは、ジェンダー・バイアスを助長する恐れがある。

C × **身体機能としての性差を教える**ことは、ジェンダー・バイアスを助長することにはならない。

D ○ 「**男なのだから**」というのは、性差の固定観念に基づく発言である。

E ○ 「**女の子らしい服装**」というのは、性差の固定観念に基づく発言である。

問9 「新・放課後子ども総合プラン」 正解 1

「**新・放課後子ども総合プラン**」は、すべての児童が放課後等を安全、安心に過ごせるよう定められた放課後対策事業である。

1 × 移管ではなく、文部科学省と厚生労働省が協力し取り組んでいる(同プラン1「趣旨・目的」)。

2 ○ **1万か所以上**での実施を目指している。同プラン3「国全体の目標」②の内容である。

3 ○ 同プラン4「事業計画」(1)「基本的な考え方」の内容である。

4 ○ **民間企業**が実施主体としての役割をより一層担っていくことが考えられる。同プラン7「市町村における放課後児童クラブ及び放課後子供教室の実施」(6)「民間サービス等を活用した多様なニーズへの対応」の内容である。

5 ○ **地域人材の参画**を促進していくことも望まれる。同プラン7(6)の内容である。

問題◀本冊 p.169 ~ 171

問10 令和の日本型学校教育 正解2

「「令和の日本型学校教育」の構築を目指して～全ての子供たちの可能性を引き出す、個別最適な学びと、協働的な学びの実現～（答申）」（2021〔令和3〕年）は、**2020年代を通じて実現を目指す学校教育の方向性**を示したものである。

A ○ 同答申第Ⅰ部「総論」1「急激に変化する時代の中で育むべき資質・能力」により正しい。**多様な人々と協働**しながら、**持続可能な社会の創り手**となれるよう資質・能力を育成することが求められている。

B ○ 同答申第Ⅰ部1により正しい。記述の資質・能力は、AI（人工知能）といった**社会の大きな変化に対応するため**に必要な資質・能力としてあげられたものである。

C × 同答申第Ⅰ部「総論」2「日本型学校教育の成り立ちと成果、直面する課題と新たな動きについて」(3)「変化する社会の中で我が国の学校教育が直面している課題」①「社会構造の変化と日本型学校教育」により、誤りである。記述のような労働者の育成が目指されてきたのは、高度経済成長期までの社会においてである。同答申では、このような労働者の育成を目指す中では、**他者と協働し、自ら考え抜く学びが十分なされていなかった**と指摘した。

D ○ 同答申第Ⅰ部1により、正しい。記述の資質・能力は、**答えのない問いに立ち向かうため**、新学習指導要領で育むべき資質・能力として挙げられたものである。

社会的養護

問1 「児童福祉法」 正解4

1 × 「児童福祉法」第2条第2項に、児童の第一義的責任を負う者は、「**児童の保護者**」とある。

2 × 同法第3条の2に、家庭養育が困難であり、または適当でない場合には、「**家庭における養育環境と同様の養育環境**」で養育するとある。

3 × **すべての児童**は、「児童の権利に関する条約の精神」にのっとり、適切に養育され、その生活を保障され、愛され、保護されること、その心身の健やかな成長及び発達並びにその自立が図られること、その他の福祉を等しく保障される権利を有する（同法第1条）。

4 ○ 記述は、同法第2条第1項の文章である。すべての国民は、児童の年齢及び発達の程度に応じて、その**意見が尊重**されるよう努めなければならない。

5 × 都道府県が業務を適切に行うのではなく、都道府県は、**市町村**の行う業務が適正かつ円滑に行われるよう、**必要な助言及び適切な援助を行う**（同法第3条の3第2項）。

問2 「里親及びファミリーホーム養育指針」 正解4

A × 里親及びファミリーホームでの養育は、「**家庭養護**」である。「家庭的養護」は、**施設**において家庭的な養育環境をめざす。

B × 里親ら養育者は、社会的養護の担い手であり、**社会的な責任に基づいて**養育を提供する。

C ○ 社会的養護の養育は、養育者が単独で担えるものではなく、**家庭外の協力者なしに成立するものではない。**

D ○ 里親制度には**4つの類型**があり、各々の特色を活かしながら養育が提供される。

問3	社会的養護における専門職	正解 3

A ○ なお、記述の**児童養護施設、児童心理治療施設、福祉型障害児入所施設**のほか、**医療型障害児入所施設**にも保育士の配置が義務づけられている。

B × 里親支援専門相談員は、乳児院、児童養護施設に配置され、児童相談所とも連携するが、**配置義務はない。**

C ○ **心理療法担当職員**は、子どもとその保護者に心理療法を行うことができる。

D × 虐待を受けた児童がいる、いないにかかわらず、**乳児院、児童養護施設、児童自立支援施設**には、**個別対応職員の配置が義務づけられている。**なお、DV等により個別支援を必要とする母子がいる場合に限り、**母子生活支援施設**にも配置が義務づけられる。

問4	地域支援事業	正解 2

A ○ なお、**短期入所生活援助（ショートステイ）事業**の実施施設は、児童養護施設、母子生活支援施設、乳児院、保育所、ファミリーホームである。

B × 現在、乳児院と児童養護施設に、地域支援を専門とする相談員は**配置されていない。**

C × 児童家庭支援センターは、地域の児童に関する問題につき、児童、家庭、地域住民等からの相談に応じる。社会的養護に関係する施設において、児童家庭支援センターの**設置義務はない。**

D ○ 社会的養護の機能として、**地域支援等の機能**があり、地域住民への支援も施設機能として発揮することが求められている。

問5	親子関係再構築支援	正解 4

「**社会的養育の推進に向けて**」（令和4年）より、（**A**）～（**E**）は以下のとおりとなる。

A × 「実親との協働」が大前提であり、里親も**子どもと実親の関係性に関する支援を行う。**

B × 親子関係の再構築等の家庭環境の調整は、措置の決定・解除を行う**児童相談所**の役割である。

C ○ 子どもの生い立ち整理の実践である「ライフストーリーワーク」などを用いながら、**子どもの心の整理を支援していく。**

D × 家庭復帰等、家庭への支援を主に行うのは、**家庭支援専門相談員**である。

E ○ 保護者の教育的な子育てスキルの獲得として、**ペアレントトレーニング**が取り入れられている。

問6	アフターケア	正解 4

「児童養護施設運営指針」第Ⅱ部1（12）「継続性とアフターケア」より、（**A**）～（**D**）は以下のとおりとなる。

A × 子どもの権利擁護の視点から、児

童相談所は**児童、保護者、双方の意向を参考に**、退所の判断を行う。

B ○ 退所後も、子どもや家庭の**状況の把握に努め、記録をとる**。

C ○ 退所後も子どもと保護者が**相談できる窓口を設置し、そのことを伝えておく**。

D ○ **アフターケア事業は施設の業務の一環であり**、退所児童が施設へ再び足を運びやすい行事などを企画する。

問7 養育・支援の基本 正解3

「児童養護施設運営指針」より、（A）～（D）は以下のとおりとなる。

A ○ **整理整頓、掃除等の習慣が身につくようにする**。なお、子ども自身のスキル獲得だけでなく、居室等施設全体が常に整備されているようにする。

B × 性をタブー視せずに、子どもの年齢・発達に応じて**性教育を実施する**。

C ○ **できるだけ、個人所有とする**。食器や日用品は子どもの好みに合わせて提供し、個人の所有物を保管するロッカー、タンス等も整備する。

D × 子どもが自分の生活を主体的に考えることができるように、行事などの企画・運営は**子どもが主体的にかかわり、子どもの意見を反映させられるようにする**。

問8 小規模住居型児童養育事業 正解4

A × 小規模住居型児童養育事業の養育者の要件は、**里親としての養育経験を有する者**のほか、**乳児院、児童養護施設等での養育の経験がある者**とされている。

B ○ 里親養育包括支援（フォスタリング）事業の対象は、「養子縁組、里親、**小規模住居型児童養育事業（ファミリーホーム）**を行う者」である。

C ○ **養育者が2名の場合は、補助者1名以上、養育者が1名の場合には補助者2名以上**を配置することとなっている。

問9 要保護児童の措置・入所 正解3

「児童福祉法」第27条第1項第3号により、措置を要すると認められた児童については「小規模住居型児童養育事業」もしくは「**里親**」に委託するか、「**乳児院、児童養護施設**、障害児入所施設、児童心理治療施設若しくは**児童自立支援施設**に入所させること」となっている。よって、解答は以下のとおりとなる。

1 ○ **乳児院**
2 ○ **児童養護施設**
3 × **母子生活支援施設**
4 ○ **児童自立支援施設**
5 ○ **里親**

問10 事 施設職員の対応 正解4

1 × 面会は、**子どもと家族の関係維持のための重要な支援であり**、積極的に行われるべきものである。Y君への対応として、Z君の親との面会の回数を減らすのは適切ではない。

2 × 他児の面会を原因とするトラブルで、児童の措置変更を検討する判断は適切ではない。措置変更を検討する前に、行うべき対応がある。

3 × 子どもが抱いている家族や保護者に対する思いの表現は様々であり、職員はそのような視点をもちながら**思いを聞き取ることが必要である**。Y君を厳しく指導する対応は、適切ではない。

4 ○ 自己を形成していくことの手助けにもなる「**ライフストーリーワーク**」は、Y君の生い立ちについての心の整理として有効な支援の一つである。

5 × スーパービジョンは、**対人援助を行う者**が第三者から助言を得ることである。事例においてスーパービジョンを受ける対象者は、施設職員である。

子どもの保健

問1	(指)「情緒の安定」	正解 3

「保育所保育指針」第1章「総則」2「養護に関する基本的事項」(2)「養護に関わるねらい及び内容」イ「情緒の安定」より、以下のとおりとなる。

1 ○ 同(ア)「ねらい」②の記述である。

2 ○ 同(ア)「ねらい」④の記述である。

3 × 食事は全員一斉に取るように設定するのではなく、「**一人一人の子どもの生活のリズム、発達過程、保育時間などに応じて**、活動内容のバランスや調和を図りながら、適切な食事や休息が取れるようにする」(同(イ)「内容」④)。

4 ○ 同(イ)「内容」③の記述である。

5 ○ 同(イ)「内容」①の記述である。

問2	原始反射	正解 2

大脳が未熟な新生児の行動は、反射運動が大部分を占める。生まれつき備わった新生児の様々な反射のことを、**原始反射**という。

1 ○ **吸てつ反射**とは、口腔内に指や乳首を入れると吸いつく反射で、原始反射である。

2 × **膝蓋腱反射**とは、膝を曲げた姿勢で、膝頭の下部を打腱器で打つと大腿四頭筋が収縮して下腿が跳ね上がることをいう。人間の正常な反射のひとつであり、成人でもみられる。

3 ○ **把握反射**とは、手のひらや足の裏に触れた物を握ろうとする反射であり、

問題◀本冊 p.177 ～ 179

原始反射である。

4 ○ **緊張性頸反射**とは、仰臥位で頭を一方に向けると、その側の上下肢は伸展し、反対側は屈曲する反射であり、原始反射である。

5 ○ **モロー反射**とは、音や光などの大きな刺激に対し、手足を伸展させた後、抱きつくように屈曲する反射であり、原始反射である。

問3 子どもの生理機能 正解2

A ○ 体液とは体内の液状成分をいい、細胞内液と細胞外液からなり、新生児では**約80%**である。成人は、約60%であり、乳幼児は成人に比べ、脱水状態になりやすい。

B × 性ホルモンのうち、男性ホルモンは出生時に**性差はなく**、6か月頃まで**漸減**する。女性ホルモンは出生時は高めだが、出生後に**減少し**、6か月頃より変動はない。

C ○ 膵臓のランゲルハンス島には、α細胞とβ細胞があり、α細胞からはグルカゴン、**β細胞からはインスリンが分泌される**。グルカゴンもインスリンも、ともに血糖値の調整に関係する重要なホルモンである。

D × 体温を測る場合、一般的に腋窩（わきの下）で測定するが、口腔で測定することもある。測定部位が外気温や体の中心からどれくらい離れているかにより、温度差が生じる。**腋窩温は口腔温より約0.5℃低く**、直腸温より約1℃低い。

問4 子どもの生理機能の発達 正解2

1 × 嚥下機能（食べ物を飲み込む機能）は、**離乳初期**に獲得される機能である。

2 ○ 胎児は胎盤と臍帯（へそのお）を介して母体の血液から酸素や栄養をもらっている。これを**胎児循環**という。生後、**肺呼吸**が開始されると、成人と同じように肺循環が開始される。

3 × 乳歯の石灰化は**妊娠初期から始まり**、前歯は生後6～8か月頃に生え始める。なお、乳歯の数は全部で20本である。

4 × **大脳は、乳幼児期に急速に発育・発達する**。脳の重量は出生時に約350g（大人の約25%）であり、出生後急速に増加する。なお、呼吸・体温調節中枢である脳幹の機能は生命維持に必要であり、出生時にはほぼ完成している。

5 × 乳児では、尿が膀胱に貯留すると、**反射的に排尿する**。精神運動機能の発達につれ、膀胱の内圧からの刺激が大脳に伝わり、尿意を感じるようになる。

問5 発疹の種類 正解5

発疹とは、皮膚の粘膜などに現れる肉眼的な変化の総称をいう。発疹の原因は細菌やウイルスの感染、皮膚への刺激などがあり、発熱を伴うものは感染性の可能性があり、感染予防対策を行う。

A ウ **紅斑**とは、炎症の代表的所見で、真皮上層の血管が拡張し、皮膚が赤くなっていることである。伝染性紅斑（りんご病）にみられる。

B オ **苔癬化**とは、皮膚を繰り返しかいたり、こすったりすることで生じ、皮膚が厚くなった状態をいう。アトピー性皮膚炎にみられる。

C エ びらんとは、水疱（すいほう）や膿疱（のうほう）が破れて、皮膚がただれている状態である。治癒後は、瘢痕（はんこん）を残さない。かきむしったり熱傷によりおこる。

D ア 丘疹（きゅうしん）とは、皮膚面より小さく盛り上がった発疹で、紅色が多い。大豆大までの変化をいう。麻疹にみられる。

E イ 痂皮（かひ）とは、血液、膿、体液が固まったものである伝染性膿痂疹（のうかしん）（とびひ）にみられる。

問6 頭囲の計測法 正解 2

A 大泉門
B 後頭結節
C 眉と眉の間
D mm

乳児では、**大泉門**（おでこの上あたりのへこみ）の観察も行う。頭囲の計測は、一方の手に巻き尺の0点を持ち、他方の手で**後頭結節**（後頭部の最も突出しているところ）を確認して巻き尺をあて、左右の高さが同じくらいになるようにしながら前頭部にまわして**眉と眉の間**で交差し、前頭部の左右の眉の直上を通る周径を、**1mm 単位**まで計測する。

頭囲の測定値は、脳の発育、発達状態を表す指標となる。頭囲は、出生時約33cmで1～6か月頃までは1か月に約1.5cm、6～12か月頃まで約0.5cm、その後7歳頃までは1年ごとに約0.5cm増加する。大きすぎる頭囲や、小さすぎる頭囲は脳の発育異常が疑われるので受診を勧め、経過観察する。測定方法は、2歳未満の乳幼児は仰向け寝で計測する。

問7 感染症 正解 3

1 × 流行性耳下腺炎は、ムンプスウイルスの感染により発症し、片側もしくは両側の耳下腺の腫脹、発熱、疼痛をきたす。通常1～2週間で軽快するが、**髄膜炎、精巣炎、難聴などの合併症を起こすこともある**。ワクチンは、任意接種である。

2 × ポリオは**ポリオウイルス**による感染により発症し、脊髄の神経細胞が障害され、運動麻痺を起こす。定期接種のDPT-IPV-Hib（ジフテリア、百日咳、破傷風、**不活化ポリオ、ヒブ**）5種混合ワクチンがある。

3 ○ 突発性発疹はヘルペスウイルス6型、7型の感染により発症し、乳児の初めての発熱の原因となることが多い。解熱後に全身に淡い**紅斑**が出現する。

4 × 風疹よりも**麻疹の方が重症化しやすい**。風疹は風疹ウイルスの感染により発症し、発疹が顔や頸部に出現し、全身へと拡大する。紅斑で融合傾向は少なく、**約3日間で消え**、色素沈着も残さない。麻疹は感染力が強く、高熱、全身に紅斑を呈し、肺炎や脳症などの合併症もあり、**乳幼児は重症化しやすく注意が必要である**。定期接種のM（麻疹）R（風疹）ワクチンがある。

5 × 結核は、結核菌の感染により発症し、主な感染経路は**空気感染**である。結核の症状には、長引く咳、痰、微熱、倦怠感などがある。4歳未満の小児や高齢者で重症化しやすい。定期接種のBCGワクチンがある。

問題◀本冊 p.179～182

問8	指「与薬に関する留意点」	正解1

A ○ 保育所においては与薬をしないのが原則であるが、**医師の診断及び指示に基づいた薬**に限定し、保護者に代わって与薬をすることができる。

B ○ 与薬をする際は、**与薬依頼票**を保護者に持参してもらう。保護者は与薬依頼票に、医師名、薬の種類、服用方法等を具体的に記載する。

C ○ 保護者から預かった薬については、他の子どもが誤って服用したりしないように、**施錠できる場所に保管し、管理を徹底する**。

D ○ 与薬をする際は、与薬依頼票を確認し、**子どもの名前、薬の名前、与薬量**を確認し、与薬忘れや誤薬のないようにする。与薬の後は子どもの症状の観察をしっかり行う。

問9	生ワクチン	正解4

A × **1回とは限らない**。ワクチンには、病原体の病原性を低下させた**生ワクチン**と、病原性をなくした**不活化ワクチン**がある。生ワクチンには、BCG、MRワクチン、水痘などがあり、BCGは生後すぐの1回接種であるが、**MRワクチン、水痘は2回接種する**。

なお、追加免疫効果（**ブースター効果**）は、自然感染または追加接種により、抗体価がより早く、より高く上がる効果をいう。

B ○ 病原体に感染したり、予防接種を受けたりすることでリンパ球が働き、病原体の情報を記憶して後天的に獲得する免疫を獲得免疫という。獲得免疫には**細胞性免疫**（T細胞という免疫細胞が主体となって働く）と液性免疫（B細胞が主体となって抗体を作る）があり、生ワクチンの接種では、**両方が期待できる**。

C ○ **注射生ワクチン**を連続して接種する場合には、**27日以上**の間隔をあける。なお、2020（令和2）年10月1日の「予防接種法」改正により、ワクチンを接種する際の接種間隔が一部変更され、不活化ワクチンと経口生ワクチンについては接種間隔の制限が撤廃された。

D ○ 予防接種後の**副反応**は、一時的な反応としての発熱、倦怠感などの全身症状、発赤、腫脹、疼痛などの比較的多く起こる局所症状、アナフィラキシーショックのなどの重大なものから、きわめてまれなものまで、**様々である**。

E × **生ワクチンは、全妊娠期間で接種を行わない**。生ワクチン接種後2か月間は、避妊を指導する。

問10	指 午睡	正解2

A ○ 「保育所保育指針」第1章「総則」3「保育の計画及び評価」(2)「指導計画の作成」オの内容である。午睡は、体力を回復させたり、脳を休ませたりするものであり、子どもには必要不可欠である。

B × 同オより、午睡について、在園時間が異なることや、睡眠時間は子どもの発達の状況や個人によって差があることから、午睡が**一律とならないよう配慮する**。

C ○ 同指針第2章「保育の内容」1「**乳**

児保育に関わるねらい及び内容」(2)「ねらい及び内容」ア「健やかに伸び伸びと育つ」(イ)「内容」④の内容である。午睡を必要とする乳児については、一人一人の生理的なリズムに合わせて落ち着いた安全な環境で十分に睡眠を確保する必要がある。

D ○ 同2「**1歳以上3歳未満児**の保育に関わるねらい及び内容」(2)「ねらい及び内容」ア「健康」(イ)「内容」②の内容である。1歳以上3歳未満児については、子どもの一人一人の成長に合わせて、活動と休息など1日の生活リズムが形成されるような環境づくりや、心身の安定が図られるように工夫する。

問11 消毒薬 正解2

A ○ 遊泳用プールでは原則、**塩素系の消毒剤**が用いられる。衛生基準では、遊離残留塩素濃度が0.4mg/ℓから1.0mg/ℓに保たれるよう毎時間水質検査を行い、濃度が低下している場合には消毒剤を追加するなど、適切に消毒することが定められている。

B × 嘔吐物の消毒に用いる塩素系消毒薬の次亜塩素酸ナトリウムは0.1%(1,000ppm)液、亜塩素酸水は0.01%(100ppm)液であり、**濃度が異なるため**、消毒薬に応じて適切な濃度で希釈する。

C ○ 引火性があるため、アルコール消毒液は**空間噴霧が禁じられている**。また、世界保健機関(WHO)は、消毒剤の空間噴霧に関して「室内空間で日常的に物品等の表面に対する消毒剤の(空間)噴霧は推奨されない」とし「人の健康に有害となり得る」としている。

D ○ ドアノブや手すり、床、トイレの便座、食器のつけ置き等の消毒には**0.02%(200ppm)の次亜塩素酸ナトリウム液**を使用する。使用する製品や対象によって正しく希釈し、使用する。次亜塩素酸ナトリウムは、特にノロウイルス、ロタウイルスに有効である。

E ○ 消毒用**エタノール**等のアルコール類は、一般細菌(MRSA等)、結核菌、真菌、ウイルス(HIV含む)、**新型コロナウイルス**の病原体に有効である。アルコール消毒の際の濃度は、**70%以上95%以下**にする。

問12 (指)「災害への備え」 正解2

A－ア:地震
B－エ:避難訓練
C－オ:密接な連携

「保育所保育指針」第3章「健康及び安全」4「**災害への備え**」(2)「災害発生時の対応体制及び避難への備え」ア〜ウに明記されている。

保育所の避難訓練の実施は、消防法で義務づけられ、少なくとも月1回は行われなければならない。

火災や地震などの災害の発生に備え、施設の安全点検は、**日常的、定期的**に行う。ハザードマップや防災マップなど自治体などの情報も活用し、**マニュアルを作成する**。また、避難するルートに危険がないかを点検しておく。「児童福祉施設の設備及び運営に関する基準」の第6条には「児童福祉施設においては、軽便消火器等の消火用具、非常口その他非常災害に必要な設備を

問題◀本冊 p.182 〜 185

設けるとともに、非常災害に対する具体的計画を立て、これに対する不断の注意と訓練をするように努めなければならない」とある。

問13 感染症の集団発生の予防 正解3

A × 学校感染症第二種に罹患した子どもが登園を再開する際は、医師の意見書または保護者が記入する登園届の提出が望ましいが、**義務ではない**。学校感染症は第一種から第三種まで分類され、第二種の感染症は空気感染、飛沫感染するもので、学校において流行を広げる可能性が高い。

B ○ 保育所では、周囲への感染拡大防止の観点から、学校保健安全法施行規則に規定する出席停止の期間の基準に準じて、**登園を控えてもらう必要がある**。

C ○ 記述のとおりである。なお、ウイルスが体内に侵入しても発病しない**不顕性感染**や、**潜伏期間**（病原体が体内に入ってから発症するまでの期間）もあるので、注意が必要である。

D × 麻疹、風疹に関しては、**1名**でも発生した場合、施設長は市区町村や保健所に**報告する義務がある**。

E ○ 保育所の子どもや職員が感染症に罹患していることが判明した場合、まず**嘱託医等**へ相談する。そして嘱託医の指示を受けた上で、保護者に対して、感染症の発症状況、症状、予防方法等を知らせる。そして、施設長の責任のもと、子どもや職員の健康状態の把握や記録をするとともに、**二次感染予防について保健所等に協力を依頼する**。

問14 子どもに多い事故 正解5

1 ○ 食事中は重大な事故が発生しやすい。誤嚥防止等のため、食事中に眠くなっていないか、**座位の姿勢は正しいか**などに注意する。また、1回に多くの量を与えすぎず、子どもに合った量にする。

2 ○ **ファーストエイド**は、傷病者を助けるために最初にとる行動をいう。救命、症状の悪化防止、苦痛の軽減を目的として行われる。

3 ○ **肘内障**（ちゅうないしょう）とは、ひじ関節が亜脱臼（少しはずれている状態）の状態をいう。幼児に多く、手が強く引っ張られたときに起こりやすいので注意する。手当ては、手を動かないように固定して病院を受診する。

4 ○ 熱傷はⅠ度からⅢ度に分類され、Ⅰ度は表皮が損傷し、皮膚が赤く、ひりひり痛む状態、Ⅱ度は真皮まで損傷し、水疱、びらんができ強く痛む状態、Ⅲ度は皮下組織まで損傷し痛みや皮膚の感じがわからなくなる状態である。小児の熱傷が**全身の約10%以上**を占める場合は、救急車を要請して直ちに医療機関を受診する。

5 × **誤飲**とは、飲んではいけないものが誤って胃に入った状態をいう。たばこの誤飲は、ニコチン中毒を起こす可能性があり、**何も飲ませずに吐かせ、**受診する。

問 15 「保育所におけるアレルギー対応ガイドライン」 正解 1

1 × 繰り返す嘔吐は「エピペン®」使用の対象になっているが、**繰り返す下痢は「エピペン®」使用の対象となっていない。**

2 ○ アレルギー性疾患を有する子どもで、のどや胸が締めつけられる、声がかすれる、犬が吠えるような咳、持続する強い咳込み、ゼーゼーする呼吸、息がしにくいといった**緊急性の高い症状が認められる場合**は、危険な状態であり、**「エピペン®」を速やかに使用**し、救急車を要請する。

3 ○ アレルギーによる意識レベルの低下や血圧低下などを、**アナフィラキシーショック**と呼ぶ。アナフィラキシーショック時の全身の症状として、唇や爪が青白い（チアノーゼ）、脈が触れにくく血圧が低下し、意識がもうろうとし意識レベルが低下しているなどがあるが、このような場合は、**「エピペン®」を速やかに使用し、救急車を要請する。**

4 ○ 「エピペン®」は緊急的な措置のため、**使用後は医療機関を受診し、適切な診断や治療を受ける必要がある。**緊急時には、保育者が注射することもあるため、保育所職員全員が研修等で使用方法を知り、連携体制を整えておく。

5 ○ 「エピペン®」の成分は、光により分解されやすいため、**携帯用ケースに収められた状態で保管する。**また 15℃～ 30℃で保管することが望ましいため、高温になる環境や冷蔵庫等の冷所を避けて保管する。

問 16 「保育所における感染症対策ガイドライン」 正解 3

1 ○ **血液媒介感染**は、血液に病原体が潜み、血液を介して体内に侵入し、感染する。例えば、B 型肝炎ウイルス（HBV）、C 型肝炎ウイルス（HCV）、ヒト免疫不全ウイルス（HIV）などがある。

2 ○ 皮膚にひっかき傷や、かみ傷、すり傷等の傷や、鼻出血の際は血液を介して体内に侵入し、周りの人を感染させたり、あるいは本人が感染する危険がある。応急手当の際は、使い捨てのビニール手袋を装着し、**血液や滲出液（しんしゅつえき）の取り扱いに注意する。**

3 × ひっかき傷等は流水できれいに洗った後、**感染防止のためにガーゼや絆創膏できちんと覆って**傷の手当てをするとともに、ほかの人の血液や体液が傷口に触れないようにする。

4 ○ 本人に症状がなくても、唾液や尿等の体液にウイルスが含まれている可能性もある。子どもの使用するタオルやコップ等は唾液等が付着する可能性があり、感染予防のため、**共有はしない。**感染症流行時は、ペーパータオルの使用が望ましい。

5 ○ 標準化予防策（スタンダードプリコーション）では、すべての**血液**、**体液**、分泌物、排泄物、傷のある皮膚・粘膜は、感染性病原体を含む可能性のあるものとして取り扱うとしており、**防護なく触れることがないように注意する。**

問 17 保育所における感染症 正解 4

1 ○ 乳児の生理的な特徴として、成人

問題◀本冊 p.186 ～ 188

に比べて**鼻道や後鼻孔が狭く、気道も細い**ため、呼吸困難になりやすい。また、鼻水や咳などの呼吸器症状で脱水症になりやすいため、注意が必要である。

2 ○ 動物が保有するサルモネラ菌などの細菌が人に感染する可能性もあるため、動物に触れた後は、**石鹸を用いて流水での手洗いをしっかり行う**。

3 ○ インフルエンザの主な感染経路は**飛沫感染**とともに、**接触感染**である。飛沫感染対策として、流行期はマスクの着用や咳エチケットを行う。接触感染対策として、手洗いを励行する。

4 × **RS ウイルス感染症**は、RS ウイルスの感染により発症する呼吸器感染症である。飛沫感染、接触感染で感染が拡大し、乳児が感染すると重症化しやすいので、**流行期は異年齢間での接触や交流を制限する**。

5 ○ 保育所の感染症対策として、職員の**体調管理**にも気を配り、**予防接種**の状況等も把握しておく。未接種の場合は、嘱託医等に相談し、抗体の有無を調べたり、予防接種を受けるなどの対策をする。

問 18 食物アレルギー 正解 1

A ○ 食物アレルギーの誤食事故のないように、安全な給食を提供するための環境整備が大切である。例えば、**食器の色を変える**、座席を固定するなどの安全対策を行う。

B ○ 食物アレルギーのある子どもの対応としては、**完全除去か全解除の二者択一の対応を原則とする**。

C ○ 食物アレルギーの原因となる食物（鶏卵、牛乳、小麦等）を**使用しない献立を作成する**。また、保育所で初めて食べる食物がないように、保護者と連携する。

D ○ 調理や配膳する際は、調理間違いや配膳間違いなどの人為的な間違いがないように、名前や内容の**指差し声出し確認を徹底する**。

E ○ ヒヤリ・ハット報告とは、あと一歩で事故になるところだったというヒヤリとしたりハッとしたりした事例を報告することである。**ヒヤリ・ハット報告を収集、分析し、事故が起きないように対策を講じる**。

問 19 応急処置 正解 5

応急処置とは、病院にかかる前にできる手当てのことをいい、けがをした人の現状がこれ以上悪化しないために行われるものである。

A × 子どもの鼻に異物（豆やビー玉等）が入ってしまったときは、まず鼻をかみ、それでも出ないときは、**無理やり取ろうとせず、病院を受診する**。ピンセットは鼻の粘膜を傷つける恐れがあり、使用しない。

B × 捻挫をした際は、**腫れや痛みがある部位を冷やし、患部が動かないように副木で固定する**などの応急処置をしてから受診する。

C ○ 動物に咬まれた場合は、**傷口を流水でしっかり洗い、清潔なガーゼを当て、急いで受診する**。感染症（狂犬病）に注意する。

D ○ 蜂に刺された場合は、針を抜いてその後皮膚をつまみ毒を出すが、抜けないときは**無理に針を抜かず、流水で洗い清潔にして受診する**。蜂に刺されてアナフィラキシーショックを起こしたときは、大至急受診する。

E ○ 熱傷をした際は、**まず患部を冷やし**、清潔なガーゼで覆い、受診する。衣服の上から熱傷をした際は、脱がさずに水をかける。乳幼児の熱傷は程度だけではなく、範囲も重要で、範囲が広かったりして緊急を要する状態の時は、救急車を呼ぶ。

問 20	子どものアレルギー	正解 1

A ○ 食物アレルギーは、アレルギーの原因となる食品を摂取すると重篤な症状に至るため、**安全・安心の確保を優先する**。そのためアレルギー対応は組織的に行い、全職員で対応できるように「エピペン®」の取り扱いの研修をしたり、保護者や嘱託医と連携したりする。

B ○ **寝具の使用に関しても留意する**。気管支喘息（発作性の喘鳴の伴う呼吸困難を繰り返す疾患）のある子どもについては、保育所での生活において特別な配慮や管理が必要となった場合、アレルギー疾患生活管理指導表を医師が作成し、保育所は指示に従って対応する。生活管理指導表には、保育所での生活上の留意点や寝具に関する項目もあり、防ダニシーツ等の使用や、その他の管理の必要等が記載されている。

C ○ **保護者との連携や、細やかな対応**が必要である。生活管理指導表の保育所での生活上の留意点では、外遊び、運動に対する配慮に関する項目がある。どのような場合に発作が出るのか、症状が出た場合にはどう処置するのかなど、保護者に具体的に確かめておく。

D ○ アレルギー性結膜炎の主な原因はハウスダストやダニ、花粉などで、症状には目の粘膜・結膜の炎症、目のかゆみ、なみだ目、異物感、目やになどがある。角結膜炎がある場合には、**プールの水質管理の消毒（塩素）が悪化要因となる**ため、症状が強いときはプール遊びに配慮が必要となる。

子どもの食と栄養

問1 「平成27年度乳幼児栄養調査」 正解5

1 × 「離乳食について困ったこと」において、「もぐもぐ、かみかみが少ない（丸のみしている）」と回答した割合は28.9%で、**2番目**に高い割合であった。

2 × 「食べる量が少ない」と回答した割合は21.8%で、**3番目**であった。

3 × 「食べ物をいつまでも口にためている」と回答した割合は3.0%で、**12番目**であった。

4 × 「食べさせるのが負担、大変」と回答した割合は17.8%で、**5番目**であった。

5 ○ 「**作るのが負担、大変**」は回答の割合が**最も高く**、33.5%であった。

問2 脂質 正解5

A－イ：9
B－エ：20～30

脂質は重要なエネルギー源であり、1gあたりのエネルギー発生量は約**9kcal**である。また、脂肪エネルギー比率が高くなると、肥満、メタボリックシンドローム、糖尿病などのリスクが増大するため、脂質の食事摂取基準（%エネルギー）は、男女とも1歳以上のすべての年齢において**20～30%**とされている。

問3 「日本人の食事摂取基準（2020年版）」 正解2

A ○ 「日本人の食事摂取基準（2020年版）」の年齢区分は、**1～17歳を小児、18歳以上を成人**としている。

B × 10年ごとではなく、**5年ごとに改訂される**。同摂取基準2020年版の使用期間は2020（令和2）年度～2024（令和6）年度となっており、2024（令和6）年度中に「日本人の食事摂取基準（2025年版）」が策定される予定である。

C ○ 国民の健康の保持・増進を図る上で、摂取することが望ましいエネルギー及び栄養素の基準を示すものとして、5種類の指標が設定されている。

D ○ 同摂取基準Ⅰ「総論」1「策定方針」の1-1「対象とする個人及び集団の範囲」に示されている。

問4 味の相互作用 正解2

A ア **対比効果**は、2種類以上の異なる味を混ぜたとき、一方が他方の味を引き立てる現象をいう。すいかに塩をかけると、すいかの甘味が増すのがよい例である。

B ウ **抑制効果**は、2種類以上の異なる味を混ぜたとき、一方が他方の味を抑えて緩和する現象をいう。コーヒーの苦味が砂糖の甘味によって緩和されるのがよい例である。

C イ **相乗効果**は、同質の2種類以上の味覚成分を混ぜたとき、相互に味を強め合う現象をいう。こんぶとかつお節の混合だしなどにみられる。

問5	授乳	正解 4

A × 「平成27年度乳幼児栄養調査結果の概要」で、「授乳について困ったこと」がある者は77.8%であり、**約8割**であった。

B ○ **初乳**は、たんぱく質、無機質が多く、乳糖は少ない。免疫グロブリンA、ラクトフェリンなどの感染防御因子も多く含んでいる。

C ○ 記述は、「授乳・離乳の支援ガイド」(2019年:厚生労働省) Ⅱ-1「授乳の支援」2「授乳の支援の方法」(1)《母乳(育児)の利点》の③に示されている。なお、**小児期の肥満や2型糖尿病の発症リスク低下**のほかの利点としては、乳児に最適な成分組成で少ない代謝負担、感染症の発症及び重症度の低下、産後の母体の回復促進、母子関係の良好な形成などが示されている。

D ○ **乳児用液体ミルク**は、調乳の手間がなく、消毒した哺乳瓶に移し替えてすぐに飲むことができる。2019(令和元)年から国産の乳児用液体ミルクが製造・販売されている。

問6	母乳分泌のしくみ	正解 1

A-ア:吸てつ
B-ウ:プロラクチン
C-オ:オキシトシン

吸てつ反射は、乳児が母乳を飲むための一連の反射の一つで、乳首から母乳を吸い出す行動をいう。その刺激が脳下垂体に伝わり、脳下垂体前葉から**プロラクチン**、脳下垂体後葉からは**オキシトシン**というホルモンが分泌される。プロラクチンによって母乳分泌が促進され、オキシトシンによって射乳が起こる。また、オキシトシンには子宮収縮作用もあり、出産後の子宮の回復を促す。

問7	幼児期の健康と食生活	正解 1

A ○ 幼児は、**感染に対する抵抗力が弱く**、疾病の影響は成人に比べ強く現れるため、衛生面で気を配ることが必要である。

B ○ 幼児は**消化器官の機能発達が未熟であり胃の容量も小さいため**、食物を消化しやすい形と量で与えなくてはならない。

C × 幼児期は、身体のあらゆる組織を作るためと成長発達に伴う体内の代謝が活発であるために、**身体が小さい割に必要とする栄養素は多い。**

D ○ 「平成27年度乳幼児栄養調査結果の概要」(厚生労働省)の「現在子どもの食事で困っていること(回答者:2~6歳児の保護者)」において、**「偏食する」「むら食い」「遊び食べをする」**は上位にあり、これらが起きやすいことがわかる。

問8	幼児期の間食	正解 5

A × 「子どもの間食の与え方」において、回答した保護者の割合が最も高かったのは、「**時間を決めてあげることが多い**」で56.3%であった。「欲しがるときにあげることが多い」は、20.7%で3番目であった。

B × 「子どもの間食として甘い飲み物

やお菓子を1日にとる回数」において、割合が最も高かったのは、どの年齢階級も「**1回**」であった。

C ○ 幼児期における間食は、**食事の一部**である。1日3回の食事を規則的にして、1日1～2回の間食を与える時間と量を決める。間食の量は、1日の摂取エネルギーの10～20％を目安とする。

問9 学童期の食生活 正解4

1 ○ **学校給食のない日は、カルシウムの摂取不足が顕著**である。「学校給食摂取基準の策定について（報告）」1「児童生徒の現状と課題」(2)「食事状況調査の結果」②「学校給食の有無による栄養素摂取状況の違い」図2に示されている。

2 ○ 記述のとおりである。学童期に育てたい「**食べる力**」には、ほかに「1日3回の食事や間食のリズムがもてる」「食事のバランスや適量がわかる」「家族や仲間と一緒に食事づくりや準備を楽しむ」「自然と食べ物との関わり、地域と食べ物との関わりに関心をもつ」が挙げられている。

3 ○ 「**学校給食法**」第2条第1号に定められている。

4 × 「平成31年度全国学力・学習状況調査」では、「朝食を毎日食べていますか」という質問に対し、小学校6年生の回答の割合は「あまりしていない」3.6％、「全くしていない」1.0％で、合わせて**1割未満**であった。令和5年度の同調査においても、「あまりしていない」4.6％、「全くしていない」1.5％で、この傾向は変わらない。

5 ○ 「食に関する指導の手引－第二次改訂版」第5章「給食の時間における食に関する指導」第2節「給食の時間に行われる食に関する指導」1「**給食指導**」に述べられている。

問10 学校給食 正解4

A × 「学校給食法」第2条の目標は**7項目**である。7項目には、適切な栄養摂取、望ましい食習慣、社交性と協同の精神を養う、環境の保全に寄与する態度を養う、勤労を重んずる態度を養う、伝統的な食文化の理解、食料の生産・流通・消費についての正しい理解などが掲げられている。

B ○ 記述のとおりである。なお、中学校においては、令和3年度の学校給食実施率は、91.5％であった。

C × 完全給食を実施している国公私立学校において、米飯給食の週当たりの平均実施回数は、**3.5回**である。

D ○ 「**第4次食育推進基本計画**」第2「食育の推進の目標に関する事項」2「食育の推進に当たっての目標」には16の目標が設定されており、その(5)に示されている。

問11 「妊娠前からはじめる妊産婦のための食生活指針」 正解3

A－小魚 日本人女性のカルシウム摂取量は不足しがちであるため、妊娠前から乳製品、緑黄色野菜、豆類、**小魚**などでカルシウム摂取を心がける。

B－体重増加 妊婦の体重については、不足すると早産などのリスクが高まるため、健康な赤ちゃんを出産するためにも、妊娠中の適切な**体重増加**が必要である。

C－たばことお酒の害 妊娠・授乳中の喫煙、受動喫煙、飲酒は、胎児や乳児の発育、母乳分泌に影響する。**たばことお酒の害**から赤ちゃんを守るために、お母さん本人が禁煙、禁酒に努めるだけでなく、周囲の人にも協力を求める。

問12 「食育基本法」 正解1

2005（平成17）年に制定された「**食育基本法**」は、国民が生涯にわたって健全な心身を培い、豊かな人間性を育むことができるようにするため、食育を総合的、計画的に推進することを目的としている。

A ○ 「食育基本法」第7条に定められている。

B ○ 同法第5条に定められている。

C ○ 同法第8条に定められている。

D × 記述は、健康寿命を延ばすことを目標とする「**健康日本21（第二次）**」（厚生労働省）の「国民の健康の増進の総合的な推進を図るための基本的な方針」として定められているものである。

問13 「食育推進基本計画」 正解2

A ○ 「**食育推進基本計画**」は、食育の推進に関する施策の総合的かつ計画的な推進を図るために作成されている。

B ○ 「食育基本法」第17条において定められている。

C × 「第4次食育推進基本計画」の計画期間は、**令和3～7年度**までのおおむね5年間である。

D ○ 同基本計画には3つの重点事項があり、記述のほかに「**生涯を通じた心身の健康を支える食育の推進**」と「**『新たな日常』やデジタル化に対応した食育の推進**」がある。

問14 （指）食育の推進 正解1

「保育所保育指針」第3章「健康及び安全」2「食育の推進」(2)「食育の環境の整備等」ア、イに示されている。

A－食の循環・環境 保育所での食育においては、子どもが食材や**食の循環・環境**への意識がもてるように配慮する。

B－調理室 食に関わる保育環境（**調理室**など）に十分に配慮することが重要である。

C－保護者 食育に関する取組は、**保護者**や地域の多様な関係者とともに進めていく。

D－市町村 地域の関係機関との連携は、**市町村**の支援のもとに協力が得られるよう努める。

問15 地域の子育て家庭への支援 正解4

保育所には、乳幼児期の子どもの食に関する知識、経験及び技術を「子育て支援」の一環として提供し、保護者と連携・協力して食育を進めていくことが期待されており、**5つの食を通した子育て支援**が展開されている（「令和4年度食育推進施策（食育白書）」第2部「食育推進施策の具体的取組」第2章「学校、保育所等における食育の推進」第3節1「保育所における食育の推進」(2)「食を通した保護者への支援」）。

問題◀本冊 p.194～198

1 ○ 「食を通した**保育所機能の開放**」は、支援活動の①として示されている。

2 ○ 「食に関する**相談や援助**」は、支援活動の②として示されている。

3 ○ 「食を通した子育て家庭の**交流の場の提供及び交流の促進**」は、支援活動の③として示されている。

4 × 記述は、食を通した子育て支援活動ではない。

5 ○ 「食を通した**地域の人材の積極的な活用**による**地域の子育て力を高める取組**の実施」は、支援活動の⑤として示されている。

なお、食を通した子育て支援活動の④として示されているものは、「地域の子供の食育活動に関する**情報の提供**」である。

問16 「楽しく食べる子どもに」 正解2

1、3～5 ○ 「楽しく食べる子どもに～保育所における食育に関する指針～」における「食育の目標」としての5つの期待する子ども像は、①**お腹がすくリズムのもてる子ども**、②**食べたいもの、好きなものが増える子ども**、③**一緒に食べたい人がいる子ども**、④**食事づくり、準備にかかわる子ども**、⑤**食べものを話題にする子ども**である。

2 × 「好き嫌いがない子ども」は、5つの期待する子ども像に**入っていない**。

問17 「児童福祉施設の設備及び運営に関する基準」 正解3

「児童福祉施設の設備及び運営に関する基準」第32条の2には、「保育所の設備の基準の特例」として、**食事の提供**に関する事項が定められている。

A × 当該保育所の満1歳以上ではなく、**満3歳以上**が正しい。「児童福祉施設の設備及び運営に関する基準」の第32条の2に定められている。

B ○ 献立等については、**栄養士**による必要な配慮が行われる。同第2号に定められている。

C ○ **それぞれの幼児の状況**に応じた対応が求められる。同第4号に定められている。

D ○ 食育に関する計画に基づき、食事を提供する。同第5号に定められている。

問18 果物 正解5

1 × 「6つの基礎食品」において、果物はその他の野菜とともに、ビタミンCを多く含む食品として**第4群**に分類されている。なお、緑黄色野菜は、カロテンを多く含む食品として第3群に分類されている。

2 × **「果物」は含まれている**。「食事バランスガイド」は毎日の食事を5つ（主食、副菜、主菜、牛乳・乳製品、果物）に区分している。

3 × 「授乳・離乳の支援ガイド」には、「離乳の開始前に果汁やイオン飲料を与えることの栄養学的な意義は認められていない」とあり、**離乳開始前に果汁を与えることは奨励されていない**。

4 × 果物類は、**食物アレルギーの原因物質になる**。オレンジ、キウイフルーツ、バナナ、もも、りんごは、アレルギーの特定原材料に準ずるものとして表示が奨励されている。

5 ○ 「第4次食育推進基本計画」では、

1日あたりの果物摂取量が100g未満の者の割合を**30%以下**にすることを、実施最終年度（2025〔令和7〕年度）までの目標値としている。なお、2019（令和元）年度の現状値は61.6%であった。

問19 「児童福祉施設における食事の提供ガイド」 正解3

A ○ 調理実習等の実施に当たっては、年間（月間）計画等の中で、**施設全体の計画**として立てる（「児童福祉施設における食事の提供ガイド」Ⅳ「実践例」1「児童福祉施設における食事の提供及び栄養管理に関する考え方」5「調理実習（体験）等における食中毒予防のための衛生管理の留意点」の「計画時の留意事項」）。

B ○ 同「当日の留意事項」の（調理実習前）と「実習後」に示されている。なお、**保存食**は検査のために取っておくもので、原材料及び調理済み食品を食品ごとに50gずつ清潔な容器に入れ、密封し、－20℃以下で2週間以上保存することとなっている（「大量調理施設衛生管理マニュアル」）。

C × 加熱調理後は、**2時間以内**に喫食する（同「当日の留意事項」の（調理後））。

D ○ **中心温度計**（センサーを食品などに刺して中心温度を測る温度計）で、計測、確認、記録を行う（同「当日の留意事項」の（調理中））。

E ○ **ソラニン**は天然毒素の一種で、食後30分～数時間で腹痛、吐き気、のどの痛み、めまいなどの症状が起こる。じゃがいもの芽や、自家栽培の未成熟で小さいじゃがいも、皮が緑色になった部分にはソラニン類が含まれているため、適切な調理指導が重要である（同「事前の準備の留意事項」）。

問20 嚥下が困難な子どもの食事 正解3

A ○ 一般に**サラサラした粘度の低い液体**は、動きが早く誤って気管に入って誤嚥しやすい。お茶を飲んだり水分補給をする際には注意が必要である。

B × 酸味の強い柑橘類などの食べ物や飲み物は、むせやすく飲み込みにくいので、**食べやすい食品ではない**。

C ○ **ゼリー状、ポタージュ状のもの**は、滑らかで粘度もありまとまりやすいため、スムーズに飲み込みやすい。

D ○ トロミ調整食品には、加熱することなく、**飲み物や流動食などに入れてかき混ぜるだけでトロミをつけられる**ものがある。

E ○ **かたくり粉、コーンスターチ、ゼラチン**などの食品を使用することで料理にトロミをつけることができ、トロミ調整食品の代用として使うことができる。

問題◀本冊 p.198～200

保育実習理論

問1　楽譜（伴奏）　正解5

本問の曲名は「やきいもグーチーパー（詞：阪田寛夫 / 曲：山本直純）」、調はハ長調、拍子は4分の4拍子、8小節である。伴奏の和音を選択する場合、基本的には旋律の音を含む和音を選択する。

A　エ（ド・ミ・ソ、レ・ファ・ソ）　旋律の1拍目はソ、2拍目はミなので、それぞれ**ド・ミ・ソ**を選択する。3拍目はシであり、この場合はレ・ファ・ソを選択する。レ・ファ・ソはハ長調の属7の和音（ドミナントセブン）の転回形であり、基本形はソ・シ・レ・ファであり、ここではシが省略されている。

B　イ（レ・ファ・ソ、ド・ミ・ソ）　旋律の1､2拍目はファ､レなので**レ･ファ･ソ**を選択する。3拍目はソなので、**ド・ミ・ソ**を選択する。

C　ア（ド・ミ・ソ、ド・ファ・ラ）　旋律の1、2拍目はソ、ミなので**ド・ミ・ソ**を選択する。3拍目はラなので、**ド・ファ・ラ**を選択する。

D　ウ（ド・ミ・ソ）　旋律の音はドであり、また曲の最後なので主和音の**ド･ミ･ソ**を選択する。

問2　音楽用語　正解5

音楽用語（イタリア語）を選択する設問である。

A　キ　mp（メゾ・ピアノ）は、「少し弱く」。

B　ケ　D.C（ダ・カーポ）は、「はじめに戻る」。

C　ク　cresc.（クレッシェンド）は、「だんだん強く」。

D　オ　cantabile（カンタービレ）は､「歌うように」。

なお、**ア**の「とても弱く」はpp（ピアニッシモ)､**イ**の「おわり」はFine（フィーネ）、**ウ**の「だんだん遅く」はritardando（リタルダンド）、**エ**の「やわらかく」は**dolce**（ドルチェ）、**カ**の「もとの速さで」は**a tempo**（ア・テンポ）、**コ**の「音の間を切れ目なくつなぐ」は**legato**（レガート）である。

問3　コード（和音）の種類　正解3

コード（和音）を楽譜から読み解き、マイナーコード（短三和音）を抽出する問題である。短三和音の構成は、根音･短3度･完全5度である。 転回形の場合は基本形に直し、根音からの音程関係で種類を判別する。

ア　○　ラ・レ・ファ（Dm）　レを根音とした**短三和音**レ・ファ・ラの第二転回形である。

イ　×　ミ・ソ・シ♭（Edim）　ミを根音とした**減三和音**ミ・ソ・シ♭の基本形である。

ウ　×　ラ・ド#・ファ（Faug）　ファを根音とした**増三和音**ファ・ラ・ド#の第一転回形である。

エ　○　ミ♭・ソ・ド（Cm）　ドを根音とした**短三和音**ド・ミ♭・ソの第一転回形である。

オ　○　レ・ファ#・シ（Bm）　シを根音とした**短三和音**シ・レ・ファ#の第

一転回形である。

カ　×　レ・ソ・シ（G）　ソを根音とした**長三和音**ソ・シ・レの第二転回形である。

問4　移調　正解 5

短３度上は鍵盤上で、**もとの鍵盤を含めて半音４つ分右に移動する**。

A－⑧　楽譜の音は**シ⑤**なので、短３度上は**レ⑧**となる。

B－⑬　楽譜の音は**ミ⑩**なので、短３度上は**ソ⑬**となる。

C－⑯　楽譜の音は**ソ⑬**なので、短３度上は**シ♭⑯**となる。

移調がテーマの問題は、近年は移調後のコードネームを問われる出題と、移調後の鍵盤位置を問われる出題がある。

問5　リズム譜　正解 5

五線譜で音の高低を示すメロディ譜ではなく、**音の長短のみの情報を示すリズム譜**での出題である。拍子は４分の４拍子で、各選択肢の歌の歌い出しのリズムが、設問のリズム譜に当てはまるかで判断する。

８分音符を「タ」、４分音符を「タン」、４分休符を（ウ）、２分音符を「ターアー」とすると、「タ（ウ）タタターアー｜タ（ウ）タタターアー｜タタータタタタタ｜タンタタターアー」となり、選択肢**5**の「**まっかな秋**」があてはまる。

なお、「赤とんぼ」は４分の３拍子、「たき火」「しゃぼん玉」は４分の２拍子、「浜辺の歌」は８分の６拍子である。

問6　楽譜の読み取りと音楽知識　正解 3

本問の曲名は「**お正月**（詞：東くめ／曲：滝廉太郎）」である。

A　×　**お正月**の様子を歌ったものである。

B　○　作曲者は**滝廉太郎**である。

C　○　**1901（明治 34）年**に『幼稚園唱歌』で紹介された。

D　×　４分の４拍子だが、全部で **12 小節**からなる。

問7　㊟指「表現」　正解 5

「保育所保育指針」第２章「保育の内容」2「**1 歳以上 3 歳未満児**の保育に関わるねらい及び内容」（2）「ねらい及び内容」オ「**表現**」（ウ）「内容の取扱い」①・②により、以下のとおりとなる。

A　表出

B　表現

C　充実感

問8　事　造形表現の発達過程　正解 2

A　○　アメリカの心理学者**ローエンフェルド**の美術教育論の特徴は、道徳的・哲学的な観点からではなく、科学的・実証的な知見から語られている点である。彼が提唱した発達段階は、なぐり描き（２～４歳）→様式化前（４～７歳）→様式段階（７～９歳）→写実主義の開始（ギャング・エイジ／９～11 歳）→疑似写実主義の段階（11 ～ 13 歳）→決定の時期（13 ～ 17 歳）である。

B　×　命のないものに生命や意思がある

問題◀本冊 p.201 ～ 205

と考える心理作用のことをアニミズムという。スイスの心理学者**ピアジェ**は、その原因を心の中の出来事と外の出来事を**区別できていない**からだと考えていた。

C　○　アメリカの心理学者**ケロッグ**は、スクリブル（なぐり描き）を20種類に分類して「基本的スクリブル」と名づけた。

問9	事 色彩理論	正解2

A　鮮やか
B　高ければ
C　有彩色

色には、**色相・明度・彩度**という三属性がある。色相とは、赤・青・黄などの色名で表されるような色味のこと、明度とは、色の明るさや暗さのこと、彩度とは、その色相がもつ固有の色の**鮮やかさ**のことである。絵の具の場合、一般的にチューブから出した色が最も彩度が高く鮮やかで、混色すればするほど彩度は低くなる。また、色には無彩色と**有彩色**があり、無彩色は白・灰・黒、有彩色は無彩色以外の色のことである。

問10	はさみの使い方	正解4

A　×　はさみには**右手用・左手用の区別がある**。利き手と異なったはさみを使うと、刃のかみ合わせが悪かったり、刃をコントロールしにくかったりする。ただし、両利き用のはさみも市販されている。

B　×　厚紙などは、はさみの刃先よりも、**刃元の方が切りやすい**。はさみは、てこの原理を応用した道具であり、てこの原理では、支点（刃が接合されているネジの部分）と作用点（対象物を切る部分）の距離が短い方が、大きな力が働く。よって、刃元の方が刃先よりも支点に近いので厚紙などを切りやすくなる。

C　○　はさみを上手に使うコツは、はさみの位置を安定させることである。そのため、はさみの位置を動かすのではなく、**紙の向きを動かす**方が、はさみを安定させて使うことができる。

D　○　記述のとおりである。なお、安全に配慮した幼児向けのはさみとして、刃の部分もプラスチック製のはさみもあるが、**どのようなはさみであっても人に対しては刃を向けない**ということを子どもに伝える必要がある。

問11	フィンガー ペインティング	正解1

A　○　**フィンガーペインティング**は、手や指に直接絵の具をつけて描く技法である。最も有名な洞窟壁画である**ラスコー洞窟**の壁画も、一部は指を直接使って描かれたと考えられている。

B　○　記述のとおりである。ただし、現在ではフィンガーペインティング専用の絵の具も市販されており、安全性や絵の具の感触を味わう観点からいっても、専用の絵の具を使った方がよい面が多い。

C　○　描かれた画面の絵の具が乾く前に紙を載せることで、その絵の具を写し取ることができる。このような技法は**モノタイプ**と呼ばれ、モダンテクニックの一つである。

D　○　絵を描くことに苦手意識がある子どもでも、**絵の具の感触を味わう**ことで、描いてみたいという気持ちが増すことがある。一方、絵の具を直接触ることに抵抗感をもつ子どもがいることにも留意しなければならない。

問12　イラスト問題　正解4

紙の左右の端（図1ア・イの太線部分）に注目する。そして図2の出来上がり図においては、飾りの手の太線部分が紙の左右の端となる。選択肢の中では、**4だけが飾りの手の部分が紙の端と一致している**ため、**4**が正解となる。

図1

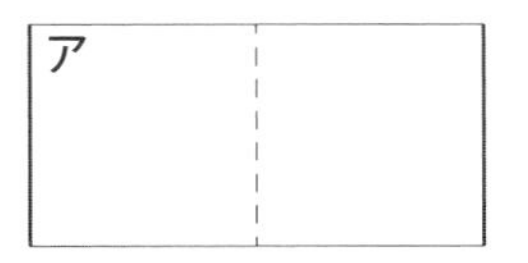

図2

図3

問13　指「幼児期の終わりまでに育ってほしい姿」　正解4

「保育所保育指針」第1章「総則」4「幼児教育を行う施設として共有すべき事項」(2)「**幼児期の終わりまでに育ってほしい姿**」ク「数量や図形、標識や文字などへの関心・感覚」により、以下のとおりとなる。

A　生活
B　役割
C　必要感

問14　事 保育カンファレンス　正解5

A　×　新任保育士は、園での実践経験が浅く、職員間の信頼関係が深まっていない状態であっても、子どもの最善の利益を尊重するために保育所内の環境について自分なりの気づきを述べるなど、**積極的に発言し、保育士の専門性を向上させていく必要がある**。「全国保育士会倫理綱領」には、保育士は子どもの最善の利益を尊重するために、保育を通してその福祉を積極的に増進するように努めなければならないことが示されている。このことは、新任保育士であっても同様である。

B　×　施設長や主任など肩書や役職のある人の意見だけを尊重することは誤りである。保育カンファレンスでは、**肩書や役職にかかわらず**、職員一人一人が意見を出し合い、相互の意見を尊重し学び合うことが大切である。

C　○　職員間で保育に関する共通理解を図っていくためには、**互いに相手の話を共感的に聞く姿勢を持つ**ことが大切である。保育カンファレンスにおいて、

問題◀本冊 p.206～210

多様な意見に耳を傾けることは、例えば、同じ場面を見ていても異なる視点の捉え方があることを知り、学びを深めていくことにつながる。

D × 保育所では、保育士、看護師、調理員、栄養士等、各々の職務内容に応じた専門性を持って保育にあたり、それぞれの立場で課題への対応を行っている。それぞれが担う業務に対して意見を控えるのではなく、子どもの遊びを支える環境について**意見を出し合い、相互に学びあう関係を作っていく**ことが大切である。

問 15 事 保育所環境 正解 2

A ○ 園庭で鬼ごっこに熱中している子どもと、砂場で遊んでいる子ども、**それぞれの安全を第一に考えた上で、子どもたちが経験していることを保障していく**。そして多くの子どもが遊ぶ園庭の使い方を考えて工夫するためには、職員間で話し合い、共通理解を図っていくことが欠かせない。

B ○ 子どもは、その時々の興味や関心に合わせながら場所を選び、回遊するように遊ぶことがある。動線を記録して理解できたことをいかし、**できる限り子どもの動きを予想し、事前に安全点検を行うようにする**ことが大切である。

C × 子どもは、ままごとコーナーで遊ぶなかでイメージをふくらませ、たとえば散歩にでかけるといった設定で園庭に出ていくこともある。保育者は、**子どもがイメージしてやってみたいと思ったことを実現していけるように援助をする**。ままごとコーナーに仕切りを置くことは、自由な発想で遊ぶ子どもの動きを制限することになり、適切ではない。

問 16  絵本の読み聞かせ 正解 1

「保育所保育指針」第２章「保育の内容」３「３歳以上児の保育に関するねらい及び内容」(2)「ねらい及び内容」のエ「言葉」より、以下のとおりである。

A ○ 子どもは、**絵本や物語などに親しみ、興味を持って聞き、想像する楽しさを味わう**（同（イ）「内容」⑨）。

B ○ 子どもは、絵本などの読み聞かせをとおして、お話の世界を楽しみつつ、**美しい言葉や韻を踏んだ言い回しなどに出会い、言葉の心地よさを味わう**（同（ウ）「内容の取扱い」④）。

C ○ 子どもは、絵本の中に出てくる言葉のやりとりを**絵本の読み手である実習生と楽しむこともあれば、友達と一緒に声を出して唱えて楽しむこともある**。

D × 絵本の読み聞かせが終わるまで子どもが動かず、きちんと座って話を聞かせるような読み聞かせは、その子どもなりの感じ方、楽しみ方を制限していることになり、適切ではない。子どもは、絵本や物語に親しむ中で、物語の世界に入り込むと、思わず感嘆の声をあげたり、リズミカルな言葉と出会って体でリズムを感じながら唱えたりすることもある。絵本の読み手は、**その子どもなりの感じ方や楽しみ方を受け止める**ことが大切である。

問17 事 小学校との連携 正解4

A × 「保育所保育指針の適用に際しての留意事項について（平成30年3月30日）」2（1）ウ（カ）には、第三者提供について**保護者の同意は不要**であると記されている。なお、個人情報が含まれる資料が小学校に送付されることを、あらかじめ保護者に周知しておくことが望ましい。

B × 保育において育まれる「幼児期の終わりまでに育ってほしい姿」は、その後の小学校教育を前提としている。小学校教員と**「幼児期の終わりまでに育ってほしい姿」を手がかりに、子どもの姿を共有できるようにする**ことが大切である。

C ○ 保育所と小学校との間の連携を促進するために、**保育所と小学校の担当者間で年間行事の内容などを情報交換し、交流の機会を確保していく**ことは適切である。

問18 指「保育所保育に関する基本原則」 正解3

「保育所保育指針」第1章「総則」1「保育所保育に関する基本原則」より、以下のとおりとなる。

A ○ 同1（2）「保育の目標」アの記述である。

B × 同1（3）「保育の方法」エにより、正しい記述は「**活動**」である。

C × 同1（4）「保育の環境」アにより、正しい記述は「**活動**」である。

D ○ 同1（3）「保育の方法」アの記述である。

問19 事 施設実習（乳児院） 正解4

「乳児院運営指針」（平成24年3月29日 厚生労働省）第Ⅱ部「各論」2「家族への支援」より、**A～D**は以下のとおりとなる。

A × 泣いている子どもを母親から引き離すような支援方法を指導することは、不適切である。実習指導者は実習生に、**子どもと保護者との関係性が好転し、保護者の養育意欲が向上するような支援方法を指導する**必要がある。

B × 家庭の事情や母親の気持ちに理解を示さずに対応する姿勢は不適切である。乳児院に子どもを預けている家庭のなかには、子どもを適切に養育することができず、悩みを抱えている場合もある。乳児院では、こうした**子どもや保護者の問題状況の解決や緩和をめざして、的確に対応する**必要がある。

C ○ 事例のように、離れて暮らしていた子どもが自分になついていないことにさびしい思いを抱いている母親に対しては、**まずは母親の気持ちに寄り添い、困難を抱えている状況を理解するように努める**ことが大切である。

D ○ **子どもとの愛着関係が築けるよう、親子の関係調整に向けた支援をしていく**ことが大切である。

問20 「児童養護施設運営ハンドブック」 正解2

「児童養護施設運営ハンドブック」（平成26年 厚生労働省）の第Ⅱ部8「施設の運営」（6）「実習生の受入れ」より、**A～D**は以下のとおりとなる。

問題◀本冊 p.211 ～ 215

A ○ 同（6）「実習生の受入れ」に記されている。施設実習は、実際の子どもとのかかわりをとおして、**施設で生活する子ども一人一人への適切なかかわり方や具体的な援助内容を実践的に学ぶ**ことが重要である。

B ○ 同（6）「実習生の受入れ」に記されている。児童養護施設は、さまざまな理由により家庭での養育が困難となった子どもが入所し生活している。**子どもの特性やさまざま気持ちをていねいに受け止め理解していく**ことが大切である。

C × 実習生であっても、施設の子どもの今の気持ちや育ちを知り、理解していく上で、**成育歴などの個人情報を知ることは重要である**。しかし、施設の子どもの情報、実習先で知り得た情報については、秘密を保持する義務があり、子どものプライバシーや個人情報保護に十分な配慮が必要である。

D ○ 同（6）「実習生の受入れ」に記されている。職員は、将来の**児童養護施設職員の育成につながることを意識して実習指導をしている**。施設で生活をする子どもたちのために、施設で活躍する保育士の育成は、現場にとって重要である。

2023年前期

保育の心理学

問1 発達理論 正解 3

A ○ **ゲゼル**は、一卵性双生児の階段登りの実験から、基本的には**神経系が成熟して学習に最適な時期に達するまで**は、どれだけ早い時期から訓練や教育を行っても、効果は期待できないということを明らかにした。

B × **臨界期**は、ある行動様式を身につけるために最も適した時期のことである。**ワトソン**は、「氏よりも育ち」という環境優位説・行動理論説を主張した人物である。

C × 心身の準備性は、**レディネス**という。**レジリエンス**は困難や脅威に直面している状況に対して、「うまく適応できる能力」「うまく適応していく過程」「ストレスを乗り越えていく力」のことである。

D × **発達段階**とは、心身の機能や構造の質的な変化を想定して区切ったものである。

問2 子どもの発達と環境 正解 5

A × **シュテルン**は、人間の発達の諸要因は遺伝的要因のみ、環境的要因のみではなく両者の相互作用によるものであるとする**輻輳説**（ふくそうせつ）を唱えた。記述は、ヴィゴツキーの「社会文化的発達理論」である。発達を、社会・文化・歴史的に構成された人間関係や文化的対象を獲得していく過程として捉えたものである。

B × **エクソシステム**は、自分とは直接関連しておらず、他の人を介して自分やその周囲に影響を与える相互関係をいう。記述は、発達しつつある人が積極的に参加している２つ以上の行動場面間に見られる相互関係であるメゾシステムである。

C ○ **ジェンセン**は、環境の影響を受けて遺伝的な素質が発現するが、その発現のしやすさが特性ごとに異なるという**環境閾値説**を唱えた。

D ○ **ギブソン**は、環境のさまざまな要素が人間や動物に影響を与え、感情や動作が生まれるという**アフォーダンス**という考え方を提唱した。

問3 子どもの姿に関連する用語 正解 1

A－調節 外界の事象や結果に合わせて**自己の概念の枠組み（シェマ）を変容させる**様子である。なお、外界のものを自分の概念の枠組みの中に取りこむ働きは同化で、その際には対象を取り込みやすいように変化させる。

B－協同遊び **役割やルールのある遊び**は、パーテンの遊びの分類の中の協同（共同）遊びである。なお、連合遊びは、役割を分担する姿は見られず、リーダーとなって導く子どもも見られない。また、同じ遊びをしていても各々でイメー

問題◀本冊 p.218～219

ジが異なっていることも多い。

C－応答の指さし　聞かれたことに答える指さしである。なお、叙述の指さしは、他者の注意をひいたり、共感を得たりしたいために行われる指さしのことである。

問４	エリクソンの心理・社会的発達段階説	正解４

A　×　エリクソンは、発達は環境の影響を受けながら、**漸成的に決まった順序で進んでいく**と考えた。

B　○　否定的な経験をしたうえで、**それを上回って肯定的な経験をする**ことが、発達課題の克服になるとした。

C　×　エリクソンは、フロイトの発達論から、**独自の精神分析的な発達論を展開した**。「フロイトの精神・性的発達段階に身体的な側面を加えた」というのは誤りである。

D　×「自律 対 恥・疑念」は、**１歳半～３歳頃**の**幼児前期**の心理社会的危機である。０歳～１歳半頃の乳児期の心理社会的危機は、「基本的信頼感 対 不信」である。

問５	乳幼児における言語の発達	正解１

A　○　**クーイング**は、生後２か月頃から機嫌のよいときに発せられる。

B　○　**規準喃語**は、生後６か月以降に発せられる。

C　×　ジャーゴン（ジャルゴン）は、初語の一歩手前の**無意味な言語**のことである。１歳頃に「意味のある言葉」である初語が出る。

D　×　記述の、１歳半頃から２歳頃に「なになに？」と物の名前をさかんに尋ねる時期は、**第一質問期**である。第二質問期は、３・４歳頃からの「なぜなぜ？」と問いかけたがる時期のことで、物事の意味や原因を知りたいという気持ちが出ている。

問６	心の理論	正解２

A　○　**心の理論**を獲得すると、他者の行動の心理的背景を推測し、その行動を予測できるようになる。

B　○　他者が現実とは異なる誤った信念（考え）を持つことがあることを、理解できるかどうかを調べるための課題を、**誤信念課題**という。

C　○　誤信念課題に正答できるのは、一般に**４、５歳頃**である。心の理論の獲得は、誤信念課題を解くための前提となる。

D　×　心の理論とは、選択肢**A**のように「**他者の心を類推し、理解する能力**」であり、読心術のように「人の仕草や表情からその人の考えていることや意識していることを読み取る」ことではない。

問７	学習理論	正解３

A－オ：強化　条件づけの学習の際に、刺激と反応を結びつける手段または、それによって**結びつきを強める**働きのことである。

B－ア：古典的条件づけ　レスポンデント条件づけともいう。ある刺激と別の刺激を一緒に与える（対提示する）ことによって生じる学習のことである。

C－イ：動機づけ　行動を**一定の方向に向けて生起させ、持続させる過程や機能**のことである。

D－ウ：プログラム学習　学習者がなるべく失敗しないように、学習のステップを細かく設定することを**スモール・ステップの原理**といい、これはスキナーのプログラム学習における原理である。

【Ⅱ群】**エ**の**道具的条件付け**は、オペラント条件付けともいう。報酬や嫌悪刺激（罰）に適応して、自発的にある行動を行うように学習することである。

カの**発見学習**は、学習者が能動的にその知識の生成過程をたどることにより、知識を発見する学習法であり、ブルーナーが提唱した。

問8　学習理論に関する用語　正解5

A－モデリング　何かしらの対象物を見本（モデル）に、**そのものの動作や行動を見ることで同じような動作や行動を学習する**ことであり、バンデューラが提唱した。なお、モニタリングとは、監視、観察、観測を意味する言葉である。心理学では「セルフ・モニタリング」という用語が用いられることがあるが、セルフ・モニタリングとは、スナイダーが提唱した概念で、「社会的場面や対人的場面において自分の表出行動や自己呈示をモニターする能力」をいう。

B－洞察　記述は、ケーラーの**洞察学習**である。洞察学習は、ひらめき等によって唐突に問題が解決に至る。なお、試行錯誤学習は、ソーンダイクによるもので、試行錯誤を積み重ねることによって問題の解決に至る。

C－学習の転移　前に学んだ知識や習得した技術、経験などの学習が**その後の新たな学習に影響を与える**現象のことである。なお、学習曲線とは、学習や訓練に費やした労力や時間と、対象とする知識や能力の獲得、習熟度合いの関係を図示したグラフのことである。

D－ピグマリオン効果　**他者から期待される**ことで成績が向上したり、作業の成果が出たりする現象である。なお、ハロー効果は、相手の特定の部分に対する評価が、その人の全体の評価に拡大解釈される心理効果のことである。

問9　学童期の発達の特徴　正解4

A－イ：前操作期　ピアジェは、認知発達において**6～7歳前後**に前操作期（2歳～）から具体的操作期（6・7歳～11・12歳）に移行するとした。

B－キ：脱中心化　7歳頃からは論理的思考力が発達し、**自己中心的な思考から抜けていく**。このことを「脱中心化」という。

C－エ：保存の概念　7歳頃からは数的概念も理解できるようになり、重さ・長さ・距離などを正確に比較するための**保存の概念**を習得する。

D－カ：音韻の分解や抽出　**長音**とは、母音を長くひきのばす音であり「おとうさん」の「とう」などで、日本語では2音節で数える。**拗音**とは、1音節が2字のかなで表されている音のことである（「曲」の「きょ」など）。語の構成音に対する自覚は、特別に指導を受けなくても5歳から7歳頃に発達することが明らかにされている。音韻の分解

問題◀本冊 p.220～223

や抽出ができることと、書くことができるようになることは関連がある。

【語群】**ウの帰納的推理**は、いくつかのことから一般的にこうだろうと考えるような推論の仕方である。

オの構音や調音は、舌の形を変えたり唇を動かしたりすることで空気を震わせ音を作る一連の過程のことである。音声学では口・鼻・のどなどの諸器官を動かして言語音を生成することを**調音**といい、医学では同じ現象を指して**構音**という。

クの互恵的視点における**互恵性**とは、社会的交換過程において、相手と相互に正や負の報酬を与えあうことによって、最終的に両者が得る報酬が等しくなる傾向のことである。「人の役に立てばお返しをもらえる」という関係や、そのような考えのことである。

問10	学童期以降の学校の適応	正解3

A ○ いじめは発達段階ごとに特徴がみられる。小学校中学年頃になると「叩く・蹴る」のほか「仲間外れ・無視」など、直接相手に身体的危害を加えるわけではない**関係性攻撃の形のいじめがみられる**。

B ○ いじめを研究した森田洋司は、いじめについて考えるための基礎的な枠組みとして、「**いじめの四層構造論**」を唱えた。いじめは「いじめっ子」「いじめられっ子」「観衆」(周りではやし立てる者)「傍観者」(見て見ぬふりする者)が関わっているというものである。

C × 文部科学省による不登校の定義は「何らかの心理的、情緒的、身体的あるいは社会的要因・背景により、登校しないあるいはしたくともできない状況にあるために**年間30日以上**欠席した者のうち、病気や経済的な理由による者を除いたもの」である。

D ○ 不登校の背景には、システムとしての社会や学校の在り方、学校関係者、家庭関係者、そして個人の特性など、**様々な要因が考えられる**という研究結果がある。

問11	高齢期	正解5

A－不健康 フレイルの状態になると、不健康を引き起こしやすくなる。なお、欲求不満は、欲求が何らかの障害によって阻止され、満足されない状態にあることである。

B－自立機能 フレイルは、「**自立機能や健康を失いやすい**」状態である。なお社会機能は、社会システムを維持する機能であり、社会機能維持者とは通常医療者、保育士などのエッセンシャルワーカーを指す。

C－健康寿命 平均寿命から寝たきりなどの介護状態の期間を差し引いたものを健康寿命という。なお平均寿命とは、ある年齢の人々が、その後何年生きられるかという期待値のことである。

D－サクセスフル・エイジング 健康、生存、生活満足感の３つが結合した状態をサクセスフル・エイジングという。なおアイデンティティ・ステイタスは、個人のアイデンティティの状態を客観的、操作的に把握しようとするもので同一性地位ともいう。

問 12 男性の育児 正解 3

A ○ 「令和３年版男女共同参画白書」Ⅰ第３章第２節に「6歳未満の子供を持つ夫の家事・育児関連時間は、共働き世帯、夫有業・妻無業世帯ともに、**2006（平成18）年以降増加傾向にある**が、妻と比較すると低水準」とある。

B × 選択肢**A**の解説にあるように、「**妻と比較すると低水準**」である。なお、令和５年版の同白書では、家事・育児関連時間は「家事関連時間」と名称が変わっているが、夫の家事関連時間の傾向は、選択肢A、Bともに変わりない。

C × 同白書のⅠ第３章第１節には「内閣府『男女共同参画社会に関する世論調査』（令和元年）では、性別役割分担意識に反対する者の割合が男女ともに賛成の割合を**上回った**」とある。なお、令和５年版の同白書にこの質問はない。

D ○ 同白書のⅠ第３章第８図から、2019（令和元）年の調査において男性の育児休業取得率は民間企業 7.48％、国家公務員 16.4％、地方公務員 8.0％と、近年増加しているものの、**依然として低水準にある**。令和５年版同白書でも男性の育児休業取得率の増加傾向は変わらないが、８割を超える女性の取得率と比較すると、依然として大きな差がある。

問 13 ひとり親世帯 正解 4

A × 「**子どものいる離婚件数**」の方が多い。親権を行わなければならない子の有無別離婚件数を見ると、2020（令和２）年は全体の離婚件数の６割に子どもがいることがわかる。

B ○ 「**離婚」が最も多い**。母子家庭・父子家庭がひとり親になった理由を見ると、母子家庭で約80％（令和３年も同じ）、父子家庭で76％（同約70％）が離婚である。

C ○ 父子家庭は、**母子家庭よりは世帯年収が高い**ものの、**子どものいる全世帯の年間収入よりは低い**。2015（平成27）年の母子家庭世帯の平均年間収入（348万円）は、国民生活基礎調査による児童のいる世帯の平均所得を100として比較すると、49.2と約半分である。同年の父子家庭世帯の平均年間収入（573万円）は、81.0で**約８割**である。なお、最新の令和３年度同調査結果でも、父子世帯の平均年間収入（606万円）は母子世帯（373万円）よりも多いが、児童のいる世帯の平均所得を100として比較すると、74.5で低い。

D × 子どもについての悩みの内容について、母子世帯、父子世帯ともに、「**教育・進学**」が最も多く、次いで「しつけ」となっている。令和３年度の同調査結果でも同様である。

問 14 育児不安を感じる保護者に対する理解と支援 正解 5

A × 日本産婦人科医会によると、マタニティ・ブルーズは出産後の女性の20～50％が経験し、大抵は症状も一過性であり、産後10日程度で軽快する。しかしマタニティ・ブルーズが長引く場合、生理的現象だけではなく、**周囲の環境が原因の場合もある**。産後うつ病に移行することもあり、不安な時は助

問題◀本冊 p.224～227

産師や産婦人科医に相談することが必要である。

B × 保育所のみで対応するかどうかは、**育児不安の内容による**。内容によっては、子育て支援に関する地域の関係機関、団体等との連携及び協力を図ることが望ましい。

C ○ 育児不安を持つことと、不適切な子育ては**別のものである**。育児不安の内容をよく理解して保護者支援を行う。

D ○ 親子関係は、保護者の育児態度と、子どもの気質の**相互作用**で成り立つ。

問 15 外国籍の家庭への支援 正解 2

外国籍家庭の支援については、「保育所保育指針」第 2 章「保育の内容」4「保育の実施に関して留意すべき事項」(1)「保育全般に関わる配慮事項」オに「子どもの**国籍や文化の違いを認め、互いに尊重する心を育てる**ようにすること」とある。

また、同指針第 4 章「子育て支援」2「保育所を利用している保護者に対する子育て支援」(2)「保護者の状況に配慮した個別の支援」ウには「外国籍家庭など、特別な配慮を必要とする家庭の場合には、状況等に応じて**個別の支援を行う**よう努めること」とある。

A ○ 特に外国人の親には、**丁寧に関わり、問題を把握する**必要がある。

B ○ 外国人の親は、**様々な不安を抱くことがあり**、その問題に応じた配慮を行う必要がある。

C × 日本の文化や習慣に子どもや保護者が早く慣れるよう、**個別の支援を行う必要**がある。

D ○ 言葉の壁をなくす工夫をするなど、**必要に応じた支援が必要**である。

問 16 日本の家族・家庭 正解 1

A ○ 1986(昭和 61)年における三世代世帯の割合は 15.3%であったが、**年々減少し**、2019 年(令和元)年には 5.1%となり、さらに、2022(令和 4)年は 3.8%となっている。単独世帯は、1986(昭和 61)年には 18.2%であったが、年々増加し、2019(令和元)年には 28.8%と最も多い家族の形となった。なお、2022(令和 4)年は 32.9%である。

B ○ 「夫婦と未婚の子のみの世帯」は、1986(昭和 61)年には 41.4%であったが、**年々減少し**、2019(令和元)年は 28.4%となっている。なお、2022(令和 4)年は 25.8%である。

C × 家族の役割は、血縁や婚姻などのつながりよりも、精神的なつながりや、子どもを産み育てることによる生きがいなど、**情緒面での満足を重視する**ものへと変化してきた。

D ○ 今後の日本の高齢者は、**家族・親族関係だけに頼らない、相対的な関係における社会的ネットワーク**を形成していく必要がある。

問 17 児童虐待 正解 2

児童虐待には、身体的虐待、性的虐待、ネグレクト、心理的虐待の 4 種類がある。

A ○ 虐待を受けるリスク要因の一つとして、**手がかかる乳児期の子ども、未熟児、障害児**など、子どもの側に何らかの育てにくさがある場合がある。

B × 被虐待体験は、社会・情緒的問題

を生み、さらに**脳に器質的・機能的な影響を与える**ことが研究から明らかになっている。

C × 被虐待体験は、**心的外傷になる**。

D ○ 児童虐待を受けたと思われる児童を発見した場合、「児童福祉法」第25条の規定に基づき、すべての国民に**通告義務**が定められている。

問18 災害後における子どもの反応 正解1

設問の記述は、すべて正しい。厚生労働省の資料によると、以下のとおりである。

A ○ 災害時における子どもの心の問題は、**ある程度時間が経ってから顕在化する**ことが多い。

B ○ 幼児期・学童期の子どもの場合、**「災害ごっこ」を繰り返す**などの形で、心の問題を表出することがある。

C ○ 学童期以降の子どもの場合、**孤立**や、逆に特定の友人関係に**固執**するなどの人間関係に問題が表れることがある。

D ○ 思春期の子どもの場合、抽象的概念の発達に伴い、生き残った罪悪感などの**複雑な感情を抱くことがある。**

災害時の子どもたちは、①心の傷（心的トラウマ）、②喪失（身近な人や家やつながりなどを失った体験による）、③災害後の社会・生活上のストレスなどの心理的負担を受ける。

その心理的負担に対する反応は、年齢や、被災するまでの過去の体験、受けた被害の質や大きさ、また、災害時の人の死の目撃の有無等によって異なる。

反応があまりにも大きいとき、また、1か月以上たっても改善しないときは、専門家に相談する。

問19 保育の中でみられる子どもの姿 正解2

A－ウ：プレリテラシー リテラシー能力（読み書きの能力）を身につける前の子どもが、**遊びの中で、すでに読み書きの能力を有しているかのようにふるまう**ことである。

B－ク：スクリプト **見通し、経験や知識のまとまりの流れ**のことである。

C－オ：自己主張 他者に対して、**自分の気持ちをはっきりと主張する**ことである。

D－エ：メタコミュニケーション 状況を客観視して、**相手に配慮しながらやりとりをする**ことである。

【語群】**ア**のナラティブは、**語り手自身が紡いでいく物語**のことである。

イのいやいや期は、**自己主張が激しくなる時期**のことで、研究者によって見解は異なるが、概ね1歳半から3歳頃までをさす。

カのリテラシーは、**読み書き能力**のことである。

キの二次的ことばは、(1) 現実の場面をはなれた状況で、(2) 抽象化された相手に向けて、(3) 自分の側から一方的に発せられるもので、(4)「話しことば」もあるが**「書きことば」に代表されるもの**である。

問20 アタッチメント（愛着） 正解4

A × ボウルビィは、愛着行動が人間の乳児において発達する過程を4段階に分けて論じた。分離不安（separation anxiety）は、**第3段階**（6・7か月から2歳頃）にみられる。

B ○ 愛着関係のある保育士は、子どもにとっての**安全基地**となる。

C ○ **ストレンジ・シチュエーション法**は、実験室において母子分離（母親は部屋から出て子どもだけ残す）と再会、他人の導入（入室）などへの子どもの反応を、組織的に観察する方法である。

D ○ 子どもが成長して表象能力が発達することにより、愛着対象のイメージを思い浮かべ、その**イメージを心の拠り所とすることができる**ようになる。

保育原理

問 1	(指)「保育所の役割」	**正解 3**

「保育所保育指針」第 1 章「総則」1「保育所保育に関する基本原則」(1)「**保育所の役割**」ウより、以下のとおりとなる。

A－イ：保育
B－ウ：社会資源
C－カ：支援
D－ク：子育て家庭

問 2	(指)「保育の環境」	**正解 1**

A ○ 「保育所保育指針」第 1 章「総則」1「保育所保育に関する基本原則」(4)「保育の環境」の記述であり、適切である。この**人的環境、物的環境、自然や社会の事象**は、相互に関連し合っている。

B ○ 同 (4)「保育の環境」ウの記述である。保育室は、**くつろぎの場**、そして**生き生きと活動できる場**となるよう配慮することが重要である。

C ○ 同 (4)「保育の環境」イの記述である。**保育の保健的環境**や、**安全の確保**などに努めることをよく理解しておく。

D × 「保育士自らが積極的に環境に関わり」は誤りである。同(4)「保育の環境」エには「子どもが人と関わる力を育てていくため、**子ども自らが周囲の子どもや大人と関わっていくことができる環境**を整えること」とあり、「保育士自ら」が関わるという記述はない。

問3	㊥「養護の理念」	正解 1

「保育所保育指針」第1章「総則」2「養護に関する基本的事項」(1)「**養護の理念**」より、以下のとおりとなる。

A－生命

B－情緒

C－教育

D－ねらい及び内容

保育における養護とは、「子どもの生命の保持及び情緒の安定を図るために保育士等が行う援助や関わり」のことで、**養護及び教育を一体的に行う**ことを特徴としている。

問4	㊥1歳以上 3歳未満児の保育	正解 2

A ○ 「保育所保育指針」第2章「保育の内容」2「1歳以上3歳未満児の保育に関わるねらい及び内容」(1)「基本的事項」イに記されている。ねらい及び内容は、それぞれの時期の発達の特徴を踏まえている。1歳以上3歳未満児の保育と、3歳以上児の保育は、「**健康**」、「**人間関係**」、「**環境**」、「**言葉**」、「**表現**」の5領域として示されている。

B × 同第1章「総則」3「保育の計画及び評価」(2)「指導計画の作成」イ(ア)には「3歳未満児については、一人一人の子どもの生育歴、心身の発達、活動の実態等に即して、**個別的な計画を作成すること**」とあり、「必要に応じて作成」という記述は誤りである。

C ○ 同第2章「保育の内容」2「1歳以上3歳未満児の保育に関わるねらい及び内容」(2)「ねらい及び内容」イ「人間関係」(ウ)「内容の取扱い」①に「**子どもの気持ちを尊重し、温かく見守るとともに、愛情豊かに、応答的に関わり**」とある。

D × 同2「1歳以上3歳未満児の保育に関わるねらい及び内容」(2)「ねらい及び内容」ア「健康」(ウ)「内容の取扱い」④には「基本的な生活習慣の形成に当たっては、家庭での生活経験に配慮し、**家庭との適切な連携の下で行う**」とあり、「家庭からの要望を第一に優先」というような記述はない。

E ○ 同2「1歳以上3歳未満児の保育に関わるねらい及び内容」(2)「ねらい及び内容」イ「人間関係」(ウ)「内容の取扱い」③に「保育士等が仲立ちとなって、自分の気持ちを相手に伝えることや相手の気持ちに気付くことの大切さなど、**友達の気持ちや友達との関わり方**を丁寧に伝えていく」とある。

問5	㊥「全体的な計画の作成」	正解 1

「保育所保育指針」第1章「総則」3「保育の計画及び評価」(1)「**全体的な計画の作成**」アより、以下のとおりとなる。

A－目標

B－発達過程

C－組織

D－展開

問6	㊥「乳児保育に関わるねらい及び内容」	正解 3

A ○ 「保育所保育指針」第2章「保育の内容」1「乳児保育に関わるねらい及び内容」(3)「**保育の実施に関わる配慮事項**」エの記述である。

B × 同1「乳児保育に関わるねらい及

問題◀本冊 p.232～235 ◀◀◀

び内容」ではなく、同2「**1歳以上3歳未満児**の保育に関わるねらい及び内容」(3)「保育の実施に関わる配慮事項」ウの記述である。

C × 同3「**3歳以上児**の保育に関するねらい及び内容」(3)「保育の実施に関わる配慮事項」イの記述である。子どもの発達や成長の援助をねらいとした活動の時間について、**意識的に保育の計画等に位置づける**のは3歳以上児であることを覚えておく。

D ○ 同1「乳児保育に関わるねらい及び内容」(3)「**保育の実施に関わる配慮事項**」イの記述である。また、乳児は疾病への抵抗力が弱いことや、心身の機能の未熟さに伴う疾病の発生が多いことから、**一人一人の発育及び発達状態や健康状態についての適切な判断に基づく保健的な対応を行う**ことも重要である。

問7	(指)「3歳以上児の保育に関するねらい及び内容」	正解3

A **ア** 「保育所保育指針」第2章「保育の内容」3「3歳以上児の保育に関するねらい及び内容」(2)「ねらい及び内容」ア「**健康**」(ア)「ねらい」③の記述である。設問の「健康、安全な生活に必要な習慣や態度を**身に付け、見通しをもって行動する**」は、1歳以上3歳未満児では「健康、安全な生活に必要な習慣に**気付き、自分でしてみようとする気持ちが育つ**」となっている。

B **カ** 同イ「**人間関係**」(ア)「ねらい」③の記述である。

C **エ** 同ウ「**環境**」(ア)「ねらい」①の記述である。

なお、選択肢**イ**、**ウ**、**オ**は、いずれも同2「**1歳以上3歳未満児**の保育に関わるねらい及び内容」からの出題であり、**イ**は健康、**ウ**は環境、**オ**は人間関係についてのねらいとなっている。

問8	(指)保育士の子どもへの対応	正解5

A × 「赤ちゃんみたいに抱っこしてもらっているなんて恥ずかしい」という発言は、父親に抱かれて離れられない子どもの気持ちを受け止めているとはいえず、不適切である。「保育所保育指針」第1章「総則」1「保育所保育に関する基本原則」(3)「保育の方法」アには「一人一人の子どもの状況や家庭及び地域社会での生活の実態を把握するとともに、子どもが安心感と信頼感をもって活動できるよう、**子どもの主体としての思いや願いを受け止めること**」とある。

B × 自分から意思表示してトイレに行くことができる子どもが「おしっこ出ない」と言っているにもかかわらず、「今はトイレの時間でしょ」と言葉をかけて、トイレに連れていくのは子どもの気持ちを尊重しているとはいえず、不適切である。同第2章「保育の内容」2「1歳以上3歳未満児の保育に関わるねらい及び内容」(2)「ねらい及び内容」ア「健康」(ウ)「内容の取扱い」④には「食事、排泄、睡眠、衣類の着脱、身の回りを清潔にすることなど、生活に必要な基本的な習慣については、一人一人の状態に応じ、落ち着いた雰囲気の中で行うようにし、**子どもが自分でしようとする気持ちを尊重する**こと」とある。

C × こぼす等の理由で給食のメニューをすべて配膳しないのは、和やかな雰囲気の中で食べる楽しみを味わうことにつながらず、不適切である。同3「3歳以上児の保育に関するねらい及び内容」(2)「ねらい及び内容」ア「健康」(ウ)「内容の取扱い」④に「子どもの食生活の実情に配慮し、**和やかな雰囲気の中で保育士等や他の子どもと食べる喜びや楽しさを味わったり**、様々な食べ物への興味や関心をもったりする」とある。

D × まだ遊びたいという4歳児の気持ちも受け止めず、前向きな見通しを持てるような配慮もなく、一方的に「片付けをしないならご飯食べられない」という言葉かけを行うことは不適切である。同イ「人間関係」(ウ)「内容の取扱い」①に「**保育士等との信頼関係**に支えられて自分自身の生活を確立していくことが人と関わる基盤となることを考慮し(中略)、**前向きな見通しをもって自分の力で行うことの充実感を味わうことができるよう**、子どもの行動を見守りながら適切な援助を行うようにすること」とある。

E ○ 同第1章「総則」3「保育の計画及び評価」(2)「指導計画の作成」オに「午睡は(中略)、在園時間が異なることや、睡眠時間は子どもの発達の状況や個人によって差があることから、**一律とならないよう配慮する**こと」とある。また、「保育所保育指針解説」においても「3歳以上児においては、保育時間によって午睡を必要とする子どもと必要としない子どもが混在する場合もある。(中略)午睡をしない子どもにとっても、**伸び伸びと遊ぶことができる充実した環境や体制を整えておく**ことが求められる」とある。

問9 (指)「災害への備え」 正解2

A ○ 「保育所保育指針」第3章「健康及び安全」4「**災害への備え**」(2)「災害発生時の対応体制及び避難への備え」ウの記述である。

B ○ 同(1)「**施設・設備等の安全確保**」アの記述である。

C ○ 同(3)「**地域の関係機関等との連携**」アの記述である。

D × 同(2)「災害発生時の対応体制及び避難への備え」イに「**定期的**に避難訓練を実施するなど、必要な対応を図ること」とは示されているが、**実施回数についての記述はない**。避難訓練の回数については、「児童福祉施設設備運営基準」第6条の2第2項において「避難及び消火に対する訓練にあっては、**毎月1回**」と記されている。

E ○ 同(3)「**地域の関係機関等との連携**」イの記述である。

問10 (指)「保育所保育指針」に関する記述 正解4

A × 保育所の運営に関する事項は「児童福祉施設設備運営基準」に基づき、**「保育所保育指針」で定めている**。「保育所保育指針」第1章「総則」に「この指針は、児童福祉施設の設備及び運営に関する基準第35条の規定に基づき、保育所における保育の内容に関する事項及びこれに関連する運営に関する事項を定めるものである」とある。

B × 「保育所保育指針」は、2008(平

問題◀本冊 p.236 〜 238

成20）年の改定で厚生労働大臣による**告示**となり、**遵守すべき法令**として示された。保育所は「保育所保育指針」に沿って保育を行わなければならない。

C ○ 同指針第1章「総則」1「保育所保育に関する基本原則」(1)「保育所の役割」アに「保育所は、（中略）入所する**子どもの最善の利益**を考慮し、**その福祉を積極的に増進することに最もふさわしい生活の場**でなければならない」とある。

D ○ 「保育所保育指針解説」の「序章」1「保育所保育指針とは何か」において、「家庭的保育事業等の設備及び運営に関する基準」及び「認可外保育施設に対する指導監督の実施について」により、「保育所にとどまらず、**小規模保育や家庭的保育等の地域型保育事業及び認可外保育施設**においても、保育所保育指針の内容に準じて保育を行うことが定められている」とある。

問11 **(指)「幼児教育を行う施設として共有すべき事項」** **正解4**

「幼児教育を行う施設として共有すべき事項」の「育みたい資質・能力」は、「幼稚園教育要領」、「保育所保育指針」、「幼保連携型認定こども園教育・保育要領」の3法令において、3歳以上児に共通して幼児教育において育みたい資質・能力（3つの柱）として記載されている。

A－ウ

B－イ

C－エ

なお、**【Ⅱ群】ア**は、同指針第1章「総則」4「幼児教育を行う施設として共有すべき事項」(2)「幼児期の終わりまでに育ってほしい姿」のエ「**道徳性・規範意識の芽生え**」の一部である。

「幼児期の終わりまでに育ってほしい姿」は、「10の姿」（ア「健康な心と体」、イ「自立心」、ウ「協同性」、エ「道徳性・規範意識の芽生え」、オ「社会生活との関わり」、カ「思考力の芽生え」、キ「自然との関わり・生命尊重」、ク「数量や図形、標識や文字などへの関心・感覚」、ケ「言葉による伝え合い」、コ「豊かな感性と表現」）ともいわれており、小学校以降の教育との連携が見すえられている。

問12 **(事) 1歳児クラスの保育と子育て支援** **正解4**

A × 事例は1歳児クラスの運動会であり、「子どもが一人ずつセリフを言う機会を設ける」ことは、**子どもの発達過程を基にした配慮とはいえない**。「保育所保育指針」第1章「総則」3「保育の計画及び評価」(2)「指導計画の作成」ウに「指導計画においては、保育所の生活における子どもの発達過程を見通し、（中略）子どもが主体的に活動できるようにする」とある。行事などについても、子どもの実態を基に、子どもの発達過程を見通し、子どもの自主性を尊重して行う必要がある。

B ○ 子どもに負担をかけず「普段の遊びの姿」を見せることは、**日常の保育とのつながり**や、**子どもの生活や発達**を配慮しており、適切である。同アに「保育所は、全体的な計画に基づき、（中略）子どもの生活や発達を見通した長期的な指導計画と、それに関連しながら、より具体的な子どもの日々の生活に即した短期的な指導計画を作成しなければならない」とある。

C ○ 保育士と保護者が**互いに情報や考えを伝え合い共有する**ことは重要である。同指針第4章「子育て支援」2「保育所を利用している保護者に対する子育て支援」(1)「保護者との相互理解」アに「日常の保育に関連した様々な機会を活用し子どもの日々の様子の伝達や収集、保育所保育の意図の説明などを通じて、保護者との相互理解を図るよう努めること」とある。

D ○ 「この時期の子どもの発達の姿を共有し」たり、「保護者の思いを受けとめ」たりする対応は、**保育士の専門性を活かし、保護者に寄り添っている**といえ、適切である。同1「保育所における子育て支援に関する基本的事項」(1)「保育所の特性を生かした子育て支援」イに「保育及び子育てに関する知識や技術など、保育士等の専門性や、子どもが常に存在する環境など、保育所の特性を生かし、保護者が子どもの成長に気付き子育ての喜びを感じられるように努めること」とある。

問13	(指) 障害のある子どもの保育	正解3

A ○ 障害や発達上の課題のある子どもの理解と援助は、子どもの**保護者や家庭との連携**が何よりも大切である。記述は、「保育所保育指針解説」第1章「総則」3「保育の計画及び評価」(2)「指導計画の作成」キ【家庭との連携】に記されている。

B × 同【家庭との連携】に「他の子どもの保護者に対しても、**子どもが互いに育ち合う姿を通して、障害等についての理解が深まるようにする**とともに、地域で共に生きる意識をもつことができるように配慮する」とある。プライバシーの保護には留意する必要があるが、「プライバシーの保護が何よりも大切」とはいえない。障害のある子どもの保護者の同意のもと、障害の理解が深まるような配慮等をする必要がある。

C ○ 障害のある子どもの保育にあたっては、**地域の関係機関と連携し、互いの専門性を生かしながら**取り組んでいく。記述は、同【地域や関係機関との連携】に記されている。

D ○ 障害のある子どもの就学にあたっては、それまでの支援が**就学以降も継続する**よう留意する。記述は、同【地域や関係機関との連携】に記されている。

問14	(指) 子育て支援	正解1

A ○ 「保育所保育指針」第4章「子育て支援」1「保育所における子育て支援に関する基本的事項」(2)「子育て支援に関して留意すべき事項」アに「保護者に対する子育て支援における**地域の関係機関等との連携及び協働**を図り、**保育所全体の体制構築**に努めること」とある。

B ○ 同2「保育所を利用している保護者に対する子育て支援」(2)「保護者の状況に配慮した個別の支援」ウ「外国籍家庭など、特別な配慮を必要とする家庭の場合には、状況等に応じて**個別の支援を行うよう努める**こと」とある。

C × 同(3)「不適切な養育等が疑われる家庭への支援」イに「保護者に不適切な養育等が疑われる場合には、市

問題◀本冊 p.239 ~ 242

町村や関係機関と連携し、要保護児童対策地域協議会で検討するなど適切な対応を図ること。また、虐待が疑われる場合には、**速やかに市町村又は児童相談所に通告し**、適切な対応を図ること」とある。虐待の場合、プライバシー保護よりも機関への通告が優先される。

D × 同（1）「保護者との相互理解」イに「保育の活動に対する保護者の積極的な参加は、保護者の子育てを自ら実践する力の向上に寄与することから、**これを促すこと**」とある。

問 15 保育の必要性の認定 正解 1

2012（平成 24）年に成立した子ども・子育て関連 3 法に基づき、2015（平成 27）年から「子ども・子育て支援新制度」が本格施行された。その中で、保育を必要とする事由には、就労（フルタイム）と、就労以外の事由として、保護者の疾病・障害、**産前産後**、**同居親族の介護**、**災害復旧**がある。改訂され加えられた事由として、**求職活動**及び**就学**、虐待や DV のおそれがあることも対象となった。さらに就労はフルタイムだけでなく、パートタイム、夜間、居宅内の労働も含まれている。

A ○ 同支援制度の「保育を必要とする事由」に「**災害復旧**」とある。

B ○ 同支援制度に「**就学**」とある。

C ○ 同支援制度に「**同居親族の介護**」とある。

D ○ 起業準備は、同支援制度の「**求職活動**」に含まれる。

E ○ 妊娠は、同支援制度の「**産前産後**」に含まれる。

問 16 幼児教育・保育の無償化 正解 4

A × 「幼児教育・保育の無償化」で、3 ～ 5 歳の子どもは、幼稚園、保育所、認定こども園のほかに、**地域型保育**、**企業主導型保育**（標準的な利用料）の利用も無償となった。また、0 ～ 2 歳の子どもについては、上記の施設を利用する住民税非課税世帯を対象として無償化された。

B ○ 無償化の期間は「**満 3 歳になった後の 4 月 1 日から小学校入学前までの 3 年間**」である。

C ○ 通園送迎費、食材料費、行事費などは、保護者の負担となるが、年収 360 万円未満相当世帯の子どもたちと、すべての世帯の第 3 子以降の子どもたちについては、**副食（おかず・おやつ等）の費用**が免除される。

D ○ **就学前の障害児の発達支援を利用する子どもたち**について、利用料は無料である。また、幼稚園、保育所、認定こども園等と、これらの発達支援の両方を利用する場合でも、ともに無償化の対象となっている。

問 17 事 2 歳児クラスの保育 正解 3

A × 絵本の読み聞かせでは、「声を出したり、立ち上がったり、歩き回ったりする子どもを注意する」のではなく、**子どもの気持ちに寄り添い、受容する**必要がある。一方的に注意をするのではなく、なぜ子どもが声を出したくなったり、立ち上がったりするのか等、子どもの活動の意図を汲み取ることが大切である。「保育所保育指針」第２章「保育の内容」２「１歳以上３歳未満児の保育に関わるねらい及び内容」(1)「基本的事項」アに「保育士等は、子どもの生活の安定を図りながら、自分でしようとする気持ちを尊重し、温かく見守るとともに、愛情豊かに、応答的に関わることが必要である」とある。

B ○ **環境面での工夫**ができないか考えてみようとすることは適切である。同第１章「総則」１「保育所保育に関する基本原則」(4)「保育の環境」イに「子どもの活動が豊かに展開されるよう、保育所の設備や環境を整え、保育所の保健的環境や安全の確保などに努めること」とある。

C ○「子どもなりの反応を肯定的に捉えてみよう」というのは、**子どものあるがままを受け止めて、共感する**ことにもつながり、適切である。同２「養護に関する基本的事項」(2)「養護に関わるねらい及び内容」イ「情緒の安定」(イ)「内容」②に「一人一人の子どもの気持ちを受容し、共感しながら、子どもとの継続的な信頼関係を築いていく」とある。

D ×「２歳児クラスの子どもにはまだ何を言っても伝わらない」と考えるのは適切ではない。同第２章「保育の内容」２「１歳以上３歳未満児の保育に関わるねらい及び内容」(2)「ねらい及び内容」エ「言葉」(ウ)「内容の取扱い」③に「この時期は、片言から、二語文、ごっこ遊びでのやり取りができる程度へと、**大きく言葉の習得が進む時期である**ことから、それぞれの子どもの発達の状況に応じて、遊びや関わりの工夫など、保育の内容を適切に展開することが必要である」とある。

E ○ 選出した絵本について検討するのは適切である。同ウ「環境」(ウ)「内容の取扱い」①に「玩具などは、音質、形、色、大きさなど子どもの**発達状態に応じて適切なものを選び**、遊びを通して感覚の発達が促されるように工夫すること」とある。

問18 海外の保育の思想家 正解３

A ○「コダーイ・システム」は、音楽は第二の母語であるという考え方から、「歌う」ことを重視し、母国のわらべうたから音楽教育を始めることを特徴としている。

B × **エレン・ケイ**は、**スウェーデン**の思想家で、女性解放運動家でもある。1900年に代表作である『児童の世紀』を発表した。母子関係の重要性や「子どもの権利」に関することが示されている。フランスにおいて幼児学校を設立したのはオーベルランである。

C ○ **フレーベル**は、ドイツで世界最初の幼稚園を創設した。幼児教育の教材・遊具として考案されたガーベ（Gabe）は日本では明治期に「恩物」として知られた。著書には『人間の教育』（1826年）、『母の歌と愛撫の歌』などがある。

D × **モンテッソーリ**は、イタリアの医師・教育思想家である。ローマのスラム化した地区において、「子どもの家」を設立した。スウェーデンの社会運動家で『児童の世紀』を著したのはエレン・ケイである。

問題◀本冊 p.242～244

問 19	日本における保育の歴史	正解 5

A　×　二葉幼稚園は、華族女学校附属幼稚園に勤めていた**野口幽香**（ゆか）が、貧しい子どもたちのための幼児教育の場として、**森島峰**とともに 1900（明治 33）年に設立した。赤沢鍾美（あつとみ）・仲子夫妻は、日本で初めてとなる新潟静修学校託児所を 1890（明治 23）年に設立した。

B　×　設立当初からではない。東京女子師範学校附属幼稚園は、1876（明治 9）年に日本で初めてとなる官立幼稚園として創設された。そして 1917（大正 6）年に、倉橋惣三が主事となり、1934（昭和 9）年には『幼稚園保育法真諦』において、旧来の幼稚園でなされていた保育内容ではなく、**個々の子どもの自由を尊重する教育理念**を唱えた。

C　×　1926（大正 15）年に制定されたのは「幼稚園基本法」ではなく「**幼稚園令**」である。これは日本で初めての幼稚園に関する単独の勅令で、文部省により制定、公布された。

D　○　1948（昭和 23）年に「**保育要領**」が文部省から幼児教育の手引書として出された。幼稚園のみならず保育所や子どもを育てる母親を対象として幅広く使用された。

問 20	日本における保育の現状	正解 4

「保育所等数と利用児童数」についての出題である。例年、日本の保育の現状に関する**表の読み取り**の問題が出題される傾向にある。問題を落ち着いてよく読めば解くことができる。

A　×　2020（令和 2）年の保育所の数（23,759 か所）及び保育所の利用児童数（2,039,179 人）は、2021（令和 3）年の保育所の数（23,896 か所）及び保育所の利用児童数（2,003,934 人）と比較して、**保育所の数は増加しているが、利用児童数は減少している**。2023（令和 5）年は保育所数（23,806 か所）、利用児童数（1,918,042 人）ともに前年の 23,899 か所、1,960,833 人よりも減少している。

B　○　2020（令和 2）年及び 2021（令和 3）年の保育所の利用児童数は前述のとおり**減少している**。一方で、幼保連携型認定こども園の利用児童数は 2020（令和 2）年では 553,707 人であるのに対し、2021（令和 3）年では 588,878 人と**増加している**。なお、2023（令和 5）年の幼保連携型認定こども園の利用児童数は 637,893 人でさらに増加している。

C　×　2020（令和 2）年の特定地域型保育事業の数は 6,911 か所で、2021（令和 3）年には 7,342 か所と増加している。また、特定地域型保育事業の利用児童数も、2020（令和 2）年は 88,755 人であるのに対して 2021（令和 3）年では 90,452 人と**増加している**。なお、2023（令和 5）年の特定地域型保育事業の数は 7,512 か所、利用児童数も 94,524 人でどちらも増加している。

D　○　2020（令和 2）年の保育所等数の合計は 37,652 か所に対し、2021（令和 3）年では 38,666 か所と、**1,000 以上増加している**。なお、2023（令和 5）年の保育所等数の合計は 39,589 か所と増加を続けている。

子ども家庭福祉

問1 子どもや家庭を取り巻く現状 正解 3

A ○ 「令和３年度出生に関する統計」によると、2019（令和元）年の母の第１子出産時の平均年齢は **30.7 歳**である。なお、2021（令和３）～ 2022（令和４）年の母の第１子出産時の平均年齢は30.9 歳となっている。

B × 「令和２年（2020）人口動態統計（確定数）の概況」によると、合計特殊出生率は、2006（平成 18）年（1.32）以降、2018（平成 30）年（1.42）まで、微増傾向にあったが、2019（令和元）年は 1.36、2020（令和２）年は 1.33 と、再び**減少に転じている**。なお、2023（令和５）年の合計特殊出生率は、**1.20** である。

C × 「令和２年版 男女共同参画白書」によると、2019（令和元）年の「男性雇用者と無業の妻から成る世帯数」は582 万世帯で、「雇用者の共働き世帯数」（1,245 万世帯）の**約２分の１以下**となっている。2022（令和４）年も同様である。

D ○ 「2019 年国民生活基礎調査の概況」によると、2019（令和元）年の「児童のいる世帯」は 1122 万１千世帯で、全世帯の **21.7%**となっているが、2022（令和４）年は 991 万７千世帯で、全世帯の 18.3%である。

問2 日本の児童福祉の歴史 正解 2

1 × 留岡（とめおか）幸助は、1899（明治 32）年、東京の巣鴨に感化院である**家庭学校**を設立した。1914（大正３）年には北海道に分校を設立し、感化事業に生涯をささげた。

2 ○ **滝乃川学園**は、日本で最初の知的障害児施設であり、石井亮一は「知的障害児教育の父」とも呼ばれている。

3 × 高木憲次は、1916（大正５）年から東京のスラム街で肢体不自由者の実態調査を行った。この経験から、肢体不自由児に治療とともに教育を受けさせることが重要であると主張し、1932（昭和７）年に日本で最初の肢体不自由児学校である**光明（こうめい）学校**を創設した。1942（昭和 17）年には、同じく日本で最初の肢体不自由児施設である「整肢療護園」を開設し、「療育」の必要性を説いた。

4 × 石井十次は、1887（明治 20）年に日本で最初の孤児院である**岡山孤児院**を創設した。イギリスのバーナードホームの影響を受け、岡山孤児院では、小舎制で子どもを養育する「家族制度」を取り入れた。

5 × 川田貞治郎は、1919（大正８）年、精神薄弱児（現在の知的障害児）入所施設である**藤倉学園**を東京に設立した。

問3 子ども家庭福祉に関する法律 正解 1

これらの法律を制定年の古い順に並べると、以下により「**B → E → A → C → D**」となる。

A 「**児童扶養手当法**」は、母子家庭の生活の安定と自立促進に寄与することで、児童福祉の増進を図ることを目的に、**1961（昭和 36）年**に制定された。なお、

問題◀本冊 p.245 ～ 248

2010（平成22）年の改正により、父子家庭も児童扶養手当を受給できるようになった。

B **「児童福祉法」**は、第二次世界大戦後の**1947（昭和22）年**、すべての児童の健全育成と福祉の増進を目的として制定された。なお、戦前の「児童虐待防止法」と「少年教護法」は、「児童福祉法」に統合されたことにより、廃止となっている。

C **「児童手当法」**は、家庭等の生活の安定に寄与し、次代の社会を担う児童の健やかな成長に資するために、**1971（昭和46）年**に制定され、1972（昭和47）年に施行されている。

D 当初、すでに児童福祉に関する基本法である「児童福祉法」が制定されていたことから、これとは別に児童虐待に特化した法律を制定することに否定的な見解もあった。しかし、「児童の権利に関する条約」の批准（1994〔平成6〕年）により、国内法の整備が必要になったことや、児童虐待が社会問題化したことから、**2000（平成12）年に「児童虐待の防止等に関する法律」**が制定された。

E **「少年法」**は、少年の健全育成を図り、非行少年に対して性格矯正及び環境調整に関する保護処分を行うとともに、少年の刑事事件について、成人の犯罪者のそれとは別に、特別の措置を講ずることを目的に、**1948（昭和23）年**に制定され、1949（昭和24）年より施行された。なお、2021（令和3）年の民法改正により成年年齢が18歳に引き下げられたことに伴い、同年に少年法も改正され、18・19歳は「特定少年」として引き続き少年法が適用されることとなった。

問4 「児童の権利に関する条約」 正解1

A ○ **休息、余暇及び文化的生活に参加する権利**について触れた「児童の権利に関する条約」第31条の内容である。なお、同条第2項では、その権利を尊重しかつ促進するだけでなく、文化的及び芸術的な活動並びにレクリエーション及び余暇活動のために、締約国が適当かつ平等な機会の提供を奨励することも規定している。

B ○ **意見表明権**について触れた第12条の内容である。なお、子どもが自由に意見を表明する際は、その子どもの見解が年齢及び成熟度に従って十分考慮されるものとする。

C ○ **教育についての権利**に触れた第28条第2項の内容である。なお、第1項では、締約国は教育についての児童の権利を認め、初等教育を義務的なものとし、すべての者に対して無償とすることや、中等教育、高等教育を利用する機会が与えられるものとすること等が規定されている。

問5 「全国保育士会倫理綱領」 正解3

「全国保育士会倫理綱領」は、2001（平成13）年の児童福祉法改正により、保育士資格が国家資格化されたことを契機に、保育士としての責任と役割に対する認識を新たにし、よりよい保育実践を行うため、2003（平成15）年に策定された。

A **福祉** 第1条は、**子どもの最善の利**

益の尊重に関する内容である。

B 秘密 第4条は、**プライバシーの保護**に関する内容である。

C 代弁 第6条は、**利用者の代弁**に関する内容である。

D 人間性 第8条は、**専門職としての責務**に関する内容である。

なお、第2条は子どもの発達保障、第3条は保護者との協力、第5条はチームワークと自己評価、第7条は地域の子育て支援に関する内容となっている。

問6	「児童虐待防止法」(◆)	正解 3

A 出頭
B 立入り

設問の内容は、**出頭要求等**について規定された「**児童虐待防止法**」第8条の2の内容である。

なお、同法第9条では、都道府県知事が児童委員等に対し、児童の住所または居所へ立ち入り、調査または質問をさせることができると規定されている(同法第9条の2)。

また、2023(令和5)年4月1日施行の改正「児童虐待防止法」により、設問文中の「厚生労働省令で定めるところにより」は、「内閣府令で定めるところにより」と改められている。

問7	児童相談所が受ける相談の種類と内容	正解 5

1 ○ **養護相談**は、記述の内容のほか、保護者の服役等による養育困難児、虐待を受けた子ども、親権を喪失した親の子、養子縁組に関する相談も含む。

2 ○ **障害相談**は、記述の内容のほか、肢体不自由児に関する相談(肢体不自由児、運動発達の遅れに関する相談)、視聴覚障害児に関する相談、言語発達障害児に関する相談等も含む。

3 ○ **保健相談**は、記述の内容のほか、精神疾患を有する子どもに関する相談も含まれる。

4 ○ **非行相談**は、記述の内容のとおりである。なお、**ぐ犯**とは、まだ犯罪行為を行ってはいないが、生活環境や人間関係、性格等の面から、将来的に法を犯すおそれのことをいう。

5 × 児童虐待に関する相談は、**養護相談**で受け付ける。**育成相談**は、性格行動相談(子どもの人格の発達上問題となる反抗や家庭内暴力、生活習慣の著しい逸脱等性格もしくは行動上の問題を有する子どもに関する相談等)、不登校相談、適性相談、育児・しつけ相談が該当する。

問8	児童福祉司	正解 4

1 ○ 「**児童福祉法**」第13条第1項において、都道府県児童相談所に児童福祉司を置かなければならないことが規定されている。

2 ○ **社会診断**では、主訴や主訴の背後にある本質的問題、虐待の内容や頻度、危険度、虐待が子どもに与えていると考えられる影響、虐待に至った理由等について分析し、診断に盛り込む。

3 ○ 児童福祉司は、他の相談所等と**兼務することができる**。「児童相談所運営指針」の「第2章 児童相談所の組織と職員」のうち、「第3節 職員構成」の「2. 留意事項(11)」に規定されている。

問題◀本冊 p.248 ~ 251

4 × 児童福祉司は、社会福祉士や公認心理師のほか、**医師**や**精神保健福祉士**、加えて、**社会福祉主事**として、2年以上相談援助業務に従事した者であって、内閣総理大臣が定める講習会の課程を修了したもの等から任用される（児童福祉法第13条第3項）。

5 ○ 児童福祉司を配置する人数の基準は、管轄区域内の人口、児童虐待相談対応件数等を総合的に勘案し、政令で定める基準を標準として都道府県が定めるものとされている（同法第13条第2項）。2019（令和元）年の児童福祉法改正により、児童福祉司の配置基準の見直しがなされ、管轄区域の**人口3万人に1人以上**配置することが基本となった。

問9 児童福祉施設の役割 正解4

A オ 児童心理治療施設は、「児童福祉法」第43条の2に規定される児童福祉施設である。医師や心理療法担当職員のほか、児童指導員や保育士、看護師、個別対応職員、家庭支援専門相談員等を配置することとなっている（「児童福祉施設設備運営基準」第73条）。

B ウ 児童自立支援施設は、「児童福祉法」第44条に規定される児童福祉施設で、児童自立支援専門員、児童生活支援員、嘱託医、個別対応職員、家庭支援専門相談員等を配置する（「児童福祉施設設備運営基準」第80条）。

C イ 医療型障害児入所施設は、「児童福祉法」第42条に規定される児童福祉施設である。医療型は、福祉型の機能に治療を加えた施設で、「医療法」に規定する病院として必要な職員、児童指導員、保育士、児童発達支援管理責任者、理学療法士または作業療法士等を配置する（同基準第58条）。

D ア 児童家庭支援センターは、「児童福祉法」第44条の2に規定される児童福祉施設である。

なお、**【Ⅱ群】**の**エ**は**助産施設**（同基準第36条）に関する説明である。

問10 児童虐待の現状と防止 正解1

A ○ 「令和2年度福祉行政報告例の概況」によると、令和2年度中に児童相談所が対応した養護相談のうち、児童虐待相談の対応件数は**205,044件**で、前年度に比べ11,264件（5.8%）増加している。なお、最新調査結果である令和3年度の児童相談所における相談対応件数も20万7,660件で2,616件（1.3%）増加している。

B ○ 「児童虐待の防止等に関する法律」第6条第1項において、児童虐待を受けたと思われる児童を発見した者は、速やかに、市町村や都道府県が設置する福祉事務所もしくは児童相談所、または児童委員を介して市町村や都道府県が設置する福祉事務所もしくは児童相談所に通告しなければならないとされている。なお、広く通告を促す観点から、**全国共通ダイヤル「189」**は覚えやすい3桁の数字が用いられており、通話は無料となっている。

C ○ 同法第5条第5項に規定されている。なお、同条第1項では、児童の福祉に職務上関係のある者は、児童虐待を発見しやすい立場にあることを自覚し、児童虐待の**早期発見**に努めなければならないと規定されている。

D ○ 厚生労働省では、「児童虐待の防止等に関する法律」が施行された月にちなみ、毎年 11 月を「**児童虐待防止推進月間**」と定め、社会全般にわたり、児童虐待問題に対する深い関心と理解を得るために、子どもの虐待防止推進全国フォーラムをはじめ、児童虐待防止に向けた様々な取り組みを実施している。

問 11 少子化対策の取り組み 正解 5

これらの少子化対策の取り組みを年代の古い順に並べると、以下により「**D → C → B → E → A**」となる。

A 「**新子育て安心プラン**」は、待機児童の解消を目指し、女性の就業率の上昇を踏まえた保育の受け皿整備、幼稚園やベビーシッターを含めた地域の子育て資源の活用を進めるため、**2020（令和 2）年** 12 月 21 日に公表された。

B 「**子ども・子育てビジョン**」は、少子化社会対策基本法（平成 15 年法律第 133 号）第 7 条の規定に基づく「大綱」として、社会全体で子育てを支え、「希望」がかなえられることを基本的な考え方として、**2010（平成 22）年** 1 月 29 日に閣議決定された。

C 「**子ども・子育て応援プラン**」は、少子化社会対策大綱の具体的な実施計画として、**2004（平成 16）年** 12 月に策定された。具体的には、少子化社会対策大綱の 4 つの重点課題である「若者の自立とたくましい子どもの育ち」、「仕事と家庭の両立支援と働き方の見直し」、「生命の大切さ、家庭の役割等についての理解」、「子育ての新たな支え合いと連携」に沿って、2005（平成 17）年度から 2009（平成 21）年度までの 5 年間に講ずる具体的な施策内容と目標を掲げている。

D 「**少子化社会対策基本法**」は、少子化社会において講ぜられる施策の基本理念を明らかにし、少子化に的確に対処するための施策を総合的に推進するため、**2003（平成 15）年** 9 月から施行された。

E 「**ニッポン一億総活躍プラン**」は、少子高齢化に歯止めをかけ、新・三本の矢（「希望を生み出す強い経済」「夢をつむぐ子育て支援」「安心につながる社会保障」）を実現し、誰もがその能力を発揮し生きがいを感じられる社会を目指すため、**2016（平成 28）年** 6 月 2 日に閣議決定された。

問 12 産後ケア事業 正解 4

A × 「母子保健法」第 6 条において、「妊産婦」とは妊娠中または出産後 1 年以内の女子と定義されている。そのため、同法第 17 条の 2 に規定される産後ケア事業の対象も、**出産後 1 年を経過しない**女子及び乳児となっている。

B ○ 記述は同法第 17 条の 2 第 2 項の内閣府令で定める基準として定められている内容である。なお、緊急時の対応等を含め、適切な産後ケアを実施するために、**医療機関との連携体制の確保**も求められている。

C ○ 「母子保健法の一部を改正する法律」の施行について（通知）」（厚生労働省子ども家庭局）において、「母子保

問題◀本冊 p.252 ～ 254

健法」第17条の2第3項関係の改正内容として、**短期入所事業**、**通所事業**、**訪問事業**のいずれかの事業を実施するよう努めなければならないとされている。なお、市町村は事業の全部または一部を、本事業の趣旨を理解し、適切な実施が期待できる団体等に委託することができる。

問13 子育て世代包括支援センター（◆） 正解5

子育て世代包括支援センター（母子健康包括支援センター）は、2024（令和6）年4月1日より、子ども家庭総合支援拠点と一体化され、「**こども家庭センター**」となった。

1 × **子育て世代包括支援センター**は、2016（平成28）年の「**母子保健法**」改正により法定化され（2017〔平成29〕年4月1日施行）、同法第22条に規定されていた。

2 × 子育て世代包括支援センター（現・こども家庭センター）の実施主体は、都道府県ではなく**市町村**である（同法第22条第2項）。

3 × 「子育て世代包括支援センターの設置運営について（通知）」において、対象者は「主として、**妊産婦及び乳幼児並びにその保護者**を対象とするが、地域の実情に応じて、**18歳までの子どもとその保護者**についても対象とする等、柔軟に運用することができる」とされている。なお、こども家庭センターの対象は、全ての妊産婦、子育て世帯、こどもである。

4 × 同通知において、**保健師等を1名以上配置する**こととされていた。こども家庭センターには、センター長1名と統括支援員（1か所あたり1名）が配置される。

5 ○ なお、同通知において記述の2事業のほかに、**妊産婦及び乳幼児等の実情を把握する**こと等も示されていた。なお、こども家庭センターの事業としては、子育て短期支援事業や一時預かり事業の拡充に加え、子育て世帯訪問支援事業、児童育成支援拠点事業、親子関係形成支援事業が新設されている。

問14 地域型保育事業 正解3

地域型保育事業は、「子ども・子育て支援新制度」（2015〔平成27〕年4月）で創設された制度で、**家庭的保育事業**、**居宅訪問型保育事業**、**小規模保育事業**、**事業所内保育事業**の4事業がある。

A－イ：居宅訪問型保育事業　なお、**家庭的保育者**とは、「市町村長（特別区の区長を含む）が行う研修を修了した保育士その他の内閣府令で定める者であつて、当該保育を必要とする乳児・幼児の保育を行う者として市町村長が適当と認めるものをいう」とされている（「児童福祉法」第6条の3第9項）。

B－ア：家庭的保育事業　居宅訪問型保育事業が、子どもと家庭的保育者が1対1を基本とした保育を実施するのに対し、家庭的保育事業は、**家庭的保育者1人につき子ども3人**、ただし、家庭的保育補助者がいる場合は子ども5人までの規模で保育を実施する。

C－ウ：小規模保育事業　同事業には**A型**、**B型**、**C型**の3類型がある。職員の資格では、A型は保育士、B型は1/2以上が保育士（保育士以外には研修を実施）、C型は家庭的保育者となっている。

問15 障害等のある児童 正解5

1 ○ 「児童養護施設入所児童等調査の概要（平成30年2月1日現在）」において、乳児院では、心身の状況について障害等の「該当あり」が**30.2%**となっている。内訳としては、身体虚弱が14.4%で最も多くなっている。なお、令和5年の概要では「該当あり」が27.0%、身体虚弱が10.9%で最も多い。

2 ○ 児童養護施設での「該当あり」は**36.7%**となっている。内訳は、知的障害が最も多く（13.6%）、次いで広汎性発達障害（自閉症スペクトラム）（8.8%）、注意欠陥多動性障害（ADHD）（8.5%）となっている。令和5年の概要は「該当あり」が42.8%で、最も多いのは知的障害の14.0%で変わらないが、次いで注意欠陥多動性障害（ADHD）13.3%、広汎性発達障害（自閉症スペクトラム）11.9%と、ADHDと自閉症スペクトラムの順位が逆転している。

3 ○ 児童自立支援施設での「該当あり」は**61.8%**で、そのうち、注意欠陥多動性障害（ADHD）が最も多く（30.0%）、次いで広汎性発達障害（自閉症スペクトラム）（24.7%）、となっている。令和5年の概要は「該当あり」が72.7%で約7割となり、注意欠陥多動性障害（ADHD）が42.3%、広汎性発達障害（自閉症スペクトラム）が39.4%とどちらも増加している。

4 ○ 自立援助ホームでの「該当あり」は**46.3%**となっている。内訳は、広汎性発達障害（自閉症スペクトラム）が13.6%、注意欠陥多動性障害（ADHD）が13.1%となっている。令和5年の概要は「該当あり」が50.8%で、最も多いのが注意欠陥多動性障害（ADHD）16.9%、次いで広汎性発達障害（自閉症スペクトラム）14.7%と順位が逆転している。

5 × 児童心理治療施設での「該当あり」は**85.7%**となっている。内訳は、広汎性発達障害（自閉症スペクトラム）が最も多く（42.9%）、次いで注意欠陥多動性障害（ADHD）（33.4%）、反応性愛着障害（26.4%）となっている。令和5年の概要は「該当あり」が87.6%で、広汎性発達障害（自閉症スペクトラム）50.6%、注意欠陥多動性障害（ADHD）48.1%、反応性愛着障害19.5%である。

問16 児童自立支援施設入所児 正解1

「児童養護施設入所児童等調査の概要（平成30年2月1日現在）」によると、児童自立支援施設入所児の平均在所期間は、**1.1**年となっている。最も割合が多いのは「1年未満」（50.1%）で、次いで「1年以上2年未満」（34.5%）、「2年以上3年未満」（9.9%）となっている。

なお、施設入所児の平均委託期間が最も長いのは**児童養護施設**で（5.2年）、次いでファミリーホーム（3.6年）、児童心理治療施設（2.2年）となっている。里親の平均委託期間は、4.5年となっている。なお、令和5年の概要でも平均在所期間、平均委託期間ともにこの傾向は変わらない。

問題◀本冊p.255～256◀◀◀

問 17	障害児通所支援	正解 1

障害児通所支援は、「**児童福祉法**」第6条の2の2に規定されている。選択肢の3支援のほか、児童発達支援、医療型児童発達支援がある。

A ○ **居宅訪問型児童発達支援**は、重度の障害等により外出が困難な障害児に対し、その居宅を訪問し発達支援を提供するサービスである。日常生活における基本的な動作の指導や知識技能の付与及び生活能力の向上のために必要な訓練を実施する。

B ○ **保育所等訪問支援**は、保育所や幼稚園、学校、放課後児童クラブなど、障害児が通う施設を訪問し、集団生活の適応に向けた専門的な支援を行う。2016（平成28）年の児童福祉法改正により、支援の対象に乳児院等に入所する障害児も追加された。

C ○ **放課後等デイサービス**は、学校（幼稚園及び大学を除く）に就学している障害児に対し、授業の終了後または休業日に児童発達支援センター等に通わせ、生活能力の向上のために必要な訓練や、社会との交流促進、その他の便宜を供与する。

問 18	事 児童虐待の発見時の対応	正解 4

1 ○ 打撲やあざなど、身体的虐待が疑われるケースであるため、**すみやかに保育所長に報告し**、担当保育士個人ではなく組織として対応を検討する必要がある。

2 ○ 「児童虐待の防止等に関する法律」第6条第1項において、「児童虐待を受けたと思われる児童を発見した者は、速やかに、これを市町村、都道府県の設置する福祉事務所若しくは児童相談所又は児童委員を介して市町村、都道府県の設置する**福祉事務所若しくは児童相談所に通告しなければならない**」と規定されている。

3 ○ **保育所内で情報共有をする**ことにより、保育所全体でMちゃんや母親に気になる様子が見られないか見守り、いつもと異なる様子が見られた際はすぐに対応できるようにする。また、今後事態が深刻になり、要保護児童対策地域協議会等で他機関と連携を図りながら支援を行う可能性があるため、あざの部位や程度、状況を記録しておくことが重要である。

4 × 虐待が疑われるケースではあるが、母親が保育士からの会話を避ける様子が見られることから、**直接的な質問を投げかけるとますます拒絶され、事実確認ができなくなる可能性がある**。そのため、母親を責めるような問いかけから入るのではなく、保育所でのMちゃんの様子や成長を伝えながら母親をねぎらい、信頼関係の構築に努めながら、家庭での様子や子育ての困りごとなどを徐々に伺うようにする。

5 ○ 「保育所保育指針」第4章「子育て支援」2「保育所を利用している保護者に対する子育て支援」(2) のイに「子どもに障害や発達上の課題が見られる場合には、市町村や関係機関と連携及び協力を図りつつ、保護者に対する個別の支援を行うよう努めること」と規定されている。Mちゃんの発達の遅れが母親の育児不安につながり、虐待が疑われる行為に至っている可能性があるため、**母親が一人で悩みを抱え込むことがないよう保育士の方から声をかける**ことが必要である。

問19 ヤングケアラー　正解5

1 ○ ヤングケアラー支援に関する条例は、**2020（令和2）年に埼玉県**で公布・施行された後、北海道栗山町、三重県名張市等、2024（令和6）年3月現在、20を超える自治体が条例を制定している。

2 ○「ヤングケアラー支援体制強化事業実施要綱」（厚生労働省子ども家庭局長）の中で、事業内容の一つとして、子ども本人、保護者並びにケアを必要とする人に関わることが想定される医療、介護、福祉、教育等の関係機関や専門職員等を対象に、地方自治体、教育委員会等が**連携**しヤングケアラー支援を深めるための**研修等を実施する**ことが明記されている。

3 ○ こども家庭庁によると、ヤングケアラーとは、「**本来大人が担うと想定されている家事や家族の世話などを日常的に行っているこどものこと**」とされている。**慢性的な病気の家族の看病のほか、障害や病気のある家族の介助、身の回りの世話**を日常的に行っていることもヤングケアラーに含まれる。

4 ○ 日本語が第一言語でない家族や障害のある家族のために**日常的に通訳をしている**子どもは、一般社団法人日本ケアラー連盟がホームページで公開しているヤングケアラーの例に含まれている。

5 × 障害や病気のある家族に代わり、単なる手伝いの域をこえ、**日常的に負担を強いられる**ことで、子どもが自らの生活を犠牲にせざるを得ない状況におかれている場合、ヤングケアラーに該当すると捉えられる。

問20 「新しい社会的養育ビジョン」　正解4

A × 代替養育は、**家庭での養育が原則**とされている。そのうえで、高度に専門的な治療的ケアが一時的に必要な場合は、「できる限り良好な家庭的環境」を提供し、短期の入所を原則とするとしている。

B ○「特に代替養育を経験した子どもの自立支援については、その子どもが自立生活を開始し、親になる準備期を経て親となって子どもを産み育てるまで、**定期的かつ必要に応じて継続的に実施する**ことが求められる」とされている。

C ○ 代替養育は、本来は一時的な解決法である。児童相談所によれば、家庭復帰や親族との同居、あるいは、それらが不適当な場合は、養子縁組の中でもとりわけ特別養子縁組といった**永続的解決を目的とした対応**を、すべての子どもに対して行わなければならないとしている。

D × 代替養育の場で生活している子どもへの支援では、**子どもの年齢に応じた形でその意見を支援サービスに反映させる**べきとされている。また、当事者（子ども、虐待を受けて育ち養育に自信がない親）同士のエンパワメント

問題◀本冊 p.256～258

の機会が与えられるよう適切に支援することも求められている。また、「新たな社会的養育という考え方では、そのすべての局面において、子ども・家族の参加と支援者との協働を原則とする」とされている。

社会福祉

問1　社会福祉に関する法律　正解2

設問の法律を制定された順に並べると、以下により「**A→D→B→C**」となる。

A　「**救護法**」は、1874（明治7）年に制定された「恤救規則（じゅっきゅう）」に代わる新たな救貧法として、**1929（昭和4）年**に制定された。「無告の窮民」を対象としていた恤救規則に比べ、13歳以下の幼者、妊産婦、65歳以上の老衰者等に対象が広がった。

B　「**介護保険法**」は、家族介護者の負担を軽減し社会全体で介護を支えることを目的に、**1997（平成9）年**に制定され、2000（平成12）年に施行された。

C　「**子ども・子育て支援法**」は、子どもや子育て家庭を社会全体で支援することを目的とし、子ども・子育て関連3法の一つとして、**2012（平成24）年**に制定、2015（平成27）年に施行された。

D　「**社会事業法**」は、社会福祉事業の全分野における共通的基本事項を定め、社会福祉事業が公明かつ適正に行われることを確保することで、社会福祉の増進に資することを目的とし、**1938（昭和13）年**に制定された。

問2　社会福祉の対象　正解2

A　○　医療費を支払えない等の入院患者は、社会福祉の対象となる。医療ソーシャルワーカーの業務の範囲は、退院援助や**経済的問題の解決**、調整援助が含まれる。

B × 要支援児童も児童福祉の対象となる。「児童福祉法」第25条の2に規定される要保護児童対策地域協議会では、要保護児童または**要支援児童**もしくは特定妊婦への適切な支援を図るため、関係機関等が情報交換や支援内容を協議する。

C ○ 生活問題は、クライエントとクライエントを取り巻く環境との相互作用に何らかの不具合が生じたことにより発生する。そのため、クライエントの人間関係、経済状況、生育歴等、**生活の全体像**を理解した上で課題解決に取り組むことが重要である。

D × 地域住民も対象となる。同法第48条の4において、「保育所は、当該保育所が主として利用される**地域の住民**に対してその行う保育に関し情報の提供を行い、並びにその行う保育に支障がない限りにおいて、乳児、幼児等の保育に関する相談に応じ、及び助言を行うよう努めなければならない」と規定されている。

問3 保育士 正解1

A ○ 2001（平成13）年当時、認可外保育施設における不適切な保育が発覚したこと等を背景に、「児童福祉法」が改正された。これにより保育士資格が**国家資格**として法定化されるとともに、認可外保育施設に対する監督も強化された。

B ○ 同法第48条の4において、保育所は、**乳幼児等の保育に関する相談に応じ、助言に努める**こと、保育士は、乳幼児に関する相談に応じ、助言を行うために**必要な知識、技能の修得並びに維持向上に努めなければならない**ことが規定されている。

C ○ 「保育所保育指針」第1章「総則」1「保育所保育に関する基本原則」(1)「保育所の役割」のエにおいて、「保育所における保育士は、児童福祉法第18条の4の規定を踏まえ、保育所の役割及び機能が適切に発揮されるように、**倫理観に裏付けられた専門的知識、技術及び判断をもって、子どもを保育する**とともに、子どもの保護者に対する保育に関する指導を行うものであり、その職責を遂行するための専門性の向上に絶えず努めなければならない」と規定されている。

D ○ たとえば「保育所保育指針」では、保護者に不適切な養育等が疑われる場合、市町村や関係機関と連携し、要保護児童対策地域協議会で検討するなど適切な対応を図ることや、子育て支援、要保護児童への対応において、地域の関係機関等と積極的に連携、協力を図るよう努めることが規定されている。こうした立場から、**社会制度の改編や創設提案の役割**を担うこともある。

問4 日本の社会保険制度 正解3

A ○ 「介護保険法」第3条第1項において、保険者として、**市町村及び特別区**が介護保険法の定めに則り、介護保険を行うと規定されている。

B × 公的医療保険は、国民健康保険と後期高齢者医療制度に、会社員等の被雇用者が加入する**被用者保険**（健康保

問題◀本冊 p.259～260

険、船員保険、各種共済〔国家公務員等〕）を加えた３種類である。

C　×　雇用保険制度は、失業等給付のほか、**育児休業給付**、雇用保険二事業（**雇用安定事業、能力開発事業**）を行う。

D　○　「労働者災害補償保険法」（「労災保険法」）第３条第１項において、「労働者を使用する事業を適用事業とする」とされており、**職業の種類、雇用形態の正規・非正規を問わず適用される**。また、労働者の国籍や在留資格の有無も問わず適用される。

問５	子どもや保護者等への対応	正解３

A　×　「保育所保育指針」第１章「総則」1「保育所保育に関する基本原則」(5)「保育所の社会的責任」ウにおいて、「保育所は、入所する子ども等の個人情報を適切に取り扱うとともに、**保護者の苦情**などに対し、その解決を図るよう努めなければならない」と規定されている。

B　○　「児童福祉法」第33条の２第１項において、「児童相談所長は、一時保護が行われた児童で親権を行う者又は未成年後見人のないものに対し、親権を行う者又は未成年後見人があるに至るまでの間、**親権を行う**」と規定されている。

C　○　「全国保育士会倫理綱領」の６「利用者の代弁」において、保育士は子どものニーズを受け止め、**子どもの立場に立ちそれを代弁する**ことや、**保護者のニーズを代弁する**ことも重要な役割として行動することが規定されている。

問６	社会福祉の専門職	正解３

A　○　「児童福祉施設設備運営基準」第43条によると、**児童指導員**の資格要件の一つに**社会福祉士**の資格を有する者が規定されている。このほか、精神保健福祉士の資格を有する者、学校教育法の規定により、小・中・高等学校または中等教育学校の教諭資格を有する者で、都道府県知事が適当と認めた者も働くことができる。

B　×　「児童福祉法」第13条で、児童相談所に置かなければならないと規定されている専門職は、社会福祉主事ではなく**児童福祉司**である。

C　○　**社会福祉主事**は、福祉事務所で現業員として任用される者に要求される任用資格である。「社会福祉法」第18条第１項に、記述の内容が規定されている。なお、都道府県の社会福祉主事は、「生活保護法」「児童福祉法」及び「母子及び父子並びに寡婦福祉法」に定める援護または育成の措置に関する事務を行う。また、市及び福祉に関する事務所を設置する町村の社会福祉主事は、これらに加え、「老人福祉法」「身体障害者福祉法」及び「知的障害者福祉法」に定める援護、育成または更生の措置に関する事務を行う（「社会福祉法」第18条第３項、第４項）。

D　○　同基準第21条によると、乳児院には、**看護師**のほか、医師、個別対応職員、家庭支援専門相談員、栄養士等を置くとされている。

問7	市町村社会福祉協議会	正解 5

A × 市町村社会福祉協議会の財源には、補助金のほか、**介護保険事業収益、受託金、障害福祉サービス等事業収益、寄附金等**がある。

B × 市町村社会福祉協議会は、特別養護老人ホーム等、第一種社会福祉事業に位置づけられている施設サービスを展開することもあるが、通所介護事業のような**第二種社会福祉事業を実施することもある**。また、第二種社会福祉事業である福祉サービス利用援助事業の一部を、都道府県社会福祉協議会等から委託され実施することもある。

C × 市町村社会福祉協議会は、民間の福祉関係者・福祉団体・関係機関の他、**地域住民**（地区社協、町内会・自治会等組織）も組織の構成メンバーとなる。

D ○ 地域において福祉活動をサポートする「**福祉活動専門員**」は、市町村社会福祉協議会に置かれる。なお、全国社会福祉協議会には企画指導員が、都道府県社会福祉協議会並びに指定都市社会福祉協議会には、福祉活動指導員が配置される。

問8	児童心理治療施設	正解 3

A ○ 「児童養護施設入所児童等調査結果(平成30年2月1日現在)」によると、児童心理治療施設の入所児童の**78.1%**が「虐待経験あり」である（令和5年は83.5%)。虐待の種類では、**身体的虐待**が最も多く（66.9%)、次いでネグレクト（48.3%)、心理的虐待（47.3%)、性的虐待（9.0%）となっている。令和5年の概要では、身体的虐待（68.3%)、心理的虐待（48.8%)、ネグレクト（45.6%)、性的虐待（8.2%）であり、わずかだが心理的虐待がネグレクトより増えている。

B × 「児童養護施設入所児童等調査結果(平成30年2月1日現在)」によると、児童の委託（入所）経路は、半数以上（56.4%）が**家庭から**となっている。児童養護施設からは14.9%である。令和5年の概要でも、家庭からが60.9%、児童養護施設からが15.5%と同様である。

C × 児童心理治療施設は、「児童福祉法」第7条第1項に規定される**児童福祉施設**の一つである。同法第43条の2において、「児童心理治療施設は、家庭環境、学校における交友関係その他の環境上の理由により社会生活への適応が困難となつた児童を、短期間、入所させ、又は保護者の下から通わせて、社会生活に適応するために必要な心理に関する治療及び生活指導を主として行い、あわせて退所した者について相談その他の援助を行うことを目的とする施設」と規定されている。

D ○ なお、この時の「児童福祉法」改正では、同法の**理念が明確化**され、児童が権利の主体であることや、児童の最善の利益が優先されることなどが規定された。

問9	「児童扶養手当法」	正解 2

A ○ 記述の内容は、「児童扶養手当法」第2条第2項において規定されている。

問題◀本冊 p.261 ～ 263

なお、「この法律において『児童』とは、**18歳に達する日以後の最初の3月31日までの間にある者**又は**20歳未満で政令で定める程度の障害の状態にある者**をいう」と定義されている（同法第3条第1項）。

B　×　同法第4条第1項に規定される受給資格要件に該当する場合でも、国内に住所がない場合や公的年金等を受給している（または受給できる）場合は、**支給対象外**となる。

C　○　児童扶養手当の額は、「児童扶養手当法」第5条において、「手当は、月を単位として支給するものとし、その額は、**一月につき、四万千百円**とする」と規定されている。なお、手当の基本額については、全国消費者物価指数の上昇または低下した比率を基準に、その翌年の4月以降の基本額を改定すること（自動改定）が同法第5条の2に規定されている。

D　×　児童扶養手当を受給するためには**所得制限**がある。また、受給できる場合も、受給者の所得により手当の額が減額される。

問10　社会福祉の専門職　正解5

A　×　保育士資格において**資格更新の制度はない**。ただし、「保育所保育指針」第5章「職員の資質向上」において、質の高い保育を展開するために、絶えず資質向上と職員全体の専門性の向上を図るよう努めなければならないことが規定されている。

B　×　社会福祉主事は、「**社会福祉法**」第18条に規定されている任用資格である。

C　×　社会福祉に関する資格には、保育士や社会福祉士、介護福祉士のような国家資格の他、子育て支援員のような**民間資格もある**。

問11　相談援助の技術　正解2

A　○　世界保健機関（WHO）憲章の前文において、「健康とは、完全な肉体的、精神的及び社会的福祉（well-being）の状態であり、単に疾病又は病弱の存在しないことではない」とされている。記述の内容は、「雇用政策研究会報告書概要（案）」（厚生労働省）の中にある説明で、**ウェルビーイング**とは、心身の健康状態にとどまらず、**人権や自己実現が保障され、社会的にも健康な状態をさす**とされている。

B　○　**ソーシャルアクション**は、社会福祉援助技術における間接援助技術の一つで、**地域や社会の課題解決に向け、制度改善、及び創設等のために行政機関へ働きかける**活動のことである。19世紀後半にアメリカで見られたセツルメント運動等がその発端とされる。

C　×　**エンパワメント**は、抑圧された状態にある個人や集団、地域等が、**自身がもつ長所や潜在的な力を自覚し、自己実現に向け主体的に活動できるよう支援する過程**をいう。記述の内容は、ソーシャルワークの展開過程におけるエバリュエーション（事後評価）に関する説明である。

問 12	ソーシャルワークの定義	正解 1

A ○ **リッチモンド**は、問題の原因は個人の内面にあると捉え、ケースワークのアプローチ法の一つとして**治療モデル**（医学モデル）を提唱した。この考えは、診断主義アプローチや心理社会的アプローチに影響を与えた。

B ○ **コノプカ**は、著書『ソーシャル・グループ・ワーク ― 援助の過程（Social group work：A Helping Process)』の中で、個別化の原則、受容の原則、参加の原則、葛藤解決の原則など、**グループワークの 14 の原則**を示した。

C ○ 選択肢の内容は、久保美紀による定義である（『エンサイクロペディア社会福祉学』中央法規出版）。**コミュニティワーク**（地域援助技術）は、社会福祉援助技術のうち、間接援助技術の一つで、「問題の把握（地域診断、アセスメント）→活動計画の立案・実施→評価」という展開過程を経る。

問 13	バイステックの 7 原則	正解 3

A ○ 「**受容**」においては、クライエントが仮に否定的な態度、感情を示したとしても、援助者はありのまま受け止める。クライエントを一人の人間として尊重するとともに、個人的な感情で否定してはならない。

B × 利用者の自己決定を促し尊重するのは、「**自己決定**」の原則である。「**個別化**」の原則は、クライエントが抱える問題は一人ひとり異なる固有の問題であることを理解し援助していくことである。

C × 利用者の感情表現を大切にすることは、「**意図的な感情表出**」の原則である。この場合、うれしい、楽しいといったプラスの感情だけでなく、悲しい、つらい、うらやましいなどマイナスに捉えられがちな感情も含め、クライエントが安心して感情を表出できるような配慮が必要である。「**統制された情緒的関与**」は、クライエントが示す感情の意図を理解し、援助者として適切に反応を示すことである。

D ○ 「**秘密保持**」の原則は、個人情報保護や信頼関係構築の側面からも、重要な義務である。なお、援助に必要な場合であっても第三者に情報を提供する必要がある場合は、原則として事前にクライエントの了解を得る必要がある。

なお、以上のほかに、クライエントに対してワーカーが善悪を判断しないとする「**非審判的態度**」の原則がある。

問 14	ソーシャル・ケースワークの 4 要素	正解 3

A、B、D ○ 正しい。

C × 支援を行うにあたり、個別支援計画等を立案することはあるが、パールマンの 4 つの P には含まれない。

パールマンは、著書『ソーシャル・ケースワーク；問題解決の過程』（1957 年）の中で、ソーシャル・ケースワークに共通する 4 つの要素として「**4 つの P**」を挙げ、その関連性を説いた。その 4 要素は、①人（Person）、②問題（Problem）、③場所（Place）：施設等援助者が所属する機関、④過程（Process）である。

問題◀本冊 p.263 ～ 266 ◀◀◀

なお、パールマンは問題解決アプローチを体系化した人物でもあり、4つのPに専門職（Professional）、制度（Provision）を追加し、「6つのP」とした。

問15 グループワークの過程 正解3

A ○ **準備期**において援助者は、グループがもつ雰囲気や特性を踏まえながら、メンバー同士が協力し合い、相互支援が促されるように働きかける。

B × **開始期**は、メンバー同士が直接顔を合わせ、グループとして活動を始める段階をいう。この時期において、援助者は、自己紹介や雰囲気づくりを通して援助関係を樹立し、グループ形成を促す援助を行う。また、援助者とメンバーが互いの役割を理解し、契約の確認を行う。記述の問題解決に向けた取り組みを支援するのは、**作業期**の段階である。

C × 記述は、**開始期**の説明である。**作業期**は、個人とグループが目標に向かって課題に取り組み、成果につながるようにする段階である。メンバー同士のつながりが強まる時期であるとともに、リーダーが現れたり、メンバー間の対立も見える場合があるため、援助者はメンバーへの援助に加え、グループの作業やその発達への援助が求められる。

D ○ **終結期**では、援助者は、メンバー同士の感情の分かち合いや、当初の目標がどの程度達成されたか、終結の評価を行い、メンバーが次の段階へ向かえるように支援する。

問16 福祉サービス利用援助事業 正解5

A × **福祉サービス利用援助事業**の対象者は、「**精神上の理由により日常生活を営むのに支障がある者**」である（「社会福祉法」第2条第3項第12号）。

B × 実施主体は、**都道府県社会福祉協議会または指定都市社会福祉協議会**である。ただし、事業の一部を市町村社会福祉協議会（基幹的社会福祉協議会）、社会福祉法人等に委託できる。

C ○ 福祉サービス利用援助事業は、同法第2条第3項第12号に規定される第二種社会福祉事業である。1999（平成11）年に地域福祉権利擁護事業の名称で開始され、2007（平成19）年度から**日常生活自立支援事業**（福祉サービス利用援助事業）に名称が変更となった。

D × **生活福祉資金貸付制度**は、生活困窮者自立支援制度と連携し、「低所得者、障害者又は高齢者に対し、資金の貸付けと必要な相談支援を行うことにより、その経済的自立及び生活意欲の助長促進並びに在宅福祉及び社会参加の促進を図り、安定した生活を送れるようにすることを目的とする」制度である（「『生活福祉資金の貸付けについて』の一部改正について」）。**福祉サービス利用援助事業**では、福祉サービスや苦情解決制度の利用援助、利用者の日常生活費の管理などを生活支援員が行うが、資金の貸付けは行わない。

問 17	苦情解決制度	正解 3

A ○ **運営適正化委員会**は、「社会福祉法」第 83 条に基づく組織である。福祉サービス利用援助事業（日常生活自立支援事業）の適正な運営を確保するとともに、福祉サービスに関する利用者等からの苦情を適切に解決するため、都道府県社会福祉協議会に設置される。

B × 同法第 2 条に規定する社会福祉事業を経営する者**以外**の福祉サービスを提供する者等についても、同指針を参考に苦情解決の仕組みを設けることが望まれるとされている（「社会福祉事業の経営者による福祉サービスに関する苦情解決の仕組みの指針について」〔厚生労働省通知〕）。

C × 苦情解決体制は、苦情解決責任者、苦情受付担当者、第三者委員で構成され、第三者委員は、**経営者の責任において選任される**（同通知）。

D × 解決結果については、個人情報に関するものを除き、**事業所**の「事業報告書」や「広報誌」等に実績を掲載し、公表することになっている（同通知）。

問 18	都道府県が作成する計画	正解 1

A ○ 「**児童福祉法**」第 33 条の 22 において、都道府県は、基本指針に即して、市町村障害児福祉計画の達成に資するため、各市町村を通ずる広域的な見地から、「**都道府県障害児福祉計画**」を定めるものとされている。

B ○ 「**介護保険法**」第 118 条において、都道府県は、基本指針に即して 3 年を 1 期とする「**都道府県介護保険事業支援計画**」を定めるものとされている。

C ○ 「**社会福祉法**」第 108 条において、都道府県は、市町村地域福祉計画の達成に資するため、各市町村を通ずる広域的な見地から、「**都道府県地域福祉支援計画**」を策定するよう努めるものとされている。

D ○ 「**障害者の日常生活及び社会生活を総合的に支援するための法律**」第 89 条において、都道府県は、基本指針に即して、市町村障害福祉計画の達成に資するため、各市町村を通ずる広域的な見地から、「**都道府県障害福祉計画**」を定めるものとされている。

問 19	民生委員	正解 4

A × 民生委員は、1948（昭和 23）年に制定された「**民生委員法**」第 1 条において、「民生委員は、社会奉仕の精神をもつて、常に住民の立場に立つて相談に応じ、及び必要な援助を行い、もつて社会福祉の増進に努めるものとする」と規定されている。都道府県知事の推薦により厚生労働大臣に委嘱される（同法第 5 条第 1 項）民間奉仕者である。

B ○ 同法第 10 条において、任期は **3 年**であると規定されている（ただし、補欠の民生委員の任期は、前任者の残任期間とする）。なお、同条において、民生委員には給与を支給しないことも明記されている。

C ○ 「児童福祉法」第 16 条第 2 項において、**民生委員は児童委員を兼ねる**と規定されている。なお、児童委員は、

問題◀本冊 p.266 ～ 269

同法第 16 条第 1 項に規定されている。市町村の区域において、児童及び妊産婦の生活や環境状況を適切に把握し、福祉サービス等に関する情報提供や援助及び指導を行うこと等を職務とする。

D ○ **福祉事務所その他の関係行政機関の業務に協力する**ことは、「民生委員法」第14条第1項第5号に規定されている。その他、住民の生活状態を必要に応じ適切に把握することや、生活相談に応じ助言、援助、情報提供などを行うこと、また、社会福祉事業者や社会福祉に関する活動を行う者と連携し、事業及び活動を支援すること等も、職務として規定されている。

問 20　障害者に関する法律　正解 1

A ○ 「**障害者基本法**」第 9 条第 1 項において、国民の間に広く基本原則に関する関心と理解を深めるとともに、障害者があらゆる分野の活動に参加することを促進するために、**障害者週間**を設けることが規定されている。加えて、同条第 2 項においては、12 月 3 日から 12 月 9 日までの 1 週間を障害者週間とするとしている。

B ○ 「**身体障害者福祉法**」第 21 条において、「地方公共団体は、視覚障害のある身体障害者及び聴覚障害のある身体障害者の意思疎通を支援する事業、身体障害者の盲導犬、介助犬又は聴導犬の使用を支援する事業、身体障害者のスポーツ活動への参加を促進する事業その他の身体障害者の**社会、経済、文化その他あらゆる分野の活動への参加を促進する事業**を実施するよう努めなければならない」と規定されている。

C ○ 「**精神保健及び精神障害者福祉に関する法律**」第 46 条において、「都道府県及び市町村は、精神障害についての**正しい知識の普及**のための広報活動等を通じて、精神障害者の社会復帰及びその自立と社会経済活動への参加に対する地域住民の関心と理解を深めるように努めなければならない」と規定されている。

D ○ 「**発達障害者支援法**」第 9 条において、「市町村は、**放課後児童健全育成事業について、発達障害児の利用の機会の確保を図るため、適切な配慮をする**ものとする」と規定されている。

教育原理

問1 「教育基本法」 正解 3

A × 「教育基本法」は、学校教育（第6条）に限らず、**生涯学習**（第3条）、**義務教育**（第5条）、**家庭教育**（第10条）、**社会教育**（第12条）などについても記されている。

B ○ 「教育基本法」は、教育の基本を定めた法律であり、約60年にわたって施行されてきたが、時代の変化に合わせて**2006（平成18）年**に改正された。

C ○ 2006（平成18）年の改正で新たに規定されたのは、「大学（第7条）」「私立学校（第8条）」「家庭教育（第10条）」「**幼児期の教育**（第11条）」「学校、家庭及び地域住民等の相互の連携協力（第13条）」の5つの条文である。

「教育基本法」については、よく出題される第1章「教育の目的及び理念」（第1条～第4条）、「幼児期の教育（第11条）」だけでなく、それ以外の条文や2006（平成18）年改正の経緯についても理解を深めてほしい。

問2 「幼稚園教育要領」 正解 1

「**幼稚園教育要領**」（現行は2018〔平成30〕年4月施行）の前文により、以下のとおりとなる。

A 持続可能な社会

B 教育課程

同要領は、**幼稚園教育課程の根本**を定めるものであり、その役割の一つに「公の性質を有する幼稚園における教育水準を全国的に確保すること（同前文より）」がある。

問3 海外の教育思想家 正解 4

1 × **ルソー**は、18世紀フランスの啓蒙思想家である。「子どもの発見者」とも呼ばれ、児童中心主義の立場に立った。

2 × **ペスタロッチ**は、18世紀～19世紀初めのスイスの教育思想家である。イノーホフに貧民学校を設立した。その後、シュタンツの孤児の世話をするなどの教育実践の中で、**直観を重視する教育**を提唱した。

3 × **エレン・ケイ**は、19世紀～20世紀初めのスウェーデンの思想家である。著書『**児童の世紀**』を通して児童中心主義の広まりに影響を与えるほか、婦人解放運動に取り組んだ。

4 ○ **モンテッソーリ**は、イタリア初の女性医師であり、障がいを持った子どもたちへの教育の成果から**感覚教育法**を生み出し、ローマの貧困層の子どもたちへ教育を行うようになった。設問の文章は、**モンテッソーリ**著『幼児と家庭』の一部である。

5 × **キルパトリック**は、20世紀アメリカの教育学者であり、進歩主義教育を推進した人物である。彼の生み出した**プロジェクト・メソッド**は、子どもの自発的な学習、そして子どもの問題解決活動を通した総合的理解が特徴である。

問題◀本冊 p.269 ～ 271

問 4　日本の教育思想家　正解 4

A－エ：貝原益軒は、江戸前期から中期にかけての儒学者である。著書『**和俗童子訓**』はわが国初の体系的な教育書と言われており、子どもの年齢に応じた教育法を示した。

B－ア：大原幽学は、江戸末期の農村改革の指導者である。**農村復興**のために「性理学」を唱えた。著書に『微味幽玄考』がある。

【Ⅱ群】**イ**の**伊藤仁斎**は、江戸前期の儒学者である。京都の堀川にて私塾古義堂を開いた。

ウの**荻生徂徠**は、江戸中期の儒学者である。5 代将軍徳川綱吉の側近であった柳沢吉保に仕え、日本橋茅場町に家塾蘐園塾を開いた。

問 5　海外の教育思想家　正解 3

1　×　**ベル**は、18 世紀から 19 世紀にかけてのスコットランドの教育学者であり、生徒が相互に教え合う助教法（**ベル・ランカスター法**）を開発した。

2　×　**コメニウス**は、17 世紀チェコの教育思想家である。あらゆる人にとって必要な普遍的な知識体系として「**汎知学**（パンソフィア）」を構想した。

3　○　**オーエン**は、19 世紀イギリスの社会主義者であり、協同組合運動で知られる。工場労働者およびその子どもの教育施設として性格形成学院を設立した。**性格形成学院内**には、幼児学校と小学校、夜間の成人学校があった。

4　×　**ランカスター**は、18 世紀から 19 世紀にかけてのイギリスの教育学者であり、選択肢 **1** のベルとともに助教法（ベル・ランカスター法）を提唱した。

5　×　**ロック**は、17 世紀イギリスの思想家である。人間は生まれつき白紙の状態で生まれるという**白紙説**（**タブラ・ラサ**）を提唱した。

問 6　教育課程　正解 2

中央教育審議会答申「幼稚園、小学校、中学校、高等学校及び特別支援学校の学習指導要領等の改善及び必要な方策等について」は、2030 年の社会とその先の未来に、子どもたちがよりよい人生と社会を築いていくため、**教育課程を通じた初等中等教育が果たす役割**について示したものである。設問は、同答申の**カリキュラム・マネジメントの実現**について記した部分である。

A　○　**教育課程**は、教育内容を授業時数との関連で組織した**教育計画**のことである。同答申第 1 部第 4 章 2「学習指導要領等の改善の方向性」（2）より正しい。

B　×　同第 4 章 2（2）より、教育課程の編成主体は**各学校**である。

C　○　教育課程は、学習指導要領等に基づき編成される。同第 4 章 2（2）より正しい。

D　○　**カリキュラム・マネジメント**とは、教育課程を実施・評価し改善していくことである。同第 4 章 2(2)より正しい。

問 7　㊟「幼児期の終わりまでに育ってほしい姿」　正解 1

「保育所保育指針」第1章「総則」4「幼児教育を行う施設として共有すべき事項」(2)「**幼児期の終わりまでに育ってほしい姿**」より、以下のとおりとなる。

A　素材

B　考えたこと

C　過程

「幼児期の終わりまでに育ってほしい姿」は、2017（平成29）年改正の「保育所保育指針」「幼稚園教育要領」「幼保連携型認定こども園教育・保育要領」から同指針・要領に記載されたものであり、活動全体を通して資質・能力が育まれている幼児の**小学校入学時の具体的な姿**を示したものである。10の姿が示されており、そのすべてについて理解を深めることが望ましい。

問 8　GIGA スクール構想　正解 4

1　×　**SDGs 教育**とは、持続可能な社会づくりの担い手を育むための教育である。

2　×　**プログラミング教育**とは、プログラミング体験を通して、プログラミング思考や、プログラミング技術を学ぶための教育である。

3　×　**ICT 活用教育**とは、電子黒板やパソコン、タブレットなどを活用する教育のデジタル化のことである。

4　○　**GIGA スクール構想**は、**1人1台端末及び高速大容量の通信ネットワーク**の一体的な整備、そして多様な子供たちを誰一人取り残すことなく、**公正に個別最適化された学び**を実現するために、2019（令和元）年に策定された。また、2020（令和2）年には、新型コロナ感染拡大による休校措置といった課題に対応すべく、1人1台端末の前倒しなどのため補正予算が計上され、本施策の追補がなされた。

5　×　文部科学省において「デジタルスクール構想」として示された政策はない。

問 9　社会教育　正解 3

中央教育審議会答申「人口減少時代の新しい地域づくりに向けた社会教育の振興方策について」第1部第1章2「**新たな社会教育の方向性**」により、以下のとおりとなる。

A　学びと活動の循環

B　地域学校協働活動

人口減少社会では、地域社会の様々な課題に対し、住民主体で対応し、**地域の魅力や特色の維持発展**に取り組む必要がある。同答申は、一人一人の生涯にわたる学びを支援し、住民相互のつながりの形成を促進すべく、**社会教育の振興方策**について検討されたものである。

問 10　「生徒指導提要」　正解 3

「生徒指導提要」は、生徒指導を行うにあたり学校・教職員の基本書となるよう、小学校から高等学校までの生徒指導の理論や考え方、指導方法についてまとめたものである。2010（平成22）年に発行され、その後、生徒指導を取り巻く環境の変化やいじめ防止対策推進法等の関係法規の成立などの変化に対応すべく、2022（令和4）

問題◀本冊 p.272 ～ 276

年に改訂版が発行された。

設問は、平成22年版の第2章第4節「特別活動における生徒指導」1（3）の記述の一部である。

A　責任感

B　自己実現

なお、令和4年版において同内容は、第I部第2章2.5「特別活動における生徒指導」に記載されているが、設問の**A**の部分については「集団や社会の形成者としての**連帯感や責任感**を養うようにすることが大切です」として「連帯意識」が削除されている。

また令和4年版は、同年6月に「こども基本法」が公布されたのに伴い、子どもの権利擁護や意見表明の機会といった**児童生徒の主体的な参画の視点**を踏まえ、全面的に改訂されている。

社会的養護

問1	「児童の権利に関する条約」	正解4

「児童の権利に関する条約」は、子どもの人権とその人権の行使に関して定めた条約である。1989（平成元）年に国連総会で採択され、日本は1994（平成6）年に批准した。

A　×　第1条に「児童とは、**18歳未満のすべての者**をいう」とある。

B　○　第3条第1項に「児童に関するすべての措置をとるに当たっては、（中略）**児童の最善の利益**が主として考慮されるものとする」とある。

C　○　第9条第3項に「児童の最善の利益に反する場合」を除き父母との「**接触を維持する権利を尊重する**」とある。

D　○　第12条第1項に「**自己の意見を表明する権利を確保する**」とあり、さらに「児童の意見は、その児童の年齢及び成熟度に従って相応に考慮されるもの」とある。

問2	小規模住居型児童養育事業（ファミリーホーム）	正解4

1　×　成年に達しない子は、「民法」第818条に定められているように「父母の親権に服する」ことに変わりはなく、親権者は**父母**である。なお、保護者は「児童福祉法」第6条に定められているように「現に監護する者」である。

2　×　小規模住居型児童養育事業は「**要保護児童**」を養育する事業である（「児童福祉法」第6条の3第8項）。

3 × 「社会福祉法」第２条第３項に掲げられている**第二種社会福祉事業**である。

4 ○ 「児童福祉法施行規則」第１条の19に、「委託児童の定員は、**５人又は６人**とする」とある。

5 × 同規則第１条の31にある養育者の条件に保育士資格の記載はなく、**養育里親の経験等**が示されている。

問３	入所児童の背景	正解５

「児童養護施設運営指針」第Ⅰ部４（1）①より、**A〜C**は以下のとおりとなる。

A 養育能力の欠如

B 心のケア

C 家庭環境の調整

同運営指針には、現在の児童養護施設における児童らの入所理由について、「半数以上は**保護者から虐待を受けた**ために保護された子ども」であり、さらに様々な理由で「親の養育が受けられない子どもも多い」ことが示されている。

問４	里親支援専門相談員	正解２（◆B）

A ○ 里親支援専門相談員は、児童養護施設や乳児院等の**里親等**（里親及び小規模住居型児童養育事業に従事する者）**支援を行う施設**に配置される。

B ○ ◆ 里親支援専門相談員の業務内容には、児童相談所と情報を共有し、相互に連携しながら行う**里親等委託の推進等**も含まれている。

なお、「里親の新規開拓」は、出題当時には明記されていたが、2024（令和6）年４月の「里親支援専門相談員の配置について」（こども家庭庁）においては里親支援専門相談員の業務として明記されていない。

C × 里親支援専門相談員の業務内容は、里親委託までにとどまらない。定期的な訪問などによる**相談支援**や助言、**児童の自立支援**なども行う。

D × 里親支援専門相談員の資格要件は、社会福祉士や精神保健福祉士、公認心理師などの資格を有する者のほか、里親または児童養護施設等の職員として**児童の養育に５年以上従事した者**等の規定はあるが、保育士資格取得についての規定はない。

問５	家庭と同様の環境における養育の推進	正解２

「社会的養育の推進に向けて」（令和４年）より、**A〜D**は以下のとおりとなる。

A ○ **里親**は「家庭における養育を里親に委託する家庭養護」であり、「**家庭と同様**の養育環境」とされている。

B ○ 将来的には実の親子となることを目指す、特別養子縁組を含む**養子縁組**は、「**家庭と同様**の養育環境」の一つとして示されている。

C × **地域小規模児童養護施設（グループホーム）**は「**良好な**家庭的環境」として設置されている施設で、「本体施設の支援の下で地域の民間住宅などを活用して家庭的養護を行う」場所である。

D × **小規模グループケア（分園型）**は「**良好な**家庭的環境」として設置されている施設の一つで、「地域において、小規模なグループで家庭的養護を行う」場所である。

問題◀本冊 p.276 〜 278

問6	養育・支援の基本	正解 1

「児童養護施設運営指針」第Ⅱ部１より、**A～D**は以下のとおりとなる。

A ○ 同（8）「主体性、自律性を尊重した日常生活」の項目内に、「子ども自身が自分たちの問題として**主体的に考える**よう支援する」ことが示されている。

B × 同（4）「住生活」の項目内に、「**中学生以上は個室が望ましい**が、相部屋であっても個人の空間を確保する」ことが望ましいことが示されている。

C ○ 同（1）「養育・支援の基本」の項目内に、「**子どもと職員との関係性を重視する**」ことが示されている。

D ○ 同（7）「自己領域の確保」の項目内に、「子ども一人一人の**成長の記録**を整理し、自由に見ることができるよう」保管することが示されている。

問7	相談援助の専門用語	正解 2

A ○ **ソーシャル・アクション**とは、社会活動法ともいわれ、生活や制度の問題や課題の改善を求めて、支援者や当事者が**行政や市民に働きかける**援助技術のことを指す。

B × **スーパービジョン**とは、経験の浅い援助者が、その支援についての実践経験や知識・技術を持った**熟練した援助者から指導・助言を受ける**ことを指す。

C ○ **ネットワーキング**とは、生活の問題や課題の解決のために、**個人や組織が連携・協働する**相談援助活動のことを指す。

D × **ケースワーク**とは、生活に問題や課題がある対象者に対して、個人や家族、環境を調整して課題解決を目指す**個別援助技術**のことを指す。

問8	第三者評価事業	正解 3

「社会的養護関係施設における第三者評価及び自己評価の実施について」（令和４年３月23日）より、**A～D**は以下のとおりとなる。

A ○ 評価基準項目内において、「事業計画の策定と実施状況の把握や評価・見直しが**組織的**に行われ」ているかが示されている。

B × 利用者調査の実施については、「第三者評価と併せて利用者調査を**必ず実施する**」よう示されている。

C × 第三者評価は、「**3か年度毎に1回以上**」の受審が義務になっている。

D × 全国共通もしくは都道府県独自の第三者評価基準が**ガイドライン**で示されている。

問9	事 母子生活支援施設での対応	正解 2

1 ○ 大人や他者との信頼関係の構築は、安心した生活を送る土台にもなるため、**母親以外の大人にも受け入れられる対応**を行うことは適切な支援である。

2 × この場面では、まず、子どもが落ち着いて学習に取り組める**学習機会を保障することを優先した支援を行う**ことが必要である。支援者は、母親と子どもの悩みや不安は異なることを捉えて対応する。

3 ○ 喧嘩をしなかったこと、子どもの不安を受け止めることにより、子どもの**自己肯定感を高める**ことにもつながる。

4 ○ 家族の課題や状態を見極めながら、その事象の背後にある母親の思いを代弁し、仲介することで**母子関係を良好に保つ**ことは適切な支援である。

5 ○ 母親から就労に対する不安等を聞き、**安心して就労が継続できるよう支援する**。

問10 事 児童養護施設での対応 正解 1

A ○ **記録の内容を振り返る**中で、自身の子どもに対する見方や理解を再確認することができる。

B ○ 基幹的職員や心理担当職員と連携しながら**スーパービジョン**を通して、自分自身の記録や支援を客観的に振り返ることができる。

C ○ 子どもの全人的理解のためには、子どもの生活の一部である**学校生活における姿を把握する**ことは有効である。

D ○ 子どもは環境によって態度や表現が変わることも多い。また、成育歴も現在の姿に影響を与えている可能性もあるため、**これまでの姿を把握している人物を通して再確認する**ことは支援方法を検討する材料となる。

子どもの保健

問1 指「健康増進」 正解 5

「保育所保育指針」第3章「健康及び安全」1「子どもの健康支援」(2)「健康増進」イより、以下のとおりとなる。

A－疾病
B－嘱託医
C－健康診断
D－保護者

保育所における健康診断は、「学校保健安全法」の規定に準じて、身長及び体重、栄養状態や脊柱及び胸郭の疾病及び異常の有無等の項目について行う。保育所は、健康診断で子ども一人一人の発育・発達状態や健康状態を知り、**異常の早期発見に努める**。また、健康診断の結果は健康記録簿などに**記録**し、家庭にも結果を**速やかに報告**する。**嘱託医**と相談しながら、定期的に健康診断を実施し、助言を受けるなど**連携**を図ることが大切である。

問2 糖尿病 正解 5

1 × **糖尿病**とは、「インスリンの作用が十分でないためブドウ糖が有効に使われずに、**血糖値が普段より高くなっている**状態」である。尿に糖がもれ出すのは、糖尿病が進行してからであり、尿検査だけで診断できるものではない。血液検査で早朝空腹時血糖値126mg/dL以上、75g経口ブドウ糖負荷試験(OGTT)2時間値200mg/dL以上、随時血糖値200mg/dL以上、HbA1c値

問題◀本冊 p.279～283

6.5％以上のいずれかであれば糖尿病型と判定される。

2 × 糖尿病の原因は過食だけではない。糖尿病は原因によって、主に子どもに多い**1型糖尿病**と大人に多い**2型糖尿病**などに分類される。1型糖尿病はインスリン依存型糖尿病といい、インスリンの分泌が著しく低下しているため、インスリン注射が必要である。2型糖尿病はインスリン非依存型糖尿病といい、過食、運動不足などの不健康な生活習慣が原因となる。

3 × **ステロイドホルモン**は、副腎で作られる「副腎皮質ホルモン」の一種であり糖尿病の原因ではない。

4 × 血液中のブドウ糖（血糖）は、**膵臓**から分泌されるインスリンホルモンによって保たれている。インスリンは血糖値を下げる働きがあり、インスリンの分泌や作用が低下すると、血糖値が上昇する。

5 ○ 糖尿病が悪化すると**網膜症**、**腎症**、**神経障害**などの合併症を引き起こす。病態に合わせて食事療法、運動療法などを行い、血糖コントロールの維持が重要である。

問3	指「家庭及び地域社会との連携」	正解1

「保育所保育指針」の第2章「保育の内容」の4「保育の実施に関して留意すべき事項」(3)「家庭及び地域社会との連携」により、以下のとおりとなる。

a ○ 連続性
b ○ 自然
c ○ 豊かな生活体験

保育所は家庭と生活の流れの**連続性**に留意が必要である。子どもの発達に伴って行動範囲が広がると、身近な地域の**自然**に接したり、地域で幅広い世代の人と関わったりする機会が増えてくる。子どもの**豊かな生活体験**のために、地域と連携を図りながら地域資源を積極的に活用できるようにする。

問4	小児期の歯科保健	正解5

A ○ 乳歯は生後6～8か月頃、下顎の乳中切歯から生えはじめ、2～3歳で20本となる。歯の萌出の時期や順序には**個人差がある**。

B ○ 乳歯の場合は、歯と歯の間に多少の**すき間があいている方がむし歯になりにくく、永久歯が生えやすい**。

C × 口の中の唾液の酸度はpH6.5～7.0の中性に保たれており、食事を始めると酸性に傾いてpHが下降する。**pHが下降すると**、むし歯になりやすい状態になる。

D ○ むし歯の発生にはミュータンス菌が要因としてあり、むし歯の原因の大きな要素は、糖質（ショ糖）、むし歯菌（ミュータンス菌）、歯質（エナメル質・象牙質）である。咀しゃくすることで唾液が分泌されるが、唾液には殺菌効果があり、**むし歯の発生に関係する**。

E × 乳歯の多くは、妊娠**初期**に形成を開始し、胎児期には**石灰化**が行われる。また永久歯の多くは、妊娠中期に形成を開始し、乳幼児期に石灰化が行われる。

問5 乳児に多い事故 正解 4

乳幼児の運動機能としては、5・6か月頃に**寝返り**をし、8か月頃におすわりをする。発達段階と照らし合わせて、安全点検をし、事故を予防することが重要である。乳児はベッドやソファーからの**転落事故**が多く、一人にしないようにする。0歳児の事故死因の第1位は**窒息**であり、睡眠中は呼吸状態の観察、寝具やタオルなどによる窒息のリスクに注意し、環境を整える。

A 寝返り
B 転落事故
C お座り
D 後ろに転倒
E 打撲事故
F 睡眠中

問6 乳幼児突然死症候群（SIDS） 正解 2

A ○ 乳幼児突然死症候群（SIDS）は、それまで元気だった赤ちゃんが、眠っている間に突然死亡してしまう病気である。1歳未満児に多く、その中でも**生後2か月から4か月に多い**。まれに1歳以上でも発症することがある。

B × 原因は不明であるが、うつぶせ寝や両親の喫煙、人工栄養児で多いことがわかっている。**睡眠中は仰向け寝にする。**

C ○ 喫煙はリスク因子であるため、同居の家族等が**たばこを吸わないようにする。**

D ○ 主に睡眠中に発症するが、夜間に限らず、**午睡中にも起こる可能性がある。**保育所では午睡中保育者が**そばに付き添い**、仰向けに寝かせ、**定期的に**顔色、呼吸状態を観察する。

E × 原因は不明であるが、身体を温めすぎるとリスクを高めるといわれており、予防のため、**衣類や布団は少なめに使用し**、適度な室温と体温を保つよう調節する。

問7 事 カウプ指数 正解 3

乳幼児健康診査の内容は、身体発育状況、栄養状態、疾病の有無、精神発達の状態、養育状況などである。**カウプ指数**は、**乳幼児の発育状態**を表す指標であり、「体重g/(身長cm)^2 × 10」で計算される。乳児では20以上、1歳6か月児では19以上、3歳では18以上が肥満の目安となる。

1 × カウプ指数の肥満の目安は乳児で20以上であるが、細かい月齢までは考慮されていないので、経過観察とする。**すぐに授乳の回数を制限などしなくてもよい。**

2 × カウプ指数がやや高めであるが、赤ちゃんの成長には個人差があるため、経過観察とし、**すぐに母乳を減らさなくてもよい。**

3 ○ 乳児がやや太っているが、元気で発達も良好なので、**心配しすぎずに経過を観察する**よう話すとよい。

4 × 赤ちゃんの成長には個人差があり、病院受診して栄養指導を受けるのではなく、**経過を観察し**、状況をみて検討する。

5 × カウプ指数は21と**正常値よりはやや高い**が、発達には問題がないため、あまり心配する必要はない。

問題◀本冊 p.283 ～ 285

問8 バイタルサイン 正解2

A ○ 子どもは新陳代謝が活発で、年齢が低いほど脈拍数、呼吸数は多く、**体温は高め**である。乳幼児の体温の正常値は、36.0℃～37.4℃である。

B × 子どもの血管壁は薄く硬化が少ないため、血圧は大人よりも**低め**である。乳幼児の血圧の正常値は100/60mmHgである。

C ○ 体温は日内変動があり、一般に睡眠中の**早朝が最も低く、夕方が最も高い**。

D × 一般的に体温は腋下で測定するが、腋の下は腋下動脈が皮膚表面を通っているため、体内温度に近い体温を測定することができる。直腸温は、直腸の温度のことで、肛門に体温計を挿入して計測する。腋窩温や口腔温よりもやや高く測定され、**直腸温は腋窩温より0.5～1.0℃高い**。

問9 てんかん 正解1

A ○ てんかんとは、大脳神経細胞が異常な統御されない放電をすることで意識を失ったり、けいれんを起こしたり、あるいは感覚の異常を起こしたりする慢性の脳疾患である。**3歳以下の発症が多い**。

B ○ てんかん発作には原因不明のものもあり、**ほとんど遺伝しない**。

C ○ てんかんは、けいれん発作を主症状とするが、てんかん発作には運動性発作（けいれん）と、**非運動性発作**（**意識の減弱など**）があり、必ずしもけいれんを伴わない。

D ○ 保育所の行事への参加は、基本的に制限する必要はないが、**医師の指示がある場合は制限**する。

E ○ てんかんを持つ子どもは、**長期的**に抗てんかん薬を服用して、けいれんを予防する。

問10 乳幼児への薬の飲ませ方 正解2

保育所においては**与薬をしないのが原則**であるが、医師の指示に基づいた薬については、保護者に代わって与薬をすることができる。与薬をする際は、保護者が園に与薬を依頼する与薬依頼書などが必要である。

1 ○ 薬を飲むことを嫌がる子どもに与薬する際の工夫に**甘味料**（砂糖、シロップなど）を加えて混ぜる方法がある。

2 × 薬によっては、スポーツドリンクやお茶、酸味のあるものに溶かして飲むと**薬効が変わったり、苦みが増す場合**がある。

3 ○ 内服後は、口の中に薬が残らないように**ミルクや水を飲ませる**。

4 ○ 粉薬は、少量のぬるま湯で練り、**上あごや頬の内側**など、口の中に塗る方法もある。その後水を飲ませる。

5 ○ 少量の水やぬるま湯で溶かし、**スポイト等で口の奥に入れて**飲ませる方法もある。

問11 保育施設における衛生管理 正解4

A × **標準予防策**とは、スタンダードプリコーションといい、CDC（米国疾病予防管理センター）が提唱した病院向けの感染症予防ガイドラインである。すべての血液、体液、分泌物、排泄物、傷のある皮膚・粘膜は、感染性病原体を含む可能性がある物として取り扱うとしている。保育所においても標準予防策を実施するが、**義務づけられてはいない**。

B × 希釈して使用する消毒液は、**時間が経つにつれ有効濃度が減少する**ため、**毎日希釈して使用する**。なお、子どもが過ごす保育室内の環境では、特に食べ物を扱う調理室、手洗い場やトイレなどは感染予防のため毎日の掃除、衛生管理が重要で、感染症流行時には消毒薬を使用する。

C ○ 砂場は**寄生虫、大腸菌等で汚染されていることがある**ので、衛生管理が重要である。

D ○ 「遊泳用プールの衛生基準」に従い、遊離残留塩素濃度を0.4mg/Lから1.0mg/Lに適切に保つため、**毎時間**水質検査を行う。

E ○ 新しい動物を飼い始めるときは、隔離飼育をして、**2週間くらいの観察期間を設け**、嘔吐・下痢などの症状はないかなどの健康状態を観察する。

問12 事 体調不良児の援助 正解2

1 × 感染症予防のために、他児はそのままにせず、応援を呼び、**別室に移動させる**。乳幼児は胃の入り口の筋肉の発達が未熟なため、さらに嘔吐を繰り返す場合がある。嘔吐時の対応として、吐物の誤嚥による窒息を防ぐため、W君のそばには保育士が付き添い、様子をみる。

2 ○ 応援を頼んで**他児を別室に移動させ**、W君の介助を行う。W君の症状が落ち着いて移動できるようになったら、他の部屋（保健室など）に移動する。保護者に連絡し、別室で保護者の迎えを待つ。

3 × 感染症予防のために、W君の介助と嘔吐処理は**分担して別々に**行う。

4 × W君の介助と他児の対応を分担して行うのは適切であるが、感染症予防のために、W君の介助と他の児童の対応は**同室では行わない**。

5 × 嘔吐時は嘔吐による身体的な苦痛が強いため、**W君の介助を優先する**。まず、うがいをさせて口の中の吐物を取り除き、口腔内をきれいにし、衣服の汚れがあれば着替えさせる。嘔吐物は新聞紙などで覆っておき、介助後に嘔吐処理用の一式（使い捨てビニール手袋・マスク・エプロン、新聞紙、雑巾、ビニール袋、消毒液）で処理・消毒をする。換気を忘れず、処理後は丁寧に手洗いをする。

問13 健康の定義 正解2

A 肉体的
B 精神的
C 社会的
D 疾病

世界保健機関（WHO）は、前文で健康について「健康とは、完全な**肉体的**、**精神的**及び**社会的**福祉の状態であり、単に**疾病**又は病弱の存在しないことではない」（官報訳）と定義している。また日本WHO協会では「健康とは、病気ではないとか、弱っていないということではなく、肉体的にも、精

問題◀本冊 p.286～289

神的にも、そして社会的にも、すべてが満たされた状態にあること」と定義している。

問 14 感染症 正解 2

A ア A 型肝炎は、A 型肝炎ウイルスによる急性ウイルス性肝炎である。感染経路は、汚染された水、食品などを介した**経口感染**（糞口感染）で、主な症状は発熱、全身倦怠感、黄疸、肝腫大などである。任意接種のワクチンがある。

B ウ B 型肝炎は、B 型肝炎ウイルスを含む血液や体液の接触により感染し、一過性に終わるものと持続感染（キャリア）を起こすものがある。なお、B 型肝炎ワクチンは、2016（平成 28）年 6 月に定期接種となった。また、1985（昭和 60）年からの B 型肝炎母子感染防止事業は、**母子感染予防**を目的としており、キャリアから生まれる児を対象にした公費負担による予防接種である。

C イ ジフテリアは、ジフテリア菌により発生する**上気道粘膜疾患**である。定期接種の予防接種 DPT-IPV（D：ジフテリア、P：百日咳、T：破傷風、IPV：不活化ポリオ）がある。

D エ ポリオは急性灰白髄炎といい、脊髄の灰白質にポリオウイルスが侵入して起こる。下痢などの症状や 38 度以上の発熱、呼吸器症状があり、まれに後遺症として**四肢の麻痺**が起こる。定期接種の予防接種 DPT-IPV-Hib がある。

問 15 予防接種 正解 5

1 ○ Hib（ヒブ）ワクチンと**小児用肺炎球菌ワクチン**は、2013（平成 25）年、**B 型肝炎ワクチン**は、2016（平成 28）年から**定期接種**となった。標準的な接種は**生後 2 か月**から開始となり、予防接種を受けることが重要であることを周知する。なお、2024（令和 6）年 4 月 1 日より、従来の 4 種混合ワクチン（ジフテリア、百日咳、破傷風、ポリオ）に、肺炎などを引き起こす **Hib 感染症**を追加した 5 種混合ワクチン（DPT-IPV-Hib）の定期接種が開始されている。

2 ○ BCG は結核に対するワクチンで、接種時期は生後 1 年未満（**生後 5 か月以降 8 か月未満を推奨**）である。結核は空気感染するため集団の場で感染しやすく、早期の BCG ワクチン接種は乳幼児の結核の予防に有効である。

3 ○ 水痘ワクチンは水痘を予防する生ワクチンである。2014（平成 26）年 10 月 1 日より任意接種から定期接種になった。生後 12 か月から生後 36 か月に至るまでの間を対象とし、1 回目の接種は標準的には生後 **12 か月から生後 15 か月までの間**に行い、2 回目の接種は、1 回目の接種から **3 か月以上経過してから**行う。

4 ○ 麻しんと風しんは感染力が非常に強く、1 歳を過ぎると罹りやすくなる。**麻しん風しん混合（MR）ワクチン**は生ワクチンで、接種対象年齢は、1 期は生後 12 ～ 24 か月未満の間に 1 回接種し、2 期は**小学校就学前の 1 年間**に 1 回接種する。

5 × ロタウイルスワクチンはロタウイルス感染性胃腸炎を防ぐために用いられるワクチンで、2020（令和 2）年 10 月から**定期接種**となった。初回の接種を生後2か月から生後14週6日までに行い、2回目以降の接種は27日以上の間隔をあけて行う。

問16 指「健康及び安全」 正解2

「保育所保育指針」の第3章「健康及び安全」より、以下のとおりとなる。

A 安全の確保
B 生命の保持
C 健やかな生活

子どもの健康と**安全の確保**は保育所保育の基本である。一人一人の子どもの発育・発達の状態、健康状態を把握し、子どもの**生命の保持**と**健やかな生活**のために、心身の健康の増進と健やかな生活の確立に留意して保育を行う。

問17 乳幼児の発育 全員正解（★A）

A ★ 出生時、頭囲は胸囲より1cmくらい大きいが、生後2歳くらいになると**胸囲が頭囲より、やや大きくなる**。

★選択肢**A**に明確さを欠いた表現があったとして、受験者全員が正解となった。記述には「はるかに大きくなる」とあるが、「はるかに」とまではいえないため、受験者全員が正解になったものと考えられる。

B × 前頭骨と頭頂骨で囲まれた菱形の部分を大泉門といい、生後9か月頃から小さくなり始め、**2歳頃に閉鎖する**。後頭骨と頭頂骨に囲まれた部分を小泉門といい、こちらは生後すぐ閉鎖する。

C × 2歳未満の身長計測は仰臥位で行い、**頭部を固定し、足底部を移動板に当てる**。

D ○ 妊婦の喫煙とともに、**父親や同居人の喫煙も胎児に影響を及ぼす**。例えば、子宮内発育不全が起きたり、出生体重も減少すると報告されている。妊婦や同居人の禁煙など、たばこの煙を吸わせない環境づくりが必要である。

E × 出生後に肺呼吸が開始されると、心臓・血管系に、卵円孔や**動脈管（ボタロー管）**の閉鎖などの解剖学的変化が認められる。卵円孔は胎児の右心房と左心房の間の壁にある穴のことであり、また動脈管は、胎児の肺動脈と大動脈とをつなぐ血管のことである。いずれも、母体からの酸素や栄養を含む血液を胎児の全身に循環させるためのものである。

問18 乳幼児の身体測定 正解2

1 × 身体計測は、形態的成長や栄養状態を把握し、疾病や障害の早期発見、予防、治療を目的に行う。乳幼児の体重測定を行う場合は、**乳児は授乳の直後は避け、幼児は排尿、排便を済ませて**、毎回なるべく同じ時間に測定する。

2 ○ 2歳以上児の身長測定は、身長計を用いて行い、**立位で1mm単位まで計測する**。必ず裸足で行い、足先は30度くらいの角度に開き、踵（かかと）、臀部（でんぶ）、胸背部が尺柱に一直線に接するようにする。

3 × **必ず全裸にする必要はない**。2歳未満の乳幼児は全裸で測定するか、おむつをつけて計測するときはその分の重さを差し引く。立位がとれる幼児は衣服を脱ぎ、裸足で、下着1枚となって測定する。なお、2024（令和6）年

問題◀本冊 p.289 ～ 292

1月、文部科学省は学校の健康診断では個人のプライバシーに配慮し、着衣を認める通知を出した。

4 × 2歳未満の乳幼児は**仰臥位**で、2歳以上の幼児は**座位または立位**で測定する。必ずしも寝ているときである必要はない。頭囲の測定値は、脳の発育、発達状態を表す指標となる。測定方法は、後頭部の最も突出しているところを確認して巻尺をあて、左右の高さが同じくらいになるようにしながら前頭部にまわして交差し、左右の眉の直上を通る周径を計測する。

5 × 2歳未満は**仰臥位**で測定するが、2歳以上は**立位**で測定する。胸囲の測定値は、発育状態、栄養状態、健康状態を表す指標となる。両腕を軽く側方に開かせ、巻尺は左右の乳頭点を通り、体軸に垂直な平面内にあるようにし、呼気と吸気の中間計測値を読む。

問19 食物アレルギー 正解3

A ○ 免疫反応は、本来、体の中を外敵から守る働きである。**アレルギー反応**とは、反応しなくてもよい無害なものに対する過剰な免疫反応を起こしてしまうことをいう。

B × **アナフィラキシーショック**は、呼吸困難など呼吸器症状のほか、**血圧低下**など循環器症状を起こす。食物アレルギーに起因するものが多いが、**その要因は様々**である。なお、食物アレルギーとは、特定の食物を摂取した後にアレルギー反応を介して皮膚・呼吸器・消化器あるいは全身性に生じる症状のことをいう。

C × エピペン®とは、アドレナリンの自己注射薬をいう。エピペン®は、食物アレルギーのある子どもに**必ず処方されているわけではなく**、過去にアナフィラキシーを起こしたことがある場合に処方されていることが多い。保育所において、乳幼児がアナフィラキシーショックに陥り、生命が危険な状態にある場合には、居合わせた保育所の職員が、エピペン®を太ももの前外側に注射する。

D ○ 一般的にIgE抗体の値が高い方がアレルギー症状がひどい。しかし食物アレルギーに関しては、値が高くても症状が出ない場合があり、**食物摂取制限の決め手にはならない**。

問20 児童虐待 正解2

A ○ 不適切な養育の兆候が見られる場合には、「**児童福祉法**」第25条に基づき、市町村や関係機関と連携し、適切な対応を図る。また「**児童虐待の防止等に関する法律**」では、児童虐待を受けたと思われる児童を発見した者は、すみやかに、これを市町村、都道府県の設置する福祉事務所もしくは児童相談所または児童委員を介して市町村、都道府県の設置する福祉事務所もしくは児童相談所に通告しなければならないとしている。

B ○ 虐待が発生しやすい要因に、**親族や地域社会から孤立した家庭**、人間関係に問題を抱える家庭がある。

C × 実施主体は都道府県ではなく**市町村**である。2009（平成21）年に「児童福祉法」第6条の3第4項により、

「**乳児家庭全戸訪問事業**（こんにちは赤ちゃん事業）」が行われている。こんにちは赤ちゃん事業は、すべての乳児のいる家庭を訪問し子育て支援に関する必要な情報提供を行い、支援が必要な家庭に対しては適切なサービスを提供し、地域の中で子どもが健やかに育成できる環境整備を図ることを目的としている。

D ○ マタニティ・ブルーズや産後うつ病等、**産前産後の精神的に不安定な状況**は虐待のリスク要因である。産前産後の不安や悩みを聞き、心身の不調などに対応できる体制を整える。

子どもの食と栄養

問1	「食生活指針」	正解3

A ○ 記述は、「食生活指針」のうち「**食塩は控えめに、脂肪は質と量を考えて**」の「食生活指針の実践」として示されている。実践としてほかに「食塩の多い食品や料理を控えめにしましょう。食塩摂取量の目標量は、男性で1日8g未満、女性で7g未満とされています」「栄養成分表示を見て、食品や外食を選ぶ習慣を身につけましょう」があげられている。

B × 高齢者の肥満ではなく、**低栄養**が正しい。同指針のうち「**適度な運動とバランスのよい食事で、適正体重の維持を**」の「食生活指針の実践」として示されている。

C ○ 記述は、同指針のうち「**1日の食事のリズムから、健やかな生活リズムを**」の「食生活指針の実践」として示されている。実践としてほかに「朝食で、いきいきした1日を始めましょう」「飲酒はほどほどにしましょう」があげられている。

D × 野菜と果物でとれるものは、**ビタミン、ミネラル、食物繊維**である。同指針のうち「**野菜・果物、牛乳・乳製品、豆類、魚なども組み合わせて**」の「食生活指針の実践」として示されている。

問題◀本冊 p.292 ～ 294

問2　子どもの食生活　正解 1

A　○　「**乳幼児栄養調査**」は10年周期で行われており、調査事項は、母乳育児（授乳）及び離乳食・幼児食の現状、子どもの生活習慣、健康状態等である。

B　○　「平成27年度乳幼児栄養調査結果の概要」によると、朝食を食べる子どもの割合は、子どもの起床時間が遅くなるにつれて減少している。

C　×　子どもだけで食べる「子食」の割合は、朝食18.1%、夕食1.9%であり、夕食より**朝食の方が比率は高い**。

D　×　5つの基本味（五味）は、**甘味**、**酸味**、**塩味**、**苦味**、**うま味**であり、**辛味は含まれない**。子どもは離乳の進行とともに、いろいろな食品の味や舌ざわりを楽しみながら、食べる楽しみを体験していく。

問3　炭水化物　正解 5

A　×　炭水化物の1gあたりのエネルギー量は、**4kcal**である。9kcalは、脂質のエネルギー量である。

B　×　麦芽糖（マルトース）は、でんぷんを麦芽中に含まれる酵素アミラーゼで加水分解すると得られ、**水飴**などに多く含まれる。母乳や牛乳に多く含まれるのは、乳糖（ラクトース）である。

C　○　果糖（フルクトース）は、最も甘みが強い**単糖類**で、ショ糖の構成成分である。果物やはちみつに多く含まれる。なお、炭水化物は、単糖類、二糖類、多糖類の3つに大別され、さらに、エネルギーになる糖質と、ヒトの消化酵素では分解されない食物繊維に分けられる。

D　○　記述のとおりである。

問4　ミネラル　正解 2

A　○　**亜鉛**は、多くの酵素の構成成分であり、たんぱく質やDNAの合成に関与している。**不足すると味覚障害を起こす**。

B　○　体内の鉄の約70%は、赤血球中の**ヘモグロビン**（血色素）の成分であり、残りが筋肉や肝臓などに存在する。鉄はレバー等に多く含まれ、不足すると貧血の原因となる。

C　×　記述は、**カルシウム**についての説明である。マグネシウムも、カルシウムやリンと共に骨の構成成分であるが、**穀類**、**豆類**、**野菜類**、**海藻類**などに多く含まれる。

D　○　**ヨウ素**は、昆布などの海藻類に多く含まれる。生体内では、そのほとんどが**甲状腺**に存在している。

問5　3色食品群　正解 1

3色食品群は、食品を含有栄養素の働きの特徴から、**赤**（血や肉や骨・歯など体を作る、主にたんぱく質やミネラルの供給源〜魚・肉・卵・乳製品・大豆など）、**黄**（エネルギーになる、主に糖質や脂質の供給源〜米・パン・めん類・いも類・砂糖・油脂など）、**緑**（体の調子を整える、主にビタミンやミネラルの供給源〜野菜・果物・海藻・きのこなど）の3つに分類したものである。

A－赤

B－黄
C－大豆
D－油脂

問6 「日本人の食事摂取基準（2020 年版）」 正解 4

A × 日本人の食事摂取基準は、「健康増進法」に基づき策定され、**5 年ごと**に改訂されている。なお、「日本人の食事摂取基準（2020 年版）」の使用期間は、2020（令和 2）～ 2024（令和 6）年度である。

B ○ 「日本人の食事摂取基準（2020 年版）」では、活力ある健康長寿社会の実現に向けて、若いうちからの生活習慣病予防と、**高齢者の低栄養予防やフレイル予防の推進**が、主な策定のポイントとなっている。

C ○ 5 つの指標は、栄養素の摂取不足の回避を目的とする**推定平均必要量**、**推奨量**、**目安量**（推定平均必要量、推奨量を推定できない場合の代替指標）、過剰摂取による健康障害の回避を目的とする**耐容上限量**、生活習慣病の発症予防を目的とする**目標量**である。

D × 年齢区分は、**1 ～ 17 歳を小児**、**18 歳以上を成人**としている。

問7 母乳と牛乳の成分比較 正解 3

「日本食品標準成分表 2020 年版（八訂）」（文部科学省科学技術・学術審議会資源調査分科会報告）には、100g あたりの母乳（人乳）と牛乳（普通牛乳）に含まれる各栄養素が示されており、以下のとおりとなる。

A ○ **炭水化物**含有量は、母乳 7.2g、牛乳 4.8g で、**母乳の方が多い**。

B × **たんぱく質**含有量は、母乳 1.1g、牛乳 3.3g で、**牛乳の方が多い**。

C × **リン**含有量は、母乳 14mg、牛乳 93mg で、**牛乳の方が多い**。

D × **カルシウム**含有量は、母乳 27mg、牛乳 110mg で、**牛乳の方が多い**。

問8 「授乳・離乳の支援ガイド」 正解 5

1 ○ 乳児の摂取機能に合った調理形態は、生後 7 ～ 8 か月頃は舌でつぶせる固さ、**生後 9 ～ 11 か月は歯ぐきでつぶせる固さ**、生後 12 ～ 18 か月は歯ぐきで噛める固さである。

2 ○ 離乳後期（生後 9 ～ 11 か月）から、**1 日 3 回食**になる。なお、母乳または育児用ミルクは、離乳食の後に与える。

3 ○ 食べ物に触ったり握ったりする体験が食べ物への関心につながり、自らの意思で食べようとする行動につながる。このことを親が理解し、**手づかみ食べを子どもに働きかける**ことが大切である。

4 ○ 生後 7 ～ 8 か月頃は、平らな離乳食用のスプーンを用いるが、生後 9 ～ 11 か月になると、**丸み（くぼみ）のあるもの**を使うことができるようになる。

5 × 生後 7 ～ 8 か月の食べるときの口唇が左右対称なのに対し、生後 9 ～ 11 か月には**左右非対称**の動きとなり、噛んでいる方向によっていく動きがみられる。

問題◀本冊 p.294 ～ 297

問 9 「平成 27 年度乳幼児栄養調査」 正解 5

1 × 「授乳について困ったこと」の回答のうち「特にない」と答えた割合は 22.2%であった。

2 × 「相談する人がいない、もしくは、わからない」と回答した割合は **1.7%**で、16 番目であった。

3 × 「子どもの体重の増えがよくない」と回答した割合は **13.8%**で、7 番目であった。

4 × 「外出の際に授乳できる場所がない」と回答した割合は **14.3%**で、6 番目であった。

5 ○ 「母乳が足りているかどうかわからない」は回答の割合が最も高く、40.7%であった。

問 10 「楽しく食べる子どもに」 正解 2

幼児期の「発育・発達過程に応じて育てたい "食べる力"」の内容は、「食べ物や身体のことを話題にする」「おなかがすくリズムがもてる」「家族や仲間と一緒に食べる楽しさを味わう」「食べたいもの、好きなものが増える」「栽培、収穫、調理を通して、食べ物に触れはじめる」の 5 つである。

1、3、4、5 ○

2 × 記述は、「**授乳期・離乳期**」の "食べる力"の内容である。「授乳期・離乳期」の "食べる力" には、ほかに「安心と安らぎの中で母乳（ミルク）を飲む心地よさを味わう」がある。

問 11 学童期・思春期の身体の発達と食生活 正解 2

A × 「令和元年度全国体力・運動能力、運動習慣等調査」によると、朝食を毎日食べる子どもほど、体力合計点が**高い傾向にある**。2023（令和 5）年度調査でも同様である。

B ○ 「令和元年度学校保健統計調査」によると、むし歯（う歯）と判定された者は、ピーク時より**減少傾向が続いている**。2022（令和 4）年度調査でも同様である。

C × 「日本人の食事摂取基準（2020 年版）」によると、カルシウムの推奨量は**男女とも 12 〜 14 歳が最も高く**、男性 1,000mg/ 日、女性 800mg/ 日である。

D ○ 「健やか親子 21（第 2 次）」において「10 代の喫煙率」と「10 代の飲酒率」は、5 年後と 10 年後の目標をともに「**0%とする**」としている。

問 12 「妊娠前からはじめる妊産婦のための食生活指針」 正解 2

A ○ 妊娠中に、ウォーキング、妊娠水泳などの**軽い運動を行っても赤ちゃんの発育に問題はない**。ただし、新しく運動を始める場合や、体調に不安がある場合は、必ず医師に相談する。

B × 鉄ではなく、「**カルシウム**を十分に」が正しい。日本人女性のカルシウム摂取量は不足しがちであるため、妊娠前から乳製品、緑黄色野菜、豆類、小魚などでカルシウムを摂ることを心がける。

C ○ 母親と赤ちゃんのからだと心のゆ

とりは、**家族や周りの人々の支えから生まれる**。不安や負担感を感じたときは、家族や友人、地域の保健師などの専門職に相談するとよい。

D　○　若い女性では「やせ」の割合が高く、エネルギーや栄養素不足が心配されている。主食・主菜・副菜を組み合わせた食事が**バランスのよい食事**の目安となる。妊娠前から自分の食生活を見直し、健康な身体づくりを意識する。

E　○　主要なたんぱく質の供給源の肉、魚、卵、大豆および大豆製品などを主材料とする料理を**主菜**という。たんぱく質は、身体の構成に必要な栄養素であるため、多彩な主菜を組み合わせて、たんぱく質を十分に摂取する。

問13　「第4次食育推進基本計画」　正解 4

「第4次食育推進基本計画」では、国民の健康や食を取り巻く環境の変化、社会のデジタル化など、食育をめぐる状況を踏まえ、①**生涯を通じた**心身の健康を支える食育の推進、②**持続可能な食**を支える食育の推進、③「新たな日常」や**デジタル化**に対応した食育の推進の3つを重点事項とした取組が求められる。よって、**A〜C**は以下のとおりとなる。

A－イ　生涯を通じた
B－エ　持続可能な食
C－カ　デジタル化

問14　郷土料理　正解 1

A　**ア**　**かきめし**は、地元の代表的な食材のかきを入れた炊き込みご飯で、**広島県**の郷土料理である。

B　**ウ**　**三平汁**は、塩漬けにしたサケやニシンなどの魚と人参や大根などの野菜を一緒に煮込んだ、**北海道**の郷土料理である。

C　**イ**　**さんが焼き**は、漁師料理の「なめろう」を山に持って行った際、生の魚は傷みやすいため、山小屋で焼く・蒸すなどの調理をしたことから生まれた食べ物で、**千葉県**の郷土料理である。

D　**エ**　**ゴーヤーチャンプルー**は、苦味のあるゴーヤーを島豆腐や卵と炒めたもので、**沖縄県**の郷土料理である。なお、「チャンプルー」は、焼いた島豆腐と季節野菜の炒め物のことである。

問15　(指)「食育の推進」　正解 3

A　○　「保育所保育指針」第3章「健康及び安全」2「食育の推進」(1)「**保育所の特性を生かした食育**」ウに示されている。

B　×　「生きる力」ではなく「**食を営む力**」が正しい。同 (1)「保育所の特性を生かした食育」アに示されている。

C　○　同 (1)「**保育所の特性を生かした食育**」ウに示されている。

D　○　同 (2)「**食育の環境の整備等**」アに示されている。

問16　食中毒　正解 5

1　○　食中毒予防の三原則は、細菌などを食べ物に**付けない**（清潔保持）、**増やさない**（迅速・冷却）、**やっつける**（加熱処理）である。

2　○　黄色ブドウ球菌食中毒の予防には、**清潔な使い捨て調理専用手袋**の使用や、**調理器具の消毒**などが重要である。さらに、指にできものや傷がある人は、調理や食品の取り扱いに従事してはならない。

3 ○ 乳児ボツリヌス症は、従来のボツリヌス食中毒とは異なり、1歳未満の乳児が芽胞として存在しているボツリヌス菌を摂取し、その芽胞が消化管内で発芽、増殖し、産生された毒素によって発症するものである。原因食品としてはちみつが多いため、予防のために、**1歳未満の子どもには、はちみつやはちみつ入りの飲料・お菓子などを与えないようにする。**

4 ○ カンピロバクターは、家畜の腸内に生息し、鶏の保菌率が高い。予防には、食肉の生食を避け、**中心部まで加熱調理する**ことが重要である。

5 × 記述の説明は、**ウェルシュ菌**の食中毒のことである。サルモネラ菌の食中毒は**生卵、洋菓子、食肉**が原因となることが多い。サルモネラ菌は熱に弱いため、予防には食品を十分に加熱することが重要である。

問17 食品による子どもの窒息・誤嚥事故 正解4

A × 豆やナッツ類は、小さく砕いた場合でも気管に入りこんでしまうと、**肺炎や気管支炎になるリスクがある**。「食品による子どもの窒息・誤嚥(ごえん)事故に注意!」(1)に示されている。

B ○ 同資料の(3)に示されている。

C ○ 同資料の(2)に示されている。

D ○ 同資料の(3)に示されている。

設問の記述に加えて、同資料(4)には「節分の豆まきは個包装されたものを使用するなど工夫して行い、子どもが拾って口に入れないように、後片付けを徹底しましょう」が示されている。

問18 「児童福祉施設における食事の提供ガイド」 正解1

「児童福祉施設における食事の提供ガイド」Ⅱ「児童福祉施設における食事の提供及び栄養管理に関する考え方及び留意点」図1「**子どもの健やかな発育・発達を目指した食事・食生活支援**」により、以下のとおりとなる。

1 × 子どもの食事・食生活支援に「食環境の整備」は含まれていない。

2〜5 ○ 図の**A〜D**には、「**安全・安心な食事の確保**」「**食生活の自立支援**」「**心と体の健康の確保**」「**豊かな食体験の確保**」が入る。

問19 食物アレルギー 正解3

A × 鶏卵アレルギーは、卵黄ではなく、**卵白**のアレルゲンが主原因である。

B ○ 米や他の雑穀類(ひえ、あわ、きび、たかきびなど)は、**摂取することができる**。

C ○ 記述のとおりである。家族全員で同じ料理が食べられるよう**代替食品を利用し**、食事準備の負担軽減を考慮する。

D × 牛乳と牛肉のアレルゲンは異なるため、**基本的に除去する必要はない**。

問20 授乳及び調乳 正解4

A × 調乳の湯は、40℃ではなく、**70℃以上**を保つ。サルモネラ属菌等による食中毒予防のためである（「保育所における感染症対策ガイドライン（2018年改訂版・2023〔令和5〕年5月一部改訂同年10月一部修正）」（こども家庭庁）2.「感染症の予防」（2）「衛生管理」ア）「施設内外の衛生管理」「調乳・冷凍母乳」）。

B　○　記述のとおりである（同）。

C　○　また、施設内で冷凍母乳等を取り扱う場合にも、**手洗い**や**備品の消毒**を行うなど、衛生管理を十分徹底する（同）。

D　○　**無菌操作法**は、消毒済みの哺乳瓶に70℃以上のお湯を使用し1回分ずつ調乳する方法で、家庭や少人数の保育所で用いられる。**終末殺菌法**は、よく洗った哺乳瓶に1日分を調乳したあと瓶ごと煮沸消毒し、冷却して冷蔵庫に保管しておき、授乳のたびに適温に温めて使用する方法で、病院、乳児院、大人数の保育所などで用いられる。

保育実習理論

問1　楽譜（伴奏）　正解5

本問の曲名は「ふじの山（詞：巖谷小波／曲：不詳）」、調はハ長調、拍子は4分の4拍子、8小節である。伴奏和音は、ピアノ伴奏でよく使われるハ長調の主要三和音（ド・ミ・ソ、ド・ファ・ラ、シ・ファ・ソ）から選択する。

A　**ウ**（ド・ミ・ソ）　旋律の音にドとミが入っているので**ド・ミ・ソ**を選択する。

B　**エ**（シ・ファ・ソ）　旋律の音にソとファが入っているので**シ・ファ・ソ**を選択する。シ・ファ・ソの基本形はソ・シ・レ・ファ（ハ長調の属七の和音）であり、ここではレが省略されている。

C　**ア**（ド・ファ・ラ）　旋律の音にラとドが入っているので**ド・ファ・ラ**を選択する。

D　**エ**（シ・ファ・ソ）　旋律の音にソとファが入っているので、**シ・ファ・ソ**を選択する。

5小節目から8小節目は、ハ長調の主要三和音による基本的な和音進行である。選択肢**イ**（ラ・ド・ミ）は、ハ長調の主要三和音に含まれないため、ここでは選択しない。

問2　音楽用語　正解3

音楽用語を選択する設問である。

A　**イ**　adagio（アダージョ）は、「ゆるやかに」。

B　**コ**　ritardando（リタルダンド）は、

問題◀本冊 p.302～305

「だんだん遅く」。

C オ D.C.（ダ・カーポ）は、「はじめに戻る」。

D カ molto（モルト）は、「非常に」。

なお、**ア**の「柔らかく」はdolce（ドルチェ）、**ウ**の「悲しげに」はdolente（ドレンテ）、**エ**の「だんだんゆるやかに」はrallentando（ラレンタンド）、**キ**の「セーニョに戻る」はD.S.（ダル・セーニョ）、**ク**の「だんだん弱く」は**decrescendo**（デクレッシェンド）とdim.（ディミヌエンド）、**ケ**の「元気に速く」はanimato（アニマート）である。

問3 和音の種類 正解4

楽譜から**長三和音**（メジャーコード）を読み解く問題である。転回形は基本形に直し、判別する。長三和音は、根音から第5音の音程が完全5度、根音から第3音の音程が長3度となる。以下により、長三和音は、②・④・⑥である。

① **シ・レ・ファ** 基本形である。シとファの音程が減5度、シとレの音程が短三度なので、**減三和音**である。

② **ラ・レ・ファ#** 基本形に直すとレ・ファ#・ラ。レとラは完全5度、レとファ#が長3度なので、**長三和音**。

③ **ソ#・ド#・ミ** 基本形に直すとド#・ミ・ソ#。ド#とソ#は完全5度、ド#とミは短3度なので、**短三和音**。

④ **ファ・ド・ラ** 基本形に直すとファ・ラ・ド。ファとドは完全5度、ファとラは長3度なので、**長三和音**。

⑤ **ミ・ラ・ド・ミ** 基本形に直すとラ・ド・ミ。ラとミは完全5度、ラとドは短3度なので**短三和音**。

⑥ **レ・シ♭・ファ** 基本形に直すとシ♭・レ・ファ。シ♭とファは完全5度、シ♭とレは長3度なので、**長三和音**。

問4 移調 正解3

問われているF、B♭、C_7の3つのコードは、ヘ長調の主要三和音である。ヘ長調の短3度下はニ長調となり、移調後のコードはF→**D**、B♭→**G**、C_7→$\mathbf{A_7}$となる。なお、設問の曲は「もみじ」（作詞：高野辰之 作曲：岡野貞一）である。

問5 リズム譜 正解3

五線譜で音の高低を示すメロディ譜に対して、**音の長短のみの情報を示すリズム譜**での出題である。拍子は4分の4拍子。4分音符をタン、4分休符（ウン）、付点4分音符をターア、8分音符をタ、とすると、「（ウン）タンタンタン ¦ ターアタタンタン ¦ ターアタタンタン ¦ タンタンタン（ウン）」となり、選択肢**3**の「**茶つみ**」があてはまる。

問6 様々な音楽知識 正解4

音楽知識を問う問題である。楽曲や楽器、作者、楽譜について問われている。

1 × 「ソーラン節」は**北海道発祥**で、漁師の労働歌である。

2 × ケーナは、**南米ペルー発祥**の民族楽器で縦笛のひとつである。

3 × 「夕やけ小やけ」の作詞者は、**中村雨紅**である。北原白秋は「ゆりかごのうた」「あめふり」などを作詞した。

4 ○ 「おつかいありさん」は、スキップリズムで始まる**4分の2拍子**の作品である。

5 × 変ホ長調の調号は、フラットが **3つ**である。なお、フラットが2つなのは変ロ長調である。

問7 (指)「表現」 正解 3

「保育所保育指針」第2章「保育の内容」2「**1歳以上3歳未満児**の保育に関わるねらい及び内容」(2)「ねらい及び内容」オ「**表現**」(イ)「内容」③・⑤により、以下のとおりとなる。

A 手触り

B 香り

C 出来事

問8 立体表現の発達過程 正解 2

以下により、「**B → A → C → D**」となる。

A 「意味づけ期/象徴期」と呼ばれる時期で、ものを何かに見立てたり、命名したりする時期。年齢的には **2歳〜3歳半頃**。

B 「もてあそび期」と呼ばれる時期で、身体をはたらかせて物に関わる段階。何かをつくるという意識はなく、ものの感触を感じたり、投げてその様子(音など)を感じたりする時期。年齢的には **1歳〜3歳半頃**。

C 「つくりあそび期」と呼ばれる時期で、目的をもってつくりはじめる時期。年齢的には **3歳〜9歳頃**。

D 上記と同じく「つくりあそび期」に相当する時期だが、友達と協同したり、家よりも複雑な町をつくったりしていることから、**選択肢Cよりも発達が進んでいる**とわかる。

問9 材料・用具 正解 3

A × 合成繊維製のテープ紐(ひも)の素材にはプラスチックの一種が用いられているので、**水に溶けない**。

B ○ 高密度ポリエチレン製のテープ紐は、**書籍等の梱包**に推奨されている。

C × プラスチックの中には微生物によって分解されるものもあるが、ポリエチレンは化石由来の**プラスチック**であり、土中ですぐに分解されることはない。

D ○ テープ紐は長手方向に簡単に裂くことができ、また、赤・黄・青などの色つきのものがあるので、保育所のクラスやチームに応じた「**ポンポン**」をつくることができる。

問10 色彩理論 正解 2

A ○ 保育士試験は **12色相環**に基づいて出題されることが多い。12色相環とは、「赤→赤みの橙→黄みの橙→黄→黄緑→緑→青緑→緑みの青→青→青紫→紫→赤紫」を円環状に並べたものである。紫は**赤と青の間**(青→青紫→紫→赤紫→赤)にあり、両色の混色でできる。

B ○ 太陽光は白色光と呼ばれるもので、この光を分解すると色のグラデーションからなる「**虹色**」が生じる。虹は空気中の水分によって、太陽光が分光されたものである。

C × 「青」は「色の三原色」の一つであり、**混色でつくることはできない**。なお、「色の三原色」は、青(シアン)・赤(マゼンタ)・黄(イエロー)である。

問題◀本冊 p.306 〜 309

D　○　「光の三原色」は**赤・青・緑**で、黄は「光の三原色」には含まれない。

問 11　事 児童文化　正解 5

A　**憧れ**
B　**ごっこ**
C　**仲間**

メディアで人気のあるキャラクターを保育所で活用するか・しないかという議論は根強くあり、基本的には園の方針によって決まるものである。ただし、どちらにしてもメリットやデメリットがあり、それらを総合的に判断することが保育者には求められる。

問 12　イラスト問題　正解 2

以下の図は、正解の切り方で紙を開いた様子である。ポイントとしては、**切り込みは真っすぐに、交互に入れるようにしなければならない**ということである。このような切り込みが入っているのは選択肢**2**のみである。

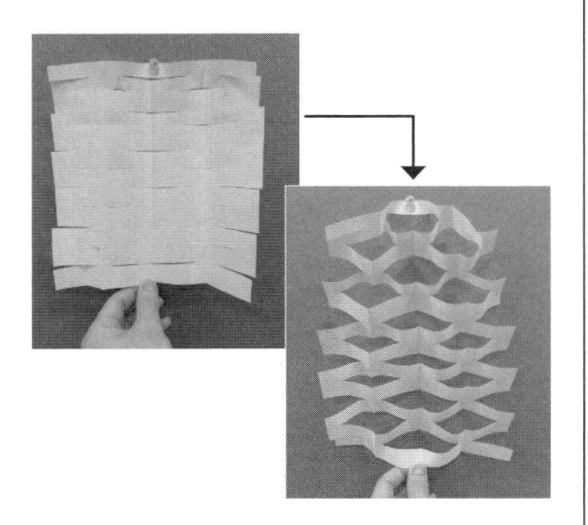

問 13　指「言葉」　正解 3

「保育所保育指針」第2章「保育の内容」3「**3歳以上児**の保育に関するねらい及び内容」(2)「ねらい及び内容」エ「**言葉**」により、以下のとおりとなる。

A　**自分なりの**
B　**聞こうとする**
C　**感覚**

問 14　事 保育士の責務と倫理　正解 1

A　○　**民生委員**は、地域の人の立場に立って社会福祉の増進に努めており、また、地域の子どもや保護者の暮らしを支える児童委員の役割を兼ねている。民生委員の依頼を受けて遊びの指導を行ったことは、保育士の責務と倫理に照らして適切である。

B　○　**社会福祉協議会**は、地域の人が安心して生活できるための様々な活動を行っている非営利の民間組織である。地域の社会福祉協議会に相談したのは適切である。

C　○　「保育所保育指針」第4章「子育て支援」1「保育所における子育て支援に関する基本的事項」(2)「子育て支援に関して留意すべき事項」のイの記述に、**保護者や子どものプライバシーを保護し、知り得た事柄の秘密を保持すること**が示されている。バス車内で園内の出来事の会話をしないのは、秘密が他者に漏れることを防ぐことであり、適切である。

問 15 

正解 1

A ○　レストランやみんなで食事を楽しむ様子が描かれた**絵本を読む**ことは、「友達とレストランごっこを楽しむ」というねらいにつながる活動であり、適切である。

B ○　レストランごっこの**イメージが膨らむような言葉がけ**をすることは、「友達とレストランごっこを楽しむ」というねらいにつながる活動であり、適切である。

C ○　友達と相談しながら、メニュー表にメニューの名前が書けるように、**スペースや画材を準備する**ことは、「日常生活の中で、文字などで伝える楽しさを味わう」というねらいにつながる活動であり、適切である。

D ×　子どもが書いた文字に対して「まちがっているよ」と伝え、正しい書き方に直させることは、ねらいにある「楽しむ」ことにつながらない。「保育所保育指針」第２章「保育の内容」3「3 歳以上児の保育に関するねらい及び内容」(2)「ねらい及び内容」エ「言葉」(ウ)「内容の取扱い」⑤の記述に、「子どもが日常生活の中で、文字などを使いながら思ったことや考えたことを伝える喜びや楽しさを味わい、文字に対する興味や関心をもつようにすること」とあり、この時期の保育では、子どもが正しい文字を書くことよりも、**文字を使って伝えることを楽しみ、文字に対する興味や関心をもつことを大事にする**。

問 16 指「指導計画の展開」 正解 5

1 ○　「保育所保育指針」第１章「総則」3「保育の計画及び評価」(3)「**指導計画の展開**」のアの記述である。

2 ○　同イの記述である。

3 ○　同ウの記述である。

4 ○　同エの記述である。

5 ×　「指導計画の展開」の留意事項の中に記述の内容はない。なお、「保育所保育指針」第１章「総則」3「保育の計画及び評価」(2)「指導計画の作成」のアには、「保育所は、全体的な計画に基づき、具体的な保育が適切に展開されるよう、**子どもの生活や発達を見通した長期的な指導計画**と、それに関連しながら、**より具体的な子どもの日々の生活に即した短期的な指導計画**を作成しなければならない」とある。

問 17 

正解 2

「保育所保育指針」第２章「保育の内容」3「3 歳以上児の保育に関するねらい及び内容」の (1)「基本的事項」のアより、以下のとおりとなる。

A　集団的な

B　協同的な

C　個の成長

問 18 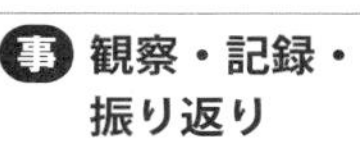

正解 2

A ○　園の**環境を把握**するために、遊具や設備がどのように配置されているのかを観察することは適切である。また、遊具や設備が**子どもの育ちにどのよう**

問題◀本冊 p.310 ～ 316

な**意味を持つのか**を考察することが大切である。

B ○ 保育士は、連携して子どもと関わり、援助をする。**保育士同士の連携も含めて観察する**のは適切である。

C × **自分の思いや考えたことを書く**ことは、自身の子どもや保育の見方に気づくことにつながり、重要なことである。

D × 自分のできなかったことや反省すべきことといったネガティブな面だけを振り返るのではなく、担当保育士から助言を受けて挑戦し、手応えを得た実習の**ポジティブな面もあわせて振り返る**とよい。

問 19	事 児童養護施設における対応	正解 2

A ○ その日の出来事を**事実として記録**し、実習指導者から自分で**どうしてよいかわからなかったことについて助言を受ける**ことは、適切である。

B × 「そんなことを言うものではない」と批難することは、女子児童を**受容していない**行為であり、不適切である。

C ○ なぜそのような言葉を発したのか、女子児童の**発言の理由について考察する**ことは、女子児童を理解しようとする姿勢である。今後の保育実践の向上につながる行為であり、適切である。

問 20	事 児童養護施設における対応	正解 3

A ○ 事例では、Z 君は就職に対して不安を感じている。職場体験プログラムに参加し、今後の就職について一緒に考えていくことを提案することは、Z 君の**不安な気持ちに寄り添う関わり**であり、適切である。

B × 「自分で考えて決めて、決まったら教えて」と伝えることは、Z 君の**不安な気持ちに寄り添っておらず**、不適切である。

C × 就職についての話には触れないことは、**問題の本質的な解決につながらず**、本当の意味で Z 君の不安な気持ちに寄り添っているとはいえない。

D × 事例では、Z 君は高校卒業後は就職を希望している。進学を選択できるような支援に切り替えることは、就職を希望する Z 君の**気持ちを尊重していない**行為であり、不適切である。

2022年後期

保育の心理学

問1 バルテスの生涯発達理論 正解 2

バルテスはドイツの心理学者で、人間の発達を一生を通してとらえる生涯発達心理学を提唱した。

A ○ **バルテス**は、ヒトの発達が**多次元的で多方向的に進む**こと、また高い**可塑性を有する**ことを主張している。

B × バルテスは、発達を**老年期に至るまでの過程**としてとらえており、そこに至るまでの**量的・質的変化**を仮定する。

C ○ バルテスは、ヒトの発達は**歴史的・文化的条件の影響を受ける**と主張した。

D × バルテスは、加齢とともに喪失が増える老年期のQOLを向上させるための方略としてSOC理論を構築した。SOC理論は、**老年期に残された身体的資源や認知的資源を効率よく使用し、喪失以前の生活を取り戻すために目標の調整や変更を行っていく**理論のことである。記述には「有効に機能する領域がより限定的に選択される」とあるが、残された資源が有効に機能する領域は、むしろ**広く選択される**。

問2 発達の規定要因 正解 1

1 ○ 記述は、**ジェンセン**（Jensen, A.R.）が主張した**環境閾値**（いきち）説である。

2 × **輻輳**（ふくそう）**説**は、**シュテルン**（Stern,W.）によるもので、発達は遺伝的要因と環境的要因の総和であるとする。

3 × **遺伝説**（生得説、成熟優位説）は、**ゲゼル**（Gesell, A.）によって主張され、発達は遺伝によって決まるという考え方である。

4 × **生態学的システム論**は、**ブロンフェンブレンナー**（Bronfenbrenner,U）によるもので、発達は個人と環境の相互作用によって形成されると考え、人間を取り巻く環境を入れ子構造（マイクロシステム、メゾシステム、エクソシステム、マクロシステム）としてとらえた。

5 × **環境説**（経験説）は、**ワトソン**（Watson, J.B.）によるもので、発達は環境要因で決まるという考え方である。

問3 社会的認知の発達 正解 5

A－ク：**素朴心理学** ハイダーは、人は第三者に対する認知関係のバランスを保とうとするというバランス理論を提唱した。ハイダーはこれまでの心理学が科学的アプローチに偏っているとし、「人の心に関する日常的で常識的な知識」を明らかにしようとする**素朴心理学**という分野を切り開いた。

B－キ：**心の理論** 他人の心の働きを理解し、それに基づいて他人の行動を予測することができるかどうかは**心の理論**

の問題として研究される。

C－カ：誤信念課題　心の理論は、**誤信念課題**と呼ばれる課題によって獲得されているかどうかを明らかにすることができる。誤信念課題の一つとしては、「サリーとアン」の課題が広く知られている。

D－エ：信念　誤信念課題は、単一の人物の**信念**、つまり「正しいと信じている考え」を問うものである。

【語群】**ア**の**人間心理学**（人間性心理学）は、人間の潜在能力と自己成長能力を重視し、「人間とはよりよき生に向かって歩む主体的存在である」とする考え方である。

ウの**コミック会話**は、進行中の会話を図示することで、情報交換やコミュニケーションを支援する技法のことであり、主に自閉症の子どもとのやりとりで活用されている。

問4　発達に関する用語　正解 1

A－ア：向社会的行動　外的な報酬を期待することなく、自発的に人々のためになることをしようとする行動をいう。

B－エ：社会的参照　行動決定に迷うようなあいまいな状況で、大人の表情を手がかりにしようとする行動をいう。

C－ウ：象徴機能　目の前にない別の物を使って、目の前にある物を表現する働きをいう。

D－キ：共鳴動作　新生児や乳児が大人の表情や動作と同様の反応を示す行動をいう。意図的なものではなく、無意識的な模倣である。

【語群】**イ**の**自己調整**は、自己の欲求や意思に基づいて自発的に自己の行動を調整することである。

オの**安全基地**は、精神的に安定し、保護される保証がある環境のことである。

カの**共同注意**は、対象に対する注意を他者と共有することである。

クの**延滞模倣**は、観察した行動を時間が経過したあとで再生することである。

問5　ピアジェの発達理論　正解 2

A　○　子どもの道徳性は、**他律的道徳**から、**自律的道徳**へと発達していく。

B　○　記述のとおりである。

C　×　量的ではなく、**質的**に異なる 4 つの段階がある。ピアジェの認知の発達理論は、年齢とともに認知できる量が増えていく点ではなく、認知の仕方や内容が異なっていくという質の点で区分する。4 つの段階とは、具体的には感覚運動期、前操作期、具体的操作期、形式的操作期をいう。

D　×「記号や数字といった抽象的な事柄についての論理的な思考が可能になっていく」のは、具体的操作期ではなく**形式的操作期**である。

問6　ヴィゴツキーの発達理論　正解 4

A　×「環境のさまざまな要素が人間や動物に影響を与え、感情や動作が生まれる」という考え方は、**ギブソン**（Gibson J.J.）のアフォーダンス理論である。

B　○　記述は、ヴィゴツキーの「自力では難しいが、誰かのサポートがあればできること」に注目した**発達の最近接領域**という考え方である。

C　○　記述のとおりである。なお、ヴィゴツキーは、他者に向かうコミュニケーションのための言葉を**外言**、自分に向かう思考のための言葉を**内言**と呼んだ。

D　○　ヴィゴツキーは、日常の生活経験を通して自然に獲得する生活概念と、主に学校で教育される科学的概念は、**相互に関連をもちながらそれぞれに発達していく**とした。

問7　パーテンの遊びの分類　正解4

A　エ　**平行遊び**は、子ども同士で同じ遊びをするが、遊びが平行して展開するだけで、子ども同士の関わりはみられない遊びである。

B　オ　**協同遊び**は、子ども同士で一緒に遊びを展開する。役割分担がみられ、リーダーも生まれたりする遊びである。

C　カ　**連合遊び**は、子ども同士で一緒に遊び、互いのやり取りもあるが、役割の存在やリーダーなどはみられず、組織化されていない遊びである。

D　イ　**一人遊び**は、一人で遊んでいて、そばにほかの子どもがいても無関係な状態である。

【語群】**ア**の**見立て遊び**は、実際には目の前にはないものを想像しながら遊ぶことである。

ウの**構成遊び**は、形を作って楽しむ遊びのことである。

問8　事　子どもの言葉の発達　正解5

a　ケ　Yちゃんは、「ワンワン」をイヌだけでなく、あらゆる四つ足の動物に使っている。大人の語の適応範囲よりも広い意味で語を使うことを、**語の過大般用**もしくは**語彙拡張**という。

b　ク　子どもが対象を指差して、さかんにその名称を尋ねる時期は、**命名期**やナニナニ期と呼ばれる。

c　ウ　急激に語彙が増えることを**語彙爆発**という。

d　イ　ピアジェ（Piaget, J.）は、認知・操作の枠組みとなるものをシェマと呼び、自分が持っているシェマの中に環境を取り込む働きを**同化**と呼んだ。

e　オ　記述は、ピアジェのいう「外界の事象に自己のシェマを修正すること」、つまり**調節**の例である。

【語群】**ア**の**置き換え**は、受け入れがたい感情や欲求を別の対象に向けることである。

エの**一語文期**は、一つの単語からなる文を話す時期のことで、1歳から1歳半くらいにあたる。

カの**語の過小般用/語彙縮小**は、大人の語の適応範囲よりも狭い意味で語を使うことである。

キの**同一視**（同一化）とは、他者の考え方、態度などを自分の内に取り入れる心理的な働きのことである。

問9　自己の発達　正解4

A　×　自己の中でも、自分の姿や名前、性格など周りの人が捉えることができる様々な特徴が含まれる側面は、**客観的自己**である。主体的（主観的）自己は、自分は一体何者なのかを知ろうとする自己、自分自身を見ている自己のことである。

B　○　ルイスとブルックス-ガン

問題◀本冊 p.322 ～ 326

(Brooks-Gunn, J.) によると、鏡映像の自己認知ができる子どもは**1歳半頃から急激に増え**、2歳頃ではかなりの子どもが可能になる。

C × 誇りや恥などの感情がみられるようになる時期は、**3歳頃である**。

D × 周囲の人々と自分を比較することで自分の社会における位置を確かめることである社会的比較が可能になるのは、**学童期後半**である。

問10 動機づけ 正解5

A 外発的動機づけ ご褒美や先生に褒めてもらうことを目的としてある行動を生じさせることは、**外発的動機づけ**である。

B 内発的動機づけ 「興味があるから」「面白いから」など行動自体を目的としてある行動を生じさせることは、**内発的動機づけ**である。

C アンダーマイニング現象 好奇心や喜びといった内発的動機づけによって行動していた相手に対し、報酬や褒美といった外発的動機づけを提示して、結果としてモチベーションを低下させてしまう心理現象のことを、**アンダーマイニング現象**という。

D 自律性 他者からの支配や強制を受けず、自らが立てた規範に従い行動することを**自律性**のある行動という。

選択肢の中にある**エンハンシング効果**とは、外発的動機づけによって内発的動機づけを高める心理現象のことである。

問11 中年期 正解3

A ○ 中年期には、**更年期障害**と呼ばれる諸症状が現れやすい。

B × エリクソンは、中年期（40～65歳頃）の心理・社会的危機は「**生殖性 対 停滞**」とした。「親密性 対 孤独」は、成人期初期（19・20～40歳頃）の課題である。

C ○ 記述のとおりである。

D × 自分とは何者であるのかに悩み、様々なものに取り組んで、初めてアイデンティティを模索するのは**青年期**である。

問12 家族を理解する視点 正解4

A 家族ライフサイクル論 家族の誕生から家族がなくなるまでの過程をたどる理論である。

B 家族システム論 家族を1つのまとまりをもつ生命系としてとらえる理論である。

C ジェノグラム 3世代以上の家族の人間関係を図式化した家系図である。

選択肢の中の**エコマップ**とは、ある個人と、その人の外界との関係について有益な情報を得られる視覚化ツールである。

問13 親になることの準備 正解2

A ○ **親準備教育**とは、親として、また子育てを支える地域の一員として、子どもを産み育てることの意義や、親や家族の役割、子どもとの関わり方を学ぶことである。

B ○ 母親は胎動を感じることで、子どもとの相互作用に向けて**心の準備を整えていく**。

C × 「令和２年版少子化社会対策白書」によれば、夫婦が実際にもつ予定の子どもの数が、理想的な子どもの数を下回る理由としては、「**子育てや教育にお金がかかりすぎるから**（56.3%）」が「自分の仕事に差し支えるから（15.2%）」より多く、全体で最多である。なお、「第16回出生動向基本調査」によれば2021（令和３）年の「夫婦が理想の数の子どもを持たない理由」は「子育てや教育にお金がかかりすぎるから」が52.6%、「自分の仕事に差し支えるから」が15.8%と同傾向である。

D × 葛藤が起きた際、親が子どもへの期待や関わりを、子どもの実情に合うように変えるという方法は誤りである。**子どもを信頼し、適度な距離をもって子離れをする**ことのほうが大事であるといわれている。

なお、親子間の葛藤は、子どもが思春期前期頃になり親から自立していく過程である心理的離乳をしようとする際に、反抗や口答えなどの形でみられる成長に必要なプロセスである。

問14  正解２

A、C、D ○ 事例から読み取れるRちゃんは、言葉の発達遅延がみられるとともに、発音の不明瞭さからは聴覚に関しても医師の診察が必要な可能性がある。また、言語の発達に問題があるときには、その背景に知的な発達の遅れの可能性も否定できない。したがって設問の記述は正しい。

B × 年齢の低いクラスの児と砂場で遊んでいることが多いからといって、必ずしも引っ込み思案な性格であるとはいえない。

問15 仲間関係の発達 正解４

A × 他者の意見や信念と同じになるように調子を合わせることを同調と呼ぶ。同調の対象が親から仲間へと移行するのは学童期中期頃である。しかし、自律できるようになるのは**高校生から大学生の間**であるという研究結果もあり、学童期の終わり頃の自律は難しいと考えられる。

B ○ **関係性攻撃**は、直接相手を傷つけるのではなく、仲間関係を操作することによって相手を傷つける。

C ○ **チャムグループ**は、中学生頃によく見られる仲良しグループで、女子生徒において顕著である。

D × **ピアグループ**は異質性を認めることが特徴の集団であり、男女混同であることも、年齢差があることもありうる。

問16 観察法 正解５

A × 観察したい行動の目録を作成し、その行動が生起すればチェックするやり方は、**行動目録法**である。

B × 観察する時間や回数を決めて、その間に生起する行動を観察することは、**時間見本法**である。

C ○ 観察対象となる人と関わりながら観察することを**関与観察（参加観察）**

といい、対象の内面まで調査することが期待できる。

D ○ 記述のとおりである。

問17 発達検査・知能検査 正解3

A × 子どもの発達状態を理解するためには、生育歴や行動観察などの**臨床診断**と、発達検査・知能検査などの**専門診断**の両方を総合的に用いる必要がある。

B ○ 「**新版K式発達検査2020**」は、1951年に京都市児童院で開発され、その後改訂が重ねられた、0歳児から成人までを対象とする検査法である。運動能力である「**姿勢・運動**（P-M）」、視覚認知や物の操作の能力である「**認知・適応**（C-A）」、言語能力や対人反応に関する「**言語・社会**（L-S）」の3つの領域に関して、その発達の程度、及びそれらのバランスから発達傾向を調べる。

C ○ **ウェクスラー式の知能検査**では、同じ年齢の人が100人いる集団として、何番目に位置するかを示すパーセンタイル順位も算出される。

D ○ **発達検査**には、検査者が直接子どもを検査したり、観察したりして評価を行うものと、保護者など養育者に質問してその報告をもとにして評価を行うものがある。

問18 図表の読み取り：性役割分担意識 正解3

A ○ 「反対」および「どちらかといえば反対」を合わせた割合の経年推移をみると、**男女ともに増加傾向にある**。

B × どの調査年であっても、性役割分担意識に賛成する者の割合は、**男性が女性を上回っている**。

C × 平成26年の男性の調査では、性役割分担意識に**反対46.5％、賛成46.5％と同数**となっており、反対が賛成を上回っているとはいえない。令和5年版の同白書では数字は示されていないが、女性よりも男性の方が性別役割意識を強く感じていることが記載されている。

問19 児童虐待 正解2

a ○ 「児童虐待の防止等に関する法律」第5条に**早期発見の努力義務**、また第6条に**通告義務**が規定されている。

b × 児童虐待は、身体的虐待、性的虐待、ネグレクト、心理的虐待の**4つに分類される**。

c × 「令和2年度福祉行政報告例」（厚生労働省）によれば、児童相談所での虐待相談の種別で、最も多いのは「**心理的虐待**」で121,334件、次に多いのが「身体的虐待」で50,035件、その次が「ネグレクト」で31,430件であった。なお、「令和4年度児童相談所における児童虐待相談対応件数（速報値）」においても同順位であった。

d ○ 被虐待者は、**小学校入学前の子どもが最も多い**。

問20 障害と心理的環境要因 正解1

A ○ **反応性アタッチメント（愛着）障害**においては、苦しくて助けが必要なときでも養育者に保護を求めることができず、様々な情緒的障害症状が出る。

安定した愛着形成がなされない場合、5歳までに発症するとされる。

B ○ **心的外傷後ストレス障害**は、圧倒的な外傷的出来事の侵入的な想起が反復して生じる病態である。症状としては外傷的出来事に関連する刺激の回避、悪夢、フラッシュバックなどがある。

C × **自閉スペクトラム症**は、生まれつきみられる脳の働き方の違いにより、幼児のうちから行動面や情緒面に特徴がある状態であり、心理的環境要因は関係ない。

D × **知的能力障害**は、出生時や乳児期の初期から知能の働きが明らかに標準を下回り、正常な日常生活動作を行う能力が限られている状態である。遺伝的な場合もあれば、脳の発達に影響を与える病気の結果として起こる場合もあるが、心理的環境要因は関係ない。

保育原理

問1 指「保育所の社会的責任」　**正解 2**

A ○「保育所保育指針」第1章「総則」1「保育所保育に関する基本原則」(5)「**保育所の社会的責任**」アとして適切である。出題形式が異なっていても頻繁に出題されており、同「保育所の社会的責任」のア～ウの3点の内容を確認しておく必要がある。アでは子どもの人権や人格の尊重について記されている。

B ○ 同ウとして適切である。**子ども等の個人情報や保護者の苦情**について記されている。

C × 同1「保育所保育に関する基本原則」(3)「**保育の方法**」イの内容である。

D ○ 同(5)「保育所の社会的責任」イとして適切である。**地域社会との交流や連携**について記されている。

問2 指 養護と教育　**正解 3**

A ○「保育所保育指針」第1章「総則」2「養護に関する基本的事項」(1)「**養護の理念**」の記述であり、適切である。

B ×「保護者と行う」が誤りである。同指針第2章「保育の内容」から「子どもの生命の保持及び情緒の安定を図るために**保育士等が行う**援助や関わり」が正しい。「養護」と「教育」における保育士の関わりについて理解しておく必要がある。

C × 同指針第2章「保育の内容」より、「集団的活動」が誤りである。**集団的活**

問題◀本冊 p.331 ～ 335

動に限定されてはいない。

D ○ 同指針第2章「保育の内容」の養護と教育に関する記述として適切である。**養護と教育は一体となって展開される。**

問3 指「全体的な計画の作成」 **正解 3**

A－イ：保育
B－オ：長期
C－エ：全体
D－キ：指導

「保育所保育指針」第1章「総則」3「保育の計画及び評価」(1)「**全体的な計画の作成**」イ及びウからの出題である。全体的な計画は、保育所の生活の全体を通し総合的に展開されるように作成する必要がある。また「全体的な計画の作成」は、指針改訂の要点の一つとなっており、「幼保連携型認定こども園教育・保育要領」及び「幼稚園教育要領」との構成的な整合性を図るためのものである。

問4 指「保育の計画及び評価」 **正解 2**

A ○ 「保育所保育指針解説」第1章「総則」3「保育の計画及び評価」(2)「指導計画の作成」**【3歳未満児の指導計画】**から正しい。

B ○ 同【3歳未満児の指導計画】から、適切である。個別的な計画を作成する理由として、**3歳未満児の発達や成長**をよく踏まえておく。

C × 同【3歳未満児の指導計画】から、「心身の諸機能が未熟」は正しいが、「感染症対策からも1対1対応に近い少人数で保育することで、保護者の理解が得やすいため」は誤りである。「保育所保育指針解説」には、**心身の諸機能が未熟であるため、保育士間の連携、看護師・栄養士・調理員等との緊密な協力体制の下で、保健及び安全面に十分配慮する**ことが記されている。

D ○ **A**と同様の箇所から、適切である。

問5 指 乳児保育の内容の取扱い **正解 1**

A ○ 「保育所保育指針」第2章「保育の内容」1「乳児保育に関わるねらい及び内容」(2)ア「**健やかに伸び伸びと育つ**」(ウ)「内容の取扱い」①から正しい。

B ○ 同②から適切である。

C ○ 同イ「**身近な人と気持ちが通じ合う**」(ウ)「内容の取扱い」①から正しい。

D × **3歳以上児**の内容であり、適切ではない。

E × 発語に関しては、同②に「**次第に言葉が獲得されていくことを考慮して**」とある。そのつど保育士が子どもの発語を言い直すのは誤りである。

問6 指「乳児保育に関わるねらい及び内容」 **正解 4**

A **イ** 「保育所保育指針」第2章「保育の内容」1「乳児保育に関わるねらい及び内容」(2)ア「**健やかに伸び伸びと育つ**」(ア)「ねらい」③の記述である。

B **ア** 同1「乳児保育に関わるねらい及び内容」イ「**身近な人と気持ちが通じ合う**」(ア)「ねらい」①の記述である。

C **エ** 同1「乳児保育に関わるねらい及び内容」ウ「**身近なものと関わり感性が育つ**」(ア)「ねらい」③の記述である。

【II群】**ウは3歳以上児**の保育に関するねらいであり、混同しないようにする。

同1「乳児保育に関わるねらい及び内容」では「健やかに伸び伸びと育つ」**身体的発達**の視点、「身近な人と気持ちが通じ合う」**社会的発達**の視点、「身近なものと関わり感性が育つ」**精神的発達**の視点、の3つの視点からまとめられており、それぞれの視点から内容を理解しておく。

問7 事 1歳児クラスの食事 **正解2**

A ○ 乳児保育では、**子どもの気持ちを受け止めて、応答的な関わりをする**ことが求められる。S君の食べたいという思いや気持ちを重視して、応答的に言葉をかける対応は適切である。

B × 「保育所保育指針」第2章「保育の内容」1「乳児保育に関わるねらい及び内容」(2) ア「健やかに伸び伸びと育つ」(イ)「内容」③には「様々な食品に少しずつ慣れ、食べることを楽しむ」とあり、食事をする際には楽しみながら食べることが重要である。**子ども自身の食べたい気持ちを尊重する**ことが求められるため、「保育士が順番に食器を並べて、しばらく管理する」のは適切ではない。

C ○ 同(ウ)「内容の取扱い」②には「和やかな雰囲気の中で食べる喜びや楽しさを味わい、進んで食べようとする気持ちが育つようにする」とある。**子どもの行為を受け止めて楽しく食事をする**ようにする対応は適切である。

D × 乳児保育では、**受容的・応答的な関わり**が基本となる。子どもが嫌がってもそれに対応しないのは適切とはいえない。

問8 指「3歳以上児の保育に関するねらい及び内容」 **正解4**

A × 「保育所保育指針」第2章「保育の内容」3「3歳以上児の保育に関するねらい及び内容」(2) ウ「環境」(イ)「内容」⑨には「**日常生活の中で数量や図形などに関心をもつ**」とあり、計算や図形の区別についての記述はない。同(ア)「ねらい」③にあるように身近な事象から「**物の性質や数量、文字などに対する感覚を豊かにする**」ことが求められている。

B × 同(イ)「内容」⑩「**日常生活の中で簡単な標識や文字などに関心をもつ**」とある。**A**同様に、関心をもって文字などに対する感覚を豊かにすることが大切であり、「文字の読み書きができる」という記述はない。

C ○ 同①の記述である。

D ○ 同⑦の記述である。

問9 3歳以上児の保育 **正解4**

A × 子どもにとって安心して眠れるような環境をつくることが大切であり、**話をしているからと布団を引き離すのは適切とはいえない**。なお、3歳以上児の午睡に関する記述は「保育所保育指針解説」第1章「総則」3「保育の計画及び評価」(2)「指導計画の作成」オの中にあり、保育時間によって午睡を必要とする子どもと必要としない子どもが混在する場合もあり、睡眠時間は一律とならないようにする配慮が記されている。

問題◀本冊 p.336～340

B ○ 「保育所保育指針」第２章「保育の内容」３「３歳以上児の保育に関するねらい及び内容」(2) ア「健康」(イ)「内容」⑦に「身の回りを清潔にし、衣服の着脱、食事、排泄などの生活に必要な活動を自分でする」とあり、**清潔な服に着替えることを提案するのは適切な対応である**。また、前日の汚れた服を着てくる子どもについては、ネグレクトなどの虐待の兆候である場合もあり、保育者や保護者との連携を密にしていく必要がある。同指針第４章「子育て支援」２「保育所を利用している保護者に対する子育て支援」(3)「不適切な養育等が疑われる家庭への支援」に、虐待が疑われる場合には、市町村または児童相談所に通告することが記されている。

C × 「どんなクリスマスプレゼントをもらったかクラスのみんなにお話しして」という問いかけは、プレゼントがもらえる家庭を前提としているため適切とはいえない。**一人一人の状況や子どもの実際を踏まえ、プレゼントをもらっていないかもしれない子どもへも配慮をする**必要がある。

D × **保育所と保護者間における信頼関係が重要になる**ため、保護者が提出期限に間に合わないことを子どもに伝えることは適切とはいえない。同１「保育所における子育て支援に関する基本的事項」にも保護者と保育所の相互の信頼関係を基本とすることが記されている。

E × 降園のしたくをなかなかしない子どもの行為に対して、なぜなかなかしないのかを考えたり受け止めたりすることをせず、保育者が「オニがくる」と怖がらせ保育士の思い通りに動かそうとする行為は適切ではない。

問10 (事) ３歳以上児への保育士の対応 正解２

A ○ 「保育所保育指針」第１章「総則」３「保育の計画及び評価」(2)「指導計画の作成」キに、障害のある子どもの保育についての記述がある。「一人一人の子どもの発達過程や障害の状態を把握し、適切な環境の下で、障害のある子どもが他の子どもとの生活を通して共に成長できるよう」にすることや「子どもの状況に応じた保育を実施する」とあり、**家庭での生活や遊びについて聞き取ることは適切である**。

B ○ 同イ (イ) に、３歳以上児については、個の成長と、子どもの相互の関係が促されるような配慮についての記述がある。**互いの気持ちが気づけるように援助することは適切である**。

C × 子どもの思いや気持ちを受け止めることが重要である。**保育者の思いからＰちゃんに謝るように言い聞かせるのは適切ではない**。

D ○ 同キから、**保育士が状況に応じて仲立ちをする**のは適切である。

問11 (指) ５歳児クラスの子どもへの対応 正解５

A × 給食を食べる際に、「必ず時間内に食べるように伝える」のは、適切とはいえない。「保育所保育指針」第２章「保育の内容」３「３歳以上児の保育に関するねらい及び内容」(2) ア「健康」(ウ)「内容の取扱い」④に、食事についての記述があり「和やかな雰囲気の中で保育士等や他の子どもと食べる喜びや楽しさを味わったり」とあり、**食事は楽しんで食べる**ということを大切にする。

B × 「カレンダーの見方がわかっていない子どもは、家で練習するように保護者にお願いしています」という部分が不適切である。同ウ「環境」（ウ）「内容の取扱い」⑤にあるように、「数量や文字などに関しては、**日常生活の中で子ども自身の必要感に基づく体験を大切にし**、数量や文字などに関する興味や関心、感覚が養われるようにすること」が求められる。

C ○ **給食の準備を協力して取り組むことや、グループの名前を子どもたちが相談して決められるよう見守る**という対応は適切である。同イ「人間関係」（イ）内容⑧には「友達と楽しく活動する中で、共通の目的を見いだし、工夫したり、協力したりなどする」、同（ウ）「内容の取扱い」③には「子どもが互いに関わりを深め、協同して遊ぶようになるため、自ら行動する力を育てるとともに、他の子どもと試行錯誤しながら活動を展開する」とある。

D ○ 同ウ「環境」（イ）内容⑤「身近な動植物に親しみをもって接し、生命の尊さに気付き、いたわったり、大切にしたりする」や、**C**と同様の箇所から、**子どもたちと話し合って当番で世話をする**対応は適切である。

E ○ 同エ「言葉」（イ）内容④に「**人の話を注意して聞き、相手に分かるように話す**」とある。

問 12 (指)「子育て支援」 正解 2

A－気持ち
B－信頼関係
C－専門性
D－喜び

「保育所保育指針」第 4 章「子育て支援」1「保育所における子育て支援に関する基本的事項」（1）「保育所の特性を生かした子育て支援」ア、イからの出題である。子育て支援においては、**保育士等の専門性を生かし、保護者に寄り添いながら、自己決定を尊重していく**ことが大切である。

問 13 (指)「家庭及び地域社会との連携」 正解 1

A－生活の連続性
B－自然
C－資源
D－保育内容

「保育所保育指針」第 2 章「保育の内容」の 4「保育の実施に関して留意すべき事項」（3）「家庭及び地域社会との連携」からの出題である。家庭及び地域社会との連携においては、**子どもの生活の連続性**を踏まえ、保育内容の充実が図られるよう**地域の資源を積極的に活用する**ことが大切である。

問 14 「子ども・子育て支援新制度」 正解 3

「子ども・子育て支援新制度」は、2012（平成 24）年 8 月に成立した「子ども・子育て関連 3 法」に基づき、2015（平成 27）年に施行された。

A ○ 記述のとおりである。

B × 認定こども園について、認可・指

問題◀本冊 p.341 ～ 344

導監督の一本化は正しいが、後半部分が誤りである。認定こども園は、**学校及び児童福祉施設**としての法的位置づけがなされた。

C ×　地域型保育事業として創設されたのは、企業主導型保育ではなく、**事業所内保育**である。地域型保育事業は、小規模保育（利用定員6人以上19人以下）、家庭的保育（利用定員5人以下）、居宅訪問型保育、事業所内保育（主として従業員の子どものほか、地域において保育を必要とする子どもにも保育を提供）の4つであり、児童福祉法に位置づけられている。

D ○　記述のとおりである。**仕事・子育て両立支援事業**には、企業主導型保育事業と、企業主導型ベビーシッター利用者支援事業がある。

問15　日本の保育制度　正解4

A－20　2022（令和4）年改正の児童福祉法第39条に、「保育所は、保育を必要とする乳児・幼児を日々保護者の下から通わせて保育を行うことを目的とする施設（利用定員が**20人以上**であるものに限り、幼保連携型認定こども園を除く）」と示されている。

B－11　内閣府の子ども・子育て支援新制度において、保育の必要性の認定に関連して、フルタイムの就労を想定した「保育標準時間」は、原則的な保育時間は8時間であるが、利用可能な時間帯＝保育必要量は、**11時間**と示されている。パートタイムの就労を想定した「保育短時間」は、原則的な保育時間が8時間、利用可能な時間帯＝保育必要量も8時間とされている。

問16　(指)「幼児期の終わりまでに育ってほしい姿」　正解3

A～D、F～H、J　○
E、I　×

「保育所保育指針」第1章「総則」4「幼児教育を行う施設として共有すべき事項」（2）「幼児期の終わりまでに育ってほしい姿」には、ア「**健康な心と体**」、イ「**自立心**」、ウ「**協同性**」、エ「**道徳性・規範意識の芽生え**」、オ「**社会生活との関わり**」、カ「**思考力の芽生え**」、キ「**自然との関わり・生命尊重**」、ク「**数量や図形、標識や文字などへの関心・感覚**」、ケ「**言葉による伝え合い**」、コ「**豊かな感性と表現**」の10の姿が示されている。10の姿は、小学校就学時の具体的な姿として方向性を示すものであり、達成しなければならない到達目標ではない。

問17　保育所の歴史　正解1

A ○　記述のとおりである。**貧困のために親の保護を失った乳幼児**を保育したのが保育所の始まりであるとされる。1890（明治23）年に赤沢鍾美（あつとみ）・仲子夫妻によって設立された新潟県の「新潟静修学校」が日本で最初の託児所といわれている。

B ○　「**児童福祉法**」は、1947（昭和22）年に制定された18歳未満の児童の福祉に関する法律である。この制定以前には、保育所は国の制度として位置づけられていなかった。

C ○　1997（平成9）年の「児童福祉法」改正により、市町村が入所を決定する措置制度から、保護者が選択できる**選択利用制度**へと変更された。

D × 「子ども・子育て支援法」が施行される以前から、両親が就労している以外にも「保育に欠ける」事由として、**妊娠・出産、疾病・障害、同居親族の常時介護等**も含まれていた。なお、「子ども・子育て支援法」により、これまで保育所利用の要件であった「保育に欠ける」が「保育を必要とする」に変更された。そのため保育の必要性を認定した上で、保育利用の給付を受けられるようになり、利用者が拡大された。

問 18	海外の保育の思想家	正解 3

A ○ **コメニウス**は、チェコの教育家で、『大教授学』(1657 年)において「あらゆる人に、あらゆることを、あらゆる側面から教授する」という汎知主義を提唱した。『世界図絵』(1658 年)は、世界初の絵入り教科書といわれ教育に影響を与えた。近代教育の父とも呼ばれ、「感覚教授」、「直観教授」等子どもの感覚を重視した。

B × **オーエン**は、ドイツではなく**イギリス**の社会革命家である。1816 年に「性格形成学院」を創設し、1 歳から 5 歳までの子どものための幼児学校を設置した。

C × 1908 年に 5 歳以下の幼児を対象とする診療所を開設したのはイギリスの**マクミラン姉妹**である。1914 年には幼児学校を設立し、養護と教育の一体化を図ろうと試みた。フレーベルは、ドイツで世界初の幼稚園を創設し、「恩物」を創案する等、幼児教育界に大きな影響を与え、幼児教育の父とも呼ばれる。

D × 1907 年にイタリアのローマで「子どもの家」で指導の任に就いたのは医師・教育思想家の**モンテッソーリ**である。フランスの障害児治療教育に影響を受け、独自に開発した障害児の教育方法を幼児に適用した。デューイはアメリカの教育学者で、プロセスを大切にした子ども中心主義を提唱した。

問 19	海外の保育思想	正解 5

A－エ **ヘッドスタート**は、1965 年にアメリカに導入された補償教育政策、貧困対策の一つである。

B－ウ **レッジョ・エミリア・アプローチ**は、北イタリアのレッジョ・エミリア市の施設で実践されている教育で、ローリス・マラグッツィが礎を築いた。プロジェッタツィオーネやドキュメンテーションが特徴である。

C－イ **モンテッソーリ・メソッド**は、イタリアのマリア・モンテッソーリが開発した教育方法である。感覚教育が特徴的で、モンテッソーリ教具を用いて行われる。

【Ⅱ群】アの 1998 年にイギリスで発足した経済的・社会的支援を必要とする地域への早期介入の補償保育・教育プログラムは、**シュア・スタート・プログラム**である。子どもの貧困と社会的排除を撲滅することが目的で、2002 年にシュア・スタート・プログラムの一環として貧困地区にチルドレンズセンターが設置された。

問題◀本冊 p.345 ～ 347

問 20	日本における保育の現状	正解 4

1 ○　認定こども園数は、2012（平成24）年度が909園であったのに対して2021（令和3年）度では8,585園と**9倍以上に増えている**。なお、2022（令和4）年度は9,220園で､約10倍となった。

2 ○「認定こども園数の推移」の表の「(類型別の内訳)」の欄を見ると、平成24年度以降令和3年度まで、幼保連携型、幼稚園型、保育所型、地方裁量型のすべてにおいて、**前年度と比べて多くなっている**。なお、令和4年度も、すべての型において、前年度より増えている。

3 ○　認定こども園の類型別の数は、2021（令和3）年度までは記述のとおりである。2022（令和4）年度は、**保育所型**が幼稚園型より多くなり、幼保連携型(6,475園)、保育所型(1,354園)、幼稚園型（1,307園)、地方裁量型（84園）の順となった。

4 ×　前年度と比較して、認定こども園数の増加数が最も多かったのは**平成27年度**で、前年度1,360園だったのに対し2,836園と1,476園の増加である。令和3年度は前年度8,016園に対し8,585園と569園の増加であった。

5 ○　令和3年度の認定こども園数は幼保連携型が最も多く6,093園で、保育所型1,164園に対し**5倍以上**となっている。2022（令和4）年度は保育所型が1,354園であり、約4.8倍である。

子ども家庭福祉

問 1	「児童の権利に関する条約」	正解 2

A　最善の利益

B　自己の意見

「児童の権利に関する条約」の第9条では、**児童がその父母とともに生活する権利**について述べている。児童は、その父母の意思に反して父母から分離されないが、**児童の最善の利益の**ために必要な場合は、その限りではない。また、当事者の児童自身も、手続において**自己の意見**を述べる機会を有する。

なお、第9条第3項では、「父母の一方又は双方から分離されている児童が定期的に父母のいずれとも人的な関係及び直接の接触を維持する権利を尊重する」と記載されている。このことは、例えば、親が離婚した後、子どもが別居する親と定期的に会う機会をもつ「面会交流」が、子どもの権利であることを示しているといえる。

問 2	子ども家庭福祉の歴史	正解 4

以下により、これらの事項を年代の古い順に並べると、「**E → A → D → C → B**」となる。

A「児童福祉法」は、第二次世界大戦により親や住む場所をなくした戦災孤児や浮浪児となった子どもの保護、救済を契機に、すべての児童の健全な育成と福祉の増進を図ることを目的として、**1947（昭和22）年**に制定された。

B　2016（平成28）年の「児童福祉法」

改正では、子どもが権利の主体であることを明確にするとともに、社会的養育の充実や、家庭養育優先の理念等が規定された。この改正法の理念を具体化するため、**2017（平成29）年**に「**新しい社会的養育ビジョン**」が公表された。

C 「**児童の権利に関する条約**」は、18歳未満のすべての者の保護と基本的人権の尊重が図られることを目的とし、1989（平成元）年の第44回国連総会において採択された。わが国は**1994（平成6）年**に批准している。

D 「**児童憲章**」は、児童が「人として尊ばれる」、「社会の一員として重んぜられる」といった、正しい児童観を確立し、すべての児童の幸福をはかるために、**1951（昭和26）年**5月5日に制定された。

E 「**日本国憲法**」は、第二次世界大戦の敗戦を受け、軍国主義を脱却し民主主義を推し進めるため、連合国軍総司令部（GHQ）の指導のもと、**1946（昭和21）年**に公布、1947（昭和22）年に施行された。

問3	少子化の現状	正解4

A × 2005（平成17）年の**合計特殊出生率**は**1.26**で、当時の過去最低ではあったが、1.00を下回ってはいない。なお、「令和5年（2023）人口動態統計月報年計（概数）の概況」によると、2023（令和5）年の合計特殊出生率は1.20で過去最低を更新した。

B ○ 1980（昭和55）年以降、「雇用者の共働き世帯」（共働き世帯）の数が年々増加し、**1997（平成9）年以降**は、「男性雇用者と無業の妻からなる世帯」（専業主婦世帯）の数を上回っている。なお、2023（令和5）年現在、共働き世帯は1,278万世帯、専業主婦世帯は517万世帯となっている（「早わかり　グラフでみる長期労働統計」図12 専業主婦世帯と共働き世帯 1980年～2023年、独立行政法人 労働政策研究・研修機構）。

C × 「日本の将来推計人口（平成29年推計）」によると、2065年の出生数は中位の仮定で55.7万人（高位：72.7万人、低位：41.6万人）と推計されている。出題時の出生数は約81.2万人なので、2065年の出生数は約69％であり、4分の1にはならない。なお、同統計の令和5年推計では、2065年の出生数は中位の仮定で52.1万人（高位：74.1万人、低位：36.5万人）であり、「令和5年（2023）人口動態統計月報年計（概数）の概況」によると、出生数は約72.7万人となっているため、2065年の出生数（中位）は、約**72％程度**になることが見込まれている。

D ○ 「令和4年版　少子化社会対策白書」によると、2015（平成27）年の国勢調査における男性の50歳時の未婚割合（「生涯未婚率」とも呼ばれる）は、**24.8％**となっている（女性14.9％）。なお、2020（令和2）年の同調査では、男性が28.3％、女性が17.8％となっている。

問4	「児童憲章」	正解1

A－ア：人
B－ウ：社会

問題◀本冊 p.348 ～ 350

C－オ：環境

「児童憲章」（1951〔昭和 26〕年制定）の前文では、「児童は、**人**として尊ばれる」「児童は、**社会**の一員として重んぜられる」「児童は、よい**環境**のなかで育てられる」ことが記載されている。法的拘束力はないが、1959（昭和 34）年に国連総会で採択された「児童の権利に関する宣言」（児童権利宣言）以前に、同憲章が世界に先駆けて日本で制定されたことは、特筆すべき点である。

問 5　「児童の権利に関する条約」　正解 2

A　休息
B　レクリエーション
C　芸術

「児童の権利に関する条約」の第 31 条では、子どもが**休息**や余暇の時間をもつことや、年齢にふさわしい遊びや**レクリエーション活動**、文化的な生活や**芸術活動**に自由に参加する権利をもつことが規定されている。また、第 2 項では、締約国の役割として、「児童が文化的及び芸術的な生活に十分に参加する権利を尊重しかつ促進するものとし、文化的及び芸術的な活動並びにレクリエーション及び余暇の活動のための適当かつ平等な機会の提供を奨励する」ことが記されている。

問 6　「児童福祉法」　正解 4

1　○　児童福祉司については、「**児童福祉法**」第 1 章第 5 節に記載されており、そのうち、任用資格については、第 13 条第 3 項で規定されている。

2　○　保育士については、同法第 1 章第 7 節に記載されており、そのうち、保育士試験の実施に関する事務については、第 18 条の 9 で規定されている。

3　○　保健所の業務については、同法第 12 条の 6 に規定されている。

4　×　「新生児」の定義は、「**母子保健法**」第 6 条に規定されている。それによると、「新生児」は、出生後 28 日を経過しない乳児とされている。

5　○　病児保育事業の実施については、「**児童福祉法**」第 34 条の 18、第 34 条の 18 の 2 に規定されている。なお、同法第 6 条の 3 第 13 項に、病児保育事業の定義が規定されている。

問 7　地域子ども・子育て支援事業　正解 5

A　エ　利用者支援事業には、「利用者支援」と「地域連携」からなる「基本型」、主として市区町村の窓口で専任職員（利用者支援専門員）が相談援助、情報提供等を行う「特定型」（いわゆる「保育コンシェルジュ」）、主として市町村保健センター等で保健師、助産師等が相談援助、情報提供等を行う「母子保健型」の 3 類型がある。

B　ウ　子育て短期支援事業には、保護者の疾病や仕事等の理由のほか、育児不安や育児疲れ、慢性疾患時の看病疲れ等の場合に児童を預かる「短期入所生活援助（ショートステイ）事業」と、保護者が仕事等の理由により、平日の夜間または休日に児童の養育が困難な場合等、緊急の場合に児童の保護を行う「夜間養護等（トワイライトステイ）事業」がある。

C　ア　地域子育て支援拠点事業には、保育所や幼稚園、認定こども園等に常設の地域子育て拠点を設け、地域の子育て支援機能の充実を図る取組を実施する「一般型」と、児童館等において親子が集う場を設け、子育て支援のための取組を実施する「連携型」がある。

D イ 一時預かり事業は、家庭で保育を受けることが困難な乳幼児を、一時的に保育所等で預かり、必要な保護を行う「一般型」のほか、「余暇活用型」「幼稚園型Ⅰ」「幼稚園型Ⅱ」「居宅訪問型」等の事業類型がある。

問8 児童委員・主任児童委員 正解 5

A × 市町村長ではなく、**都道府県知事**（指定都市又は中核市の市長を含む）が研修を実施しなければならない（「民生委員・児童委員の研修について」〔厚生労働省〕）。

B × 児童委員は、その職務に関し、市町村長ではなく**都道府県知事**の指揮監督を受ける（「児童福祉法」第17条第4項）。

C × 主任児童委員は、児童委員のうちから、**厚生労働大臣**が指名する（「児童福祉法」第16条第3項）。なお、児童委員については、都道府県知事が、市町村の民生委員推薦会から推薦された者について、地方社会福祉審議会の意見を聴いて（努力義務）推薦し、厚生労働大臣が委嘱する。

D ○ 「児童福祉法」第17条第2項に、**主任児童委員の職務**が記載されている。主任児童委員制度は、児童委員活動への期待の高まりを受け、児童福祉に関する事項を専門的に担当するため、1994（平成6）年に創設された。

問9 児童虐待防止対策 正解 3

1 ○ **児童福祉審議会**が児童、妊産婦及び知的障害者、これらの者の家族その他の関係者の意見を聴く場合は、意見を述べる者の心身の状況、その者の置かれている環境その他の状況に配慮しなければならないとされている（「児童福祉法」第8条第7項関係）。

2 ○ **都道府県（児童相談所）の業務**として、児童の権利の保護の観点から、一時保護の解除後の家庭その他の環境の調整、当該児童の状況の把握その他の措置により当該児童の安全を確保することを規定することとなった（同法第11条第1項関係）。

3 × 努力義務ではなく**義務**である。学校の教職員、児童福祉施設の職員等児童の福祉に職務上関係のある者は、正当な理由がなく、その職務に関して知り得た児童虐待を受けたと思われる児童に関する**秘密を漏らしてはならない**（「児童虐待防止法」第5条第3項関係）。

4 ○ **児童相談所の介入機能と支援機能の分離等**として、都道府県は、保護者への指導を効果的に行うため、児童の一時保護等を行った児童福祉司等以外の者に当該児童に係る保護者への指導を行わせることとされている（同法第11条第7項関係）。

5 ○ 要保護児童対策地域協議会からの情報提供等の求めに対して、関係機関等はこれに応ずるよう**努めなければならない**（「児童福祉法」第25条の3第2項）。

問題◀本冊 p.351 ～ 353

問10	「児童養護施設入所児童等調査の概要」	正解 2

A ○ 「児童養護施設入所児童等調査の概要」（平成30年2月1日現在）によると、0歳で委託された児童の委託先は、**1位が乳児院**（662人）、**2位が里親**（164人）、3位が母子生活支援施設（162人）となっている。令和5年の概要でも同様の順位である。

B × 児童養護施設に委託された児童の在所平均期間は、**5.2年**となっており、調査対象の里親（4.5年）、児童心理治療施設（2.2年）、児童自立支援施設（1.1年）、乳児院（1.3年）、ファミリーホーム（3.6年）、自立援助ホーム（1.1年）の中で最も在所平均期間が長い。令和5年の概要でも同様に児童養護施設に委託された児童の在所期間が一番長く、5.2年である。

C ○ 児童養護施設の「児童の委託（入所）経路」は、**1位が「家庭から」**（62.1%）、次いで乳児院から（22.3%）となっている。「家庭から」は、すべての委託経路の中で最も多く、令和5年の概要においても同様であるが、乳児院は「家庭から」が43.8%（前回62.2%）、「医療機関から」42.6%（前回25.2%）と「医療機関から」が大幅に増えている。

D ○ 児童養護施設の「委託（入所）時の保護者の状況」では、**「両親又は一人親あり」が93.3%**、「両親ともいない」が5.1%、「両親とも不明」が1.3%となっている。令和5年の概要でも同様に、95.4%が「両親又は父母のどちらかあり」である。第二次世界大戦後の頃とは異なり、親がいるにもかかわらず、施設入所を余儀なくされる児童が多くなっていることが、近年の特徴の一つである。

問11	児童福祉施設	正解 5 (◆B)

A エ **児童家庭支援センター**は、「児童福祉法」第44条の2に規定され、記述の内容のほか、市町村の求めに応じ、技術的な助言や必要な援助を行う。また、児童相談所や児童福祉施設等との連絡調整やその他の援助を総合的に行うことを目的としている。

B ウ ◆ **児童発達支援センター**は、「児童福祉法」第43条に規定される児童福祉施設で、**福祉型**と**医療型**があったが、記述は福祉型の説明である。2024（令和6）年4月1日より、障害種別にかかわらず障害児を支援できるよう、類型が一元化された。

C ア **母子生活支援施設**は、「児童福祉法」第38条に規定され、唯一、母親と子どもがいっしょに入所することができる施設である。なお、入所対象者は「配偶者のない女子又はこれに準ずる事情にある女子及びその者の監護すべき児童」となっており、ひとり親家庭であっても父子は入所することができない。

問12	「少子化社会対策大綱」	正解 4

A 1.8
B 環境を整備
C 尊重
D 主体的
E 多子世帯

「少子化社会対策大綱」は、「少子化社会

対策基本法」に基づく総合的かつ長期的な少子化に対処するための施策の指針である。**希望出生率**とは、若い世代の結婚、妊娠、出産、子育ての希望がかなうとした場合に想定される出生率のことである。

なお､同大綱の「基本的な目標」では､「結婚、妊娠・出産、子育ては個人の自由な意思決定に基づくものであり、個々人の決定に特定の価値観を押し付けたり、プレッシャーを与えたりすることがあってはならないことに十分留意する」ことが添えられている。

問13　児童館　正解1

A　○　**児童館**は、18歳未満のすべての児童を対象とした施設で、小型児童館、児童センター、大型児童館、その他の児童館がある。遊びを通じた集団的・個別的指導や放課後児童の育成・指導のほか、子育て家庭への相談にも対応している。なお、**児童厚生施設**には、児童館のほか、児童遊園がある。

B　○　昭和40年代から50年代は、高度経済成長を背景とする子どもの事故の多発や留守家庭児童の増加等により児童館数が増加したが、2006（平成18）年に4,718か所まで増加して以降は、微減を続けている。

C　○　**児童の遊びを指導する者**として、保育士や社会福祉士、「教育職員免許法」に規定する幼稚園、小学校、中学校、義務教育学校、高等学校または中等教育学校の教諭の免許状を有する者等を配置することとなっている（「児童福祉施設設備運営基準」第38条第1項）。

D　○　「**児童館ガイドライン**」は、2011（平成23）年に発出されて以降、改正・施行された「児童福祉法」等の法律との整合性や、児童を取り巻く今日的課題に対応する現状を踏まえた内容に見直しが図られ、2018（平成30）年10月に改正版が策定された。「第1章　総則」の「1　理念」において､「児童館は、児童の権利に関する条約に掲げられた精神及び児童福祉法の理念にのっとり、（中略）年齢や発達の程度に応じて、子どもの意見を尊重し、子どもの最善の利益が優先して考慮されるようその育成に努めなければならない」ことが記載されている。

E　×　選択肢**C**の解説にあるとおり､「児童の遊びを指導する者の要件」は、館長についても同じで、保育士や社会福祉士のほかにも、**教員免許状を有する者など、いくつかの条件がある**。なお、館長の職務として児童館の運営統括や、児童の遊びを指導する者への指導のほか、子育てを支援する人材や組織等との連携を図り、子育て環境の改善に努めることや、子育てに関する相談に応じ、必要な場合は関係機関と連携してその問題解決に努めることも含まれる（「児童館ガイドライン」〔厚生労働省〕）。

問14　子ども虐待　正解2

A　○　「令和2年度福祉行政報告例の概況」によると、全国の児童相談所における児童虐待に関する相談対応件数は、2016（平成28）年度が122,575件、2017（平成29）年度が133,778件、2018（平成30）年度が159,838件､2019（令和元）年度が193,780件、

2020（令和 2）年度が 205,044 件となり、**増加の一途をたどっている**。なお、2021（令和 3）年度が 207,660 件、2022（令和 4）年度が 219,170 件（速報値）と、その後も増加を続けている。

B ○「令和 3 年版子供・若者白書」によると、近年、特に心理的虐待が増加している要因として、**面前 DV（子どもの目の前で配偶者に対して暴力をふるうこと）について警察からの通告が増加している**ことや、国民や関係機関の児童虐待に対する意識が高まったことに伴う通告が増加していることがあげられている。「令和 4 年度子ども・若者の状況及び子ども・若者育成支援施策の実施状況」においても同様に記載されている。

C ×「令和 2 年度福祉行政報告例の概況」によると、令和 2 年度の全国の児童相談所の児童虐待相談における主な虐待者別構成割合では、**実母による虐待が最も多く**（47.4％）、次いで実父（41.3％）、実父以外の父（5.3％）となっている。なお、最新調査結果である令和 3 年度においても、その傾向は同様である。

問 15 障害児通所支援等事業 正解 2

A 児童発達支援事業

B 放課後等デイサービス事業

「令和 2 年社会福祉施設等調査の概況」によると、障害児通所支援等事業の種類別にみた事業所数は、多い順に**放課後等デイサービス事業**（15,519 か所）、**児童発達支援事業**（8,849 か所）、**障害児相談支援事業**（7,772 か所）、**保育所等訪問支援事業**（1,582 か所）、**居宅訪問型児童発達支援事業**（172 か所）である。令和 4 年の同調査の概況においてもこの順番は変わらず、いずれの事業所も増加傾向にある。

問 16 「犯罪白書」 正解 2

「令和 3 年版犯罪白書」によると、2020（令和 2）年における少年による刑法犯数は、検挙人数が多い順に、**窃盗**（12,514 人）、**傷害**（2,033 人）、**横領**（1,834 人）だった。選択肢の**器物損壊**は 833 人、**詐欺**が 715 人、**恐喝**が 395 人だった。なお、令和 5 年版の同白書でも、検挙人数が多い順に、窃盗（11,159 人）、傷害（1,942 人）、横領（1,372 人）で、器物損壊は 956 人、詐欺は 836 人、恐喝が 320 人だった。なお、少年による刑法犯・危険運転致死傷・過失運転致死傷等の検挙人員（触法少年の補導人員を含む）は、減少傾向にあり、2012（平成 24）年以降戦後最少を更新し続けていたが、最新統計の 2022（令和 4）年はわずかに増加し、29,897 人（前年比 0.3％増）だった。

問 17 日本語指導が必要な児童生徒の受入状況 正解 3

A ○「日本語指導が必要な児童生徒の受入状況等に関する調査結果の概要（確定値）」によると、日本語指導が必要な外国籍の児童生徒は、2014（平成 26）年度（29,198 人）以降、2016（平成 28）年度が 34,335 人、2018（平成 30）年度が 40,755 人、2021（令和 3）年度が 47,619 人と、**増加の一途をたどっている**。

B × 同調査結果によると、2021（令和3）年度に日本語指導が必要な外国籍の児童生徒数が最も多いのは**小学校**（31,189人）で、次いで**中学校**（11,280人）、**高等学校**（4,292人）の順となっている。

C ○ 同調査結果によると、2021（令和3）年度に日本語指導が必要な外国籍の児童生徒の言語別在籍状況では、**ポルトガル語**（11,956人）が最も多く、次いで**中国語**（9,939人）、**フィリピノ語**（7,462人）、**スペイン語**（3,714人）となっている。

問18	日本と諸外国の家事・育児等時間の比較	正解 1

A ○ 「令和2年版 少子化社会対策白書」によると、6歳未満の子どもを持つ夫婦の家事・育児関連時間（1日当たり・国際比較）は、日本の妻の場合**7時間34分**（うち、育児時間は3時間45分）となっており、**記載国の中で最長**となっている。なお、日本に次いで長いのはドイツ（6時間11分）で、最も短いのはノルウェー（5時間26分）となっている。なお、この項目の調査結果は未更新のため令和4年版でも同じである。

B ○ 同白書によると、6歳未満の子どもを持つ日本の夫の家事・育児関連時間（1日当たり・国際比較）は、**1時間23分**（うち、育児時間は49分）となっており、**記載国中最短**となっている。最も長いのは、スウェーデン（3時間21分）で、日本に次いで短いフランスの場合でも、2時間30分となっている。なお、この項目の調査結果は未更新のため令和4年版でも同じである。

C ○ 「令和3年版 男女共同参画白書」によると、OECD諸国の女性（15～64歳）の就業率（2019〔令和元〕年）は、平均が61.3％であるのに対し、日本は**71.0％で平均より高く**、35か国中13位となっている。なお、男性は84.3％で、アイスランド、スイスに次いで3位となっている。なお、令和5年版の同白書では、OECD諸国の女性の就業率は示されていないが、2022（令和4）年の日本の女性の就業率は72.4％であり、依然高い水準にあると考えられる。

問19	事 子どもの貧困	正解 4

A × 保育室の隅で給食を食べさせることで、隣の子どもの給食を食べてしまうことを防ぐ対応は、**友達とかかわる機会を失う可能性がある**。これでは、本来の保育の目的を十分に果たせなくなってしまう。

B × 母親から家での食事の様子やふだんの生活における困りごと等について十分に話を聞く前に、一方的に母親が悪いと決めつけ、強く指導してしまっては、**母親と信頼関係を築くことができない**。一方的に指導するのではなく、母親の話に耳を傾け、解決策をともに考えながら支援する必要がある。

C ○ 家族だけでは解決困難な問題を抱えている家庭であると想定されることから、担任保育士だけで問題を抱え込むのではなく、**保育所全体でZ君の見守りや母親への支援を考える必要性がある**ため、保育所長への報告は適切である。

D ○ 母親から困りごとに対する相談を持ちかけられたわけではない場合、改まった面談をいきなり持ちかけると、警戒心を与えてしまい、本音を引き出しづらくなる可能性がある。そのため、**まずは送り迎えの機会を利用して、家庭でのふだんの食事の様子をうかがう**ことは適切である。ただ、その場合も、周囲にいる他の保護者や子どもに話を聞かれることがないよう、プライバシーの保護に配慮する必要がある。

E × Z君の母親の許可を得ずに勝手に個人の状況を説明することは、**個人情報の漏洩**になる。また、母親が希望しているわけではないにもかかわらず、保育士の個人的な判断で、他の保護者に夕食の用意を打診することは越権行為であり、**保護者同士のトラブルを招きかねない**。

問20	事 ひとり親家庭の社会資源	正解1

1 ○ **子ども食堂**は、無料または低額で子どもへ食事を提供する民間の取り組みである。食事の提供を通して、子どもの居場所づくりや地域住民同士をつなぐ役割も果たしており、Z君の母親に勧める社会資源として適切である。

2 × **放課後児童クラブ**は、保護者が就労等により昼間家庭にいない小学校に就学している児童に対し、授業の終了後に児童館等において遊びや生活の場を与え、健全育成を図るものである。Z君は年齢的に利用の対象外であるため、不適切である。

3 × **乳児院**は、乳児（特に必要のある場合は幼児を含む）を入院させ養育し、退院した者について相談等を行う施設である。Z君に勧める施設として最も適切とはいえない。

4 × **児童発達支援センター**は、障害児を日々保護者の下から通わせ、日常生活における指導等を行う施設である。Z君は障害児ではないため、不適切である。

5 × **養育里親**は、里親制度のうち、18歳未満の要保護児童を、その児童が家庭に戻るまでの間、あるいは自立するまでの間、里親の家庭で養育する制度である。Z君の夕飯をたまに作ってあげられないとしても、ネグレクトなどの虐待が確定している状況ではないため、この段階で勧めるべきではない。

社会福祉

問1 児童福祉の実践家 正解3

A ○ **留岡幸助**は、1899（明治32）年に、東京の巣鴨に感化院である「**家庭学校**」を創設した。その後、1914（大正3）年には、その分校として、北海道家庭学校を設立した。

B × 知的障害児を対象とした「**滝乃川学園**」を創設したのは、**石井亮一**である。石井亮一は、1891（明治24）年の濃尾大震災で孤児となった女児を対象に、「孤女学院」を創設した。その子どもの中に知的障害児がいたことをきっかけに、その後、日本で最初の知的障害児施設である「滝乃川学園」を創設した。

C × 「**岡山孤児院**」を創設したのは、**石井十次**である。石井十次は、イギリスのバーナードホームの影響を受け、母親役となる主婦（保育士）1人に対して十数人の子どもがいっしょに生活する小舎制を取り入れた。

D ○ **小河滋次郎**（おがわしげじろう）は、当時の大阪府知事の林市蔵の政治顧問として、「**方面委員（現在の民生委員の前身）制度**」の創設に尽力した。

問2 「日本国憲法」 正解1

A ○ 第11条は、**基本的人権**の尊重について規定している。基本的人権は、国民が生まれながらにしてもっている権利であるとされている。

B ○ 第12条は、**自由権及び人権の保持義務とその濫用の禁止**について規定している。

C ○ 第13条は、**幸福追求権**について規定している。

D ○ 第25条は、**生存権**として、健康で文化的な最低限度の生活を営む権利について規定している。本規定では、国民には生存権があり、国家には生活保障の義務があることを明らかにしている。

問3 「社会保障制度に関する勧告」 正解2

「社会保障制度に関する勧告」（通称「50年勧告」）は、1950（昭和25）年に社会保障制度審議会が行った勧告で、社会保障は、社会保険、公的（国家）扶助、公衆衛生及び医療、社会福祉の4つからなるとした。

1 × **社会保険**は、国民が生活の困難（病気、けが、老齢、失業など）をもたらす事故（保険事故）に遭遇した場合に一定の給付を行い、その生活の安定を図ることを目的とした強制加入の保険制度で、**医療保険**、**年金保険**、**介護保険**などが該当する。感染症予防は、公衆衛生及び医療に該当する。

2 ○ **公的（国家）扶助**は、生活に困窮する国民に対して、最低限度の生活を保障し、自立を助けようとする制度で、**生活保護**に該当する。

3 × **公衆衛生及び医療**は、国民が健康に生活できるよう様々な事項についての予防、衛生のための制度で、**医療サービス**や**保健事業**、**母子保健**や**公衆衛生**が該当する。医療保険は、選択肢**1**の解説のとおり、社会保険に該当する。

4　×　社会福祉は、社会生活を送るうえで様々な生活課題を負っている国民が、それを克服し安心して社会生活を営むことができるよう、公的な支援を行う制度である。在宅・施設サービスを提供する**高齢者福祉**や、**障害児・者福祉**、**児童福祉**などが該当する。予防接種は、公衆衛生及び医療に該当する。

5　×　介護保険は、選択肢**1**の解説のとおり、**社会保険**に該当する。

問4　社会福祉の理念　正解2

A　○　権利擁護とは、自分自身の権利や生活上の困りごとなどを表明することが難しい当事者にかわって、**援助者がその権利を擁護する**ことである。権利擁護を行うためには、当事者が権利の主体であることに気づくことができるよう援助することも大切である。

B　○　エンパワメントとは、人権等が脅かされている当事者が、**自分自身がもつ力に気づき、主体的にその能力を発揮できるよう援助する**ことをいう。なお、当事者がもつ「強さ」(能力や意欲、興味、経験、人的環境といった肯定的な側面)に焦点をあて援助することを「ストレングス視点」という。

C　×　ソーシャル・インクルージョン(社会的包摂)は、2000(平成12)年12月8日に公表された「社会的な援護を要する人々に対する社会福祉のあり方に関する検討会」報告書(厚生省〔現・厚生労働省〕)によると、「**全ての人々を孤独や孤立、排除や摩擦から援護し、健康で文化的な生活の実現につなげるよう、社会の構成員として包み支え合う**」ための理念である。

D　○　ノーマライゼーションは、デンマークのバンク=ミケルセンによって提唱された概念である。また、スウェーデンのベンクト・ニィリエは、ノーマライゼーションを具現化するために、8つの原理(①1日のノーマルなリズム、②1週間のノーマルなリズム、③1年間のノーマルなリズム、④ライフサイクルにおけるノーマルな発達経験、⑤ノーマルな要求や自己決定の尊重、⑥異性との生活、⑦ノーマルな経済基準、⑧ノーマルな環境水準)を提唱した。

問5　子ども家庭支援の目的　正解3

A　×　子どもの最善の利益の視点から考えて、保護者が子どもの育ちの阻害要因になっている場合、**介入することもある**。虐待対応における一時保護の場合、児童相談所長が必要と認めるときは、保護者の同意がなくても職権により一時保護を行うことができる(「児童福祉法」第33条)。

B　○　相談・援助活動を円滑に進めるためには、保護者の尊厳を保持し、信頼関係を構築することが欠かせない。そのため、**バイステックの7原則**(①個別化の原則、②意図的な感情表出の原則、③統制された情緒的関与の原則、④受容の原則、⑤非審判的な態度の原則、⑥自己決定の原則、⑦秘密保持の原則)を援用することが大切である。

C　×　子育て家庭を経済的に支援するものとして、乳幼児の医療費の負担を軽減するための**医療保険制度**や、児童手当、児童扶養手当等の**各種手当制度**も

子育て支援施策に含まれる。地域子育て支援拠点事業や相談支援体制の整備は、子育て支援施策のうちの一つである。

D ○ 子育てに対する不安や負担を軽減し、安心して子どもを産み育てるためには、国や自治体が制度や施策を充実させるだけでなく、子育て家庭に対する理解を地域の中で育むことにより、**地域住民同士で子育てを支え合える環境づくり**をすることが重要である。

問6	児童福祉に関する法令	正解2

以下により、これらを制定順に並べると「**C→D→A→B**」となる。

A **「就学前の子どもに関する教育、保育等の総合的な提供の推進に関する法律（認定こども園法）」**は、**2006（平成18）年**に制定されている。なお、同法において「子ども」とは、「小学校就学の始期に達するまでの者をいう」とされている（第2条第1項）。

B **「子ども・子育て支援法」**は、良質な生育環境を保障し、子ども・子育て家庭を社会全体で支援することを目的として、「就学前の子どもに関する教育、保育等の総合的な提供の推進に関する法律の一部を改正する法律（認定こども園法一部改正法）」、「子ども・子育て支援法及び就学前の子どもに関する教育、保育等の総合的な提供の推進に関する法律の一部を改正する法律の施行に伴う関係法律の整備等に関する法律」とともに、子ども・子育て関連3法として、**2012（平成24）年**に制定され、2015（平成27）年から施行された。

C **「児童虐待の防止等に関する法律（児童虐待防止法）」**は、**2000（平成12）年**に制定された。なお、第二次世界大戦前の1933（昭和8）年に旧「児童虐待防止法」が制定されているが、1947（昭和22）年に「児童福祉法」が制定されたことに伴い、廃止されている。

D **「次世代育成支援対策推進法」**は、次代の社会を担う子どもが健やかに生まれ、かつ、育成される社会の形成に資することを目的に、**2003（平成15）年**に制定された。当初、2005（平成17）年4月から2015（平成27）年3月までの10年間の時限立法とされていたが、2025（令和7）年3月31日まで延長されている。

問7	児童相談所で受け付ける相談	正解1

厚生労働省によると、児童相談所が受け付ける相談の種類として、**養護相談、保健相談、障害相談、非行相談、育成相談**があげられている。

A ○ **児童の障害に関する相談**としては、肢体不自由相談、視聴覚障害相談、言語発達障害等相談、重症心身障害相談、知的障害相談、自閉症等相談を受け付けている。

B ○ **保健相談**として、未熟児、虚弱児、内部機能障害、小児喘息、その他の疾患（精神疾患を含む）等を有する子どもに関する相談を受け付けている。

C ○ **育成相談**の一つとして、不登校相談を受け付けている。なお、その他の育成相談として、性格行動相談（友達と遊べない、緘黙、家庭内暴力等）、適性相談（進学適性、職業適性等）、育児・

問題◀本冊 p.363 ～ 365

しつけ相談等を受け付けている。

D ○ **里親を希望する方からの相談**は、児童相談所が窓口となっている。里親制度は、「児童福祉法」第27条第1項第3号の規定に基づき、児童相談所が要保護児童（保護者のない児童または保護者に監護させることが不適当であると認められる児童）の養育を委託する制度である。

問8 第一種社会福祉事業と第二種社会福祉事業 正解4

第一種社会福祉事業は、利用者への影響が大きいため、経営安定を通じた利用者の保護の必要性が高い事業である。主に**入所施設**や**保護施設**が該当する。

第二種社会福祉事業は、利用者への影響が比較的小さいため、公的規制の必要性が低い事業である。主に**通所型**のサービスが該当する。ただし、小規模住居型児童養育事業（ファミリーホーム）や助産施設などの入所施設も含まれるので注意する。

A × **助産施設**は、「保健上必要があるにもかかわらず、経済的理由により、入院助産を受けることができない妊産婦を入所させて、助産を受けさせる」施設で（「児童福祉法」第36条）、**第二種社会福祉事業**に該当する。

B ○ **母子生活支援施設**は、配偶者のない女子又はこれに準ずる事情にある女子とその者の監護すべき児童を入所させて保護し、自立の促進のために生活を支援し、退所した者について相談その他の援助を行う施設で（同法第38条）、**第一種社会福祉事業**に該当する。なお、同法に規定されている施設のうち、第一種社会福祉事業に該当するのは、母子生活支援施設のほか、乳児院、児童養護施設、障害児入所施設、児童心理治療施設、児童自立支援施設となっている。

C ○ **保育所**は通所型の施設であり、**第二種社会福祉事業**に該当する。

D ○ **児童家庭支援センター**は、地域の児童の福祉に関する各般の問題につき、児童に関する家庭その他からの相談のうち、専門的な知識及び技術を必要とするものに応じ、必要な助言等を行う施設であり（同法第44条の2）、**第二種社会福祉事業**に該当する。なお、同法に規定されている施設では、助産施設、保育所、児童家庭支援センターのほか、児童厚生施設が第二種社会福祉事業である。

問9 社会福祉施設 正解1

A ○ **授産施設**は、「**生活保護法**」第38条第5項に規定されている保護施設の一つである。「身体上若しくは精神上の理由又は世帯の事情により就業能力の限られている要保護者に対して、就労又は技能の修得のために必要な機会及び便宜を与えて、その自立を助長する」ことを目的とする施設である。

B ○ **児童遊園**は、児童館とともに「**児童福祉法**」第40条に規定される児童厚生施設の一つである。児童厚生施設は、「児童に健全な遊びを与えて、その健康を増進し、又は情操をゆたかにすることを目的とする」施設で、そのうち、児童遊園は主として屋外で遊びを提供する施設である。

C × **母子・父子福祉センター**は、「母子及び父子並びに寡婦福祉法**」第39条第2項に規定され、「無料又は低額な料金で、母子家庭等に対して、各種の相談に応ずるとともに、生活指導及び生業の指導を行う等母子家庭等の福祉のための便宜を総合的に供与することを目的とする施設」である。**母子・父子休養ホーム**は、同法第39条第3項に規定され、「無料又は低額な料金で、母子家庭等に対して、レクリエーションその他休養のための便宜を供与することを目的とする施設」である。

問10 保育士の業務 正解2

A ○ 「児童虐待防止法」第6条第1項で、児童虐待を受けたと思われる児童を発見した場合、速やかに児童相談所等へ通告しなければならないとされている。通告者の匿名性が保たれないと、通告を躊躇されることにつながり、肝心の子どもの命や安全が脅かされかねない。そのため、**通告は匿名で行うことができる**。なお、同法第7条では、通告を受けた児童相談所長、所員等は、通告者を特定させるものを漏らしてはならないとされている。

B ○ **家庭支援専門相談員**（ファミリーソーシャルワーカー）は、児童福祉司の資格要件に該当する者（社会福祉士や精神保健福祉士、公認心理師等）や、児童養護施設、乳児院、児童心理治療施設、児童自立支援施設の職員として、**児童の養育に5年以上従事した者**等が資格要件に該当する。

C × 2003（平成15）年の児童福祉法改正により、保育士資格が国家資格となったことにより、保育士として仕事をするためには保育士登録手続きを行い、都道府県知事から保育士証を交付されることが必要となった。しかし、保育士登録申請手続きの有効期限はないため、資格取得後1年以内に手続きをしなくても、**効力を失うことはない**。

問11 ケースの発見 正解3

相談援助における「ケースの発見」とは、**生活課題を抱えた利用者やその家族が援助者につながり、サービスを利用開始するまでの過程**である。相談援助の展開過程のうち、最初の段階である。

1 ○ **ケースの発見の契機は様々である**。また、相談が寄せられる経路も、当事者自身からの相談のほか、家族、近隣住民、学校等当事者が日常的に利用している施設の職員など、多岐にわたる。

2 ○ 例えば、当事者自身はさほど困りごとと捉えていないが、家族からの依頼でケースの発見に至った場合など、当事者が主体的に問題解決にのぞもうとする姿勢が築かれにくく、スムーズに援助が進みにくいことがある。

3 × 接近困難な利用者の場合、利用者の来訪を待っていたのでは、支援に結びつけることができない。そのため、この場合は援助者が利用者のもとを訪ね、情報収集を行いながらニーズを把握し、支援につなげるという**アウトリーチ型の支援が必要である**。

4 ○ 生活上の困りごとを抱えていても、虐待やドメスティック・バイオレンス等の理由から自ら相談支援機関を

問題◀本冊 p.365 ~ 367

訪ねることが難しいケースもある。また、支援が必要な状態であることを利用者自身が自覚できていない場合もある。そのため、こうした潜在的なケースを早期発見し支援につなげるためにも、**地域の関係機関等と日頃から良好な関係を築き、連携を図る**ことが欠かせない。

5 ○　利用者から真のニーズを引き出し、利用者にとって最善の支援を立案・実践するためには、**信頼関係（ラポール）の形成**が欠かせない。そのためには、守秘義務やプライバシー保護の観点も非常に重要である。

問12　相談援助の展開過程　正解 1

A ○　**インテーク**は、利用者との最初の面接のことである。利用者は様々な不安や悩み、葛藤を抱えながら面談に来るため、支援者は利用者が話をしやすい雰囲気づくりに努めながら、受容と傾聴の姿勢でのぞむことが大切である。

B ○　**アセスメント**は「評価」を意味し、利用者とその状況を客観的に評価・分析することである。アセスメントにおいて、利用者の真のニーズを把握するためには、利用者やその家族の生育歴を含め、身体的状況、心理的状況、経済的状況等様々な視点から生活全体を把握するよう、ていねいに情報収集することが重要である。

C ○　**プランニング**では、支援者が一方的に計画を立てるのではなく、利用者が主体的に課題解決に取り組むためにも、互いに内容を確認しながら利用者の合意のもとで作成することが求められる。

D ×　支援の最終評価（事後評価）は、**エバリュエーション**である。モニタリングは、「中間評価」とも訳される。モニタリングは、計画に基づき支援を行う過程で、目標や内容が適切なものになっているか、支援が効果的なものとなっているか等を振り返り、評価する作業である。

問13　相談援助の専門性　正解 3

A ○　**「自己決定の原則」**は相談援助専門職が身につけるべき基本的態度である「**バイステックの7原則**」のうちの一つである。利用者が目の前の生活課題に主体的に取り組めるようにするためにも、自らの意思に基づいて進むべき方向性を決定できるよう支援することが大切である。

B ×　相談援助は、相談室で行われるもののほか、例えば、保育所への送迎の際など、利用者の日常生活を送る場で行われる**生活場面面接**や、利用者の自宅を訪問して行われる**訪問型の面接**などがある。

C ×　相談援助において、援助者は質問の技法を用いて利用者の本心や情報を引き出すことが必要である。しかし、その際も、決して無理に話を聴きだしたりせずに**利用者のペースを尊重し**、時には沈黙に寄り添いながら、話しやすい雰囲気の中で進めることが重要である。

問 14 相談援助の方法・技術 正解 2

A ○ 人々の価値観や生活課題が複雑多様化した現代では、多機関との連携も含め、保健、医療、福祉、教育など様々な専門家が連携し、**チームアプローチ**によって支援を展開していくことが求められる。

B ○ **社会福祉調査法**は、ソーシャルワーク（社会福祉援助技術）における間接援助技術の一つで、ソーシャルワーク・リサーチと訳される。数値化できる情報を集め統計を用いて分析する量的調査と、インタビューや観察等によって得られた内容を記録し分析する質的調査がある。

C × **ソーシャルアクション**は、間接援助技術の一つで、社会活動法ともいわれる。利用者や地域住民が抱える生活課題を解決するため、社会福祉に関する施策や制度の改善や新たな創出を求めて、国や地方公共団体に対し、働きかける活動のことをいう。記述の内容は、アウトリーチに関する説明である。

問 15 ソーシャルワークの方法・技術 正解 2

A ○ **ケアマネジメント**とは、利用者が住み慣れた地域で生活を維持できるよう**調整する**プロセスやシステムのことをさす。複合的な生活課題（ニーズ）に対して、その解決の道筋と方向性を明らかにしながら、社会資源の活用、開発を通して行っていく。

B ○ リップナック（Lipnack, J.）とスタンプス（Stamps, J.）夫妻は、著書『ネットワーキング』（1984 年）の中で、「**ネットワーキング**とは、**他人とのつながりを形成する**プロセス」であると定義している。

C ○ **ソーシャルアドミニストレーション**は、ソーシャルワーク（社会福祉援助技術）の間接援助技術の一つで、**社会福祉運営管理**と訳される。国や地方自治体の福祉政策や組織運営に加え、近年では、社会福祉施設や機関内部の運営管理も含まれる。

D × **スーパービジョン**は、経験の浅い援助者に対し、熟練した援助者が具体的な助言や指導を行うことで、資質や技術の向上を目指すものである。スーパービジョンにより、経験の浅い援助者を精神的に支える機能もある。

問 16 福祉サービスの情報提供 正解 1

「**社会福祉法**」において、**福祉サービスの情報提供等**については、「第 8 章　福祉サービスの適切な利用」の「第 1 節　情報の提供等」で規定されている。福祉サービスの利用方法が、従来の「措置」から「契約」に変わったことを受け、**利用者が自ら選択し、納得してサービスを利用できるようにするために、適切な情報提供を行う**ことが求められている。

A ○ 同法第 75 条「情報の提供」の第 1 項で規定されている。

B ○ 同法第 75 条「情報の提供」の第 2 項で規定されている。

C ○ 同法第 76 条「利用契約の申込み時の説明」において規定されている。

D ○ 同法第 77 条「利用契約の成立時の書面の交付」の第 1 項で規定されて

問題◀本冊 p.367 ～ 369

いる。なお、「**定められた事項**」として、当該社会福祉事業の経営者の名称や主たる事務所の所在地、並びに提供する福祉サービスの内容、利用者が支払うべき額に関する事項等が規定されている。

問17 成年後見制度 正解4

A × 成年後見制度の国の所管は、**法務省**である。なお、成年後見制度の利用促進を推進することを目的に、「成年後見制度の利用の促進に関する法律」が2016（平成28）年4月に制定されている。

B ○ なお「民法」第858条において、「成年後見人は、成年被後見人の生活、療養看護及び財産の管理に関する事務を行うに当たっては、**成年被後見人の意思を尊重**し、かつ、その**心身の状態及び生活の状況に配慮**しなければならない」とされている。

C × 法定後見制度は「民法」に基づくが、任意後見制度は「**任意後見契約に関する法律**」に規定されている。なお、法定後見制度では、家庭裁判所が成年後見人（保佐人、補助人）を職権で選任するが、任意後見制度では、本人が任意後見人を選任する。

D × 法定後見制度に関する申し立ては、本人、配偶者、4親等内の親族のほか、**未成年後見人、未成年後見監督人、検察官等や、市町村長も行うことができる。**

問18 障害者に対する施策 正解4

以下により、これらの施策を年代の古い順に並べると、「**C→B→D→A**」となる。

A 「**障害者の日常生活及び社会生活を総合的に支援するための法律**」（**障害者総合支援法**）は、障害の有無にかかわらず国民が相互に人格と個性を尊重し、安心して暮らすことのできる地域社会の実現に寄与することを目的とした法律で（同法第1条）、「障害者自立支援法」から**2012（平成24）年**に改正・改称され、2013（平成25）年に施行された。

B 「**障害者プラン〜ノーマライゼーション7か年戦略〜**」は、「障害者対策に関する新長期計画」（1993〔平成5〕年度〜2002〔平成14〕年度）の後期重点施策実施計画として、**1995（平成7）年**に策定された。

C 「心身障害者対策基本法」（1970〔昭和45〕年制定）は、**1993（平成5）年**に「**障害者基本法**」へ改正・改称された。なお、「障害者権利条約」を批准するための国内法整備が進む中、「障害者基本法」が2011（平成23）年に改正され、障害者の定義の見直し（精神障害者に発達障害を含む）、障害者の範囲（その他の心身の機能の障害）の見直し（難病等の者を含む）がなされた。

D 「**障害者虐待の防止、障害者の養護者に対する支援等に関する法律**」（**障害者虐待防止法**）は、障害者虐待の防止、養護者に対する支援等に関する施策を促進し、障害者の権利利益の擁護に資することを目的とし（同法第1条）、**2011（平成23）年**に制定、2012（平成24）年に施行された。

問19 社会福祉協議会 正解4

A × 社会福祉協議会は、社会福祉活動を推進することを目的とした営利を目的としない民間組織である。「**社会福祉法**」第109条（市町村社会福祉協議会及び地区社会福祉協議会）、第110条（都道府県社会福祉協議会）に規定される団体で、社会福祉法人の一つである。社会福祉法人は、同法第26条において、**その経営する社会福祉事業に支障がない限り、公益事業や収益事業を行うことができる**とされている。

B ○ なお、市区町村社会福祉協議会は、住民の身近な地域で活動し、都道府県社会福祉協議会や指定都市社会福祉協議会は、広域的な見地から地域福祉の充実を目指して活動している。また、全国社会福祉協議会は、都道府県社会福祉協議会の連合会として設置されている。

C × 社会福祉協議会の財源は、**補助金**のほか、介護保険等の**事業収益**や、**受託金**、**会費**からなっている。

D ○ 「福祉のまちづくり」の実現に向けた活動として、住民参加による地域福祉活動、地域づくりの推進（交流の場や居場所づくり等）や、相談支援、権利擁護活動、介護・生活支援サービス、災害対応等が行われている。経緯としては、2017（平成29）年に「社協・生活支援活動強化方針」の「第2次アクションプラン」が、「あらゆる生活課題への対応」と「地域のつながりの再構築」を「行動宣言」に基づく「強化方針」の柱として策定された。2018（平成30）年に、そのアクションプランが一部改定され、地域のつながりの再構築を図り、地域共生社会の実現に向けた事業・活動の方向性や取り組みなどが提起された。

問20 「社会福祉法」 正解4

A 保健医療
B 就労及び教育
C 孤立
D 地域生活課題

設問の内容は、「**社会福祉法**」第4条第3項に規定されている。なお、地域福祉の推進の理念として、「地域福祉の推進は、地域住民が相互に人格と個性を尊重し合いながら、参加し、共生する地域社会の実現を目指して行われなければならない」ことが規定されている（同法第4条第1項）。

問題◀本冊 p.370 ～ 372

教育原理

問1 「学校教育法」 正解3

A 幼稚園

B 困難

記述は、「学校教育法」(1947〔昭和22〕年施行) の第8章「特別支援教育」第81条である。第81条第2項、第3項には**特別支援学級の設置**について定められている。なお、幼稚園は文部科学省が管轄する学校教育施設であり、保育所(園)はこども家庭庁が管轄する児童福祉施設である。

問2 「児童福祉法」 正解5

1 × 「**日本国憲法**」(1946〔昭和21〕年公布) では、第26条において教育を受ける権利および義務教育について定めている。

2 × 「**社会福祉法**」(1951〔昭和26〕年施行) は、社会福祉事業についての基本事項を定めた法律である。施行当初は、社会福祉事業法という名称だった。

3 × 「**学校教育法**」(1947〔昭和22〕年施行) は、学校教育制度の基本を定めた法律である。同法は、出題頻度の非常に高い法律であり、その内容をよく理解する必要がある。

4 × 「**児童の権利に関する条約**」は、児童の基本的人権の尊重を目的に、1989(平成元) 年に国連総会で採択された条約である。日本は1994(平成6)年に批准した。

5 ○ 記述は、「**児童福祉法**」(1947〔昭和22〕年公布) 第2条である。同法は、児童福祉の基盤となる法律である。なお、昨今の児童虐待の相談対応件数の増加などの社会状況を受けて、子育て世帯への支援体制をより強化するため、2022(令和4) 年にその一部が改正された。

問3 海外の教育思想家 正解4

1 × **エレン・ケイ**は、スウェーデンの教育学者、女性運動家である。児童中心主義の代表的な思想家の一人で、代表的な著作に『児童の世紀』がある。

2 × **デューイ**は、アメリカの教育思想家であり、シカゴ大学に実験学校を開設したことで知られている。代表的な著作に『学校と社会』がある。

3 × **フレーベル**は、ドイツの教育者であり、世界初の幼稚園を設立し、恩物という教具を開発したことで知られている。代表的な著作に『人間の教育』がある。

4 ○ 記述は、**ルソー**著『**エミール**』の一部である。ルソーは、フランスの啓蒙思想家であり、「子どもの発見者」と呼ばれている。「合自然」を教育の根本原理とした。

5 × **ペスタロッチ**は、スイスの教育者であり、スイスのシュタンツに孤児院を設立した。代表的な著作に『隠者の夕暮』がある。

問4 学習理論 正解 3

1 × **ライン**は、ドイツの教育学者であり、五段階教授法を提唱したヘルバルト派の一人である。

2 × **ブルーナー**は、アメリカの心理学者であり、学習者自身の発見という行為により学習内容を習得させる発見学習を提唱した。

3 ○ 記述は、**スキナー**の学習理論について説明したものである。スキナーは、アメリカの心理学者であり、行動を強化するオペラント条件付けの理論を提唱した。プログラム学習は、オペラント条件付けを応用した学習理論である。

4 × **ピアジェ**は、スイスの心理学者である。構成主義の立場から、認識の枠組みを同化と調節という概念で表現した。また、子どもの認知発達段階説を提唱した。

5 × **ヴィゴツキー**は、ロシアの心理学者である。社会構成主義の立場で、社会的相互作用の枠組みで学習をとらえた。発達の最近接領域（他者の援助があればできること）への働きかけが大切だと主張した。

問5 「幼保連携型認定こども園教育・保育要領」 正解 1

「幼保連携型認定こども園教育・保育要領」（2014〔平成26〕年告示）は、幼保連携型認定こども園の教育及び保育の内容を示したものである。同要領第1章「総則」第3「幼保連携型認定こども園として特に配慮すべき事項」より、以下のとおりとなる。

A ○ 同2項より正しい。
B ○ 同3項(2)より正しい。
C ○ 同3項(4)より正しい。

問6 教育課程 正解 4

幼稚園教育要領は、1956（昭和31）年に作成され、その後概ね10年ごとに改訂されている。現行の幼稚園教育要領は2018（平成30）年4月に施行された。

カリキュラム（教育課程）については、同要領第1章「総則」第3「教育課程の役割と編成等」を確認しておきたい。

1 × **潜在的カリキュラム**は、暗黙のうちに伝達される教育課程であり、「隠れたカリキュラム」と呼ばれることもある。

2 × **経験カリキュラム**は、実生活の興味関心を中心に構成されるカリキュラムである。

3 × **アプローチ・カリキュラム**は、幼児期と小学校の接続期において、就学前の子どもたちが円滑に小学校の学びや生活に適応できるように工夫されたカリキュラムのことである。

4 ○ **カリキュラム・マネジメント**は、教育課程を編成し、その実施状況を評価し、改善していくことを指す。

5 × **カリキュラム・デザイン**は、カリキュラムつまり教育課程を創ることである。

問7 海外の保育方法 正解 3

A－ウ 森の幼稚園は、スウェーデンの野外生活推進協会を起源とし、主にドイツやデンマークを中心に世界に広まっ

問題◀本冊 p.373 ～ 376

た自然の中で子どもを保育する方法である。記述の1950年代半ばに親たちが始めた活動は、デンマークで始まった活動である。ドイツでは、第二次大戦後にお散歩幼稚園という形態の保育が生まれ、それがドイツの森の幼稚園の始まりとされている。

B－イ　テ・ファリキは、ニュージーランドで生まれた保育方法である。テ・ファリキとは、ニュージーランドの先住民族であるマオリ族の言葉で、縦横に交互に編むことを意味する言葉である。その特徴は、4つの原則と5つの要素を組み合わせ、子どもの主体性を尊重する点にある。また、ラーニングストーリー（学びの物語）といわれる、子ども一人ひとりの興味関心や成長の過程を記した記録がある

【Ⅱ群】アの**レッジョ・エミリア・アプローチ**とは、イタリアのレッジョ・エミリア市で生まれた保育方法である。特徴として、コミュニティの中で主体的に学ぶ「共同性」や、子どもが一つのテーマを主体的に掘り下げる「プロジェクト」がある。

エの**モンテッソーリ・メソッド**とは、イタリア初の女性医学博士であるモンテッソーリが開発した保育方法であり、独自の感覚教具を用い、子どもの発達に合わせた環境の中で子どもが自由活動を行う。

問8　OECD生徒の学習到達度調査（PISA）　正解5

「OECD（経済協力開発機構）生徒の学習到達度調査」とは、義務教育修了段階である15歳児を対象に、読解力、数学的リテラシー、科学的リテラシーの3分野について、身につけた知識や技能を実生活の場面の課題にどの程度活用できるかを測る国際調査であり、概ね3年ごとに実施される。日本は2000（平成12）年から毎回参加している。

1　○　日本は調査が開始された2000（平成12）年以降、**数学的リテラシーと科学的リテラシー**に関して、安定的に世界トップレベルを維持している。2018（平成30）年の調査では、数学的リテラシーはOECD加盟国中1位、科学的リテラシーは2位であった。

2　○　読解力は、2018年の調査ではOECD加盟国中11位であり、2015年調査の6位と比較し有意に**低下**した。

3　○　読解力に関する日本の生徒の課題として、記述の問題のほか、自分の考えを他者に伝わるように根拠を示して説明することがある。

4　○　「読書は、大好きな趣味の一つ」と回答した生徒の割合は、OECD平均が33.7％、日本は45.2％である。

5　×　日本、OECD平均ともに、社会経済文化的背景（保護者の学歴や家庭の所有物に関する回答から導き出した指標）の水準が**低い**生徒群ほど、習熟度レベルの低い生徒の割合が多い。

なお、2022（令和4）年の同調査では、日本は数学的リテラシーと科学的リテラシーは共にOECD加盟国中1位、読解力は11位から2位と向上している。

問9　「教育基本法」　正解1

A　その生涯

B　あらゆる場所

「**教育基本法**」（1947〔昭和22〕年施行）は、教育についての基本を定めた法律であ

る。第3条は、第1章「教育の目的及び理念」の一部であり、**生涯学習の理念**について記している。

問10 人権教育 正解 2

1 ○ 「人権教育の指導方法等の在り方について［第三次とりまとめ］」第1章「学校教育における人権教育の改善・充実の基本的考え方」1「人権及び人権教育」(5)「人権教育の成立基盤となる教育・学習環境」に関する記述である。

2 × 同2「学校における人権教育」の参考「隠れたカリキュラム」に関する記述である。「『いじめはよくない』という**知的理解だけでは不十分**である」が正しい。

3 ○ 同2の参考「隠れたカリキュラム」に関する記述である。

4 ○ 同2 (1)「学校における人権教育の目標」に関する記述である。

5 ○ 同報告第2章「学校における人権教育の指導方法等の改善・充実」第1節「学校としての組織的な取組と関係機関等との連携等」1「学校の教育活動全体を通じた人権教育の推進」(4)「人権尊重の視点に立った学級経営等」に関する記述である。

社会的養護

問1 社会的養護の考え方 正解 1

「新しい社会的養育ビジョン」（平成29年8月）により、（**A**）～（**D**）は以下のとおりである。

A ○ 子どもや保護者に対して支援の必要性があるかを判断するのは行政機関であり、その**「サービスの開始と終了」に行政機関が関わりながらサービス提供を行うことを社会的養護**と定義している。

B ○ 「集中的な在宅支援が必要な家庭」については、社会的養護の一つの形態でもある、「**在宅指導措置**」が行われる。

C ○ 新たな社会的養育においては、あらゆる場面において、子どもやその家族は「**決定の過程に参加**」し、支援者も「**適切な応答関係と意見交換**」によって、共に適切な養育を検討していく。

D × 「**代替養育は、本来は一時的な解決**」に用いられるものである。なお、特別養子縁組においては「永続的解決を目的」とした場合に用いられるものとされている。

問2 「里親及びファミリーホーム養育指針」 正解 2

「里親及びファミリーホーム養育指針」（平成24年3月）より、（**A**）～（**C**）は以下のとおりである。

A－ア：権利の主体
B－エ：最善の利益
C－オ：権利ノート

問題◀本冊 p.376～379

同養育指針における「子どもの尊重と最善の利益の考慮」では、繰り返し、子どもが「主体」であることが示されている。支援者は、「子どもが自分の気持ちや意見」を表現できるよう支援すること、また、子どもが「正しく」権利を理解できるよう「わかりやすく説明する」ことが示されている。また、権利ノートとは、各自治体や施設ごとに作成している冊子で、児童福祉施設等に入所している児童に対し、**施設内で子どもの権利が守られる**ことをわかりやすく説明するものである。

問3　母子生活支援施設入所世帯状況　正解4

「児童養護施設入所児童等調査の概要(平成30年2月1日現在)」より、**母子生活支援施設**で生活する母親の状況は以下のとおりである。

1　×　最も多い入所理由は「**配偶者からの暴力**」(50.7%)である。

2　×　最も多い在所期間は「**1年未満**」(33.1%)である。

3　×　母子世帯になった最も多い理由は「**離婚**」(56.9%)である。

4　○　平均所得金額はおおよそ「**192.6万円**」で、年間所得が「100～199万円」に位置している世帯が最も多い(38.0%)。

5　×　母親の最も多い従業上の地位は、「**臨時・日雇・パート**」(46.0%)である。

なお、令和5年の概要でも同様の結果となっている。

問4　家庭支援専門相談員の配置義務　正解4

家庭支援専門相談員(ファミリーソーシャルワーカー)の配置は、「**児童福祉施設の設備及び運営に関する基準**」の各施設の条項に記載されており、同基準により、解答は以下のとおりである。

1　○　**児童養護施設**

2　○　**児童自立支援施設**

3　○　**乳児院**

4　×　**母子生活支援施設**

5　○　**児童心理治療施設**

母子生活支援施設は、**初めから母子が共に生活をする施設であるため**、家庭復帰や家族関係を調整する役割である家庭支援専門相談員は配置されていない。なお、2024(令和6)年4月より、里親支援センターにも配置されることになった。

問5　児童相談所における一時保護の条件　正解2

「**児童相談所運営指針**」により、一時保護等の定めは以下のとおりである。

A　○　子どもの状況に応じて、「**警察署、医療機関、児童福祉施設、里親その他適当な者**」に一時保護を委託することができる。

B　×　一時保護期間については、「一時保護を開始した日から**2か月**を超えてはならない」と示されている。

C　×　児童相談所の設備は、児童養護施設の基準が準用されることになっており、「学習室」は設置基準に示されているが、**「分教室」の設置は求められていない。**

D　×「一時保護は原則として子どもや保護者の同意を得て行う必要がある」が、**子どもの状況においては、子どもや保護者の同意を得ることは必ずしも必要ではない。**

問6	自立支援計画の策定	正解 5

「児童福祉施設の設備及び運営に関する基準」および「児童養護施設運営指針」(平成24年3月)により、**自立支援計画**の策定過程は以下のとおりである。

A × 自立支援計画は、「児童福祉施設の設備及び運営に関する基準」第45条の2において、**入所している個々の児童に対して実施されるものである**と定められている。

B × 同基準第44条に示されている児童養護施設の目的を達成するため、**個人に応じた自立支援計画**を策定する。

C × 「児童養護施設運営指針」には、自立支援計画を見直す際、「**子どもの意向を確認し、併せて保護者の意向を踏まえて**」実施するよう示されている。

D ○ 同指針には、「**策定した自立支援計画を児童相談所」と共有**したり、「**全職員」と共有**したりして、一貫した支援を行うよう示されている。

問7	要保護児童の心理的ケア	正解 3

「**児童養護施設運営指針**」(平成24年3月)により、心理的ケアが必要な児童に対する内容は以下のとおりである。

A ○ 心理的ケアが必要な子どもに対して、「**自立支援計画に基づきその解決に向けた心理支援プログラムを策定する**」ことが示されている。

B × 心理的支援は「**施設全体**」で行うものであり、施設内の「**多職種連携**」によって取り組まれるよう示されている。

C × 治療的な援助方法に対する研修については、**B**と同様に「**施設内」で実施する**よう示されている。

問8	子どもの養育・支援に関する適切な記録	正解 5

「**児童養護施設運営指針**」(平成24年3月)により、適切な記録に関する内容は以下のとおりである。

A × 「記録内容」が「職員間でばらつきが生じないよう工夫」し、**できるだけ客観的に記録する**よう示されている。

B × 「**入所からアフターケアまで**」の記録を残すことが示されている。

C ○ 「養育・支援の実施状況」は、「**家族及び関係機関とのやりとり等を含めて**」記録に残すよう示されている。

D ○ 「継続的な支援」を行うために、「前任の養育者や施設の担当者から後任の者へ」、**養育を引き継ぐ資料となる記録を作成する**。

問9	事 母子生活支援施設の支援内容	正解 3

1 × 保育所等への入所については、「児童福祉法」第24条に示されているように、「保護者の労働」のほかに、「**疾病その他の事由**」によっても利用することが可能である。

2 × 同法第23条に「生活保護法の適用等適切な保護を行わなければならない」とあるように、**生活保護費を受給すること**は可能である。

3 ○ 「DV防止法」に基づく支援が必要な場合には、**施設職員の協力のもと、必要な手続きや支援を受ける**ことが可能である。

問題◀本冊 p.380 ～ 383

4　×　事例の場合には、**母親と子どもの安全を第一に考え**、それに必要な安全管理体制を整えるのが施設の役割である。

5　×　「児童福祉法」第31条に定められているように、**子どもの年齢が20歳に達するまで**は施設を利用することが可能であり、入所期間の制限はない。

問10　事　里親への委託　正解5

A　×　保護者による養育を十分に受けることが難しい場合には、**子どもが家庭生活を体験し、特定の大人との関係の中で育つ**ことができる環境を選択することが望ましい。

B　×　里親委託を子どもが断ることも可能であるため、**里親委託に関する説明をして交流を進めていく**。

C　×　子どもの気持ちを尊重したり、親子関係が永続的なものになるよう配慮する必要はあるが、**社会的養育が必要となった背景を丁寧にアセスメントし、家族再統合の判断は慎重に行う**。

D　○　子どもと里親の面会等は、子どもの**気持ちを尊重し、安心できるよう支援する**ことを基本としながら、里親と子どもの適合調整を進めていく。

子どもの保健

問1　人口動態統計　正解4

A　○　**出生率**とは、人口千人に対する出生数の割合をいい、2023（令和5）年の出生率は6.0で、前年の6.3より低下した（「令和5年人口動態統計月報年計（概数）の概況」）。

B　×　**周産期死亡**とは、妊娠満22週以後の死産と**生後1週未満の早期新生児死亡**を合わせたものをいう。周産期死亡率は、（年間周産期死亡数）÷（年間出生数＋年間の妊娠満22週以後の死産数）×1,000で表される。2023（令和5）年の周産期死亡は2,403人であり、周産期死亡率は3.3である。

C　○　**乳児死亡**は、生後1年未満の死亡をいい、**乳児死亡率**は出生数千に対する年間乳児死亡数で表される。2023（令和5）年の乳児死亡は1,325人であり、乳児死亡率は1.8である。

D　○　**合計特殊出生率**とは、15歳から49歳までの女性の年齢別出生率を合計したものをいい、2023（令和5）年は1.20である。

問2　乳幼児の体調不良時の対応　正解2

A　○　7月の炎天下では熱中症を起こしやすい。熱中症はⅠ度からⅢ度までに分類される。Ⅰ度は現場での応急処置で対応ができる軽症、嘔気の症状はⅡ度（病院への搬送を必要とする中等症）、意識がもうろうとして返答ができないなど意識障害が認められる場合は、Ⅲ度（入院して集中治療の必要性のある重症）にあたる。記述の場合はⅢ度の可能性があり、保護者に連絡し、**医療機関への緊急搬送が必要である。**

B　×　39度の高熱があり、ぐったりして横になっており、意識がはっきりしないときは、保護者に連絡する。医療機関への緊急搬送の必要はないが、**至急受診をする。**

C　○　眼球を上転させ、数分のけいれん発作後、呼びかけても意識が戻らない場合は、極めて危険な状態である。保護者に連絡し、**医療機関への緊急搬送が必要である。**

D　×　2回嘔吐した後は、顔色が戻り落ち着いているため、**医療機関への緊急搬送の必要はないが、**念のため保護者に連絡し、様子を観察する。

E　×　咳がひどくなり、咳とともに嘔吐している。発熱はないが、心配な様子のため、保護者に現在の子どもの状況を連絡し、様子を観察する。**医療機関への緊急搬送の必要はない。**

問3　保育室の衛生管理　正解4

A　×　ドアノブや手すり等は、から拭きではなく、**清潔な布で水拭きし、**日々の清掃で清潔に保つ。

B　○　衛生管理として、嘔吐物や排泄物の処理等には、**塩素系消毒薬**（次亜塩素酸ナトリウム）を用いる。

C　×　保育室は、**季節に合わせた適切な室温や湿度**を保ち、換気を行う。保育室の室温は夏は26～28℃、冬は20～23℃、湿度は60％である。

D　○　保育室で加湿器を使用するときは、**水を毎日交換**し、定期的に内部を清掃する。

問4　子どものけいれん　正解3

A　○　けいれんとは、全身または体の一部の筋肉が、意志とは関係なく発作的に収縮することをいう。38℃以上の発熱時に子どもに多く見られるけいれんは熱性けいれんである。子どもは脳の機能が未発達であるため、**発熱時にけいれんを起こしやすい。**

B　×　けいれん時は**体を揺すらず、**静かに見守る。意識がないときは、気道を確保する。

C　×　けいれん時は、嘔吐物による窒息防止のために、**顔を横に向ける。**

D　○　けいれんの場合、発作直前の心身の状態、既往歴を確認し、**発作時の様子と継続時間を記録する。**観察項目は、手足の硬直、意識の有無、顔色、目の動きなどである。

問5　救急蘇生法　全員正解（★2）

★本問は選択肢2に誤植があり、試験実施団体により受験者全員が正解とされた。

1　×　救急車を待つ間に市民が心肺蘇生を行い、AEDを用いて除細動を行うことで**救命率は高くなる。**

2　★　「一時救命処置」は、「一次救命処置」の誤植である。なお、一次救命処置とは、心肺蘇生（CPR）、AEDを用いた電気ショック、気道異物除去に、**人工呼吸**を加えた4つをいう。

3　○　救命の連鎖には4つの輪があり、

問題◀本冊 p.383 ～ 387

この4つの輪の連携で救命効果が高まる。1つ目の輪は「心停止の予防」、2つ目は「早期認識と通報」、3つ目の輪は「一次救命処置（ファーストエイド）」、4つ目は救急救命士や医師による「二次救命と心拍再開後の集中治療」である。

4　×　倒れている人がいる場合、**そばに居合わせた人が速やかに心肺蘇生などの応急手当を行う**必要がある。大声で応援を呼んでも誰も来ない場合は、自分で119番通報をし、救急蘇生法を開始する。

5　×　倒れている人を見つけたら、反応の確認をする。**肩を軽くたたきながら**大声で呼びかけても何らかの応答やしぐさがなければ「反応なし」とみなし、119番に通報し、AEDを依頼する。

問6　「保育所におけるアレルギー対応ガイドライン」　正解1

A　○　アレルギー疾患を持つ子どもで保育所での配慮が必要な場合は、保育所、保護者、嘱託医等が共通理解をもつ必要がある。医師に「**保育所におけるアレルギー疾患生活管理指導表**」を記入してもらい、症状等を正しく把握し、保育所では適切に対応する。

B　○　アトピー性皮膚炎は、皮膚にかゆみのある湿疹が出たり治ったりを繰り返す疾患で、皮膚が乾燥しやすく、外界の刺激から皮膚を守るバリア機能が弱い人に多くみられる。症状としてかゆみを伴うため、保湿などのスキンケアを行う。掻いた際に爪が長いときは皮膚を傷つけるので、**爪を短く切るように保護者に勧める。**

C　×　食物アレルギーは、特定の食物を摂取した後にアレルギー反応を介して皮膚・呼吸器・消化器あるいは全身性に生じる症状のことをいう。保育所では個々の自宅での対応レベルをそのまま給食に適応しようとすると、調理や管理が煩雑となるため、**完全除去か解除の両極で対応を進める。**

D　×　アレルギー疾患を有する子どもの対応法に関しては、施設長をはじめ保育士、看護師、栄養士、調理員など職員全体で、**情報を共有し**、誤食予防、緊急時の対応などの体制を整える。

問7　乳幼児の感染症　正解3

A　×　ヒトパルボウイルスが原因となるのは**伝染性紅斑（リンゴ病）**である。**川崎病**とは原因不明の病気で、4歳以下の乳幼児に多い。高熱、両側の眼球結膜（目の白いところ）の充血、真っ赤な唇とイチゴ舌、体の発疹、手足の腫れ、首のリンパ節の腫れの6つの症状のうち、5つ以上の症状があれば川崎病と診断する。

B　○　結核は、結核菌が原因となり、主な症状は、慢性的な発熱（微熱）、咳などである。主な感染経路は空気感染である。**粟粒（ぞくりゅう）結核**は、肺に粟（あわ）の粒のような小さい影がみられる結核で、4歳未満の小児や高齢者、免疫不全の患者に多く、重症化しやすい。

C　○　**MRSA感染症**とはメチシリン耐性黄色ブドウ球菌により、免疫力が低下すると発症する感染症で、抗生物質のペニシリンが効かず、重症化しやすい。院内感染の原因菌となる。

D　○　**百日咳**は、百日咳菌が原因となり、症状は特有な咳（せき込んだ後、吸気時ヒューという笛を吹くような音がするもの）が特徴で、連続性、発作性の咳（スタッカート）が長期に続き、夜間眠れない。

E × **突発性発疹**は**ヒトヘルペスウイルス**が原因となり、乳幼児期に多い病気で、発熱と発疹を伴うウイルス性の感染症である。

問 8	虐待事例への援助	正解 3

1 × 虐待事例への援助をする際には、**保護者の意向にかかわらず、子どもの命を守ることを最優先とする**。子どもにとって心身の発達や情緒面に悪影響があると考えられる場合には、面会・通信の制限を行い、保護者がこれらの制限に応じない場合には、接近禁止命令を発出することにより、保護者の行動を制限することもある。

2 × プライバシーを守ることも大切であるが、子どもの命を守ることを最優先し、虐待の早期発見・対応が重要である。保育所で虐待を発見した場合、虐待を受けた子どもの状況（訴え、体調、食欲、行動等）、虐待を行っている保護者の状況を確認し、**児童相談所、福祉事務所など関係機関と連携して対応する**。

3 ○ 援助の実行においては、保護者に対し、面接等の機会を設定し、保護者と向き合い、ねばり強く対応するなど、**家族支援が重要である**。

4 × 家庭復帰に際しては、**慎重な判断を行わなければならない**。施設入所後に家庭復帰を検討する段階における援助としては、保護者指導の効果や、児童虐待予防のための措置等を考慮する。

5 × 在宅で援助を継続する場合は、児童虐待の状態が深刻ではないと判断される事例である。通常は、来所面接、家庭訪問等により行う。在宅での援助であっても、児童虐待の悪化が予見される場合には、具体的な指導を行い、子どものプライバシーを優先するのではなく、**速やかに関係機関等と連携し、一時保護等の対応を行う**ことができる体制を整備する。

問 9	睡眠	正解 1

A ○ 新生児は授乳リズムに応じて睡眠覚醒を繰り返し、**生後 2 ～ 3 か月くらいで昼と夜の区別がつき始める**。

B ○ 乳児の眠りは大人に比べて浅く、浅い眠りの間隔が短い。そのため目覚めやすく、**浅い眠りの時に夜泣きしやすい**。

C ○ 成長ホルモンは、眠りが最も深く夢をみない**ノンレム睡眠時に多く分泌される**。

D × **メラトニン**とは、脳の松果体から分泌される睡眠に関係するホルモンで、**夜間に分泌される**。体内時計に作用し、概日リズムを調節する効果がある。夜中に明るい照明の中にいると、メラトニンの分泌が抑制される。

E × 自閉スペクトラム症（ASD）や情緒障害などでは、生体リズムが乱れやすいために睡眠障害が起こりやすく、**睡眠リズムを整える必要がある**。

問題◀本冊 p.387 ～ 389

問10 保育所での食中毒予防 正解2

A 食べ物
B 「増やさない」
C 「やっつける」

食中毒は、その原因となる細菌やウイルスが食べ物に付着し、体内へ侵入することによって発生する。

食中毒を防ぐための**3大原則**は、細菌などを食べ物に「**付けない**」、食べ物に付着した細菌などを「**増やさない**」、「**やっつける**」である。それぞれの原則を理解し、食中毒を予防する。

問11 事 流行性耳下腺炎 正解3

おたふくかぜ（流行性耳下腺炎）はムンプスウイルスが原因であり、主な症状は、発熱と唾液腺（耳下腺・顎下腺・舌下腺）の腫脹・疼痛である。

A ○ 「**学校等欠席者・感染症情報システム**」とは、感染症の学校等における発生状況を把握するシステムである。
　学校（保育園）において、同システムを活用し、子どもたちの欠席情報を毎日入力することで、地域の感染症の発生状況をリアルタイムに把握し、関係機関と情報を共有でき、早期の感染症対策に役立てることができる。

B ○ 他児の**罹患状況を確認する**とともに、流行性耳下腺炎の予防接種は任意であるため、クラスの**予防接種状況を確認**する。

C × 流行性耳下腺炎の潜伏期間は**16～18日**である。罹患状況、予防接種状況を確認し、同じクラスに流行性耳下腺炎の子どもがいないか、健康観察に努める。

D ○ 感染拡大防止のため、園内で流行性耳下腺炎が発生したことを保護者に知らせる。子どもが1歳以上で未接種かつ未罹患である場合には、接種可能なワクチンがあることを伝え、**任意の予防接種を受けるよう促す**。

E ○ 罹患した子どもの登園のめやすは、「耳下腺、顎下腺、舌下腺の腫脹が発現してから**5日経過し、かつ全身状態が良好になっていること**」である。

問12 感染症対策の実施体制 正解3

1 ○ 「児童福祉施設設備運営基準」の第33条第1項には、保育所には、保育士、**嘱託医**及び調理員を置かなければならないと明記されている。

2 ○ 保育所は保育所の感染症対策の取り組みについて、**嘱託医に情報提供し、助言を得る**。また、子どもが感染症に罹患していることが判明した場合には、嘱託医に相談し、指示を受け、感染症法、自治体の条例等に基づき、市区町村、保健所等へ速やかに報告する。

3 × 嘱託医は、保育所全体の**保健的対応や健康管理**についても総合的に指導・助言する。

4 ○ 嘱託医は、**年2回以上**の子どもの健康診断を行う。

5 ○ 保育所は、嘱託医に、保育所での**記録を活用し、的確かつ簡潔に伝え**、嘱託医の勤務状況等に配慮する。発病者が増加した場合等には、記録を活用して即時に情報を共有して早期に対応する。

問13 指「生命の保持」 正解2

A ○ 「保育所保育指針」第1章「総則」2「養護に関する基本的事項」(2)「養護に関わるねらい及び内容」ア「生命の保持」(ア)「ねらい」において①「一人一人の子どもが、**快適に生活できるようにする**」、②「一人一人の子どもが、**健康で安全に過ごせるようにする**」と明記されている。

B ○ 同(ア)「ねらい」において③「一人一人の子どもの**生理的欲求が、十分に満たされる**ようにする」、④「一人一人の子どもの**健康増進が、積極的に図られるようにする**」と明記されている。

C ○ 同(イ)「内容」において①「**一人一人の子どもの平常の健康状態や発育及び発達状態を的確に把握し**、異常を感じる場合は、速やかに適切に対応する」と明記されている。

D × 同(イ)「内容」において③「家庭と協力しながら、**子どもの発達過程等に応じた適切な生活リズム**がつくられていくようにする」と明記されている。保育所の生活に合わせ指示するのではなく、**一人一人の子どもの生活や発達に合わせ、家庭と連携、協力し、対応する**。

問14 精神運動機能発達 正解3

A × 運動機能の発達は、身体の大きな運動である粗大運動と、手指の細かい運動をさす微細運動に分けて捉える。ほぼ半数の子どもができるようになる時期について、**首がすわる**のは**生後3～4か月頃**である。

B ○ ほぼ半数の子どもができるようになる時期について、**生後3～4か月頃**は、手を出してものをつかもうとしたり、**両手を合わせて遊んだりする**。

C ○ ほぼ半数の子どもができるようになる時期について、**生後6～7か月頃**は、寝返りをしたり、**一人座り**をしたりする。

D ○ ほぼ半数の子どもができるようになる時期について、**生後9～10か月頃**には、積み木を持ち替えたり、**親指を使って小さなものをつかんだりする**。

E × ほぼ半数の子どもができるようになる時期について、**生後12か月頃**は一人で立つが、**安定した歩きはしていない**。

問15 保健計画 正解3

A ○ 「保育所保育指針」第1章「総則」3「保育の計画及び評価」の中で(1)「全体的な計画の作成」ウ「全体的な計画は、保育所保育の全体像を包括的に示すものとし、これに基づく指導計画、**保健計画**、食育計画等を通じて、各保育所が創意工夫して保育できるよう、作成されなければならない」と明記されており、**保健計画の策定が義務づけられている**。

B × 保健計画は全体的な計画に基づいて、具体的で日々の保育に直接関わる様々な計画が作成される。**様式は特に決められていない**が、保健計画の目標、保健活動内容、留意点を示すほか、実施後は評価し、次年度に活かす。

C ○ 保健計画は責任者である園長や副園長、主任、看護師の協力を得ながら

問題◀本冊 p.389～392

保育所全体の保健計画を作成する。**全職員がねらいや内容を理解し**、実施計画を立案する。

D × 保健計画には、**安全管理や安全教育も含まれる**。保健活動の内容には、健康管理、環境衛生、保健行事、保健活動、健康教育、家庭との連携などの項目がある。

E ○ 保健計画の評価には、**健康診断に関する法令などを活用し**、効果的に実施できたか客観的に確認し評価する。

問16 事 体調不良時の対応 正解2

A ○ 保育が可能か否かを判断するために、**昨日の帰宅後から今朝までの家庭での健康状況**(顔色、表情、態度、機嫌、睡眠状態、朝の目覚め、発熱の有無、程度、朝食の摂取状況、咳の有無等)を保護者に聞き、**連絡帳**を確認する。

B × 子どもがぐずっていないので機嫌は悪くはないと判断できるが、いつもの体温より高めであるため、**全身状態を観察する**。子どもは言葉で十分に表現できないので、脈拍、呼吸状態とともに、顔色、表情、食欲、機嫌の良し悪しなど、いつもと違ったところはないか、全身状態を観察する。

C ○ 保育が可能か否かの判断情報は、発熱の有無である。平熱が36.5℃であり、登園時37.3℃であることから、「平熱より1℃以上高い場合発熱とする」という判断基準では**発熱とはいえないが、健康状態に十分に気をつけながら保育をする**。

D × 発熱時、**保育所では原則として解熱剤を与えない**。発熱時は病院を受診し、保護者の判断で解熱剤を投与する。38℃以上の発熱の場合は、保護者に連絡して病院受診を勧める。

E ○ 緊急時の保護者の**連絡先を確認し**、状況によっては**保護者からも保育園に連絡する**よう依頼する。異常が認められた場合は、すみやかに保護者に連絡する。また、緊急時は、園医(嘱託医)に連絡し、適切な処置をする。

問17 事 子どもに多い症状(咳) 正解5

1 × **気管支炎**はかぜに続いて起こることが多く、症状は発熱、激しい咳、痰などである。

2 × **「かぜ」症候群**は、感冒(かんぼう)、急性上気道炎とも呼ばれ、上気道(鼻・のど)感染が生じることで、様々な症状を起こしている状態の総称である。症状は、咳、咽頭(いんとう)痛、くしゃみ、鼻水、鼻閉、頭痛、発熱、嗄声(させい)などである。

3 × **マイコプラズマ肺炎**とは、マイコプラズマを原因とした呼吸器の感染症で、4年に1度流行する傾向があるとして「オリンピック熱」とも呼ばれている。症状は、37～38℃程度の発熱、疲労感、頭痛、のどの痛み、消化器症状、発疹、咳(初期は喀痰を伴わない乾いた咳、後期には喀痰を伴う湿った咳になることもある)である。

4 × **肺結核**とは、結核菌により肺に起こる感染症である。患者の咳や痰から感染する。微熱・(2週間以上続く)咳・痰などを呈するが、初期には自覚症状がないこともある。

5 ○ **百日咳**は、百日咳菌により起こる。特徴的な咳があり、息を吸う間もなく、短く何度も咳き込む（スタッカート）、**息を吸うとき笛の音のようなヒューという音が出る**（笛音）、コンコンヒューコンコンと咳を繰り返す（レプリーゼ）などの症状があり、長期にわたり咳が出る状態が続く。事例の男児の症状に最も当てはまる。

問 18	重大事故が発生しやすい場面	正解 5

A × 「教育・保育施設等における事故防止及び事故発生時の対応のためのガイドライン」によると、重大事故が発生しやすい場面ごとの注意事項について、「睡眠前及び睡眠中に、やわらかい布団やぬいぐるみ等を使用しない」とあり、窒息を防ぐため、**やわらかい布団には寝かせない**。睡眠中は1人にせず、寝かせ方に配慮するなど、安全な睡眠環境を整え、事故を防ぐ。

B × 事故発生時、事故直後の記録は、事故の詳細を**ボールペン**で記入する。重大事故防止のため、事故の記録を検証し、事故防止対策を講じる。

C ○ プール活動・水遊びの監視は、体制を整え、役割分担をする。**監視者は監視に専念し**、監視エリア全体を監視する、規則的に目線を動かしながら監視する、などである。

D ○ 保育施設等において食事の場面では重大な事故が発生しやすい。食事の介助をする際の注意すべきポイントは、ゆっくり落ち着いて食べさせる、子どもの口に合った量を与える、一回で多くの量をつめすぎない、**食べ物を飲み込んだことを確認し、口の中に残っていないか注意する**、などである。

問 19	年齢別の危険対応	正解 2

1 ○ 子どもの安全管理は、発達状態と個人の特徴を捉えた安全指導、安全管理を行う。0歳児に対する危険対応として、子どもの周囲に危険なものはないか確認し、片付ける、仰向けに寝かせる、常にそばで子どもの状態を観察する、**オムツ交換時は子どもを寝かせたままにしてそばを離れない**、などがある。

2 × 保育者は、1歳児が椅子に立ち上がったり、椅子で遊ばないようにそばで注意して見守る。ほかに1歳児に対する危険対応として、固定遊具を使用するときはそばを離れない、段差のあるところを歩くときはつまずかないように注意する、砂を口に入れたり目に入らないように気をつける、子どもが遊んでいる位置や人数を確認する、などがある。

3 ○ 2歳児に対する危険対応として、道路では飛び出しに注意し指導する。子どもが鼻や耳に小物を入れていないか確認する、**階段を上り下りするときは子どもの下側を歩くか、手を繋ぐ**、などがある。

4 ○ 3歳児に対する危険対応として、子どもの遊んでいる遊具や周りの安全を確認する、室内では衝突を起こしやすいので走らないようにする、**おもちゃの取り合いなどの機会を捉えて安全な遊び方を指導する**、などがある。

5 ○ 4歳児の危険対応として、お箸を持って歩き回らないように注意する、交通ルールなどの安全指導をする。石や砂を投げてはいけないことを指導す

問題◀本冊 p.393 ~ 395

る、**ハサミなど正しい使い方を指導し、使用後はすぐに片付ける**、などがある。

問 20	医療的ケア児への対応	正解 1

A ○ **医療的ケア児**とは、人工呼吸器や胃ろう等を使用し、痰の吸引や経管栄養などの**医療的ケアが日常的に必要**な児童のことをいう。医療技術の進歩とともに増加傾向にあり、全国の医療的ケア児（在宅）は、約２万人である。

B ○ 医療的ケア児は、**歩ける子どもから寝たきりの重症心身障害児まで幅広く**、ケアの内容も様々である。医療的ケア児を預かる場合は、**看護師**または**研修を受けた保育士**を配置する必要がある。

C ○ 一定の研修を修了し、業務の登録認定を受けた保育士は、特定行為業務従事者として、医療的ケアが必要とされる場合には**医師、看護師の指導の下、医療的ケアを行うことができる**。

D ○ 2021（令和３）年９月に「医療的ケア児及びその家族に対する支援に関する法律」が施行され、医療的ケア児への適切な支援は国や自治体の責務となった。医療的ケア児を保育所で預かる場合には、**看護師または研修を受けた保育士を配置しなければならない**。

E × 医療的ケア児を保育所で預かる場合には、**集団による保育を行い、成長・発達を援助する**。医療的ケアが必要な援助の際は一時的に別室へ移動することもある。

子どもの食と栄養

問 1	「国民健康・栄養調査」	正解 2

A ○ 食習慣改善の意思について、「**関心はあるが改善するつもりはない**」と回答した者は男性 24.6%、女性 25.0% で、男女ともに最も高かった。

B × 健康食品を摂取している目的について、20 歳代女性では「**ビタミンの補充**」が最も高かった。なお、「たんぱく質の補充」が最も高かったのは、20 歳代男性である。

C ○ 食塩摂取量の平均値は 10.1g で、男性 10.9g、女性 9.3g である。**60 歳代**は男性 11.5g、女性 10.0g で、男女ともに最も高かった。

D ○ 野菜摂取量の平均値は 280.5g で、男性 288.3g、女性 273.6g である。男女ともに **20 ～ 40 歳代で少なく、60 歳以上で多かった**。

なお、令和２年、3 年の調査は中止となったため、この結果が最新である。

問 2	「食生活指針」	正解 5

1 ○ 記述は、「食生活指針」のうち「**食事を楽しみましょう**」の「食生活指針の実践」として示されている。食事は、味わって食べることが大切である。

2 ○ 同「**食事を楽しみましょう**」の「食生活指針の実践」として示されている。同じ実践としては、ほかに「毎日の食事で、健康寿命をのばしましょう」がある。

3 ○ 同指針のうち「**日本の食文化や地域の産物を活かし、郷土の味の継承を**」の「食生活指針の実践」として示されている。

4 ○ 同「**日本の食文化や地域の産物を活かし、郷土の味の継承を**」の「食生活指針の実践」として示されている。同じ実践としては、ほかに「地域の産物や旬の素材を使うとともに、行事食を取り入れながら、自然の恵みや四季の変化を楽しみましょう」「食材に関する知識や調理技術を身につけましょう」がある。

5 × 牛乳・乳製品、緑黄色野菜、豆類、小魚などで摂れる栄養素は、糖質・脂質ではなく**カルシウム**である。正しい記述は、同指針のうち「**野菜・果物、牛乳・乳製品、豆類、魚なども組み合わせて**」の「食生活指針の実践」として示されている。

問3 「平成27年度乳幼児栄養調査」 正解 1

「現在子どもの食事について困っていること」について、2～3歳未満で41.8%と最も高かったものは「**遊び食べをする**」であった。次いで、「むら食い」「偏食する」の順となっている（「平成27年度 乳幼児栄養調査結果の概要」Ⅱ「結果の概要」第1部「乳幼児の栄養方法や食事に関する状況」3 「子どもの食事に関する状況について」(4)「現在子どもの食事について困っていること」）。

なお、10年周期の調査であるため、この結果が最新である。

問4 たんぱく質 正解 4

1 × たんぱく質は、炭素(C)、酸素(O)、水素（H）のほかに、**窒素（N）**で構成されている。

2 × たんぱく質を構成しているアミノ酸は、**約20種類**である。

3 × 第一制限アミノ酸とは、食品の必須アミノ酸含有量のうち、**最も低い**ものである。なお、必須アミノ酸は、人体内でつくることができないアミノ酸のことであり、全部で9種類ある。

4 ○ **たんぱく質は、糖質や脂質が不足した場合にはエネルギーとして利用される**。炭水化物や脂質の摂取が十分なときは、エネルギー源としてのたんぱく質の消費は抑えられる。

5 × **アミノ酸スコア**は、たんぱく質の栄養価を示すもので、スコアが100に近いほど質の良いたんぱく質である。アミノ酸スコア100の食品は、牛肉・豚肉・鶏肉・魚・卵・乳製品・大豆などで、動物性食品に多い。一方、植物性食品はアミノ酸スコアが低いものが多く、精白米は93である。

問5 ビタミン 正解 3

A イ ビタミンAは、脂溶性ビタミンである。多く含む食品として、レバー、緑黄色野菜、うなぎ、卵黄などがある。

B ア ビタミンB_1は、水溶性ビタミンであり、欠乏すると脚気となる。多く含む食品として、豚肉、豆類、米・小麦の胚芽、種実類などがある。

C ウ ビタミンDは、脂溶性ビタミン

問題◀本冊 p.395～398

であり、欠乏症は、子どものくる病、成人の骨軟化症、骨粗鬆症である。多く含む食品として、肝油、魚介類、きのこ類などがある。

D　エ　葉酸は、水溶性ビタミンである。欠乏症は、巨赤芽球性貧血である。多く含む食品として、レバー、魚介類、豆類、緑黄色野菜などがある。

問6　食品の表示　正解5

A　×　特定保健用食品は、その表示について**国**が審査を行う。消費者庁長官が販売を許可すると、許可マークが付けられる。

B　×　「食品表示法」において、食物繊維の表示は義務づけられていない。表示が義務づけられている栄養成分は、**熱量、たんぱく質、脂質、炭水化物、ナトリウム**（食塩相当量）であり、この順に表示される。

C　○　栄養機能食品は、特定の栄養成分の補給のために利用される食品である。栄養機能表示ができ、注意喚起表示が必要である。

D　○　機能性表示食品は、消費者庁長官による個別審査は受けないが、消費者庁長官に届け出を行うものである。食品全般が対象であるが、特別用途食品などや、アルコールを含有する飲料等は対象とならない。

問7　調理の基本　正解3

A　ウ　油抜きをすると、油臭さが取れ、味がしみこみやすくなる。油揚げ、厚揚げ、さつま揚げなどに用いる。

B　イ　湯せんの方法である。材料を直接火にかけずに、湯で間接的に加熱する。

C　ア　湯むきの方法である。湯をかけることで皮が収縮し、むきやすくなる。主にトマトに用いる。

D　エ　湯通しは、調理前に食材の臭みや油などを除去したり、殺菌したりするために行う。

問8　母乳栄養　正解4

A　×　オキシトシンが急激に分泌されるため、乳汁の生成と分泌が始まる。オキシトシンは脳下垂体後葉から分泌されるホルモンで、子宮収縮作用もある。なお、エストロゲンは、女性らしい体をつくるホルモンである。

B　○　「母乳育児を成功させるための10か条」は1989年に発表されたものである。現在は、新たにWHOとUNICEFの共同で「母乳育児のための10のステップ（2018年改訂版）」が発表されている。

C　×　生後3か月の母乳栄養と混合栄養を合わせた割合は89.8％で、**約9割**であった。

D　○　記述の内容は、「保育所における感染症対策ガイドライン（2018年改訂版　2023年一部改訂）」（こども家庭庁）2「感染症の予防」(2)「衛生管理」ア）「施設内外の衛生管理」の「調乳・冷凍母乳」に示されている。保育所等で**冷凍母乳**を取り扱う場合には、**感染症**に十分注意する。

問9 保育所における調乳 正解 2

「保育所における感染症対策ガイドライン（2018年改訂版　2023年一部改訂）」（こども家庭庁）2「感染症の予防」(2)「衛生管理」ア）「施設内外の衛生管理」の「調乳・冷凍母乳」に示されている。

A ○ 調乳時には**清潔**をこころがけ、衛生管理を十分に行う。

B × 乳児用調製粉乳は、サルモネラ属菌等による食中毒対策のため、**70℃以上**のお湯で調乳する。

C ○ 記述のとおりである。

D ○ 乳児用調製粉乳には**使用開始日**を記入し、衛生的に保管しなければならない。

問10 「楽しく食べる子どもに」 正解 2

A ○ **「楽しく食べる子どもに～保育所における食育に関する指針～」**の「食育のねらい及び内容」の内容①に示されている。

B ○ 同「食育のねらい及び内容」の内容②に示されている。1歳3か月～2歳未満児の場合、特に自分から**意欲的に**食べようとすることが重要とされている。

C × 記述は、同「食育のねらい及び内容」の**3歳以上児**の内容⑦に示されているものである。

D ○ 同「食育のねらい及び内容」の内容④に示されている。ただ食べるだけでなく、**楽しい雰囲気**の中で、一緒に食べる人に関心を持つことが大切である。

問11 「全国学力・学習状況調査」 正解 1

「平成31年度（令和元年度）全国学力・学習状況調査　調査結果資料」により、後述のとおりとなる。なお、2023（令和5）年度調査においてもこの傾向は変わらない。

A ○ **毎日朝食を食べる子どもほど、学力調査の平均正答率が高い**傾向が示されている。

B ○ **「毎日、同じくらいの時刻に寝ているか」**という質問に否定的な回答の**中学生**の割合は22.0%で、約2割であった。

C × **「毎日、同じくらいの時刻に寝ているか」**という質問に否定的な回答の**小学生**の割合は18.6%で、**約2割**であった。

D × **「朝食を毎日食べているか」**という質問に否定的な回答の**中学生**の割合は6.9%で**約1割**であった。また、小学生の割合は、4.6%であった。

問12 学校給食の食事内容の充実 正解 4

「学校給食実施基準の一部改正について」3「学校給食の食事内容の充実等について」(1) ②④⑤⑥により、以下のとおりとなる。

A × 献立作成は、栄養教諭、学校栄養職員の指導に合わせるのではなく、**各教科等の食に関する指導と意図的に関連させた献立作成**とする。②に示されている。

B ○ ⑤に示されている。

C × 学校医が責任を持つのは誤りである。校内において校長、学級担任、栄

問題◀本冊 p.399～402

養教諭、学校栄養職員、養護教諭、学校医等による**指導体制を整備し、保護者や主治医との連携を図る**こととしている。そのうえで、個々の児童生徒の状況に応じた対応に努める。⑥に示されている。

D ○ わが国の伝統的食文化や郷土料理を学ぶと同様に、**世界の食文化の理解も深める**よう配慮する。④に示されている。

問13 「日本人の食事摂取基準（2020年版）」 正解1

「日本人の食事摂取基準（2020年版）」において、授乳婦に付加量の設定がない栄養素は、**カルシウム**である。授乳中は、腸管でのカルシウム吸収率が非妊娠時に比べて軽度に**増加**するために、付加量は必要がないとされている。

問14 「第4次食育推進基本計画」 正解3

A ○ **食育推進基本計画**は、「**食育基本法**」に基づき、食育の推進に関する施策の総合的かつ計画的な推進を図る。食育推進会議が作成し、施策についての基本的な方針や食育推進の目標等を定める。

B × 4つではなく、**3つの重点事項**を柱に、SDGsの考え方を踏まえながら、食育を推進する。

C × **令和3～7年度まで**の概ね5年間を期間とする。

D ○ 「『新たな日常』やデジタル化に対応した食育の推進（横断的な視点）」は、重点事項の第3に掲げられている。なお、重点事項第1は「生涯を通じた心身の健康を支える食育の推進（国民の健康の視点）」、第2は、「持続可能な食を支える食育の推進（社会・環境・文化の視点）」である。

問15 五節句と行事食 正解4

A × 1月7日の**人日（じんじつ）の節句**は、**春の七草**（せり、なずな、ごぎょう、はこべら、ほとけのざ、すずな、すずしろ）を入れた粥を食べて、1年の無病息災を祈る。記述のくず、ききょう、ふじばかま、おみなえし、なでしこ、はぎ、おばなは、秋の七草である。

B ○ 3月3日の**上巳（じょうし）の節句**は、ほかに、はまぐりの吸い物やちらし寿司を食べる。

C ○ 5月5日の**端午の節句**は、邪気を防ぐため菖蒲（しょうぶ）を用いたことから「菖蒲の節句」ともいわれる。

D × 9月9日の**重陽の節句**は、菊の花びらを浮かべた**菊酒**、**栗ごはん**を食べる。かぼちゃ、小豆粥（あずきがゆ）は、12月の冬至の行事食である。

問16 ㊈「食育の推進」 正解5

「保育所保育指針」第3章「健康及び安全」2「食育の推進」(2)「食育の環境の整備等」アにより、**A～C**は以下のとおりとなる。**自然の恵み**としての食材を知り、調理する人への**感謝の気持ち**を、配慮された**保育環境**の中で、育んでいくことが大切である。

A 自然の恵み

B 感謝の気持ち

C 保育環境

問 17 食中毒 正解 5

1 × **サルモネラ菌**食中毒の原因食品は、鶏卵、卵焼きなどの**鶏卵加工品、鶏肉**である。加熱不十分のまま摂取して起こる。

2 × **ノロウイルス**食中毒の原因食品は、カキ、はまぐり、ホタテ貝などの**二枚貝**で、加熱不十分のまま摂取した場合起こるが、原因が特定できないこともある。

3 × **腸管出血性大腸菌**食中毒の原因食品は、**動物の糞便で汚染された食肉や野菜**などで、加熱不十分なまま摂取して起こる。

4 × **ボツリヌス菌**食中毒は、酸素のない状態になっている食品が原因となりやすく、容器が膨張している**缶詰**や**容器包装詰め食品**などで発生している。また、乳児ボツリヌス症の原因食品は、はちみつである。

5 ○ **ウェルシュ菌**は酸素が少ない環境を好み、食中毒は**大量調理施設**での発生が多い。大量調理では、食品をかき混ぜて酸素を送り込むことが必要である。

問 18 「保育所における食事の提供ガイドライン」 正解 2

A ○ 「保育所における食事の提供ガイドライン」第 4 章「保育所における食事の提供の評価について」<評価のポイント> 5「**子どもの食事環境や食事の提供の方法が適切か**」の中に示されている。

B ○ 同 2「**調理員や栄養士の役割が明確になっているか**」の中に示されている。

C ○ 同 9「**地域の保護者に対して、食育に関する支援ができているか**」の中に示されている。

D ○ 同 10「**保育所と関係機関との連携がとれているか**」の中に示されている。

E × 調理室内のみで共有ではなく、**全職員間**で共有されている必要がある。同 1「**保育所の理念、目指す子どもの姿に基づいた『食育の計画』を作成しているか**」の中に示されている。

問 19 食物アレルギー 正解 3

A ○ **アレルゲン**とは、アレルギーの原因となる抗原のことであり、ほとんどが食品中のたんぱく質である。

B × 食物アレルギーに関与する主な抗体は、免疫グロブリン A（IgA）ではなく、**免疫グロブリン E（IgE）**が正しい。多くの食物アレルギーは、アレルゲンを排除しようとして作られた免疫グロブリン E（IgE）が働いて起こる。なお、免疫グロブリン A（IgA）は、人の腸管などの粘膜や初乳に多くあり、細菌やウイルス感染の予防に役立っている。

C × 乳幼児では、**鶏卵、乳製品、小麦粉**などが多い。

D ○ 保育所では子どもの安全を最優先して、調理担当者とも連携し、安全な配膳手順等、**誤食防止の取り組み**に努める。

問題◀本冊 p.403 ～ 405

問20　嚥下が困難な子どもの食事　正解1

A　○　**液体の方が誤嚥しやすい**ので、水分補給の際には注意が必要である。

B　○　酸味の強い食品例として、かんきつ類や酢の物がある。誤嚥の予防として、**酸味の強いものは避け**、酢の物などはだし汁で酢を薄めるようにする。

C　○　硬さや大きさによってよく噛めないと、飲み込みにくい、のどに詰まりやすいなどの症状が出るので、**対象者にとって安全な食物の形態**に調理する。

D　×　誤嚥を防ぐためにも、食物がしっかり舌の上に乗るように、スプーンは**口の幅より小さい**ものがよい。一口量が多くならない、適切な大きさと深さのスプーンを使用する。

保育実習理論

問1　楽譜（伴奏）　正解3

本問の曲名は「背くらべ(詞:海野厚／曲:中山晋平)」、調はハ長調、拍子は4分の3拍子である。

A　**イ**（ド・ミ・ソ）　旋律の音にソとミが入っているので**ド・ミ・ソ**（ハ長調の主和音）を選択する。1拍目裏拍のラは和音外の音で、非和声音と呼ばれる。旋律になめらかさをもたらしている。

B　**エ**（ド・ファ・ラ）　旋律の音はラとドなので、**ド・ファ・ラ**（ハ長調の下属和音）を選択する。

C　**エ**（ド・ファ・ラ）　旋律の音はドとラなので、**ド・ファ・ラ**を選択する。

D　**ア**（シ・ファ・ソ）　1拍目裏拍のファ、3拍目のレを含む**シ・(レ)・ファ・ソ**（ハ長調の属七の和音）を選択する。旋律の1、2拍目にミが入っているが、設問前後の小節にド・ミ・ソの和音が置かれており、ここではド・ミ・ソを選択しない。

問2　音楽用語　正解2

音楽用語を選択する設問である。

A　**ア**　decresc.（デクレッシェンド）は、「**だんだん弱く**」。

B　**キ**　sf（スフォルツァンド）は、「**特に強く**」。

C　**ク**　8va alta（オッターヴァ・アルタ）は、「**8度高く**」。

D　**ケ**　accelerando（アッチェレランド）

は、「**だんだん速く**」。

【語群】**イ**の「**だんだんゆっくり**」は **rit.**（リタルダンド）、**ウ**の「**静かに**」は **tranquillo**（トランクィッロ）、**エ**の「**自由に**」は **rubato**（ルバート）、**オ**の「**8度低く**」は **8va bassa**（オッターヴァ・バッサ）、**カ**の「**今までより速く**」は **piùmosso**（ピウ・モッソ）、**コ**の「**とても強く**」は **ff**（フォルティッシモ）である。

問3 和音 正解3

楽譜から和音の種類を読み解く問題である。属七の和音（ドミナントセブンス）は、属音上に作られる三和音の上にさらに3度上の音を重ねた四和音である。構成は、長三和音＋短3度（根音から短7度）となる。転回形の場合は、隣りあった音符の上の音が根音であるので、根音から3度ずつ音を積み重ねて基本形にし、種類を判別する。以下により、属七の和音は②④⑤である。なお、①②⑤⑥は、根音から5度上の音が省略され三和音となっている。

① **× シ♭・ファ・ソ** 基本形はソ・シ♭・（レ）・ファ。和音の構成は短三和音＋短3度となっており、**短七の和音**の第1転回形である。コードネームは Gm_7（ジー・マイナー・セブンス）。

② **○ シ・ファ・ソ** 基本形はソ・シ・（レ）・ファ。長三和音＋短3度となっており、**属七の和音**の第1転回形である。コードネームは G_7（ジー・セブンス）。

③ **× ファ#・ラ・ド・ミ♭** 減三和音＋短3度となっており、**減七の和音**の基本形である。コードネームは F # dim_7（エフシャープ・ディミニッシュ・セブンス）。

④ **○ ファ・ラ・ド・ミ♭** 長三和音＋短3度となっており、**属七の和音**の基本形である。コードネームは F_7（エフ・セブンス）。

⑤ **○ ミ・シ♭・ド** 基本形はド・ミ・（ソ）・シ♭。長三和音＋短3度となっており、**属七の和音**の第1転回形。コードネームは C_7（シー・セブンス）。

⑥ **× ミ♭・シ♭・ド** 基本形はド・ミ♭・（ソ）・シ♭。短三和音＋短3度となっており、**短七の和音**の第1転回形。コードネームは Cm_7（シー・マイナー・セブンス）。

問4 移調 正解5

指定された音符から**完全5度下の鍵盤位置**を問われている。近年は、移調後のコードネームを問われる出題と、移調後の鍵盤位置を問われる出題がみられる。なお、設問の曲名は「気のいいあひる（ボヘミア民謡）」である。

A ⑩ **A**はシ⑰なので、完全5度下は**ミ⑩**となる。

B ⑮ **B**は高いミ（番号なし）なので、完全5度下は**ラ⑮**となる。

C ⑨ **C**はラ＃⑯なので、完全5度下は**レ＃⑨**となる。

問5 リズム譜 正解4

音の高低がわかるメロディ譜ではなく、音の長短の情報しかない**リズム譜**の出題である。拍子は4分の3拍子。8分音符をタ、付点4分音符をターア、4分音符をター、2分音符をターアーとすると、「タタ｜ターアタタタ｜タタターター｜ターアタタタ｜

ターアー」というリズムフレーズとなる。

1 × 「**スキーの歌**」は4拍子、スキップリズムで始まる。

2 × 「**浜千鳥**」は3拍子、2分音符で始まる。

3 × 「**ほたるの光**」は4拍子、4分音符で始まる。

4 ○ 「**おぼろ月夜**」は3拍子、4分音符で始まる。

5 × 「**たきび**」は2拍子、8分音符4つで始まる。

問6	様々な音楽知識	正解3

1 × 「桃太郎」の作曲者は、**岡野貞一**である。ほかに「故郷（ふるさと）」「春が来た」「おぼろ月夜」などを作曲した。

2 × サンバは、**ブラジル**の音楽である。

3 ○ たとえば、「どれにしようかなかみさまのいうとおり」など、シンプルなわらべうたは2つの音高でできている。音程は長2度で、**上の音で終わることが多い**。

4 × ワルツは、**3拍子**の踊りの曲である。

5 × ニ長調の階名「ソ」は音名「**イ**」である。

問7	指「表現」	正解2

「保育所保育指針」第2章「保育の内容」2「1歳以上3歳未満児の保育に関わるねらい及び内容」(2)「ねらい及び内容」オ「表現」（ウ）「内容の取扱い」④により、以下のとおりとなる。

A 事物

B 発見

C 素材

問8	事 平面表現の発達過程	正解3

A 腕 身体の発達は、**体の中心から末端に向かって進んでいく**。描画に関係する順にいえば、肩→ひじ→手首→指と進む。

B 弧 主に肩のみを動かして描く場合、肩を支点として腕を左右に動かすので、**横に倒した弧線が頻出する**。縦線が描けるようになるためにはひじの動きが必要となり、さらに肩とひじが連動すると滑らかな円が描けるようになる。

C なぐり この時期の描画は、何か描きたい対象があって描くのではなく、**身体感覚を楽しむように腕を思いのままに動かして描く**という特徴がある。

D スクリブル スクリブル（scribble）は、なぐりがきを意味する。なお、なぐりがきを錯画と呼ぶこともある。

問9	材料・用具	正解3

A－ア：水
B－エ：すき型枠
C－オ：タオル
D－キ：アイロン

牛乳パックを材料とした**手作り紙の作り方**は、記述のとおりである。すき型枠は、総菜用の発泡スチロールのトレイや排水口用の水切りネットを利用して作ることができる。また、紙を乾燥させる場合は、アイロンを用いずに天日干しで乾燥させる方法もある。

問10 色彩理論 正解 5

A 色相 色には「**色相・彩度・明度**」という3属性がある。色相の意味は記述のとおりであり、彩度とは色の鮮やかさの度合いのこと、明度とは色の明るさの度合いのことである。

B 有彩色 色は大別すると、**無彩色**と**有彩色**に分かれる。無彩色とは白・黒・灰色のことで、有彩色とは無彩色以外の色のことである。

C 補色 補色同士を混色すると理論的には**黒**になるが、実際に絵の具を用いて混色する場合は**暗い灰色**となることが多い。

D 青緑 保育士試験の色彩に関する問題は、12色相環から出題されることが多いので、その12色の名前をおぼえておくとよい。

問11 事「表現」 正解 4

1 ○ 「保育所保育指針」第2章「保育の内容」3「3歳以上児の保育に関するねらい及び内容」(2)「ねらい及び内容」オ「表現」(イ)「内容」の①に「生活の中で**様々な音、形、色、手触り、動きなどに気付いたり、感じたりする**などして楽しむ」とあり、適切である。

2 ○ 同③に「様々な出来事の中で、**感動したことを伝え合う楽しさを味わう**」とあり、適切である。

3 ○ 同⑦に「**かいたり、つくったりすることを楽しみ**、遊びに使ったり、飾ったりなどする」とあり、適切である。

4 × 保育における「表現」のねらいは、**遊びのなかで感性を伸ばしたり、表現を楽しんだり、イメージを豊かにする**ことであり、練習をとおして技術を身につけることではない。遊びをとおして結果的に技術や知識が身につくことはあるが、技術や知識の習得を重視するあまり、子どもの楽しさを奪うような保育になってはいけない。

5 ○ 同⑧に「**自分のイメージを動きや言葉などで表現したり、演じて遊んだりするなどの楽しさを味わう**」とあり、適切である。

問12 事 イラスト問題 正解 5

1～4 サイコロを作ることができる展開図である。

5 サイコロを作ることができない展開図である。

図ーアは、選択肢**5**の展開図に理解しやすいように斜線と円の印を加えたものである。この展開図を、斜線部を底面にして組み立てたものが**図ーイ**である。**図ーイ**を見ると、**立方体の矢印で示した面が空いており、また、円で印をつけた面が余っている**ことがわかる。

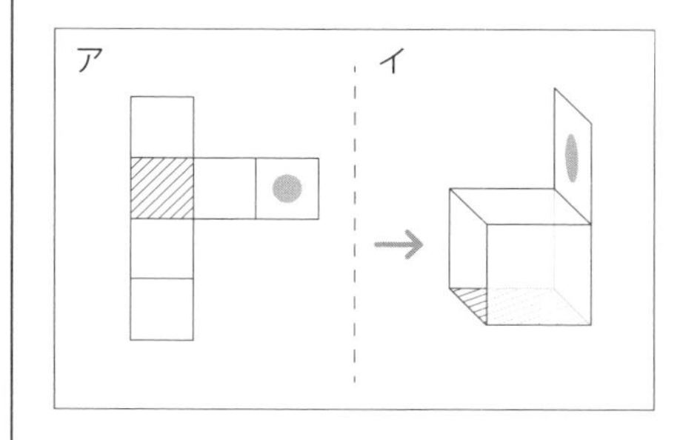

問 13 指「ねらい及び内容」 正解 4

「保育所保育指針」第2章「保育の内容」1「乳児保育に関わるねらい及び内容」(2)「ねらい及び内容」ウ「身近なものと関わり感性が育つ」(ウ)「内容の取扱い」①により、以下のとおりとなる。

A　感覚

B　探索意欲

C　自由に

問 14 指「言葉」 正解 2

A　○　「保育所保育指針」第2章「保育の内容」3「3歳以上児の保育に関するねらい及び内容」(2)「ねらい及び内容」のエ「言葉」の(イ)「内容」の⑧の記述である。

B　×　「簡単な言葉を繰り返したり、模倣をしたりして遊ぶ」という姿は、3歳未満の保育において適当な姿であり、不適切である。**3歳以上児**の保育においては、同⑨の記述に、「**絵本や物語などに親しみ、興味をもって聞き、想像をする楽しさを味わう**」とある。

C　○　同⑥の記述である。

D　○　同⑤の記述である。

問 15 事 保育の計画及び評価 正解 2

A　○　**現在の子どもの育ちや内面の状態を理解する**ことは、子どもの実態を把握する行為であり、指導計画を立案する際の留意点として適切である。

B　○　**子どもの発達過程を見通す**ことは、指導計画の作成において適切である。

C　○　養護と教育を一体的に行うべき保育において、**養護と教育の視点から子どもの体験する内容を具体的に設定する**ことは適切である。

D　×　園行事のねらいと内容に子どもの活動と生活を合わせるのではなく、生活の連続性を考慮し、**子どもの実態に即した具体的なねらい及び内容を設定する**。

「保育所保育指針」第1章「総則」3「保育の計画及び評価」(2)「指導計画の作成」ウの記述に、「指導計画においては、保育所の生活における子どもの発達過程を見通し、生活の連続性、季節の変化などを考慮し、**子どもの実態に即した具体的なねらい及び内容**を設定すること」とある。

問 16 事 個人情報 正解 4

A　×　保護者からの相談内容を保育士の母親に話すことは、知り得た事柄の秘密を保持することに反し、不適切である。「保育所保育指針」第4章「子育て支援」1「保育所における子育て支援に関する基本的事項」(2)イの記述に「**子どもの利益に反しない限りにおいて、保護者や子どものプライバシーを保護し、知り得た事柄の秘密を保持すること**」とある。

B　○　保護者による子どもへの不適切なしつけが疑われるような内容であった場合、**施設長に話して相談する**ことは、適切な行為である。

C　○　保護者からの相談に対してどのような対応をしているのかという記録は、第三者評価において保育の質を問うために必要な資料である。**日誌を評価者に見せる**ことは、適切な行為である。

問 17　絵本の読み聞かせ　正解 2

A　○　子どもが絵本に集中できるように、絵本を読むときの読み手の**背景はシンプルにする**。

B　○　絵本は、本文だけでなく、**表紙や裏表紙にも物語が含まれている**。

C　○　子どもが絵本の世界を十分に楽しめるように、保育士は**絵本のストーリーや展開をよく理解しておく**ことが大切である。

D　×　絵本は、**物語の世界に入り込んで楽しむもの**であり、内容を正確に記憶できていることが目的ではない。

問 18　指「基本的事項」　正解 2

「保育所保育指針」第2章「保育の内容」3「3歳以上児の保育に関するねらい及び内容」の (1)「基本的事項」のアより、以下のとおりとなる。

A　**集団的な**

B　**協同的な**

C　**個の成長**

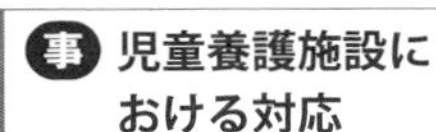

問 19　事 児童養護施設における対応　正解 5

A　×　自暴自棄になっているZ君の気持ちに寄り添っていない発言であり、不適切である。

B　×　個人的な支援を約束することは不適切であり、**施設としての支援を検討する**。

C　○　**進路選択に必要な資料等を提供し、十分に話し合う**ことは、Z君に寄り添い、Z君自身が考え決断していくことができる支援であり、適切である。

D　○　Z君は、家族や親族からの支援は期待できず、本人の現在の状況から、継続的な支援が必要と考えられる。児童養護施設での養育は満18歳までが基本だが、延長も可能であり、**本人の意向をふまえて措置延長の必要性について検討する**のは適切である。

問 20　事 専門性の向上　正解 2

1　○　**施設長、基幹的職員などにいつでも相談できる体制の確立**は、Gさんの専門性の向上につながる対応であり、施設管理者等が取るべき対応として適切である。

2　×　Gさんにひとりで問題を解決させることは、**保育の質向上に向けた組織的な取り組みをまったく行わない行為**であり、不適切である。

3　○　新任職員のGさんに対して、施設管理者等が指導・教育をする**スーパービジョンを実施する**ことは、Gさんの専門性の向上につながる。

4　○　**K君に関するアセスメントを共有する**ことは、周囲で連携してGさんを支援し、その専門性の向上を助けることにつながる。

5　○　Gさんは馬鹿にされることに対する腹立ちの感情をどう処理してよいのかわからない状態である。**アンガーマネジメント**等の研修を受けることは、Gさんの専門性の向上につながる。

問題◀本冊 p.414～419

2024年（前期）筆記試験正答一覧

保育の心理学

番号	正答番号
問1	4
問2	3
問3	4
問4	4
問5	3
問6	5
問7	3
問8	2
問9	4
問10	1
問11	3
問12	5
問13	3
問14	1
問15	4
問16	2
問17	5
問18	2
問19	5
問20	2

子ども家庭福祉

番号	正答番号
問1	2
問2	2
問3	3
問4	4
問5	1
問6	1
問7	3
問8	3
問9	5
問10	2
問11	5
問12	3
問13	5
問14	4
問15	4
問16	1
問17	2
問18	3
問19	5
問20	2

教育原理

番号	正答番号
問1	4
問2	5
問3	4
問4	1
問5	2
問6	5
問7	4
問8	3
問9	2
問10	5

社会的養護

番号	正答番号
問1	2
問2	4
問3	1
問4	1
問5	1
問6	4
問7	3
問8	2
問9	4
問10	5

子どもの食と栄養

番号	正答番号
問1	1
問2	5
問3	4
問4	1
問5	2
問6	3
問7	4
問8	2
問9	5
問10	5
問11	3
問12	3
問13	3
問14	1
問15	2
問16	5
問17	3
問18	2
問19	4
問20	4

保育原理

番号	正答番号
問1	5
問2	4
問3	2
問4	1
問5	5
問6	5
問7	4
問8	5
問9	3
問10	3
問11	1
問12	3
問13	3
問14	3
問15	2
問16	4
問17	2
問18	2
問19	1
問20	3

社会福祉

番号	正答番号
問1	1
問2	5
問3	1
問4	1
問5	2
問6	1
問7	1
問8	2
問9	3
問10	1
問11	4
問12	1
問13	5
問14	2
問15	5
問16	4
問17	3
問18	5
問19	4
問20	5

子どもの保健

番号	正答番号
問1	4
問2	3
問3	4
問4	3
問5	1
問6	5
問7	3
問8	3
問9	3
問10	1
問11	2
問12	3
問13	2
問14	1
問15	2
問16	1
問17	3
問18	2
問19	2
問20	4

保育実習理論

番号	正答番号
問1	3
問2	4
問3	4
問4	4
問5	3
問6	5
問7	4
問8	2
問9	1
問10	3
問11	3
問12	2
問13	3
問14	1
問15	2
問16	4
問17	5
問18	3
問19	4
問20	4

2023年（後期）筆記試験正答一覧

保育の心理学

番号	正答番号
問1	3
問2	5
問3	1
問4	3
問5	1
問6	4
問7	3
問8	1
問9	2
問10	5
問11	4
問12	3
問13	2
問14	4
問15	1
問16	5
問17	2
問18	4
問19	2
問20	3

子ども家庭福祉

番号	正答番号
問1	4
問2	3
問3	3
問4	4
問5	5
問6	2
問7	3
問8	1
問9	4
問10	4
問11	2
問12	2
問13	1
問14	3
問15	5
問16	4
問17	1
問18	5
問19	4
問20	3

教育原理

番号	正答番号
問1	5
問2	4
問3	3
問4	3
問5	1
問6	4
問7	1
問8	4
問9	1
問10	2

社会的養護

番号	正答番号
問1	4
問2	4
問3	3
問4	2
問5	4
問6	4
問7	3
問8	4
問9	3
問10	4

子どもの食と栄養

番号	正答番号
問1	5
問2	5
問3	2
問4	2
問5	4
問6	1
問7	1
問8	5
問9	4
問10	4
問11	3
問12	1
問13	2
問14	1
問15	4
問16	2
問17	3
問18	5
問19	3
問20	3

保育原理

番号	正答番号
問1	3
問2	2
問3	1
問4	1
問5	4
問6	4
問7	2
問8	3
問9	5
問10	4
問11	3
問12	1
問13	3
問14	4
問15	5
問16	2
問17	4
問18	2
問19	3
問20	4

社会福祉

番号	正答番号
問1	3
問2	1
問3	1
問4	2
問5	1
問6	3
問7	1
問8	4
問9	4
問10	1
問11	2
問12	3
問13	5
問14	5
問15	4
問16	3
問17	2
問18	5
問19	1
問20	2

子どもの保健

番号	正答番号
問1	3
問2	2
問3	2
問4	2
問5	5
問6	2
問7	3
問8	1
問9	4
問10	2
問11	2
問12	2
問13	3
問14	5
問15	1
問16	3
問17	4
問18	1
問19	5
問20	1

保育実習理論

番号	正答番号
問1	5
問2	5
問3	3
問4	5
問5	5
問6	3
問7	5
問8	2
問9	2
問10	4
問11	1
問12	4
問13	4
問14	5
問15	2
問16	1
問17	4
問18	3
問19	4
問20	2

2023年（前期）筆記試験正答一覧

保育の心理学	
番号	正答番号
問1	3
問2	5
問3	1
問4	4
問5	1
問6	2
問7	3
問8	5
問9	4
問10	3
問11	5
問12	3
問13	4
問14	5
問15	2
問16	1
問17	2
問18	1
問19	2
問20	4

子ども家庭福祉	
番号	正答番号
問1	3
問2	2
問3	1
問4	1
問5	3
問6	3
問7	5
問8	4
問9	4
問10	1
問11	5
問12	4
問13	5
問14	3
問15	5
問16	1
問17	1
問18	4
問19	5
問20	4

教育原理	
番号	正答番号
問1	3
問2	1
問3	4
問4	4
問5	3
問6	2
問7	1
問8	4
問9	3
問10	3

社会的養護	
番号	正答番号
問1	4
問2	4
問3	5
問4	2
問5	2
問6	1
問7	2
問8	3
問9	2
問10	1

子どもの食と栄養	
番号	正答番号
問1	3
問2	1
問3	5
問4	2
問5	1
問6	4
問7	3
問8	5
問9	5
問10	2
問11	2
問12	2
問13	4
問14	1
問15	3
問16	5
問17	4
問18	1
問19	3
問20	4

保育原理	
番号	正答番号
問1	3
問2	1
問3	1
問4	2
問5	1
問6	3
問7	3
問8	5
問9	2
問10	4
問11	4
問12	4
問13	3
問14	1
問15	1
問16	4
問17	3
問18	3
問19	5
問20	4

社会福祉	
番号	正答番号
問1	2
問2	2
問3	1
問4	3
問5	3
問6	3
問7	5
問8	3
問9	2
問10	5
問11	2
問12	1
問13	3
問14	3
問15	3
問16	5
問17	3
問18	1
問19	4
問20	1

子どもの保健	
番号	正答番号
問1	5
問2	5
問3	1
問4	5
問5	4
問6	2
問7	3
問8	2
問9	1
問10	2
問11	4
問12	2
問13	2
問14	2
問15	5
問16	2
問17	全
問18	2
問19	3
問20	2

保育実習理論	
番号	正答番号
問1	5
問2	3
問3	4
問4	3
問5	3
問6	4
問7	3
問8	2
問9	3
問10	2
問11	5
問12	2
問13	3
問14	1
問15	1
問16	5
問17	2
問18	2
問19	2
問20	3

2022年（後期）筆記試験正答一覧

保育の心理学

番号	正答番号
問1	2
問2	1
問3	5
問4	1
問5	2
問6	4
問7	4
問8	5
問9	4
問10	5
問11	3
問12	4
問13	2
問14	2
問15	4
問16	5
問17	3
問18	3
問19	2
問20	1

子ども家庭福祉

番号	正答番号
問1	2
問2	4
問3	4
問4	1
問5	2
問6	4
問7	5
問8	5
問9	3
問10	2
問11	5
問12	4
問13	1
問14	2
問15	2
問16	2
問17	3
問18	1
問19	4
問20	1

教育原理

番号	正答番号
問1	3
問2	5
問3	4
問4	3
問5	1
問6	4
問7	3
問8	5
問9	1
問10	2

社会的養護

番号	正答番号
問1	1
問2	2
問3	4
問4	4
問5	2
問6	5
問7	3
問8	5
問9	3
問10	5

子どもの食と栄養

番号	正答番号
問1	2
問2	5
問3	1
問4	4
問5	3
問6	5
問7	3
問8	4
問9	2
問10	2
問11	1
問12	4
問13	1
問14	3
問15	4
問16	5
問17	5
問18	2
問19	3
問20	1

保育原理

番号	正答番号
問1	2
問2	3
問3	3
問4	2
問5	1
問6	4
問7	2
問8	4
問9	4
問10	2
問11	5
問12	2
問13	1
問14	3
問15	4
問16	3
問17	1
問18	3
問19	5
問20	4

社会福祉

番号	正答番号
問1	3
問2	1
問3	2
問4	2
問5	3
問6	2
問7	1
問8	4
問9	1
問10	2
問11	3
問12	1
問13	3
問14	2
問15	2
問16	1
問17	4
問18	4
問19	4
問20	4

子どもの保健

番号	正答番号
問1	4
問2	2
問3	4
問4	3
問5	全
問6	1
問7	3
問8	3
問9	1
問10	2
問11	3
問12	3
問13	2
問14	3
問15	3
問16	2
問17	5
問18	5
問19	2
問20	1

保育実習理論

番号	正答番号
問1	3
問2	2
問3	3
問4	5
問5	4
問6	3
問7	2
問8	3
問9	3
問10	5
問11	4
問12	5
問13	4
問14	2
問15	2
問16	4
問17	2
問18	2
問19	5
問20	2

※矢印の方向に引くと解答・解説が取り外せます。